希望を握りしめて

阪神淡路大震災から25年を語りあう

よろず相談室
牧秀一 編

2010年に開催した「よろず相談室仲間の集い」の集合写真

はじめに

よろず相談室　牧　秀一

1995年1月17日の阪神淡路大震災から四半世紀が経過した今、被災地の町並みは元に戻ったかのように見える。だが、震災で家を失い家族を失った人々は、震災前の生活を取り戻すことができているのだろうか。とりわけ復興住宅に住む一人暮らしの高齢者や震災障害者の長年の苦渋は、想像するに余りある。この頃、25年という年月は、被災者に何を与え何を奪っていったのだろうと考え込んでしまうことが多い。

震災当時、神戸市東灘区にある私の自宅は音を立てて激しく揺れ歪んでいった。このまま自宅が崩壊すると思い、死を覚悟したその直後に、揺れは収まった。あの時の恐怖を忘れることはない。

定時制の神戸市立楠高校の数学教師だった私は、勤めていた学校が避難所となったこと、自宅と学校間の交通網を含む町並みが壊滅状態となり夜の勤務が困難となったことで、約2週間、自宅近くの市立御影北小学校に設置された避難所でボランティア活動に専念することを校長に申し出た。その後も、勤務に支障のない範囲でボランティア活動を続け、気がつけば、被災者の話し相手となり信頼関係を築く活動を25年間続けてきた。

震災翌年から孤独死や自殺を防ごうと仮設住宅を回り始め、復興住宅ができてからは130世帯を月に1回、訪問した。訪ねていくのは、災害で家や家族、仕事を失って、住み慣れた場所から引き離されて生きている人たち。「どないしてる？」と声をかけ、ひとときでも話し相手になることは、「置き去りにされていない」と実感できる時間になる。少しでも気持ちが晴れれば、少しずつ前を向けるようになる。そう信じてやってきた。

25年の間に多くの方が亡くなり、現在訪問している家は12世帯。途中、何度もやめようと思った。友や家族を亡くし、愛着の染み込んだ家財やアルバムのすべてを失った人たちの思いを聞くことは、心がボロボロになるほどに疲れることだった。

1日に3軒7時間以上、話を聞いて回ったことがある。3軒目の終わりには、行く道に乗った自転車に乗ることができないほどに心身が疲れ、ふらつきながら車体を押して帰るのが精一杯だった。それでも、楽しみに待っててくれている人がいると思うと、また行く。

しかし、年月は私を精神的に追い詰めていった。気にかけてきた人の「死」はつらい。高齢者と関わるということは「死」と直面するということ。加えて私自身の高齢化と重なり、心身の疲労の蓄積は止まらなかった。

「被災地は復興したのか?」とよく聞かれる。何をもって『復興した』と断言できるのか、常々考えるが難しい。ただ、少なくとも建物が立つことではないと思う。大切なのは、被災して一度絶望した人たちが、残りの人生をどう生きているかだ。絶望する日々の中に、『楽しかった』と思える時間があり、『いい日だった』と思える日もある。そんな日々が続くとしたら、その人は「少し『復興』できた」のかもしれない。

あの日、それぞれが被災者になった。あれから、25年。被災者として生きてきたそれぞれの被災体験と、復興がある。

今回の証言集は、私が活動を引退する最後の仕事として、それぞれのあゆみを記憶するために制作した。ある人は、生き埋めになった時の状況を詳細に語り、ある人は、夫がアルコール依存症になってしまったことを赤裸々に語り、ある人は、娘が障害者となり、同じ境遇の人と出会うまでの苦しみを語った。悲惨な現実を淡々と話してくれた人もいれば、とりとめなくつぶやくように、自分が歩んできた震災後の人生を話してくれた人もいる。本書ではできる限り、それぞれの人が私に語ってくれた言葉の数々をありのまま再現した。私が25年間、耳を傾けてきたのは、被災した人たちのそうした生の声、体験した人にしか語ることのできない、心の叫びだったからだ。

大災害で人はどんな苦しみに直面し、どう生き抜くのか。東日本大震災や全国の被災者の人々の力に少しでもなれたらうれしい。そして、これから災害に遭うかもしれないすべての人たちに、共に考えてほしい。

発刊に寄せて

作家　髙村　薫

あの日の朝、私は自宅二階で寝ているときに、いきなり下から突き上げられて飛び起きました。大地が発光していたようで、十数秒間、窓の外が真昼のように明るかったのを覚えています。縦揺れとも横揺れともつかない激しい揺れと地鳴りで、身動きもできずにベッドに坐り込んだまま、私は家の躯体がギシギシ音を立てて軋むのを聞いておりました。頭が真っ白になるとはこういうことを言うのでしょう。その間、不思議なことに地震だという認識もなく、はっきりした恐怖もなく、ただふいに「死ぬ」と思いました。是非も当否もなく、気がつくと死の門が額のあたりにあったというところです。

それから、発光していた空がすうっと夜明け前の昏さに戻ったのと同時に揺れがおさまり、一気に深海のような静けさが広がりました。私は同居する母親を寝室から連れだし、停電で真っ暗ななかを一階に降りましたが、母娘ともに恐怖で声も出ず、家のなかがどうなっているのかを確認した覚えもありません。偶然、停電がすぐに復旧したので、ひとまずテレビをつけますと、淡路島で大きな地震が発生したとアナウンサーが繰り返していました。ところが当時の関西人は、大地震が起きるのは関東だと思い込んでいましたから、淡路島と言われてもにわかには呑み込めず、驚きもしばし鈍いものに留まるほかありませんでした。

そして、そのまま母娘で置き物のようにテレビの前に坐り込んだまま、半日を過ごしたのですが、最初に映し出されたのは神戸市上空を飛ぶヘリコプターの映像でした。夜明けを迎えた市内各所から上がる幾筋もの黒煙と火の手の姿は、その後、阪神淡路大震災を象徴する映像となりました。当初はそこまで頭が回りませんでしたが、後の調査では、兵庫県監察医務室が検案した死亡推定時刻のわかる死者2416人のうち、2221人は地震発生から15分以内に死亡したとのことです。してみれば、私が黒煙を上げる市内の映像を観ていたまさにそのとき、倒壊した建物の下敷きになっていた人びとがいたことになります。もちろん本書に登場する被災者の皆さんもそこに含まれます。そのことにあらためて思い至ったとき、言葉にならない痛みを新たにしたものでしたが、あの映像を観ると私はいまでも気分が悪くなります。

さて、あの日の地震は誰にとってもほんとうに突然の出来事でした。自然災害のなかでも、地震だけは前触れもなく起こり、身構える間もなく渦中に放り込まれ、身動きすらできません。地震とはそうしたものだと私たちはいまや身をもって知っており、さらには何度も何度も他所での震災を見聞きしているのに、けっして慣れることも学ぶこともできないのです。

現に私自身、阪神淡路大震災が起きてしばらく後、ようやくその1年半前の夏に北海道の奥尻島で発生したマグニチュード7・8の北海道南西沖地震に思い至ったのでした。発生は夜でしたので、翌朝、私は遠い北海道の島を破壊しつくした大津波の爪痕のテレビ映像を呆然と眺めたのですが、数時間前に現地で逃げ惑った人びとの恐怖や驚愕を、その映像が映し出していたわけではありません。テレビの前で、私は千キロも離れた土地で起きたことを、ただ驚きながら言葉もなく眺めただけだったのでしょう。そして1年半後、私がこの身体で阪神淡路大震災を体験したときに、初めてそのことに気づいたのでした。すなわち、実際に身をもって体験してみるまで、私は地震の恐ろしさを何も分かっていなかったこと、奥尻島の震災などほとんど記憶に残っていなかったこと、また地震はまさに身体体験であり、そのため体験していない人に思いを伝えるのがきわめて難しいことなどを、そのときつくづく思い知ったのです。しかも、一口に身体体験といっても、その度合いによって記憶への刻まれ方には差があり、私のように物理的な被害はなかった幸運な人間は、あれほどの体験ですら年月とともに記憶が薄れがちになってゆくのを避けられないのです。

残酷なことに、自然災害では個々の被害の程度に大きな差が生まれます。命まで失う人がいるかと思えば、かすり傷一つなかった人がおり、自宅を失った人と無事だった人がおり、その後の人生で回復できない格差となってゆきます。被災したときの年齢によっても、同様に格差は生じます。また、なんとか自宅を再建しても二重ローンがのしかかり、被災さえしなければ多少はあったはずの経済的ゆとりは夢と消え、必死に努力をしても、多くの人が社会の底辺に沈んで取り残されてゆくのが現実です。もちろんこうした物理的・経済的な被害だけでなく、精神的な被害もあります。とくに大切な家族を失い、それまでの人生で築いてきた有形無形の財産を失った人は、もう再起する気持ちがどこからも湧いてこない鬱へと落ち込むことが珍しくありません。

現に阪神淡路大震災のとき私は四十代でしたが、先の大阪北部地震では六十代となり、地震に対する感じ方が大きく変わったのを実感しました。端的に、高齢での震災体験では立ち上がる意欲は影もかたちもなく、前を向く気持ちなどまったく持てないのです。これで仮に物理的被害に遭っておれば、おそらく坐り込んだまま動けなかったことでしょう。このように失った財産や思い出の大きさと、残りの人生の短さという二つの理由によって、高齢での被災は相対的に残酷なものになるのですが、残酷という意味では親兄弟を失った人や、震災で障害者となった人、あるいは被災により貧困に陥った人などもみな同じです。思えば阪神淡路大震災でも東日本大震災でも、数万数十万の被災者のなかで我が身一つの不運を嘆くのは難しく、声を上げたくても上げられなかったのではないかと想像できますが、そうしてあきらめ、黙り込み、ひそかに孤立していった人びとは、どれほどの数に上ったことでしょうか。

神戸の被災地で生まれた『よろず相談室』は、まさにそうした声なき声を地道に拾い、25年にわたって耳を傾け続けた小さなボランティア団体でした。中心メンバーの牧秀一氏は、定時制高校で数学を教える傍ら、震災前から社会の底辺の縮図のような多様な生徒たちと向き合ってきた人ですが、ときに言葉にならない厳しい現実をぶつけられても、とにかく耳を傾け続けることが、弱った心には一番の慰めになることを経験的に身につけてこられたのでしょう。弱者の救済などではなく、辛い状況を生きる他者にただ寄り添い、他愛ない世間話をしながらひとときを過ごす。話を聞く以外に何ができるわけでもない。ただ繰り返し話を聞くだけの静かな時間は、それこそ被災地にもっとも足りていない「人間の時間」というものです。

そうして語られた被災者たちの小さな声はどれも、瓦礫に埋もれた恐怖や人生の多くを失った失意とともに生きるとはこういうことなのだと私たちに語りかけてきます。耳を傾けていますと、言葉にならない絶望や孤独を沁み込ませた彼らの生は、社会生活の虚飾を剥いだ人間存在に通底するものではないかという思いさえしてきます。

阪神淡路大震災では、比較的所得の低い人びとが密集していた神戸市内の下町に被害が集中し、震災前に存在していた社会階層の現実が増幅されることになりました。いま神戸を訪れる人は、震災の爪痕を想像できないほどうつくしく再建された都市の姿を見るのですが、海風の吹きつける復興住宅に逼塞する老いた被災者たちは、この25年を失意と孤独のなかでやり過ごし、この先も厳しい人生はひっそりと続いてゆきます。本書は、そこにひとときの「人間の時間」が流れたことを伝える小さな記念碑だと思います。

目 次

よろず相談室のあゆみ

1995年 1月17日

阪神淡路大震災発生

午前5時46分、淡路島を震源にマグニチュード7・3の地震が発生。神戸市、芦屋市、西宮市、宝塚市などの一部で最大震度7を記録した。死者６４３４人（震災関連死を含む）。負傷者4万３７９２人。約25万棟が全半壊。兵庫県内の避難者数は最大で31万６６７８人に上った。

1995年 1月26日

よろず相談室開設

牧らボランティア5～8人が、避難所となっていた神戸市東灘区の市立御影北小で「よろず相談室」を開設。行政広報や新聞記事を切り抜き必要な情報を提供する「よろず新聞」を毎日配布し、被災者の傾聴活動を続ける。避難所が閉鎖された9月10日に解散。

1995年 11月

仮設住宅入居がピーク（4万7911世帯）「孤独死」相次ぐ

震災の仮設住宅は兵庫県と大阪府内に６５３団地・4万９６８１戸が整備された。95年2月2日に入居が始まり、95年11月には入居世帯が4万７９１１世帯に達した。一方で高齢者が誰にも看取られず亡くなる孤独死や自殺の報道が相次ぐようになった。仮設住宅で最後の退去は２０００年1月14日。孤独死は２３３人に上った。

1996年 3月

よろず相談室再開

仮設住宅で相次いだ孤独死や自殺に心を痛め、牧ら13人が東灘区の仮設住宅10カ所の被災者訪問を開始。同年5月に大阪の女性からのカンパで事務所を開設した。

1996年 11月6日

識字教室「大空」開設

罹災証明の申請手続きなどをきっかけに、貧困や差別が原因で義務教育を十分に受けられず読み書きができない被災者の存在を知ったボランティアが「大空」など神戸市内3カ所で、識字教室を立ち上げた。

1998年 3月28日

神戸市東部新都心（HAT神戸）街開き

兵庫県は、民間からの借り上げも含め、震災の被災者向けに7万2000戸の災害復興住宅供給を計画。大規模な公営住宅団地の建設も進め、神戸市の復興の象徴的な事業となった「HAT神戸」には、兵庫県と神戸市の公営住宅とUR都市機構の賃貸住宅で計33棟（約3500戸）が整備された。一方で被災地の復興住宅には高齢者が集中。「鉄の扉」と呼ばれた鉄筋コンクリート造の居室での孤独死が社会的な問題となった。

2002年 12月

よろず相談室の手紙支援始まる

茨城県の歯科医から「復興住宅の高齢者に」と200通のクリスマスカードが寄せられ、被災者に配布。05年にはこの活動を知った香川県琴平高校の生徒が、阪神の被災高齢者と文通を始める。

2006年 1月21日

震災障害者と家族を支援する初めての集い開催

震災で障害や重傷を負った震災障害者の存在は震災3年目ごろから報道で取り上げられていたが、06年1月に神戸大教授の呼びかけで初めて「震災障害者や家族が悩みを語り合う場」が設けられた。以降、このテーマが関心を集めるようになった。牧と岡田一男さん（証言02）は、この会場のエレベーターホールで出会った。

2007年 3月

よろず相談室「震災障害者と家族の集い」が開始

岡田さんの「同じ悩みを持つ人たちが気楽に集まる場があれば」と言う言葉から、よろず相談室主催で毎月1回の「集い」を開くように。参加者は多い時で21人に上った。

2010年　6月	**借り上げ復興住宅を巡り、20年の契約期間が満了した入居者の住み替え方針を神戸市が明らかに** 借り上げ復興住宅は、被災者向けの復興住宅として兵庫県と神戸、西宮など6市が95年10月以降、住宅・都市整備公団（現・都市再生機構）や民間から20年契約で借り上げた。入居期限が近づく中で、神戸市は第2次市営住宅マネジメント計画案で借り上げ復興住宅入居者の住み替えを明記。継続入居を被災者らが訴え、秋以降、借り上げ住宅の20年期限問題が本格化する。
2010年　8月6日	**阪神淡路大震災の震災障害者が少なくとも328人と判明** 兵庫県と神戸市が身体障害者手帳などから調査。同年9月から震災障害者全員と家族を対象にアンケート調査も実施。牧もアドバイザーとして参加した。震災障害者の数は後に知的障害、精神障害者も加わり349人となる。
2010年　12月20日	**よろず相談室、NPO法人化** 法人化による助成金で、財政基盤の安定を図るほか、スタッフを常駐化し、高齢者の訪問活動の充実や震災障害者の支援の拡大を目指す。
2011年　3月11日	**東日本大震災発生** 午後2時46分、三陸沖を震源にマグニチュード9・0の巨大地震が発生。宮城県栗原市で震度7を記録したほか、東北地方の太平洋沿岸に巨大津波が押し寄せた。福島第一原発では炉心溶融（メルトダウン）が発生し大量の放射性物質が放出された。20年3月1日現在で死者1万9729人、行方不明者2559人、負傷者6233人。約40万5千棟が全半壊し、避難者数はピーク時に47万人に達した。震災関連死は19年9月30日現在で3739人。
2011年　4月15日	**よろず相談室、東日本被災地支援を開始** 牧らが宮城県石巻市の避難所などを訪問。その後も気仙沼市、福島県いわき市などを17年2月まではほぼ毎月1回訪問し、以降も交流を続けている。

2014年 9月

よろず相談室、神戸市にＨＡＴ神戸への学生入居を要望

著しい高齢化が進む復興住宅に活気を呼び込もうと、学生を低家賃で入居させることを要望。神戸市は空き室が多い周辺の市営住宅では導入したが、ＨＡＴ神戸など募集倍率が高い住宅では導入していない。

2014年 11月末

兵庫県内の復興住宅で高齢化率が5割を突破

兵庫県の調査で、県内の復興住宅の入居者のうち65歳以上が占める高齢化率が50・2％に達した。一般の県営住宅の１・６倍。以降も高齢化率は上昇を続けている。

2017年 3月

厚生労働省が身体障害者手帳の申請時に災害が原因と記入できるよう通知

よろず相談室は、災害で障害を負った被災者の支援拡充を国に要望する活動を続けてきた。その一つが、災害障害者を把握するため、身体障害者手帳の申請書式にある障害の原因欄に「災害」を追加することだった。現在、全都道府県で導入されている。

2020年 3月31日

牧秀一、よろず相談室代表を退任

震災から25年。兵庫県内の復興住宅の入居世帯のうち被災世帯は5割を切ったものの、約８７００世帯が住む（19年11月現在）。復興住宅の高齢化率は53％を超えた。借り上げ復興住宅は20年の入居期限を迎え、転居を拒む高齢者と行政との訴訟は、高齢者の敗訴が続いている。

災害で障害を負った被災者支援では、身体障害者手帳の申請時に災害が原因か把握できる仕組みは導入されたが、災害ごとに災害障害者の人数を公表する仕組みはできていない。また、精神障害者については把握する仕組みもできないままだ。

よろず相談室の訪問世帯数も当初の１３０世帯から12世帯に減った。訪問は後進が引き継ぎ、手紙支援も牧とともに東日本大震災被災地へ手紙を送り続ける団体が継続。「震災障害者と家族の集い」はメンバーが続けていく。牧は「これからは友人の一人として、出会いに行きたい」。

第1章

よろず相談室のあゆみ

本書では、阪神淡路大震災で被災した18世帯26人の証言を紹介する。私は「よろず相談室」の活動の節々で彼らに出会い、心を分かち合える関係を築いてきた。そこで本章では、彼らと関わりを持つことになったよろず相談室を立ち上げた経緯と、25年間にわたる活動について、まずは振り返ることから始めたい。

「よろず相談室」開設

震災直後、被害を免れた私は、少しでも力になれることはないだろうかと、自宅近くの御影北小学校に通うことにした。あるとき、避難所の20歳のボランティアリーダーから「先生だから人の話が聴けるでしょ。私たちには聴けません。話を聴いてあげてほしい」と頼まれた。話を聴くだけならできるかもしれないと教室へ向かった。しかし、いざとなると戸惑ってしまう。冷え込んだ教室の床の上で、毛布にくるまって動かないお年寄りたち。家も家族も仕事も失い、着の身着のまま逃げてきて、将来を見失っている人たちに、家も失わずに被災を免れた自分が何を聴けるだろう。おこがましいような申し訳ない気持ちになってしまい、どう話しかけたら良いのか分からなかった。

『よろず新聞』から始まった

そんなとき、自然に話しかけるためのツールとして思いついたのが新聞作りだった。疲れや不安、寒さの中に身を置く被災者にとって、市の広報や新聞などにあふれる情報を精査して把握する心の余裕はなかった。せめて必要な情報を選ぶ手助けから始めようと動き始めた。

『よろず新聞』はB4判。ボランティア仲間に呼びかけて、1995年2月1日から、御影北小の避難所が閉鎖される前日の9月9日まで、約7カ月間発行を続けた。被災者に役立つ新聞記事の切り抜き（義援金の受け取り方、地震による倒壊家屋の処理の相談窓口、残った家財の保管場所の案内など）を中心に、空いているスペースには「今梅が満開です」「シャワー車が常駐しています」といったメッセージやお知らせ、イラストを描いた。5～8人のボランティアで手分けしながら作った。

新聞は毎晩必ず、各教室の中央で配った。そして、記事の内容を必ず説明するようにした。人の輪ができて、ボランティアと被災者、被災者同士の間で会話が生まれた。読みたい記事、知りたい情報のリクエストを受けながら、それぞれの悩みを把握することに努めた。そこには、情報提供だけではなく、みんなと顔なじみになることで、被災者とボランティア間の距離を縮めることを期待する目的があった。

新聞の中身は、被災者たちのニーズに合わせ、刻々と変化した。

2月上旬までは仮設住宅の応募方法や公衆浴場の場所など、生活情報が紙面を占めた。あるとき、職を失った人たちから寄せられた「雇用保険は受けられるのか」という質問に答えるため、私は労働局へ出向いた。そこで、「人が殺到するので広報はしていない」と回答した窓口の担当者に憤慨した。雇用保険の受給方法を書いて、避難所中に配って回った。

避難所生活が長くなってくると、被災者の日常もニュースとして扱うように。3月2日の紙面では、被災者同士のカップルに「結婚式」をプレゼントした話題が1面トップで登場した。震災で1カ月遅れになっていた2人の結婚式が「第二音楽室」で開催された様子を明るく伝えた。主催は、第二音楽室のみなさん。折り紙などで部屋を飾り付け、新郎新婦の服は支援物資から選んだことなどを書いた。

人気のスポーツ記事を載せた日は『よろスポ』と題字を変えた。同年に大リーグ入りした野茂英雄投手が奪三振記録を伸ばすと、新聞を配るたびに避難所が湧いた。

校庭でのお茶会など、被災者たちとの交流イベントも企画した。そのうちに「どこの仮設住宅に移ったらいいと思う?」「この先どう生活をしていっ

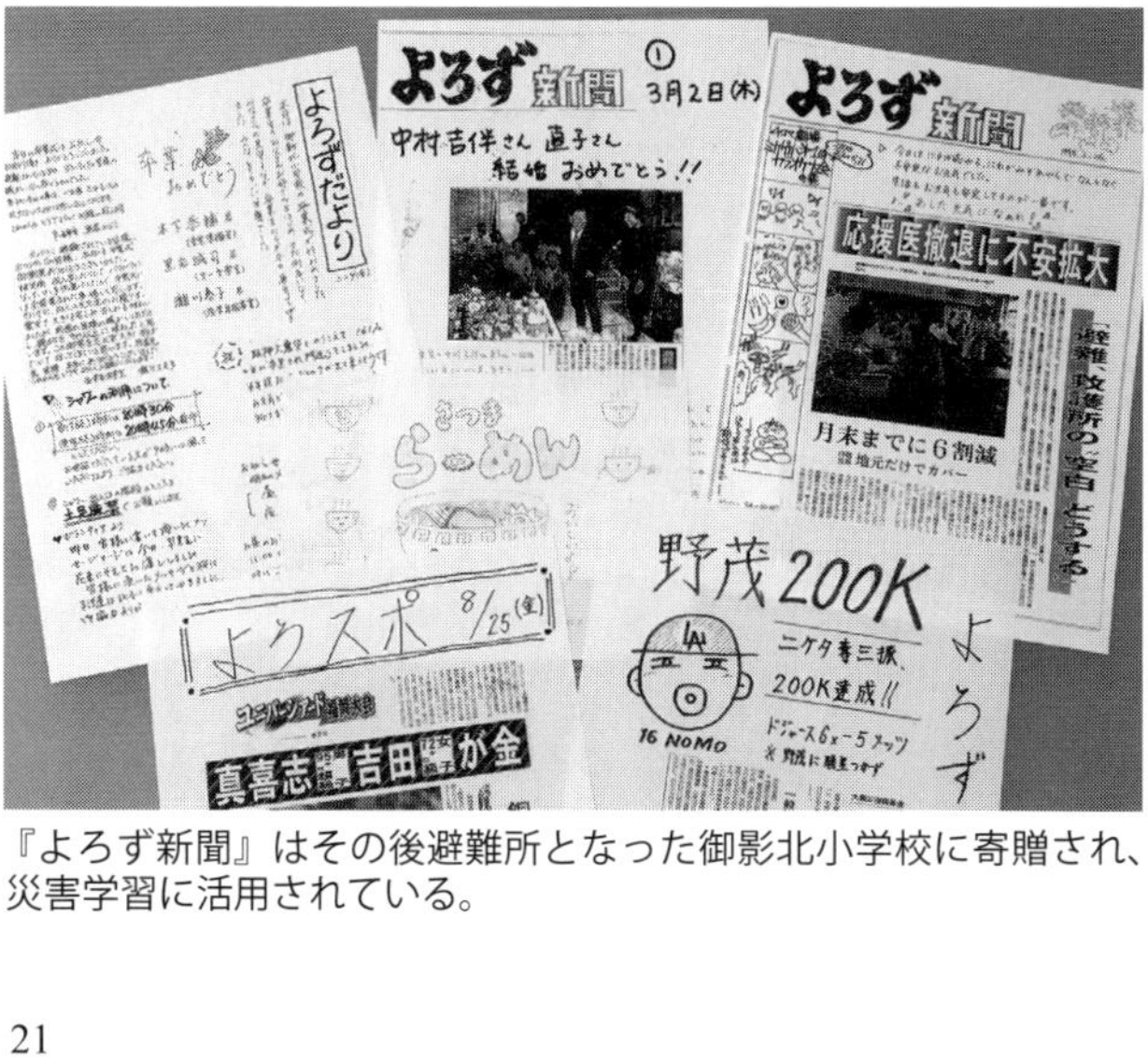

『よろず新聞』はその後避難所となった御影北小学校に寄贈され、災害学習に活用されている。

たらいいだろう?」と何気なしに寄せられる相談も増えていった。日々『よろず新聞』を届ける活動が、互いに信頼関係を築く役割を担い、安心してプライベートなことも相談できる状況が生まれていった。

私たちは、夜遅くまで話を聴き続けた。ただ、意見や考え方などを言っても「こうしなさい」と決めつけることだけは避けた。そして、手に負えないこと(病、法律問題など)は、専門家につなぐようにした。

避難所での音楽会

2月初旬の避難所は、底冷えのする日々が続いた。加えて、時々ある余震は人々を恐怖と不安におとしいれた。震災から2週間が経過したものの、小さな小学校で未だ約400人が避難生活を余儀なくされていた。部屋には床からの寒さを防ぐため一面に発泡スチロールが敷かれたが、ストーブの使用は禁止。人の暖より火災防止が最優先されていた。どの部屋もしんしんと寒く、それぞれが毛布の中でじっと夜の寒さをしのぎ、朝を迎える日々を送っていた。避難所生活は、今後どのように生きていけばいいのか考えることすらままならぬ人々の、身も心も憔悴させた。

そんな中で、音楽会が開かれた。雨の降る寒い日だった。教室は被災者、ボランティアであふれ、廊下にも大勢の人が集まった。演奏者は被害の少なかった神戸市内の小学校の先生。バイオリンの音色が、坂本九の『見上げてごらん夜の星を』を奏でた。疲れきった顔で聴き入る人々の心に美しい音色が染み込み、涙でぬれた顔でみんな精一杯歌った。

思えば震災後、現実の重みから解放された初めてのひとときだった。私には音楽会に参加した人々が「もう一度生きよう」「辛くともみんなで生きよう」と歌っているように思えた。今も音楽会のことを思うと、どん底から這い上がろうとするエネルギーを全身に感じ、心が震える。曇ったガラス窓、熱気でむんむんする部屋、泣きながら歌う姿…。あの時の一コマ、一コマ、そのすべてを私は鮮明に覚えている。なにより歌っている人々の目は、明日を見ようとしていた。校舎がガタガタ揺れるほどの余震がある中、音楽会は最後まで続けられた。

避難所の閉鎖

震災から半年が経過した7月17日時点での避難者は神戸市1万6748人、西宮市821人に上った。追加建設した仮設住宅が完成したことから、4月下旬、兵庫県・被災5市は「避難所対策協議会」を設置し、避難所生活の早期解消を目指すことを発表した。御影北小学校避難所は9月1日の学校再開に向け、8月21日に閉鎖をすることが通知された。
最後まで取り残されたのは、中高年の5家族15人だった。行く当てのない5家族が留まり続けた8月21日以降、学校や行政の対応は冷たかった。ある職員は、暑くとも午後5時になるとクーラーを切り、シャワー設備や、扇風機を撤去してしまう。5家族は、なぜ肩身を狭くしてまで、避難所から離れられなかったのか。ある人は「私らも被災者やけど、人間や。自立もしたい。家もない、何もないからできへんねんや」と語った。仮設住宅の数だけでいえば、十分にあったのかもしれない。しかし、空きのある仮設は、御影からは2、3時間もかかる遠く離れたところだった。彼らにも生活があり、通勤や通学の問題、住み慣れた土地から離れることへの不安などから、郊外の仮設住宅への応募はできなかった。彼ら世帯は、希望する近くの仮設に当選するための優先順位から外れていた。

9月10日、避難所閉鎖から約2週間後、全員が避難所を後にした。それぞれ別の仮設住宅や、賃貸マンションに入居した。『よろず新聞』は、避難所閉鎖の前日まで続けられ、「よろず相談室」の活動は避難所閉鎖と共に終えた。最終号で私は、ごまかしのきかない人間関係の尊さを綴った詩を引用し、「皆さんとの出会いは私の宝です」と記した。半年以上一緒にいれば、お互い嘘なんてつけないくらい深い関係になっていた。私はこの7カ月余りの活動の中で、

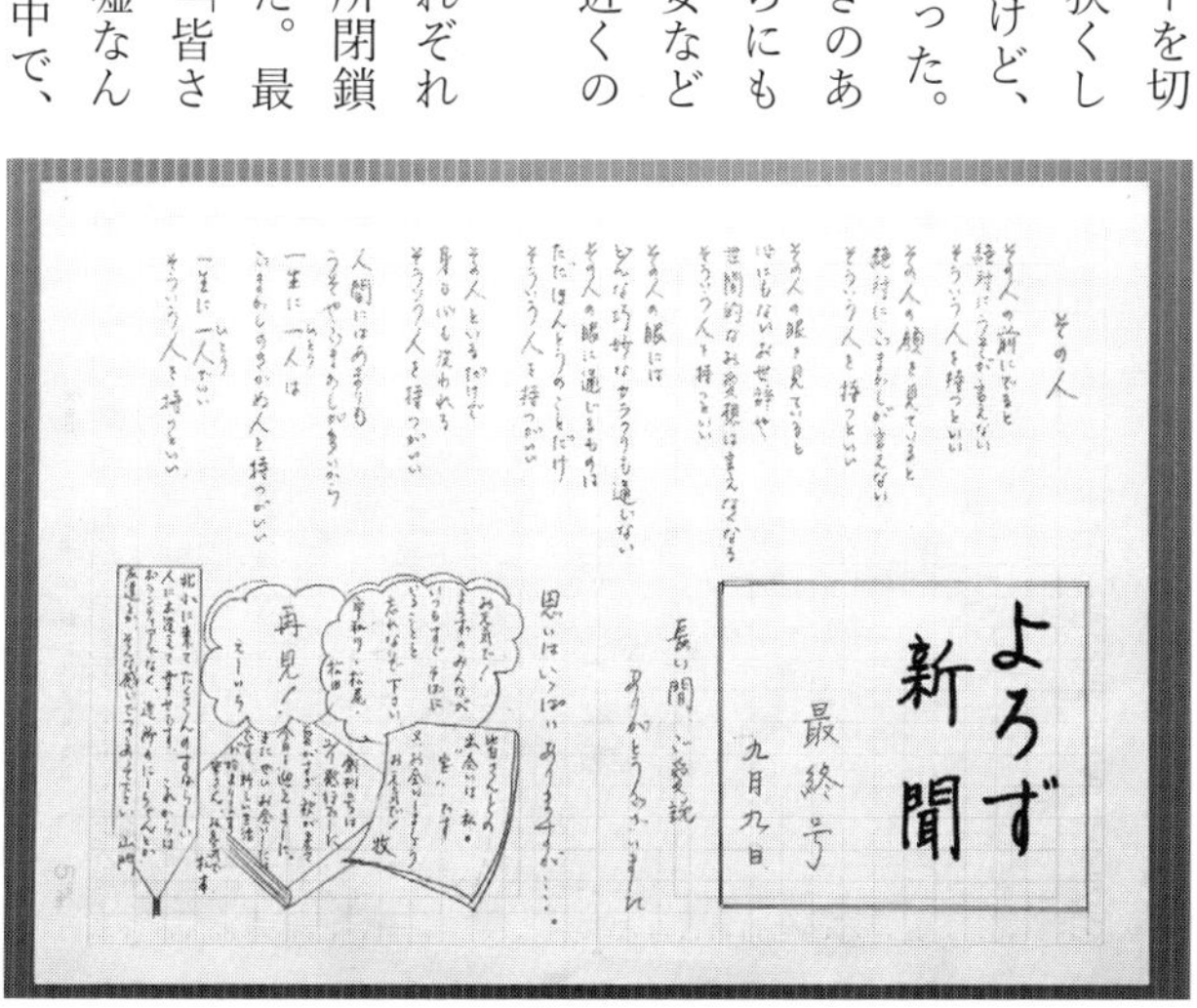
よろず新聞
最終号
九月九日
長い間、ご愛読ありがとうございました
思いはいっぱいありますが……
再見！

よろず新聞の最終号

「被災者の側に立ってものを見つめない限り、物事の本質は見えてこない」ということを学んだ。

神戸市は8月、避難者たちに市内12カ所の「待機所」に移動するよう求めた。このとき、神戸市の発表で９８２０人の避難所生活者がいたが、用意された待機所の収容人数は１９７０人のみ。待機所の設備と生活居住環境は避難所に増して劣悪だった（食事などの救援物資の提供も、シャワーや扇風機などもなかった）ために、避難者はあまり移動しなかった（11月28日時点で、待機所３７２人、旧避難所８４８人）。

避難者の多くは、旧避難所に残留したり、公園に設置されたテント村に住み続けたりした。郊外の仮設住宅には空きがあるにも関わらず、待機所や旧避難所、さらには公園に住むことにこだわったのはなぜなのか。

『阪神・淡路大震災における避難所の研究』（大阪大学出版会）によると、ヒアリングに協力した被災者たちは「遠くの仮設では、通勤や子どもの通学に時間がかかりすぎる」「地元で商売をしている」「通勤が遠くなるとパートを解雇される」などと生活圏から離れることへの不安や、「職場への交通費だけで収入の半分が飛んでしまう」という経済的問題、「近くの病院で人工透析を受けている」「近くに介護者が住んでいる」「震災後、体調が悪化している」などの健康上の理由、「壊れた自宅を毎日見に行きたい」「遠くでは壊れた自宅や家財の管理ができない」と家財を心配する声の他、「苦労して築いた避難所のコミュニティや人間関係が途切れてしまう」などと答えた。被災者それぞれに深刻な事情があり、行政と避難者とのニーズが噛み合っていなかったことがわかる。

ハビタット国際連合体（Habitat International Coalition　ＨＩＣ　メキシコに本部をおく居住権擁護のＮＧＯ）は、１９９５年9月23日から30日まで来日し、公園などの避難所、待機所、仮設住宅の調査、そして神戸市、兵庫県、厚生省（当時）のヒアリングを行った。その結果、将来の生活にめどが立たない被災者が大勢いるにも関わらず、避難所やテント村から避難者を追い出そうとする行政の災害対策は、国際法上認められた「居住権」の侵害に当たる、との勧告文を出した。

明らかな人権侵害に、私は被災者を支援しなければ、と思った。震災後まもなくすると、被災せずに済んだ人や被災後自立できた人から、悲惨な状況にある被災者が「自立しないわがままな被災者」と見られるようになった。人間には努力してもできないことがある。そのことが理解されにくい。震災から時間が経ち、街の復興が進むほど、そうした傾向は強くなっていった。自力再建から一番遠いところにいる被災者に焦点を合わさなければ、復興はありえない。黙らずに、一緒になって当たり前の要求をしていこうと誓った。

就職差別　スタートに立てない

震災の翌年、神戸市内の大学、短大を卒業する女子学生は約1万2千人。Cさんもその一人だった。東灘区御影でラーメン屋を営むCさんの両親の店は全壊、自宅は全焼。焼け出されると同時にすべてを失い、御影北小に避難してきた。長年営んでいた店は、地元の人々にとっては欠かせぬ存在であり、両親も地元を愛していた。「もう一度、なじんだ土地で店を再開したい」。これが両親の夢だった。

震災の年、Cさんが短大卒の女子学生として、就職試験に臨んだ。一家にとってCさんが社会人として第一歩を踏み出すことは、唯一の明るい話題だった。Cさんは、6月末に学校推薦で大阪の金融機関を受験、家庭状況などを書くように渡された社用紙に、震災で被災したこと、現在も避難所にいること、そこに公衆電話が1台しかないため問い合わせは電話ではできないことを正直に書いた。友達から「仮設や避難所にいることがわかったら不利になる」と耳にしていたので、本当は書きたくなかった。

試験は筆記と適性検査。その翌日、会社から学校に電話があり、Cさんを含む数人が内定した、と知らせてきた。学校で知らせを聞いたCさんは、すぐ避難所にいる両親に報告に帰った。両親は「本当か。ようやったなあ。よかったよかった」と安堵し、一緒に教室で生活する他の3家族も喜びあった。みんな、Cさんの受験勉強の邪魔にならぬようにと、テレビの音を消し、そっとしてくれていた「家族」だった。

ところがその次の日、再度学校に連絡があった。

「Cさんは避難所にいるのですか?」

「そうなんです。あの震災で家をなくしたんです」

「そうですか…。すみませんが、Cさんの話はなかったことにして下さい」

このことを後日、学校から聞かされたCさんは、父の前で泣き崩れた。娘の姿を見た父の目にも涙はあふれた。父は、娘の話を聞きながら「すまん」と小さな声で詫びた。それ以上、何も言えなかった。避難所から自立できぬ我が身の不甲斐なさを責めた。「悔しい。ガレキの中から出てきて助かったのに、またこんな苦しい思いをせにゃならんとは。金がありゃ避難所を出て家を借りたいよ」と父は言った。Cさんは「仮設や避難所にいることをこれからは隠し通したい。もうこんな辛い目に遭いたくないから…」と考えた。

同年10月初旬、大阪の別の企業を受験。そのとき、一家は仮設住宅に移っていたが、住所欄には番地や部屋番号だけを記し「第○仮設」とは書かなかった。内定が決まり、96年4月から働き始めた。しかし、Cさんは「正確に住所を書かなかったから、嘘を書いたことになるでしょう。もしわかったらまた内定が取り消されるんとちゃうやろか。毎日心配で仕方がない」と不安を抱えていた。Cさんが家でこの話をすると、決まって父はうつむいてしまうと言う。私がCさんの父に「それは嘘と違うから心配せんでも大丈夫や」というと、「そやな、わしら何も悪いことしてへんもんな。気持ち強うにもっとくわ」と表情を少し緩めた。

避難所暮らしの大学生Dさんは、「この住所は被災地なのか」「今後、元の場所に家を建て直すことができるのか」「できないのではないか」など、ある企業の入社試験の面接で約30分にわたり、家のことばかり聞かれたという。Dさんは、悔しくて「こんな会社誰が行ったるか」と心で叫んだ。そして思わず「家のことは父が決めます。私には、家がこれから先どうなるのかはわかりません。なぜ私と関係のないことばかり聞かれるのですか」と抗議した。その結果、Dさんは不合格となった。

避難所から仮設住宅に転居したばかりの大学生Eさんは、「神戸の人は後々問題があるから困るんですよ」「仮設から通っている人、そんな人採用できないですよね」と言われた。

「被災者」ゆえの就職差別。なぜ被災地に住み、仮設住宅や避難所生活者だと切り捨てられるのか。全てを失くした親にとって、子どもが元気でいてくれることは何よりも励みである。被災者であることで差別される子の姿は、親の心を深く射る。そして親は自らが被災者であることを責め続ける。それがどれほど親子の心を沈ませ、辛くさせていることか。このことを差別企業、無神経な面接官は知る由もあるまい。

差別にあったのは、学生ばかりではなかった。4人家族の妻Nさんは自宅も勤め先も全壊。全ての家財を失うと同時に失職した。しかし、家族全員が無事であることを「ありがたい」と思った。夫は4月から働きに出た。Nさんも働こうとスーパーに応募したが不採用だった。避難所暮らしゆえ「連絡がとりにくい」との理由だった。Nさんは連絡先に家が無事だった友人宅を書いて、別の働く場を見つけた。

神戸新聞によると、4万人とも10万人とも言われる被災失業者は、いずれも推計値。県職業安定課が確実に言えるのは、「被災失業者のうち、職安に求職票を出したのは約1万8千人」ということだけだった。1995年秋の神戸市内の完全失業率は「戦後最悪の6・9％」を記録。被災失業者の雇用対策として、公共事業を請け負った会社が新たに人材を必要とする場合、40％以上を被災失業者から雇うことを義務付けた「公共事業就労促進特別措置法」が95年3月に施行されたが、1年以上が過ぎた96年5月末時点で、雇用はわずか41人に留まった。対象職種を「比較的技能を有しない土木、雑役など簡単な仕事」と限定していることが、まとまった雇用に結び付かない理由の一つだった。

真っ先に就職保障がされないといけない人々の働く場は極めて少なく、職種も限られていた。特に中高年世代にとって、家族を養うことができると保障された仕事はほとんどなかった。すべてを失った人々が生活するためには、鍋、釜からそろえ始めなければならない。そのためには、自らの労働力以外に頼るところはない。なのになぜ、そのスタートにさえ立たせてくれないのか。なぜそんな苦労を背負い込まねばならないのだろう。

「よろず相談室」再開

震災2年目を迎え、被災者の生活は一見落ち着いて見えた。だが、その内実は悪化する一方で、孤独死や自殺の記事が新聞から消えない。このときすでに、震災関連死（震災後、震災起因によりストレスや、病状の悪化などで亡くなった人）は約900人。孤独な高齢者や生活に苦しむ人々の姿が目立ち、被災地に生きる人々の深刻さは、むしろ鮮明になった。この状況に私自身が「耐えられなくなった」ことが、「よろず相談室」再開の理由であった。

避難所閉鎖と共に中断した「よろず相談室」は、96年3月に再開。メンバーは会社員や主婦、教師、学生ら13人。その半数が被災者自身――。二重ローンを抱えている人、家賃が収入の半分を占めて生活が苦しい人、親を亡くした人たちだった。東灘区の仮設住宅10カ所に住む被災高齢者を中心に回った。それぞれの生活も苦しかったが、「ほっとかれへん」と仕事のない日に活動を始めた。

喫茶店、商店街の事務所などで集まり、連絡先は私が持つ携帯電話とした。不便を抱えながらも、信頼関係を築くために動き始めた。

活動再開の記事が新聞報道された数日後、大阪に住む老婦人から「あなた方の活動を応援したい。お金を持って死ねんからカンパします」とポンと230万円が送られてきた。そして「よろず相談室」は事務所を持つことができた。誰でも気楽に来ることができる憩いの場とし、以後、手弁当の活動が始まった。

だが、被災者自らが相談室に訪ねて来ることは少なかった。寂しく孤独な人

仮設住宅で生活する被災者と牧（右）

ほど声を上げることができないからである。忘れられない相談がある。「あの…。わたくしは…」そしてブツッ。留守番電話に残されたメッセージ。その後、この人から電話がかかってくることはなかった。「やっとの思いでかけてきたのだろうに」と打ちのめされた気がした。当時私は定時制高校の教諭でもあった。授業中は携帯電話を留守電にせざるをえない。「一人の苦しみを和らげることができなかった」。後悔の念は拭えなかった。黙っているが、みんな、誰かと話したい。私たちは個別訪問を繰り返した。特別なことができる訳ではないが、人々と出会い、よもやま話をすることで「ひとりではないよ」と伝えたかった。

被災地の困窮者　拒まれた「健康で文化的な生活」

神戸市は阪神淡路大震災で死者4571人、全壊及び半壊棟数12万2566棟という大きな被害を受けた。にもかかわらず、生活保護受給世帯は1996年1月には1994年12月に比べ1099世帯、2127人の減となり、保護率も0・2％低下した。市保健福祉局生活福祉部保護課は、市内の人口が7％減少したこと、受給世帯の市外転出、施設入所、死亡などにその原因があるとした。しかし私は、全てを失くし仕事もなく、生活保護を受けざるをえない多数の申請者に対し、義援金と災害弔慰金を収入扱いしたり、災害時における生活保護法の特例措置がないという理由で受理を打ち消し、拒絶したりしたことに原因があると思っている。避難所や待機所、テント村などで生活をする人は、「安定した居住地」でないことを理由に、新規申請を認められなかったケースもある。震災発生から4月末までに、県内で受け付けた生活保護申請の総数は1683件だったが、震災が原因で新たに生活保護の対象となった世帯数は、4月末時点で539世帯にとどまった。

柴田昭夫さん（証言18）は、神戸市長田区のJR鷹取駅近くの2階建文化住宅の1階で暮らしていたが、妻やす子さんと子ども3人の全員が生き埋めになった。長男の大輔さんは6時間後に、やす子さんは12時間後に救出されたが、当時3歳だった次男、1歳だった三男は亡くなった。やす子さんが救出されてまもなく、住み慣れたアパートは全焼した。昭夫さんが、溶接工として勤めていた工場は倒産し、1年以上も仕事がない時期が続いた。

亡くなった2人への災害弔慰金（500万円）や義援金（10万円）、見舞金（14万円）が唯一、一家の糧となった。この中から、子どものお墓代として200万円を貯金し、仏壇・家具・生活必需品を買い、残りを日々の生活費にあてた。

母は、震災のショックで認知症になり、柴田さん一家と同居することになった。同時に、母が震災前に受給していた生活保護は、息子（昭夫さん）と同居し始めることが理由で打ち切られた。昭夫さんの一日は、食事の支度、妻のリハビリと週3回の通院介護、身の回りの世話、そして母の介護。「しんどいけど、ボクのつとめやからな」と昭夫さんは言った。

生活費がなくなり、困り果てて福祉事務所に生活保護の相談に行ったところ「弔慰金で生活してください。なくなればそのときに相談内容をお伺いします」と突き放されたという。そもそも法律は、災害弔慰金を課税対象にしないと定めている。それは、葬儀の香典を収入と見なさないこと以前の社会通念ではないのか。

昭夫さんは「3人の子どもの成長が何よりの楽しみやった」「かわいそうな目に遭うて…。今でも子どものこと思ったらファイトがわかんのや」「命と引きかえのお金をこれ以上使えないよ」「子どもの墓代に手をつけることはできん。母は兄の所に預け、妻は危険やけど一人で病院に行かせるよ。働かなあかんからな」と話した。当時の疲れ切った顔が忘れられない。


厚労省は、要援護家庭（母子家庭、重度障害者、生活保護世帯など）に対する第二次義援金（30万円）受給者のうち生活保護世帯に対し、「基本的にはすべて収入として認定する。今回の義援金全額が自立更生のために使われているとは限らない」とし、何に使ったのかを書かせる「自立更生計画書」の提出を求める決定を下した。義援金は「国民のカンパ」である。この決定は、全国から被災地に寄せられた義援金の心を踏みにじった。1995年7月、計画書の撤廃を求める身障者団体は「被災した生活保護世帯をこれ以上いじめないでください」との請願を神戸市議会民生保健委員会に提出したが、10月、同委員会は圧倒的多数で否決した。

行政は「個人補償のない自助努力による生活再建」を全ての被災者に課した。生活保護法には、被災地の生活困窮者に向けた特例措置は一切ない。国民の権利である「健康で文化的な最低限度の生活」の保障は、完全に反古にされた。

生活保護制度の運用について定めた厚生労働省事務次官通知「生活保護法による保護の実施要領について」（昭和36年4月1日厚生省発社第123号厚生事務次官通知）は、「社会事業団体その他（地方公共団体及びその長を除く）から被保護者に対して臨時的に恵与された慈善的性質を有する金銭であって、社会通念上収入として認定することが適当でないもの」「災害等によって損害を受けたことにより臨時的に受ける補償金、保険金又は見舞金のうち当該被保護世帯の自立更生のために当てられる額」については、「収入として認定しないこと」と定めている。また、自立更生の具体的内容については、生活保護担当職員の手引書である「生活保護手帳」は、生活基盤の回復に要する経費や治療費のほか、生業の開始・継続費用や技能習得費、介護費、就学・結婚・弔慰など、様々な費目が自立更生の内容に含まれることを認めている。

仮設住宅での生活

被災者の多くは住み慣れた土地から遠く離れた仮設住宅への転居を余儀なくされ、避難所で顔馴染みになった人々とも離れ離れになり、コミュニティが分断された。仮設住宅の入居者の3分の1は高齢者だった。入居優先順位の条件が、①60歳以上の高齢者または障害者のいる世帯、②障害者・乳幼児・妊婦などのいる世帯、③18歳未満の子どもが3人以上いる世帯、④母子家庭などと設けられた弊害によるものであった。

Nさん夫妻が長年住み慣れた自宅は全壊。傾いた隣の家が自宅の壁を突き破った。室内はガラスの破片で足の踏み場もなく、トイレの戸は曲がり、天井の隙間からは空が見えていた。地震の後遺症は今も残る。トイレに入りドアを閉めた途端、胸がドンドンと鳴り、目の前が真っ白になる。地震の揺れが止まった直後のあの恐怖感に襲われるのである。

95年4月、4度目の抽選で仮設住宅に入居することができた。三宮の自宅近くでの避難生活3ヵ月後のことだった。そこは六甲山を越え有馬温泉から北にしばらく行かねばならない。三宮から車で1時間。通勤ラッシュ時には2時間はゆうにかかる。それでも落ち着いて2人が生活できると思うとありがたかった。プライバシーのない避難所生活にくらべ、仮設住宅での生活は手足を伸ばして寝るゆとりがあった。それだけでも少しの安心を得たと思えた。しかし、現実は厳しく辛いことも多い仮設生活となったのである。

Ｎさんの住む裏六甲の仮設住宅からは、駅まで徒歩15分。肉や野菜を売っている店は、電車で10分のところにしかない。電車代は往復５００円。病院はもっと遠くに行かねばならない。特に高齢者や病弱者は、不安と不自由を抱えねばならなかった。住民の強い要望で近くにミニコープができ、バスが通うようになったのは、入居８カ月後（95年12月末）のことだった。また、仮設の夏は薄いトタン屋根一枚が焼き付き、蒸し風呂のように熱い。冬は隙間から冷気が入り冷蔵庫の中のように寒い。裏六甲は、神戸でも冬の寒さが特に厳しいところだ。台所に立つと寒くて身体の震えが止まらない。仮設ではストーブを使わない申し合わせがあった。万一、火災が起きれば、瞬く間に仮設全域を燃やし尽くす恐れがあった。多くの住民たちはこたつ、ホットカーペットなどの電気製品を使って、暖を取る。だが、収入のない人は毛布や布団に包まり暖を取るしかなかった。トイレとバスはユニットになっていた。浴槽は狭く（縦98・５㌢×横50㌢）Ｎさんが身体を縮めて入っても暖まらない。身体を洗う場所がないため、多くの人は、トイレの蓋に座りそこで身体を洗う。窓はなく換気扇があるが、空気を換気すると、さらに冷たい空気が入ってくる。結局、密室状態で風呂に入らざるをえない。ユニット内のトイレ・天井・壁は水滴だらけになった。

仮設には、高齢者や一人暮らしの人が多く（約60％が一人暮らし）始終、救急車やパトカーが出入りしていた。入居後半年以内に、近くにある公園で仮設に住む45歳の企業主が首つり自殺をした。その前にも震災で妻を亡くして一人暮らしになった若い男性が、酒浸りになり肝硬変で亡くなった。またＮさんの隣に住む57歳の女性は脳卒中で、２軒隣の男性も肝硬変で亡くなった。男性が発見されたのは、死後５日目だった。２００世帯が住む仮設では入居以来、１年間で７人が亡くなった。全員孤独死だった。

１９９６年８月６日、神戸新聞は東加古川にある仮設住宅で、既に36人もの死者が出たと報道した。これは仮設入居後12日間に１人が亡くなったことになる。Ｎさんは「明日はわが身かと思うと、夜寝ついてから胸が苦しくなるときがあります。私だけでなく仮設にいる多くの人が経験しているはず」と語った。しばらく後、Ｎさん夫妻はローンを組み、もといた場所に自宅を再建して仮設を離れた。

ある時Nさんは1年以上暮らした仮設住宅を訪ねてみた。もう撤去されているかと思ったが、そこにNさん夫妻が暮らした部屋があった。孤独のなかで死んでいった隣人の玄関には、見慣れたサンダルがなおも放置されたままだった。生きる希望を失い、アルコールに浸り死んでいった人の部屋には、飲み干した酒瓶が1本、転がったままになっていた。

みんなで仮設住宅の一角に作った花壇もあった。水をやり、語りかける人たちが誰もいないにもかかわらず、その草木は枯れることなく力強く生きていた。ピンク色の花を咲かせたツメキリ草を摘んでいるとき、仮設生活時代のことが走馬灯のように思い出され、とめどなく涙があふれた。Nさんは、人目をはばかることなく泣いたのだった。

兵庫県などが設置した仮設住宅約4万8千戸のうち3分の1が、神戸の中心地から片道約2時間、往復の交通費2千円余りかかるところにあった。そして、最寄のスーパーマーケットまで徒歩で40分もかかった。入居者のうち独居老人は1万2千世帯にもおよんだ。

仮設住宅での孤独死233人（仮設住宅が全面解消された2000年1月までの約5年間）。その多くはアルコール依存症・栄養失調・病状悪化によるものであった。むしろ精神的に追い詰められていたのが現状である。仮設住宅での弱者のたどった困難は、「孤独死」「自殺」なども含め、言うにしのびないことが多かった。

高齢者・障害者が入居する「地域型仮設住宅」。風呂・台所・トイレが共用。各部屋は四畳半一間か、六畳一間。高齢者や障害者が避難所で相次いで亡くなったことから、国は地域の公園に真っ先に設置するように指示をした。神戸市は2階建て。芦屋市は平屋だった。

識字教室「大空」開設 ―震災から生まれた学びの場―

震災後、神戸市内の3カ所で識字教室が生まれた。東灘区の「大空」、中央区の「かがわオモニハッキョ」、長田区の「ひまわり」である。かつて、貧困や差別のため義務教育を満足に受けることができなかった人たちが、文字を取り返すことを通して閉ざされていた心を解放する場所となった。

この識字教室は、カンパと震災関係助成金でボランティアが運営し、総勢100人がこの教室で学んだ。読み書きのできない人が、多数点在していることを「震災」が教えた。罹災証明書を書くことができない人。住み慣れた地域から離れ仮設住宅に移ったときから、電車に乗ることができず部屋に閉じこもったままの人。震災で文字を忘れてしまった人もいた。このような人々の存在を知ったボランティアや市民が自主的に識字教室を開設したのである。

読み書き教室「大空」は、震災の翌年11月6日に、阪神御影駅の近くにある「よろず相談室」で生まれた。私の親友の夜間中学校教師が、文字が読めず怖くて電車に乗れぬ人が仮設に閉じこもっていること、神戸市東部に識字教室がないことを教えてくれたことがきっかけだった。

開始を前に、よろず相談室の周辺に『よみ書き教室はじめます』と書かれたビラ2000枚を配り、ポスターを飲食店などに貼ってもらった。早速その日の夕方、「私の妻は、読み書きがあまりできません。教えてもらえますか」との電話があった。

最初、3人で始めた識字教室は生徒が増え続け、約20人が入れ替わり学んだ。相談室は狭いため、近くのキリスト教会の一室に場所を移し、週1回みんなで

識字教室の看板の題字を書く山本さん

勉強をした。教室にはいつも笑い声が絶えない。心はすがすがしい「大空」のようだった。

「大空」の参加者山本恒雄さん（証言17）は、幼いころ、脊椎カリエスになった。身体への影響が目立ってきたころにいじめと差別にあったが、中学に上がると、バットを振り回して反撃に出るようになり、喧嘩ばかりの学校生活。読み書きはほとんどできないまま中学を卒業した。

東灘区住吉で被災し、当時住んでいた自宅は全壊した。震災後、地域型仮設住宅のふれあいセンター代表者となる。だが、代表者ゆえ、読み書きができぬ辛さを痛感。識字教室で文字を学び始めた。文字を手にした山本さんは、99年4月、50歳で夜間高校に入学。「被災者の皆さんには怒られるが、地震に感謝したい気持ち」と言う。「よろず相談室」のメンバーとして、仮設生活を共にした人たちが住む復興住宅を回り、孤独な人たちの良き話し相手にもなった。

以下は山本さんの原稿用紙8枚にわたる文章の抜粋である。

今まで、読み書きは、友達に頼っていました。ある時、私はどうしても区役所に手続きに行く用事ができました。漢字の読み書きができないので、区役所に行く前に薬局に行き包帯を買い、指にまいて窓口に行き「指を怪我し字がかけないので書いてください」と頼んだこともありました。私は、ポストに入っている手紙、ハガキを避けていました。後で分かった事ですが、大事な手紙があったそうです。震災の時は、本当に困りました。家の解体手続き、罹災証明、仮設住宅の手続きに行くのに、明けがた早くから並びやっと順番がきても漢字の読み書きができないので1つの手続きに2、3回足をはこびました。仮設住宅に来てくれたボランティアの皆さんに、お礼状を出したいと思い、仮設の福祉相談員さんに手紙を書いてくださいと頼んだところ「こういうのは自分で書かないかんよ」と言われて、相談員さんの知り合いを紹介してもらいました。

そこは、御影よみかき教室「大空」というところです。緊張して行きますと、皆さんが温かく迎えてくれました。生徒の皆さんのほとんどは私より人生のOBです。習いに行って5カ月ぐらいしてから、Hさんに初めて手紙を書きました。その方は仮設の住人にお米の支援をしてくださった方です。辞書を見ながら漢字を1つでも多く書こうと思い、捜すのですが、これがなかなか見つかりません。自分の力で書きたいと思い、書いては消し、書いては消しで、2日ぐらいかかりました。そして初めての手紙を書き上げました。ポストに入れる時、少しためらい、本当に手紙が届くのか不安でした。10日ほどしてから青い封筒で返事がきた時は、本当に嬉しかった。この喜びは今まで味わった事のない「喜び」でした。

それからは、視界が広がったような思いになり、漢字が書けるということは、こんなに素晴らしい事だと初めて知りました。見ても分からなかったカンバンを今は、意識して見るようになり、一つでも分かる漢字が出てくると嬉しくなります。

今まで世話になった方々に手紙を書きました。今まで漢字が書けなかった事、識字教室に行っている事などを正直に書いて出しました。

11年前から呼吸器機能障害のため、1日12時間ぐらい酸素を吸わなければなりません。それでも今、辞書を見ながら13人の人と2カ月に一度文通をしています。年賀状、暑中見舞いは、60人以上の方に出しています。漢字を通して沢山の人と交流を持つ事ができて幸せです。

知識は人を解放する力をもっている。行政は、「夜間中学校」「識字教室」の存在をあらゆる手段を講じ広く社会に伝え続けねばならない。全国には、義務教育未修了者、読み書き計算のできない人が、170万人もいるのである。

生活再建―自宅再建・店再開―

行政は、全てを失い心身ともに疲れ果てた人々に重ねて『自助努力による生活再建』を求め続けた。その呼びかけに多くの人々が応えようとしたのである。「頑張らなあかん」「頑張ろう！」。更なる重荷を覚悟の上で人々は決意した。

全てを失いかつ二重ローン・三重ローンを背負った人々が歩んだ道は、困苦の道であった。特に子どもが数人いる中高年ファミリーは「震災に負けたらあかん」と頑張り通した。その結果、離婚・家庭崩壊・一家離散を余儀なくされた多数の家族を、私は知っている。父や母は、朝から夜中まで働き通し、げっそり痩せていく。ある人は泣きながら「私は頑張って頑張ってきました」「皆、言うんです。昔の家の方がよかったって。震災前の家に帰りたいって」としみじみ語った。両親が離婚した小学生の男の子は「僕の家を地震がムチャクチャにしてしもた」と呟いた。

グリル近藤―近藤夫妻の生きがい―

商店街に店を構え、地域の人たちから「うまい」と親しまれてきた「グリル近藤」の近藤英也さん、春子さん夫妻（証言06）。震災で店と住まいが全壊、数カ月の避難生活を強いられた後、ようやく家族4人が引っ越せたのは家賃の高い1LDKのマンションだった。夫婦は毎朝、別の職場に出勤。妻が自分より朝早く出掛けることに「申し訳ない」と夫は思い、妻の帰りが遅くなっても夕食は必ず一緒にとって2人で頑張ってきた。

だが、40年続けた店がもう再開できないのかと思うと、気力が失われていった。背中を丸めジッとテレビを見ている夫の姿に、妻は店の再開を決意。震災から2年が経過していた。

「六十過ぎて借金してまで店持つなんてやめとけ。ゆっくりしとったらええやないか」。そう言う息子さんの気持ちはうれしかったが、夢は捨てたくなかった。「何言うてんねん。お母ちゃんとお父ちゃんにはこれしかないんや。絶対、店始めるんや」。苦労は覚悟の上だった。

わずかな貯金と1300万円の借金は、すべて店の再開のために使った。敷金、内装費、鍋釜など料理に欠かせぬ道具類、お皿、コップ、スプーンなど。毎月の出費は40万円。マンションの家賃12万円、店の家賃15万円、神戸市からの借金の返済が13万円である。

不況がかぶさり生活は苦しい。夫は料理を作っているとき、そんな素振りは一切見せない。だが、店を片づけた後、「毎月の返済がうまく行くのか」「74歳まで10年、返済し続けられるだろうか」と不安に襲われ、腹を押さえ「痛い」とうずくまることもあったという。

時々、復興住宅の募集がかかるが、近藤さんが通える範囲にある復興住宅の入居倍率は100倍を超えた。8回以上申し込んだが、すべて落選。全壊で所得も少ないのに当たらない。部屋には生活用品を段ボール箱に詰めたまま置いておいた。当選したら、段ボール箱のまま持っていこうと思っていた。「あかんわ。なんぼ申し込んでも当たらへん。なんとか、でけへんのかな…」。半ばあきらめつつ、段ボール箱だけは開ける気にならなかった。

行政の施策は、最優先に「仮設解消」にあった。従って、「仮設入居者優先」となり、いくら生活が苦しくとも「マンション生活者」は一番最後となる。行政は被災者に「自助努力による生活再建」を求めた。行政の方針に従った人々が、置き去りにされ苦しむ現実もあった。

借金の返済が終わる間近、近藤さんは「HAT神戸」の復興住宅に当選し、入居がかなった。店には、震災前からの顔なじみの客も帰ってきた。遠くから懐かしいと駆けつけてくれる人もいる。近藤さん夫妻はこんなとき、幸せを感じるという。震災前と変わらぬ値段、すべて手作りの料理には、お客さんへの温かさがあふれている。「全然もうかれへんけど、冷凍もんなんかよう食べささん」。根っから職人の近藤さん夫妻にとって、店は「生きがい」そのものなのである。

古い友達のこと

「見慣れた町並みから瓦屋根の家がなくなり、新建材の家がポツリポツリと建っている。こんな景色を六甲の山並みはどのように見ているのでしょうか。私共も仮住まいの西宮から、神戸市に戻りました。幸いにも前におりました近くに帰れましたので、亡き父の遺志を継いで、母と二人でこの地でガンバッテ生きていこうと思っております」

震災後、会うことのなかった古い友のYさんから、届いた手紙の一部分である。この時、すでに2年の月日が流れていた。父は会社を経営していた。だが、震災で自宅は全壊、同時に父を失った。Yさんと母は知人宅へ避難、その後2年間アパート生活を送った。住み慣れた所に帰りたいとの思いは強く、自宅再建のため住宅ローンを申し込むが「父死亡」の理由で断られた。幸い父が残してくれた貯蓄があり、マンションを購入することができた。この時「私たちは周りの人たちより恵まれている」と感謝したのだった。

会社は母が続けた。しかし、不慣れな経営と不況が重なり開店休業状態に追い込まれていった。収入はほとんどない。気苦労のため母は脳腫瘍で倒れてしまった。母の年金と貯蓄の取り崩しを生活費にあてがった。

50歳を過ぎ母の介護もせねばならないYさんには、仕事が見つからなかった。無職状態が続き、やがて貯蓄も底をつく。亡き父の遺志を継ぎ、住み慣れた地で母と2人で生き抜いていこうとマンションを購入したものの、生きるためにそのマンションを手放した。

「あせってんねん」。Yさんはポツンと言った。新しい土地で要介護の母を抱えながら、母の年金とマンションを売ったお金でいつまで生活できるのか。住み慣れた町に帰れたものの、Yさんと母の苦労を思うと底知れず心が痛んだ。

仮設住宅から復興住宅へ

仮設住宅が入居ゼロになったのは、2000年1月14日。震災から1823日後だった。仮設住宅をへて、自力で住宅を確保できなかった人たちには、災害復興用の公営住宅が用意された。災害復興公営住宅などの供給戸数は4万2137戸。うち2万5421戸が新規に建設された。新規に建設された災害復興公営住宅は、建設用地の確保が難しく、湾岸の埋め立て地や人工島、郊外のニュータウンや工業団地の空き地などを利用したため、住み慣れた地域を離れなければならなくなった人も多くいた。

震災後の3年間で、コミュニティの分断は繰り返された。一度目は避難所から仮設へ転居するとき。二度目は仮設から復興住宅へ転居するときである。加えて、復興住宅入居のための抽選は友や知人との別れを入居優先順位（第1順位は70歳以上の者、または重度障害者のいる世帯）は高齢者と障害者ばかりの住宅を生み出した。高齢者、障害者、一人暮らしの人、家族を亡くした人など、

【仮設住宅入居者数世帯数推移】

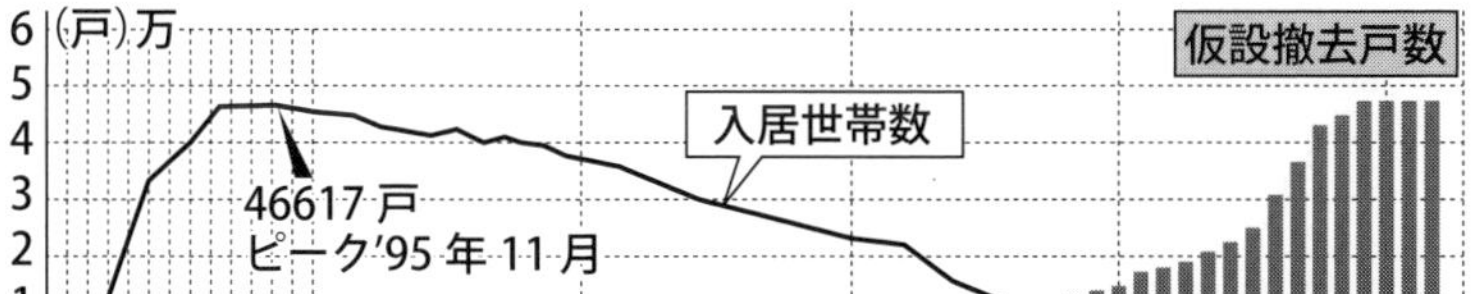

地域に支えられて生きてきた人にとって、コミュニティの再三に渡る分断は、孤独を深め、重く心にのしかかった。

「うじ虫がいたので、部屋の中で死んでるのが見つかったんや。こんな死に方ないで…。鉄の扉の復興住宅では、中でどうなってるのか全くわからへん。明日は我が身かと思うとたまらんほど不安なんや」。同じ棟で孤独死があったという坂上久さん（証言08）は、心細げにぼやいた。

神戸市東部新都心「ＨＡＴ神戸」

神戸市は、震災の年の6月、震災復興に取り組むため「神戸市復興計画」を策定。基本的課題として、市民生活と都市基盤の復旧、災害に強い都市づくり、福祉社会の構築、環境にやさしい都市の創造、情報ネットワーク社会の実現、協働によるまちづくりの推進、ボランティア活動の支援、などとした。そして、「憲法の基本的人権が実質的に保障され、市民一人ひとりが個性や能力を十分に発揮し、温かいふれあいと支え合いの中で多様な暮らしを選択、創造できる神戸」を都市づくりの基本とした。

その一つが神戸市の中心地三宮近くにある「ＨＡＴ神戸」である。東西約2キロ、南北約1キロ、約１２０haの広大な土地に「ＷＨＯ神戸センター」を核とする業務・研究機能」「国際・研究機能」「文化・交流機能」及び「住宅群」を置く。

ここに大規模な復興住宅を建設した。33棟約３５００戸、約7千人がここで暮らしている。約半数が高齢者と障害者。被災者の精神的支えとなっているペットは「持ち込み禁止」。若い人は働きに行きほとんど見かけない。高齢者と障害者ばかりが目につく巨大な復興住宅群である。

お洒落な街を意識してか複雑な構造の住宅が多い。各棟の入口やエレベーターが何処にあるのか分かりにくい。「なかなか友達の部屋が見つかれへん。見つかってもまた間違う」と困っている高齢者も多くいた。

「ＨＡＴ神戸」の災害復興住宅外観

Eさんは、この復興住宅群の東端に住んでいた。メインゲートまで1キロの所にある。80歳で一人暮らし、年金生活だった。1DKの部屋には、テレビ、布団、小さな衣装棚…。ちゃぶ台の上には仮設住宅で生活していたころ、クリスマス会のビンゴゲームで当たった飾り物と電話があるだけである。部屋はがらんとしていた。日課は、自転車で1日4回、HAT神戸の周りをぐるりと巡ること。残りの時間はジッとテレビを見ていた。この繰り返しの日々である。寂しいから、仮設時代に仲の良かった人に電話をかける。「どうや。元気かいな。わしか? まあまあや…」。声を聞きたくてついつい長話になってしまう。電話代はかさむが、心が落ち着くのだった。

地域型仮設住宅にいたころ、Eさんは笑顔が絶えることがなかった。大きな声、おもしろい話で人を笑わせる仮設一の人気者だった。復興住宅に当選したときは、新生活に希望を膨らませた。だが、訪ねてみると「わしらが入れる店あらへん。せめてうどん屋や立ち飲み屋なんかあったら、そこで友達ができるんやけどなあ。わしらのように下町でずっと生きてきたもんはレストランなんか入られへん。わしみたいな人ぎょうさんいてると思うで」と寂しそうに語った。

うどん屋、立ち飲み屋、喫茶店など、気軽に入れ、人とゆっくり話すことのできる場がない。「仮設の時はよかったなあ。話す人もおったし、楽しかったわ」「ここは寂しいとこやなあ。何もすることあらへん」。明るく笑顔が絶えなかったEさんの顔に、孤独の皺が刻み込まれていった。会う度に皺が増え深くなる。部屋であぐらをかき、俯きながら手をもむ姿は悲しかった。

話し相手がいない復興住宅での生活は、Eさんを打ちのめしていく。「しんどいけど生きていかなあかんもんなあ」。復興住宅で聞いた最後の言葉である。数ヵ月後、Eさんは病で倒れ病院に運ばれる。お見舞いに行ったとき、酸素マスクをつけたEさんは、涙を浮かべていた。「うん、うん、ありがとう」と、こみ上げてくるものをこらえて私は語りかけた。1週間後、仮設では明るい人気者だったEさんは、寂しさの中で亡くなっていった。

Mさん親子は、HAT神戸の西端に住んでいる。入居は99年4月。ゲートまでは歩いて30分かかる。震災前から母と息子の二人暮らしであった。家は全壊。避難所、仮設生活は4年3カ月に及んだ。特に共同トイレ、共同風呂、共同炊事場、2人で六畳一間だけの地域型仮設住宅の4年間は、88歳の母と60歳の息子には厳しいものであった。押入れと部屋は、荷物で一杯であり、どのように2人が寝ていたのかいつも不思議であった。仮設住宅閉鎖と同時に、復興住宅に入居した。部屋は3DK。手足を広げゆっくり寝る事ができた。「あー気持ちいい」。4年間の肩こりが治っていくと思い、嬉しかったという。

だが、HAT神戸は生活に不便な所だった。ショッピングセンターも商店街もなかった。ミニスーパーがあるが、品物が少なく高い。何でも揃う商店街に行くには、広い幹線道路（国道43号線）を渡って徒歩約1時間かかる。買いたくとも遠いゆえ、重いミカンやキャベツなどは買えない。しばらくのち、大きなスーパーがHAT神戸にもできたが、Mさん宅から徒歩30〜40分かかる。「私とこは息子が買いに行ってくれますけど、私1人やったら遠くてよう行きません」。一人暮らしの高齢者などには買いに行けぬという。食料品や生活必需品は、誰かに買って来て貰わなければ手に入らないのである。ポストはあるが、郵便局に行くのには40分も歩かねばならない。

生活者7千人の半数が高齢者・障害者という復興住宅の中には総合病院がなかった。そのためほとんどの人は遠くとも馴染みの病院へ通った。Mさんの息子は毎日、6時10分の電車で出勤した。Mさんは週3回息子と同じ電車で、馴染みの病院に行くことにしていた。「昔から行ってる病院やから安心ですけど、ここに病院があったらいいのにねえ。みんなそう思てはります」。

WHO（世界保健機関）が入ることを看板としているHAT神戸は、一つの総合病院もなく始まった。病院を必要とする人々が、多数入居することぐらい神戸市は知っていたであろう。震災から7年後の2002年10月、神戸赤十字病院が開設された。

Mさん宅の訪問からの帰り道、空はすっかり暗くなっていた。なにげなく復興住宅に目をやると、あちこちのベランダからジッと海を見つめている人たちの姿があった。その一人ひとりの表情のなんと寂しく無気力であったことか。その人たちの気持ちを考えると胸が痛んだ。ＨＡＴ神戸にある復興住宅群は、ここに住む人々の生活を考えることなく作られたのであろう。この街には「人間のにおい」がしなかった。全てを失い、二度三度の転居、コミュニティ分断をくぐり抜けた人々が、ここでも置き去りにされていた。この人々が抱えもつ「不安」「孤独」は、言い尽くしがたい。神戸市が誇る新都心「ＨＡＴ神戸」は、「基本的人権を尊重し、温かいふれあいと支え合いの都市」ではなかったのか。一体、だれのための新都心なのか。釈然としない思いを抱えながら、帰路に着いた。

今、あのとき海が見えた南側の風景には、分譲マンションが東西2キロにわたり立ち並ぶ。新しく建てられた大型ショッピングセンターは若い家族連れで賑わい、震災を知らない若い世帯が、新しい生活を始めている。

「ここは都会の墓場です」――高齢者ばかりの住宅――

Cさんと Kさんは、ＨＡＴ神戸近くにある神戸市が20年を約束に民間の分譲マンションを借り上げた復興住宅に住んでいた。入居者は60～88歳の46人、全員が一人暮らし。平均年齢は74歳。2階から4階は80歳代の人が、5階から7階は70歳代の人が、8階、9階には60歳代の人が入居する。周りには工場や倉庫が建ち並び、ダンプカーやトラックが絶え間なく行き交う10車線と、国道43号線に挟まれて、ポツンと一棟建っている。日中でも人の姿をほとんど見かけることがない。1階は店舗が入る予定だったが、シャッターは閉まったまま時は経過した。人通りが極端に少ないゆえ、この復興住宅の生活者が必要とするコンビニ、病院、飲食店などが店舗を借りることはなかった。２０２０年現在、今もシャッターは閉まっている。

この復興住宅の3階に住むCさん、当時84歳。84歳から88歳の人達が住むこの階の「最年少者」である。震災前に一人息子を亡くし、その後、震災で全てを失った。孤独な人生を送るおばあさんである。

「互いに助け合うことができぬ人たちが、ジッと孤独の日々を送っていると思うと、毎日が不安で不安で仕方ない」と話した。だから、些細なことでもゆっくり話すひとときが、何より心の「安心薬」になると我々の訪問をいつも楽しみにしてくれた。ここは三宮の繁華街から、「車」で5分、徒歩で1時間の所にある。人と話すことはほとんどない。小さな体のCさんは寂しそうに「ここは都会の墓場です」とポツンとつぶやいた。仮設で暮らしていたときに拾った猫が、唯一、心を慰めてくれる存在だった。真っ黒だが、なにより目がきれいで透き通っていた。「あんたも私も一人やなあ。寂しいから仲良うしような」と話し掛けていた。

Kさん（当時87歳）は足が不自由だった。避難所、仮設のときは歩くことができた。だが、ここに来て閉じこもることが多くなり、急速に足が悪くなったという。無料のバス券を持っているが、昇降口まで足が上がらないため、外出時は全てタクシーである。病院に行くのもタクシー。「高くついてしょうないわ」と嘆いた。一番不自由なことは買い物である。国道43号線を渡らねばスーパーも商店街もない。歩くことにそれほど不自由しない人でも「わたし、あそこ渡ろうとしても道幅広いさかい一度で無理やった。真ん中で立ってたら、もの凄い車で怖くて震えたわ。もう二度と行かん」と言ったという。当然、Kさんは渡ることなどできない。

「ありがたいことに週2回トラックで野菜や魚などを売りに来てくれる兄ちゃんがおるねん。本当に助かるわ」という。その兄ちゃんが来なくなれば、万事休すである。近くにはポストもない。郵便局には遠くて行くことができない。「便りが来ても返事書いて出されへん」のである。日々の生活には不便以上のものを抱えている。Kさんが何より求めていたのは、Cさん同様「お茶のみ友達」だった。「あんた忙しいさかい無理いわれへんやろ」「そやけど時々来てな」。Kさんを訪ねたとき、毎回言われる言葉だった。

ここに暮らすのは全員、震災で住み慣れた家や土地や財産を失い、同時に、数十年の思い出が詰まった品々や家財道具、アルバムなどを失った高齢者だった。高齢での被災は、若者に比べて喪失感は強い。明日の展望や生きがいを持とうとするが、そのエネルギーはなかった。むしろ、ほとんどの人が様々な病気を抱えるため、日々を生きるためのエネルギーさえ吸い取られていっているのが現実だった。

なぜ、行政はこのような不便な場所に高齢者ばかりを押し込めたのか。この復興住宅には、常駐する高齢者支援員はおろか集会所すらなかった。46世帯の超高齢者への行政からの支援は、微々たるものでしかない。助け合う事のできぬ高齢者たちに、どのように生活せよというのか。社会的弱者を平気で放置するこの現実を、『棄民政策』というのではないのか。

被災マンションの分断

「今年も帰れそうにありません。いつ帰ることができるのかと思うと悲しくなります」。

震災から7年が経ったとき、この年の年賀状に添えられていたAさんの近況である。Aさんの住む12階建てマンションには、173世帯が住んでいた。全壊だった。辛うじて建っているマンションをどのように建て直すのか。その方法をめぐり、全員が苦渋に満ちた日々を味わっていた。マンションを「建て替え」るのか「補修」で済ますかは、住民合意の元で決定する。

「建て替え」は、数千万円の費用が全世帯に課せられる。従って、建て替え費用がない人、ローンを組めない人は、マンションの権利を売り、転居せざるをえない。新築ゆえに資産価値がある。一方、「補修」するだけなら、数百万円で済む。決して軽くはない負担だが、ほとんどの人が、再びここで住むことができる。「補修」でも十分に住むことはできるが、資産価値は殆んどない。

「建て替え」か「補修」かのどちらを選択するかは、各世帯にとって大問題である。住民たちの意見は真っ二つに割れ、対立を生み、人間関係は崩壊した。さらに、長期化する対立は生活の再建を遠くに押しやり、多くの住民がマンションから転居していった。震災から2年後、20世帯だけが、全壊のマンションに住んでいた。

ある母娘は、全壊したマンションでの不安定な生活に耐え切れず、転居した。震災後引き取った祖母との3人生活。母親は、もう一度震災前の住み慣れた地域に戻りたいと願っていた。「会えばホッとできる人たちがいるから…」。もしマンションに帰ることができるなら、無茶を承知でローンを組んでみようと思う、と話した。「みんなバラバラになってしまった。本当に帰ることができるのか。半分あきらめてるけど、母のことを思うと無理してでも早く帰りたい」と、娘は言った。

兵庫県によると、全半壊の判定で「建て替え」か「補修」かを選択せねばならなかったマンションは、172棟。不動産情報サービス会社「東京カンテイ」によると、被災した分譲マンションは計2532棟。全被災マンションの内、83棟が大破、1988棟が軽微な損傷の判定だった。そして、115棟が建て替えを決め、6棟（5物件）が建て替え決議を巡り訴訟になり、6棟が建て替えを断念し土地を処分した。また95%にあたる240５棟が規模の大小を含め補修により復興した。これにより、ほとんどの人がローンを背負った。ローンを組むことができぬ人はマンションを後にした。だがなにより「建て替え」か「補修」かの対立の構図が、隣り近所付き合いを崩壊させ、いかに多くの人々の間に、修復できぬ憎しみの関係をもたらしたことか。

「居場所」ということ

震災から7年目を迎えた年末から年始にかけて、関わりのある40世帯の人々を訪問した。そこで、改めて「居場所＝落ち着ける場所」の重要さを痛感し考えさせられた。居場所のある人は重い病気を抱えていても前向きに生きようとしていた。ない人は、「仮設の方がよかった」など過去を振り返り落ち込んでいた。

訪問先の多くは、一人暮らしの高齢者で、終の棲家と覚悟を決めて復興住宅に住む。孤独と不安を背負うこの人たちにとって居場所とは何であろうか。どのようにすれば居場所を見つけ、前向きに生きることができるのだろうか。重い課題だった。人間が人間らしく生きるために必要な、それぞれの「居場所」。それは、被災地の高齢者だけでなく全ての人々にとっても、欠くことのできぬものの一つである。震災で家を失い、3年以上の避難所、仮設生活を余儀なくされ、心休まる日などなかった一人暮らしの高齢者たちが見つけた「居場所」を報告する。

神戸市東灘区田中町１丁目周辺の被災マンション＝1995年1月20日撮影、神戸市提供

在日韓国人のYさんの居場所

Yさん78歳。一人暮らしのおばあさんである。6歳の時、韓国から父が働く日本へ母と一緒にやって来た。若いときは差

別と貧困の中で生きた。苦しい時は、父の言葉がYさんの心を叩いた。「迷惑をかけないことはあっても、世話にならずにすむと言うことはない。なぜなら、必ず人の土地を歩くんだから…」。父が子どもに言って聞かせていた言葉である。

40歳までに胃全摘・腸摘出など7回の開腹手術を経験。薬を飲むために食事をするような状態が続く。フラフラだったが、3人の子どもを育てるために懸命に働いた。差別と偏見の中、Yさんは次のように子どもの心を育てた。

「子どもが2、3歳の頃でした。花の葉っぱをちぎったので、子どもの手をつねって『痛いでしょう。花も痛いのよ』。痛く辛い思いをするのは、あなただけではないと教えたのです。ある日、子どもが柱に頭をぶつけた時、自分の頭をなぜながら柱をなぜていました」。

被災したとき、Yさんは71歳だった。一人で住んでいた文化アパートはペシャンコになった。多くの人が亡くなった。Yさんは助かったが、タンスの下敷きとなり背骨を強く痛めた。避難所でトイレ掃除をしていたとき、激痛が襲い動けなくなり、1年以上の入院生活を余儀なくされた。痛めた背骨は、圧迫骨折していた。その後、仮設住宅、復興住宅での生活が4年以上続いた。この間、8センチも背が低くなった。働くことができず、食事もあまり取れない。復興住宅での生活は、人間関係を築くことが難しかった。ここで、死ぬまで住むのかと思うと息苦しかった。私はうつむきながら歩く姿をよく見かけた。震災は、年老いたYさんから、生きようとする力を奪い取ったのだった。

Yさんは「韓国に3度ほど帰りましたが、幼い時から日本に住んでいたので、母国に帰ってきたというのに落ち着きませんでした。日本では、韓国人であるがゆえに同じ扱いをしてもらえません。宙ぶらりんな私には落ち着ける場所がないのです」と話した事がある。

震災で何もかも失い、「在日」という身で宙ぶらりんなYさんが「落ち着ける場所」はどこにもなかった。

ある時、Yさんは母の言葉を思い出した。母は、丁寧な日本語で話していたが、亡くなる少し前、病院のベッドで今まで使ったことのない丁寧な韓国語で「ありがとうございました」と言った。

改めて、母の言葉は胸に刺さった。そのときの心中を察すると考え込んでしまう。この時期、「余生を同胞と共に送る特別養護老人ホーム」が神戸にできたことを偶然に知った。同じ屋根の下で、同胞と一緒に死ぬまで暮らすことができる場所。

国籍を意識せず生活ができる場所。ここは心が安らぐ場そのものに思えた。そして、Yさんは、一生ここでお世話になろうと決意した。

入居が決定してからのYさんの表情は、見違えるように明るくなり、重い病を抱えていても人生を前向きに考えられるようになったのである。引越しの前日、Yさんはしみじみと語った。「年をとって生きて行くということは、無理して高いハードルを越えて行くのではなく、だんだん低くなっていくハードルをくぐっていくことなのですよ」。震災から7年目に「心の居場所」を見つけたのである。Yさんは、同胞と心静かにゆっくりとした終末を過ごした。

震災が繋いだ絆―KさんとHさんのこと―

震災の後遺症は、多くの人々に人間不信と孤立を与えた。だが、84歳で年金暮らしのKさんと、61歳で喘息の持病を持つHさんは助け合って生きている。そして、親子関係のような小さなコミュニティが生まれた。

Kさんの住む家は全壊。大切にしていた庭の木も折れた。生き甲斐がなくなり、「いっぺんに10年、年をとってしまった」。年々、目と耳が悪くなり血圧も高い。

Hさんは震災前、人に言えぬ暗い過去を背負い、荒れた生活が続いていたという。そして、何もかも無くし生活保護を受ける。もう一度人生をやり直そうと思った。「社会が私を救ってくれた」との思いから、感謝のしるしに自分がかかっている病院へ朝早く出向き、問診表を書くお年寄りの手助けをしたり、受付の手伝いをしたりしていた。「社会への還元」は、震災の前日まで続いた。

KさんとHさんは、同じ仮設住宅で2年半の避難生活を送った。偶然、2人は仮設のふれあいセンター運営委員の会計となる。運営方針を巡り議論することが多かったが、嘘のないKさんに、Hさんは信頼を寄せていった。ある日、思いきってKさんに自分の過去を隠さずに話した。「3歳のときに母を亡くし、母親の愛情を味わったことがない」と話すと、「じゃあ私が母親になってあげる」とKさんが言った。その言葉に驚いたが、本当に嬉しかった。Kさんも、隠していた過去を打ち明けてくれたHさんに親愛の情を向けた。

以降、親と子の関係が始まった。Kさんは「日記をつけなさい」「教えたげるさかい、自分でおかずの作り方を覚えなさい」などいろいろ厳しく教えていった。自分が死んだあと、一人で生活できるようにとの思いからだ。復興住宅へ転居して3年が経過。Hさんの住宅とKさんの住宅は、歩いて行ける距離にあった。Hさんは毎朝Kさんの血圧、脈拍を測りに出かけた。そして、「般若心経」を一巻書く。先祖や故郷に不義理をした罪悪感にかられることをKさんに話すと、心の問題だと勧められて写経を始めた。Kさんが風呂に入るときも高血圧で倒れたら危ないと、出てくるまで部屋で待っていた。そのうち、Hさんの料理の腕前はKさんに作ってあげられるほどに上達した。Kさんはもちろんのこと、Kさんの弟は「毎日、姉の所に来てもらえるので安心です。本来なら、私が来なければならないのですが…」と感謝した。

Kさんは「震災で10年、年とったけど、5年分取り返した」と笑い、Hさんは「私の生活は地獄から天国になった」という。震災後の混乱の中、親子関係を築くことで、互いに「居場所」を見つけていったのである。Kさんは、人生を振り返るように語った。「自分が辛かった出来事は、決して苦労だけに終わっていない。苦労は役に立っていて、今の自分を作ってくれているのですよ」。

その後まもなく、Kさんは亡くなった。Hさんの腕の中で。地震がなければ出会わなかった2人。震災は悲劇だけをもたらした訳ではない。あたたかい人と人との関係も作り出した。

手紙の持つ力

2002年末のことだった。私が書いたブックレット『被災地・神戸に生きる人々―相談室から見た7年間―』(岩波書店)を読んだという茨城県の歯科医目黒由美さんからこんな手紙が届いた。

「遠くにいてもできることはありませんか」。

私は「一人暮らしの人に、手紙を書いてほしい」と頼んだ。私には、忘れられない光景があった。郵便受けの手紙を宝物のように抱いて、部屋に向かうお年寄り。自分は見捨てられていない。そう感じていたに違いない。

以後、彼女はよろず相談室が関わっているおよそ200人に宛てて、「クリスマスカード」や「年賀状」と、心ばかりのプレゼント（靴下やお箸、年越し蕎麦など）を毎年届け続けてくれた。カードにはいつも「穏やかな生活が続きますように」「来年がカレンダーに楽しい予定をたくさん書き込める一年でありますように」「風邪に気をつけて」など被災者の幸せを願う優しい言葉がしたためられていた。目黒さんは、知り合いの子どもたちや近所の幼稚園児に手紙支援の輪を広げた。

　クリスマスや正月は、とりわけ一人暮らしで高齢の被災者には寂しい。世の中の賑やかさが寂しさを増幅するのだった。このような時、手書きの「手紙」は被災者の心を温めた。届けた時の笑顔は言葉では言い表せない。私たち「よろず相談室」のメンバーは、12月になると配る手順などを話し合った。届けることで笑顔を共有できた。貴重なひとときでもあった。

目黒さんが届けてくれた年越し蕎麦や、子どもたちが書いたクリスマスカード

香川県の高校生との交流

　2005年、香川県立琴平高校の当時3年生が社会問題を学ぶ授業で、偶然、私が出演するテレビ番組を見た。目黒さんが始めてくれた手紙支援のことを語った内容を見て、子どもたちは「手紙を書こう」と「書く会」を結成。高校生と被災地のお年寄り200人との文通が始まった。

　今も文通は続けられ、年2回、高校生たちは神戸のおじいちゃん、おばあちゃんに会いに来る。文通相手の高校生に会ったときの被災者たちの笑顔を見れば、それがどれだけ幸せを運ぶのか私たちには十分伝わった。文通に参加した高校3年生のNさんは文通を続けるにつれ、福祉の仕事をしたいという漠然とした思いが、専門学校へ進学して介護福祉士になるという志望へと深まったという。決心するまでの迷いを手紙に綴ると、「君なら大丈夫」と励まされ、面接試験を前にした恐れを伝えると「素直に話せば大丈夫」と、文通相手のお年寄りが背中を押してくれた。

激励の手紙を綴ったのは、復興住宅で一人暮らす75歳のTさん。交流会で2人は出会い、卒業を前にしたNさんに、Tさんが「貴女はこれから出発ですよ　嫁に出す寂しさです」とチラシの裏にはなむけの言葉を毛筆で踊らせた。Tさんは、震災で自宅や営んでいた会社を失った。復興住宅の一人暮らしは寂しく、Nさんの手紙に込められた思いやりが身にしみるという。交流会が終わり、帰路に着くNさんが乗ったバスが見えなくなるまで、両手を振っていた。

Nさんのもう1人の文通相手の山本幸子さん（証言12）は、震災で自宅が全壊、避難所、仮設住宅、復興住宅と住環境が激変し、難聴になった。補聴器なしでやりとりできる手紙は、心がスーッと落ち着いてくるという。家族が寝静まった後、取り出して読み返す。「精神安定剤みたいなもの」と大切にする。「私らの話を聞いて、将来の道を選ぶなんて、嬉しい。返事を書いていると、私も頑張らな、と元気が出ます」と喜んでいた。

このようにして手紙支援は、徐々に全国に広がり、「よろず相談室」には毎月100～200通の手紙が送られてくるようになった。

神戸の被災者と琴平高校生の交流会

東日本大震災被災地でも手紙支援を

東日本大震災後の2011年6月、私は岡本商店街（神戸市東灘区）の有志に頼まれ、気仙沼市へ向かうボランティアバスに同行した。そこで、商店街の雑貨店の店員だった稲冨歩美さんと、神戸薬科大学の学生だった早瀬友季子さんに出会った。がれきだけになった街の様子や、体育館に避難した被災者の疲れ切った表情を見て、彼女たちは何度も涙を流した。帰路につくバスの中で、私は2人から「できることはないか」と相談を受けた。そこで、香川の高校生たちが続けてきた「手紙支援」のことを話し、孤立しがちな被災者にとって「自筆の手紙は、書いた人が会いに行くのと同じくらい、すごい力を持っている」と伝えた。避難所で被災者から聞いた5人分の名前の入ったメモを2人に渡した。彼女たちはすぐに、住所と氏名を書いて手紙を出した。

その1カ月後、稲冨さんと早瀬さんは、「ツタエテガミプロジェクト」を発足。岡本商店街のカフェで現地で撮った写真展を開き、被災者へ手紙を送るように呼びかけ、専用のホームページも開設した。今もクリスマスカードや、事務局に届く支援者からの手紙を被災地へ送り、被災者と支援者をつなぐ活動を続けている。これまでに、毎年約1千通を超える手紙をよろず相談室が訪問する宮城県気仙沼市、石巻市、福島県いわき市、双葉郡、熊本県阿蘇市などの被災地へ届けた。手紙を配達する「ボランティアステーションin気仙沼」のメンバーのひとりは、「神戸からの手紙は『届いたよ』と声かけしながら戸別訪問をする格好の材料。手紙の返信を書けるほど、心が落ち着いていない人も多い。これからも手紙は必要です」という。

大学生のAさんは、気仙沼の仮設住宅に住む人と文通する「ツタエテガミプロジェクト」の早瀬さんと一緒に現地に向かった。連絡もしないで突然訪問したが、名を明かすとパッと明るい表情になり「部屋に上がって！」と歓迎されたという。そして、震災のことや今の生活を語るのに耳を傾け、涙を流し合い、打ち解けた時間を過ごすことができた。Aさんは手紙の持つ力を次のように語った。「手紙の支援って漠然としていて、実際その場に立ち会うまでは、そんなに役に立つのかと疑問でした。だけど文通相手の方を見ていて、手紙のやり取りをしているだけでこんなにも喜んでもらえるのかと驚きました。そして、何度も言ってくれた『会えて嬉しい』という言葉は、おそらく手紙がきっかけでしか生まれない感情だと思います。今回感じた、手紙が持っている力のことを皆に伝えていきたいです」。

被災地に行くことだけが支援のすべてではない。遠くにいたり、身体が不自由で行けなくとも、被災地の人たちに絵や文字を通して「ずっとそばにいること」はできるのだと思う。会話（言葉）では上手く伝えることができなくとも、手紙（文字）ならゆっくり時間をかけて気持ちを伝えることができる。「繋がり続ける」支援がなによりも必要。手紙は「あなたは一人ではない」と伝え、前向きに生きる力を生む。「手紙も人」なのだと、私は思う。

「震災障害者」苦悩の日々

震災（災害）障害者とは「震災（災害）起因で障害者（身体・知的・精神）となった人」のことである。家や仕事、体の自由を同時に奪われ、長引く療養生活で生活再建に関する情報が得にくい場合もある。自治体も把握しにくく、社会から取り残されやすい。

よろず相談室が出会った阪神淡路大震災の震災障害者が抱きがちな負の要素は次の点だろう。

住み慣れた家、見慣れた景色、親しい人などを失う「地域の壊滅」▽同じ場所にいた家族全員が等しく震災に遭ったにも関わらず、無傷の者もいれば、死亡、重傷、障害など、様々な運命をそれぞれが背負う「家族の間の格差」▽重傷により遠方で長期入院している間に街は復興し、自分だけが後遺症と闘っているという「取り残され感」▽多数の死者に比べ「生きているだけまし」と言われ、震災で障害を負った苦しさや辛さを打ち明けることができない「孤立感」▽自然災害ゆえ被害を訴える相手がいないという現実に、我慢をするしかない「天災の不条理」など。

10年以上、私は震災障害者の苦渋の日々を想像することができなかった。それは、「孤独死」「自殺」といった悲惨なできごとに目を奪われ、障害を負ったとはいえ、「生きているだけましなのでは……」との思いがあったからだと思う。

震災から11年が経過したころ、かつて私が勤めていた御影工業高校近くの喫茶店のマスター岡田一男さん（証言02）に偶然、勤労会館のエレベーターホールで再会した。岡田さんは震災で18時間がれきの下敷きになり、クラッシュ症候群と診断された。「今も右足は痺れが取れず、テープをぐるぐる巻きにしないと歩けない。11年間、私は重い荷物を背負ってきました。薄紙をはぐように軽くしていきたい。同じ悩みを持つ人たちが気楽に集まる場があれば…」と私に話してくれたのだった。この言葉が「震災障害者と家族の集い」を持つきっかけとなった。

思いを分かち合える場所

「震災障害者と家族の集い」を月1回開くようになったのは、震災から12年目の3月のことだった。参加者は多い時には21人。それぞれが生きていく上で抱える問題は違っていた。だが、行政からの支援はほとんどなく「孤立無援」であったことは共通していた。当初、皆の表情は硬かったが回を重ねるごとに表情は柔らかくなった。毎月1回開かれた「集い」は、お茶を飲んでワイワイ話すだけだったが、心が軽くなっていくと参加者は語った。同じ悩みを持つ人同士だからか、不思議な力だと参加者は一様に話した。

「集い」で出会った当事者や家族の問題は複雑で多様であったが、癒しの場となり互いの悩みを打ち明けることのできる貴重な居場所となっていた。

震災障害者の集いは、当事者たちが悩みを共有できる特別なひとときである

当事者の家族たち

参加者には、子どもだけが障害を負った家族もいる。子どもは、震災がなければ健康な社会人となり新生活を迎えていたことだろう。だが、家族たちは25年経った今も苦しんでいる。

城戸洋子さん（証言01）は、倒れてきたピアノの下敷きになり、脳に障害が残った。当時中学3年生。運ばれた病院で「生存率3％です」と告げられた。意識は戻ったが、震災から6年後、「高次脳機能障害」と診断された。現在は障害者作業所に通い、毎日を過ごしている。「集い」が始まったころ、母の美智子さんは、「行政に相談できる窓口もなく、支援もなかった。1・17が来るたびに、私たちのことは語られなかった」と話した。

大川恵梨さん（証言10）は、当時生後2カ月半。震災で恵梨さんが寝ていたベビーベッドの上にタンスが倒れた。頭蓋骨が折れて脳内出血を起こし、知的障害と歩行障害が残った。母の尚美さんは「あの時こうしていれば、と思わなかったことはない。でも、この子の将来を信じて一人で生きていけるように助けていきたい」と娘の将来を気遣う。

洋子さんと恵梨さんは2008年、「震災障害者と家族の集い」で出会い、すぐに打ち解けた。恵梨さんの父から恵梨さんの被災体験を聞いた洋子さんは「恵梨さんがかわいそう」と号泣した。震災後、感受性が弱くなっていた洋子さんが、感情表現を取り戻した瞬間だったという。美智子さんは、洋子さんには「恵梨さんの道標になりたい」という思いがあると感じている。

恵梨さん（左）と洋子さん

2家族は、懸命に生きる2人の姿に励まされ、喜びや苦労を分かち合って過ごしている。美智子さんは2010年1月17日、神戸市長に宛て「『震災障害者』という響きはやっぱり悲しく、苦しく、辛いけれど、頑張って仲間のみなさんと共に乗り切って生きていきたいです。もう私たちのような思いをする人がないように、体の傷と心の傷を支えてください。街の復興は目に見えて立派にでき上がっていきますが、人も元気になってゆかねば、真の復興とは言えません」と手紙を書いた。

が行政を動かしたのだと思う。

震災15年目の実態調査（兵庫県・神戸市）

取り残された「震災障害者」の問題は、マスコミが大きく取り上げてくれた。マスコミと「集い」に参加する人たちの声が行政を動かしたのだと思う。

兵庫県と神戸市は、震災から16年たった２０１１年１月、震災障害者に関する調査報告書をまとめた。

調査対象は、県内で１９９５年１月から２０１０年３月の間に申請された身体障害者手帳の申請書類約32万件の中から①被災地内で障害を受けた者で、身体障害者手帳交付申請書添付の医師の診断書・意見書で、疾病・外傷発生年月日が「１９９５年１月17日」となっている人②障害の原因が「震災」となっている人——を拾い出し、震災障害者とした。

調査の結果、震災障害者数は報告書の３２８人（うち死亡１２１人）と、後から追加された知的・精神障害者21人の計３４９人とされた。

震災障害者の特定には、身体障害者手帳を基に進めたが、震災直後に県外の病院にかかった人や、その後県外に転居した人については兵庫県では把握できていない。また、申請書類には、障害の原因欄に「災害」「震災」などの区別がなく、医師によっては原因を診断書に記入していない場合もあるため、震災障害者のごく一部を特定できたに過ぎないと考えられる。現に「よろず相談室」では、今回の調査で対象とならなかった震災が起因の障害者を県外在住で３人、県内在住で１人把握している。診断書に「圧迫」や「１・17」と記載されていなかったためである。４人は一様に「無念です……」と語った。このような人々に対するフォローとともに、災害による障害者を確実に把握するための仕組みを検討する必要がある。

実感として、私は震災障害者の数は神戸市内だけで2千人を上回ると考えている。市は5年に1度、市内在住の障害者に対する「生活実態調査」を実施している（障害者６５００人を無作為に抽出）。それによると、障害の原因が「震災」と答えた人は05年の調査では約３・５％もいた。市全体の身体障害者約６万9千人に単純に掛け合わせると約２４００人にのぼる。また、阪神淡路大震災での重傷者（１カ月以上の入院）は１万６８３人。このうちの4分の１（２５００人）が後遺症を持ち、障害者となったとしてもおかしくない。

実態調査から見えたこと

震災障害者87人が兵庫県と神戸市の調査に回答した報告書（２０１０年）によると、回答者の年齢は、「60歳以上」が74％を占めた。一人暮らしをする人は22％、働いている人は24％、「年収２００万円未満」が28％。同居家族の被害は死亡が６％、負傷が８％だった。

自宅が全壊または全焼した人は80％、負傷原因は「家屋の倒壊」が53％と最も多く、負傷により「仕事を失った」と答えた人は29％もいた。

地震発生から救出までの時間は、「５～10時間未満」が最も多い32％で、２日以上までを含め、48％が「５時間以上かかった」と答えた。病院への搬送方法は「救急車」が21％にとどまり、「自家用車・バイク・自転車」が29％で最多だった。搬送時間は「２時間以上」が32％、搬送後治療までの時間は「２時間以上」が23％、入院期間「31日以上」が43％。県外施設でリハビリを受けた人は26％、障害部位は「下肢」が70％。

医療費の負担が重いと感じる人は45％、障害を相談できる相手は家族が75％、誰もいない人は９％。行政の相談窓口を知らなかった人が60％、利用しなかった人は63％だった。

特に注目したいことは、悩みを聞いてもらい相談できる相手が、「家族または誰もいない」が合わせて約85％にのぼることである。家族以外の誰にも愚痴をこぼせない、震災障害者の過酷な状況が見えてくる。

医師の診断書に「震災」の項目を

調査を経て、兵庫県と神戸市は「家族の死や家屋全壊など、複合的な喪失とともに

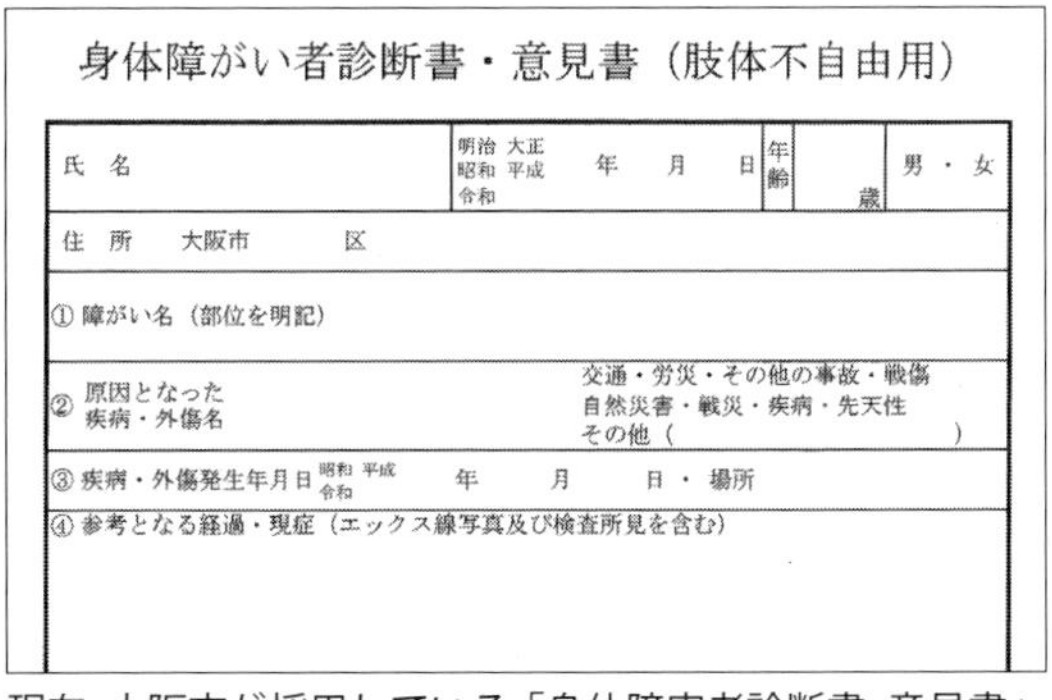
身体障がい者診断書・意見書（肢体不自由用）

氏　名	明治 大正 昭和 平成 令和　年　月　日	年齢	歳	男・女	
住　所　大阪市　　区					
① 障がい名（部位を明記）					
② 原因となった疾病・外傷名	交通・労災・その他の事故・戦傷 自然災害・戦災・疾病・先天性 その他（　　　）				
③ 疾病・外傷発生年月日 昭和 平成 令和　年　月　日・場所					
④ 参考となる経過・現症（エックス線写真及び検査所見を含む）					

現在、大阪市が採用している「身体障害者診断書・意見書」。原因となった疾病の欄に「自然災害」とある。

障害を負ったことが固有の問題」と指摘。その後「心のケアなど必要な支援につなげるため」として、医師の診断書に「震災」などの項目を独自に追加し運用することを決めた。

震災障害者の実数を把握することは、当事者・家族が強く求めてきた施策だった。一体、どれほどの人が後遺症に苦しんでいるのか、今なお孤立無援の生活を余儀なくされているのかを把握することで、ようやく震災障害者に対する支援の在り方を考えられるからである。

厚生労働省に要望書を提出

2017年2月28日、阪神淡路大震災の当事者・家族6世帯9人、「よろず相談室」のメンバー4人で、国（厚生労働省）を訪れた。この時、すでに震災から22年経過していた。身体の状況も悪化し、東京まで行けるか不安だった人や、震災後、初めて新幹線に乗る人もいた。だがなにより、彼らは「同じ苦しみを誰にも二度と味わって欲しくない」との思いを抱いていた。

面会した古屋範子副大臣（当時）は私たち一人一人の話を聞いた。震災障害者らはこの日、要望書を提出。障害者手帳申請時の提出書類に災害が原因であると明記する仕組みや、当事者が相談できる窓口の確保などを求めた。

同年3月31日、国（厚労省）は障害者手帳の交付業務を担う都道府県など全国の自治体に、申請書類の原因欄に「自然災害」を加えるよう通知し、対策の検討を促した。

全国の震災障害者

しかし、全国的な「震災障害者」の実態把握は未だに進んでいないのが現状だ。厚労省の通知に、自治体が応じないケースもある。東北三県では、震災障害者を殆ど把握していなかった。

2018年1月12日の朝日新聞によると、東日本大震災と熊本地震で重傷者が出た19都県と5政令指定市を対象に震災障害者について調べたところ、人数を把握していたのは岩手県（8人）、宮城県（38人）、仙台市（40人）、福島県（26人）、熊本県（5人）、熊本市（3人）の6自治体で計120人だった。東北2県と仙台市は2012年8月～16年9月時点の数字で、その後は追跡調査をしていなかった。岩手、福島両県は、災害障害見舞金の受給者数を下回っていた。阪神淡路大震災の震災障害者の数は少なくとも5倍以上にのぼり、東日本大震災では十分に実態が把握されていない実情が浮き彫りになった。

また、専用の相談窓口など震災障害者に絞った支援策を実施している自治体はなく、いずれも「予定はない」と回答。岩手、熊本両県は「今後大規模災害が発生した場合、被災状況に応じて支援策を検討する」などとした。

「よろず相談室」の「震災障害者と家族の集い」に参加する当事者たちは、「阪神の教訓を生かしてほしい」と自らの経験を伝えるため、宮城県を計3回訪問した。県職員らに、

2010年4月、四川大地震で左足を失った高校生の段志秀さんとの交流会

2011年1月、ハイチ地震で右足を失ったガエル・エズナールさんとの交流会

2016年4月の熊本地震でアパートの下敷きになり、右脚の膝から下を失った大学生梅崎世成さん（左）を訪問した牧（2017年10月）

2019年12月、広島市を訪れ、2014年8月の広島土砂災害で、夫を亡くし、左足を失った宮本孝子さん（右）を訪問した牧

宮城県気仙沼市の仮設住宅を訪問する岡田さん

震災障害者の把握と支援、同じ悩みを持つ人同士の「集いの場」の設置、相談窓口の設置の必要性を行政・支援団体に呼びかけた。だが、東日本大震災から10年を迎える今も、被災地全体での人数や生活への影響などはほとんど把握できていないと聞く。

「よろず相談室」のメンバーたちは、「同じ境遇にいるもの同士だからこそ、分かり合えることがある」と全国各地、時には国境も越えて、震災（災害）障害者と交流の機会を持った。連帯の輪を広げることで、国や自治体に震災（災害）障害者への支援を求めた。

「災害障害見舞金」届かぬ救済

震災障害者には、行政の支援の手がほとんど届いていない。「災害障害見舞金」は、１９７３年に議員立法で成立した災害弔意金法に基づくもので、見舞金の支給は82年から始まった。国が半分を、残りを都道府県と市町村が負担する。

心身に障害が残った場合、世帯の生計維持者なら２５０万円（その他１２５万円）が支給されるが、支給要件が厳しく、両目失明、両上肢ひじ関節以上を切断する、両下肢ひざ関節以上を切断するなど、労災による1級障害者と同等の重度の障害が残ったケースに限られる。片足・片腕を切断した人などへの支援は一切ない。障害者手帳を取れば、事故などの障害者と同じ補助を受けられる。

1万人余が重傷を負った阪神淡路大震災では、わずか63人だけが「見舞金」を受けとった。東日本大震災では岩手、宮城、福島3県で97人、熊本地震では4人にとどまっている。

国は、住宅が全半壊し、主な生計維持者が死亡または重傷を負ったなどの条件があてはまる人について、健康保険は１９９５年5月末まで（低所得者は12月末まで）、国民健康保険は同年12月31日まで、医療費の窓口一部負担を免除した（「マル免」と呼ばれた）。被災者が生活を再建するめども立たないうちにマル免が打ち切られたため、治療を中断せざるをえなかった被災者も出た。長い間、入院治療やリハビリを余儀なくされた人々への支援はなかった。ある人は、「僕は治療に６００万円かかりました」と訴えた。

災害障害見舞金の場合、お見舞金である以上、1級障害のみでなく、手帳所持者全員に広げるべきであろう。もちろん、震災起因で知的・精神障害となった人にも手渡せるようにする。国はあなたを見捨てていませんよ、とのメッセージになるはずである。

将来起こりうる大災害の被災者のために

震災障害者は「生きているだけまし」と言われ、傷つき25年間を歩んできた。社会から忘れられた存在として、孤立無援の人生を送ってきた。

私の知る人で両足を切断した人がいる。彼は、震災前まで健常者だったが、震災は彼の人生をすっかり変えてしまった。何度も自殺を考え、その度に思い止まらせ助けてくれたのは、家族や友であったという。

生と死の狭間で辛い体験を重ねて生きる、多くの震災障害者たちに、私たちはどのような支援策を講じるべきか。それは、置き去りにされてきた阪神淡路大震災の震災障害者のためだけではなく、東日本大震災で、西日本水害で、広島土砂災害で、熊本大震災で、全国で孤立している災害障害者、そして、近い将来起こりうる大災害の災害障害者のためでもある。

求める8つの施策

以上のことを踏まえて、私は国や自治体に次の8つの施策を求めたい。

①震災障害者が、「孤立無援の生活」を送ることがないためにも実数を把握すること。
②震災当初から本人・家族が今後の生活のあり方や悩みを相談できる総合窓口を設置すること。
③当事者と一緒に生活上のことを考え、行政の窓口になる専任担当者を配置すること。
④癒しの場としての「集い」の継続と充実。今も孤立無援で生きている震災障害者に「あなたは1人ではない」と伝えるために、三つの集いの場、「当事者・家族全員が集う場」「仲の良い人同士がじっくり話すことができる集いの場」「医療・教育関係者など支援者との集いの場」を設置すること。

⑤世界から震災復興の過程や教訓を学びに来る「人と防災未来センター」には、震災障害者の紹介がない。今後起こりうる自然災害に、阪神淡路大震災の震災障害者の教訓を生かすためにも、震災障害者のコーナーを設置すること。

⑥「災害障害見舞金」の支払い条件を緩和すること。

⑦自宅全壊、仕事に就けないといった人たちが、医療費・介護タクシーの費用など生活を立て直し、生きていくために必要な支出への継続的支援。既存の施策を利用し、足りない場合は補てんすること。

⑧震災障害者への施策は、各自が前向きに生きることができるまで続けていくこと。

復興公営住宅に住む震災高齢者—25年を迎えた神戸の現状—

「死にたい…」。阪神大震災から25年を迎えた今、復興住宅に住む一人暮らしの高齢者の声である。ここ数年、人々が抱える問題は深刻になってきている。震災で何もかも失い、避難所、仮設住宅、復興住宅と二度三度の転居でコミュニティの分断を余儀なくされ、それでも生き続ける震災高齢者は1万人を超える。復興住宅の65歳以上の高齢者は半数を超え、そのほとんどが一人暮らしである。約20年前に仮設住宅から優先順位と抽選で復興住宅に入居したものの、「隣は知らない人」状態は、一人暮らしの高齢者には厳しく、近所付き合いがないだけではなく、生きる希望も失わせた。

横に並べ上に積み上げるマンション形式の復興住宅は、ひっそりと静まり返っている。ここを「鉄の扉」「独房」「都会の墓場」「陸の孤島」などと、一人暮らしの高齢者は呼ぶ。10年前の朝日新聞記事によると、復興住宅に住む人のうち「外出は多くて3日に一度」47%、「1カ月間誰とも会わない」16%、「通院」80%、「地域活動に参加しない」50%であった。今、こうした調査結果の比率は、どれ程悪化しているのだろうか。

復興住宅の高齢化率は過去最高の53・7%

神戸新聞によると、兵庫県内の「災害復興住宅」の高齢化率（65歳以上）は２０１９年11月末時点で、過去最高の53・7%（前年比0・7ポイント増）となった。入居当初から自宅の再建などが難しい年配者が多かったこともあり、一般県営住宅に比べると約1・4倍の高い比率になっている。

県内には都市再生機構（UR）からの借り上げを含め、11市に計234団地の復興住宅がある。県が調査を始めた01年当時、復興住宅には4万3283人の入居者がおり、高齢化率は40・5％だった。しかし、死亡や転居などに伴い、19年の入居者は約1万4千人減の2万9593人。うち65歳以上は1万5905人で半数を超えている。1万7826の入居世帯のうち、一人暮らしの高齢世帯は8773世帯（49・2％）。

こうした単身高齢世帯の孤立化を防ぐため、西宮や尼崎、淡路など8市は復興住宅の整備当初、見守り事業を展開。財源にしていた阪神淡路大震災復興基金が残りわずかとなったため、18年度以降は県が一部費用を補助する一般事業として存続する方針を示している。ただ、存続を決めたのは神戸市だけで、他の各市は「高齢化は復興住宅だけの課題ではなく、特別扱いできない」として廃止し、一般施策で代替している。一般の県営住宅の高齢化率は38・5％。一人暮らしの高齢世帯率は31・0％で、いずれも復興住宅より15ポイント以上低い。

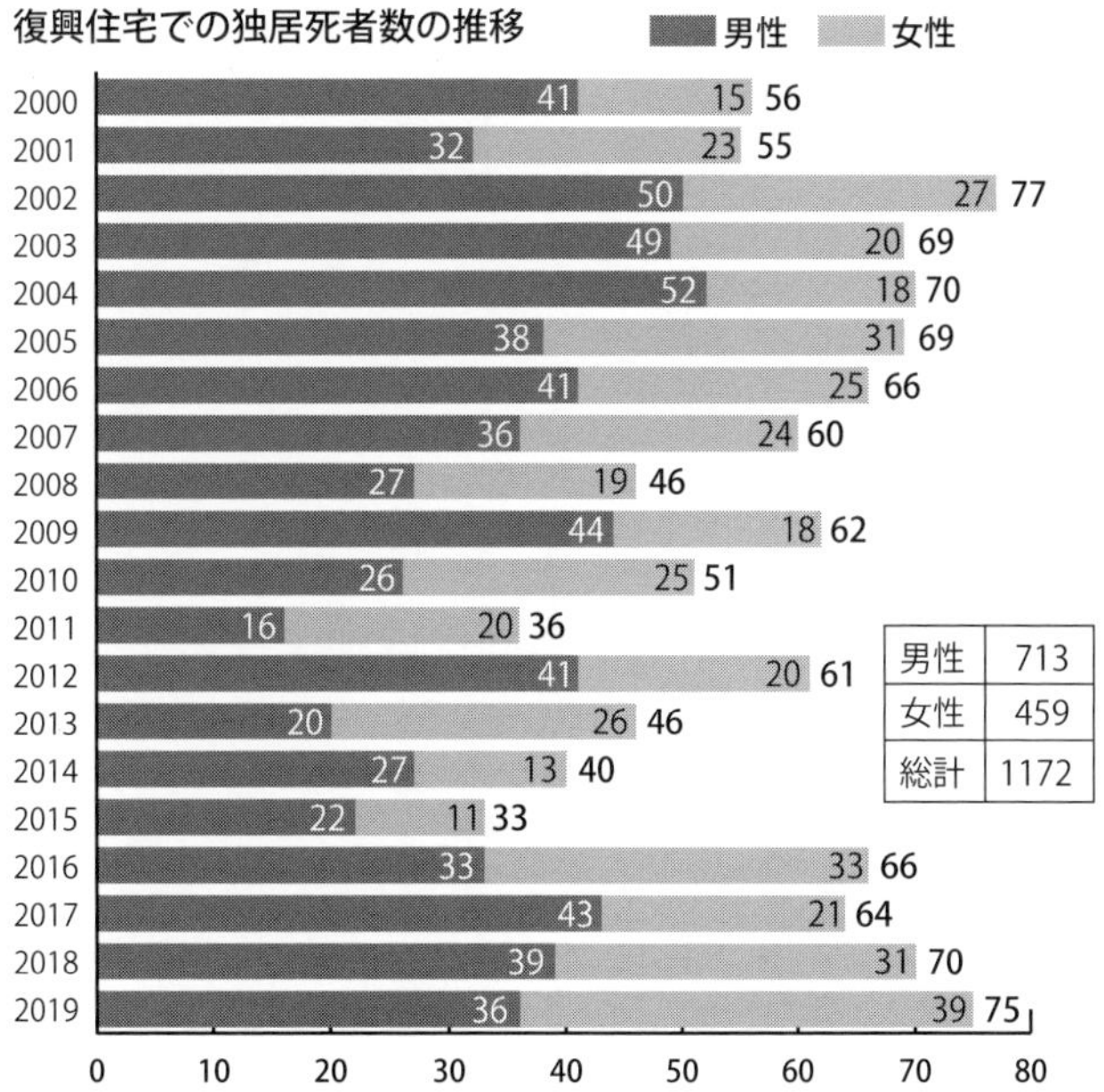

高齢化が限界　自治会支援なく

長田区にある9階建て116戸の高齢者専用復興住宅。入居から16年が経過した頃、自治会長は「当初、入居した人の半数以上が亡くなりました」と言った。平均年齢は77歳、61歳から92歳の人が住む。認知症の人も8人いる。ほとんどが一人暮らしだ。近くには民間の分譲マンションがあり、子育て世代が多いが、交流はあまりない。ある高齢者は「毎日マンションのベランダから、車や人の流れを眺めることが、唯一の楽しみやねん」と語った。

自治会の役員も高齢化が進み、他の誰かに自治会運営を任せたいが、引き継いでくれる人はいない。「夜中、徘徊している人がいる」「玄関の鍵をなくした」「水があふれ水浸しになった」「テレビがつかない」「電話が通じない」「警報装置が鳴った」など、急を要する連絡が昼夜に関係なく入る。結局、役員が自分の時間を犠牲に住民の世話をすることで、非常に大きな負担を背負っている現状がある。

自治会運営ができないので、県に相談に行くと「高齢者の方、足は痛いでしょうが、買い物はできるんですよね、歩けますよね。自治会活動、やりたくないからそんなこと言うわけですよね。基本モラルの問題なんですよ」と言われて追い返されたという。

住宅運営を任される公社も「何人かはお元気な方、おられると思います。病院にかかっていても動ける人に順次お願いすれば…」と言ってのけた。病いを抱え弱り果てている復興住宅住民への、これが行政の20年目の返答だった。

毎日新聞が、復興住宅を管理する兵庫県と、神戸市など県内11市に２０１９年11月（西宮市は19年８月）現在の状況を尋ねたアンケート調査によると、借り上げ住宅を除く計１７９団地のうち48団地（26・８％）で管理運営委員会を含む自治会組織がなかった。特に神戸市では70団地のうち半数の35団地になく、「担い手」不足のため途中で消滅したケースも多いとみられる。

復興住宅を巡っては、駅から遠いなど利便性の悪い場所では空き部屋が増えて高齢者ばかりになる傾向がある。逆に良い場所では若年層が流入するものの自治会への関心が低く、いずれの場合もコミュニティ維持の難しさが指摘されている。

学生入居について

震災高齢者が復興住宅に入居して以来、ボランティアや行政は訪問活動や見回り活動を続けてきたが、このような活動だけで十分だと思えないことが最近目立つ。それは、自治会活動の衰退であったり、近所付き合いがなく電球の球を換えられず困っている人が増加している事などである。日々生活する上で欠かせないことばかりである。

「よろず相談室」が関わっている復興住宅では、訪問活動や見回り活動、お茶会、カラオケ喫茶などが継続して行われている。だが、家から出られない人、出ない人は多い。高齢化だけが進み、活気がない。残された人生を諦めているかのようである。日々寂しく、失うものが何もなくなった高齢者にとって、学生達の訪問は喜ばれ必要とされる貴重な活動となっている。だが、訪問活動では補うことができない自治会活動への支援や被災者に向けた身近な手助けを可能にするためには何が必要なのだろう。

ある時「高齢化が進む県営団地『明舞団地』に学生を入居させることになりましたがどう思われますか」と記者から問われた。この時、はじめて学生入居という手段を知った。明舞団地は1964年に入居が始まり、現在の総戸数は約1万1千戸。2005年の国勢調査での高齢化率は29・7％で県平均の19・9％を上回っていた。

公営住宅法では、2人以上の世帯での入居が基本で、学生の単身入居は想定されていないが、兵庫県は2010年に明舞団地における「学生向け住宅」の案を地域再生計画に盛り込み、内閣府の承認を得た。そこで、2011年から始まったのが「学生シェアハウス」だ。入居中の学生が10人を超える年もあり、団地内では、学生の存在が定着してきた。学生が入居する棟の自治会長からは、「たった一人の学生が入居するだけでここまで変化があるとは」と、驚きの声があがっている。

視察に訪れた時、住民たちが学生を孫のように可愛がる光景を私は見た。ある学生は「毎日冷蔵庫がいっぱいになるんです」と語った。隣近所の人たちが「ちゃんと栄養のあるものを食べているのか」と心配し、代わる代わる食べ物を持ってくるのだという。

自治会活動はこれまでより盛んになり、今まで自治会活動に参加しなかった住民も参加するようになった。自治会長は「学生がパソコンで記録してくれ、まとめてくれるんです。そのあとみんなでお茶飲んだりして楽しいひとときを過ごすんですわ」「でも何より居るだけで私たちは嬉しいのです。気持ちが若くなるしね…」と嬉しそうに話してくれた。

明舞団地に住む高齢者と学生との交流は、地域活性化への貴重な財産となっていた。この取り組みは、復興住宅にも生かすことができるのではないか。若い学生が住戸の見回り活動などに参加し、何よりも「近くに住んでくれる」ことが、高齢者ばかりの住宅に安心をもたらすのではないか。私が訪問している「HAT神戸」の災害復興住宅の住民自治会は、この実現に向け署名活動もいとわないと言った。

私は、「HAT神戸」での学生入居案を被災地行政に投げかけた。しかし、兵庫県・神戸市行政は、共に、公営住宅法の「現に住宅に困窮する低額所得者に対するものである」を前提に「災害復興住宅も公営住宅である」「学生は住宅に困窮しておらず低所得者でもない」との姿勢を崩すことはなかった。

だが、災害復興住宅の2019年の高齢化率は53・7%。学生入居導入当時の明舞団地の高齢化率をはるかに超えている。行政の訪問活動や多様なネットワーク作りでも支えきれない復興住宅の現状が、学生入居という施策で支えられるならば、いかに現行制度のハードルが高くとも越えなければならないのではないか。それは、震災に遭い何もかも失った被災高齢者に対して被災地行政のすべきことの一つである。「制度をとるのか、命をとるのか」と私は問う。

借り上げ復興住宅の20年問題

「余震は今も続いてんねんで…」。民間借り上げ復興住宅に暮らしていた坂上久さん（証言08）が、ポツリと言った。仮設住宅から1999年、神戸市中央区にある復興住宅に移った。小さな復興住宅だが、高齢で一人暮らしの人ばかり48世帯が住む民間借り上げ住宅だった。集会所はない。もらってきたソファや机をエレベーターホールに置いていた。ここが被災高齢者48人の居場所であった。坂上さんは、いつもソファに腰かけ、「気をつけて行きや」「お帰り」と声をかける。自然と全員の名前、身体の具合や親戚関係などを知り、入居者にとって信頼できる心強い存在となった。ただ、この復興住宅は、市が民間から20年間の期限付きで借り上げていた。坂上さんは2017年、現在の市営住宅に転居。「期限があることは入居する時に聞いていたから仕方ない」と受け止めつつ、今の生活は「希望みたいなもんあれへん。一日が過ぎたらほっとしてる」とつぶやく。

阪神地域の復興住宅には、県や市が所有する建物以外に、都市再生機構（UR）や民間事業者が所有するマンションを県や市が借り上げるかたちで供給されているものがある（復興住宅3万8千戸の内、約7千戸が20年間の借り上げ住宅）。阪神淡路大震災の当時、仮設住宅の解消に躍起になった行政が、住宅建設の用地や予算確保の見通しがたたないなか、全国で初めて導入した。

実は、この「借り上げ方式」には賃貸期間20年の期限（２０１５～23年の間に順次到来）が定められており、その期限が近づくや、県や市は入居者に対して退去を迫り、別の公営住宅への転居をあっせんしている。借り上げにかかる経費の負担を軽減したい行政の思惑がある。

しかし、20年の歳を重ねた高齢者に対して今になって転居を強いることは、あまりにも非情だ。このような手荒な施策が当事者の孤独を深め、自殺や孤独死に拍車をかけることは、過去の経験から容易に想像できる。

批判を受けた県と市は、一定の基準（期限満了時に85歳以上、要介護3以上の高齢者、重度の障害者のいずれかを満たす場合）で入居継続を認める方針を打ち出したが、基準を満たさなくても転居に耐えられない状況の人は多い。

そもそも、入居者は、望んで期限付きの住宅を選んだわけではなく、限られた選択肢から行政に促されて申し込んだ住宅がたまたま借り上げ方式だったにすぎない。また、当時の行政は入居者に対して20年後の退去をきちんと説明しておらず、まったく聞いていないという人も多いのが実態だ。

神戸新聞によると、２０１９年1月現在では、計約2千世帯が借り上げ復興住宅に暮らす。前年比で約２５０世帯減。神戸市では２０１９年度以降に18団地で借り上げ期間が終了する。

この「20年問題」を巡っては、期間後も暮らす住民に対し、神戸市は12世帯、西宮市は7世帯に退去を求めて提訴。神戸地裁は3世帯に退去を命じ、1世帯が明け渡す内容で和解した。「住み慣れた家で暮らしたい」と退去を拒んできた住民側の敗訴が相次ぐ。高齢や障害のために住める部屋が限られ、転居先が決まらないケースもある。訴訟を継続する住民らは「入居時に期間終了時の明け渡しの説明は受けていない」などと主張している。

神戸市兵庫区にある住宅からの退去を命じられた80代の女性は「迷惑をかけて申し訳ない。生きる方法を教えてほしい」と訴える。退去に応じた被災者が急激な環境変化に適応できず、心身の不調を訴えるケースも出ている。住まいを奪った激震から25年。入居者の多くは高齢となり、支援する医師らも「意に沿わぬ転居は命を縮めてしまう」と警鐘を鳴らしている。

行政は、転居基準を高齢者・障害者に配慮した社会的弱者救済措置と言いたげだが、自治体間の転居基準の違い（兵庫県原則80歳以上、神戸市85歳以上は転居の必要なし）や市営・県営復興住宅は全員転居しなくていい、といった不公平・不平等をどう説明するのだろうか。

神戸新聞に「20年問題」を巡り様々な観点から深く掘り下げた連載記事があった。その中に借り上げ問題で神戸市の方針に賛成の神戸市会議員の発言がある。

「不謹慎な言い方をするが、高齢者は一年、二年たつと亡くなる方もいる。市の負担は減っていく。その辺も含め、どのぐらいの予算がいるのか。（継続入居の対象は）全ての方とはいかないが、本当の社会的弱者なら不安を取り除く必要がある。これはまさに政治の判断だろう」。

震災高齢者の命より、財政が優先だと言っているのである。

一方、復興住宅に住むある高齢者の言葉は、私の胸に突き刺さった。

「震災後、高齢者は弱者と呼ばれました。弱者は震災で死に、避難所で死に、仮設住宅で死に、復興住宅でも死にました。四回の危機を乗り越えた弱者に、五回目の危機が迫っています」。

借り上げ復興住宅問題を本に

「よろず相談室」メンバーの市川英恵さんは、神戸大学在学中に復興住宅の訪問ボランティアに参加した。復興住宅入居者との出会いをきっかけに借り上げ復興住宅の被災者たちが退去を迫られている問題を知り、２０１７年3月、『22歳が見た、聞いた、考えた「被災者のニーズ」と「居住の権利」』（クリエイツかもがわ）を出版。エッセイ風の文章と、同世代の芸大生の描いた漫画で現状を訴えた。

就職後も、借り上げ復興住宅の入居者が行政から退去を迫られている裁判の傍聴支援な

どを続け、2019年1月、入居者や有識者らの主張を示す『住むこと　生きること　追い出すこと　9人に聞く借上復興住宅』（クリエイツかもがわ）を出版した。漫画も交え、対話形式で分かりやすく伝えている。新刊では、住まいを基本的人権とする「居住福祉学」を提唱し、神戸大の早川和男名誉教授（故人）や医師らが、裁判で出した意見書を紹介。高齢者の意に反する転居が、転倒や認知症、孤独死のリスクを高めると指摘している。

東日本大震災支援

東日本大震災の被災地へは、発災1カ月後から支援を始めた。その条件は「神戸の被災者を見捨てないこと」「細く長く支援し続けること」とした。私たちはこの9年間で約70回東日本の被災地を訪問した。気仙沼・石巻・福島いわき市・福島葛尾村を幾度も訪問し、信頼関係を築く活動を心掛けた。

実は、初めて南三陸の惨状を見た時、「私たちに何もできない」と仙台まで帰ってしまった。翌日、石巻市の郊外の避難所を訪問し、これから先どうすればいいのか悩んでいる人々の話にひたすら耳を傾けた。ある70代の老夫婦は、「娘と孫が津波に流された。夜目が覚めるとその事が思い出されて、眠れない。辛い」と何度も話した。

同行したよろずのメンバーは、「行く前は私たちは寄り添って話を聞いてあげることができるのではと、そんな思いで現地入りしたがそんな甘いものではなかった」と泣き崩れた。しかし、被災者たちが一気に話し続ける姿を見て、「言葉をかけてあげることさえできないかもしれないが、思いを吐き出すこと、その人の話を聞くことで胸に溜まっていたものがほんの少しでも取れたらと思った。一回きりの付き合いではなく、細々とでいいから関わっていくことができるのでは。私は出会った人に手紙を書いていこうと思う。離れた地から気にかけている人がいるよと、伝えられたらいいなと思う」と訪問を振り返った。

石巻市内の仮設住宅の前でチンドンを披露する大学生ら

石巻市内の仮設住宅で、大学生が企画したヨーヨー釣りを楽しむ地元の子どもたち

石巻市内の仮設住宅で、子どもたちに勉強を教える大学生ら

それから月に1度、「また来たよ」と石巻と気仙沼の避難所・仮設住宅を訪問した。人と出会い、共に悩み、一人ではないと伝え続けた。また、被災地の子ども支援や、神戸の教訓を生かしてもらいたいと被災地の「支援者への支援」も行った。

活動を共にする大学生のチンドン屋は、賑やかな楽器と衣装で被災地を元気づけ、音楽隊の心に染み入る音色は、被災地を優しく包む。「また来てー」の声を全身に浴びて、チンドン屋と音楽隊は、そこに住む人々との再会を約束した。

今、仮設住宅が解消され復興住宅への入居がほぼ完了した。私は、すぐに阪神の復興住宅の現状（25年間で仮設住宅・復興住宅での孤独死・自殺者は1500人に達し、復興住宅に住み始めた人の約6割以上が死去した）に追いつき、阪神と同じ問題が突きつけられると思っている。なぜなら、東北の被災地は地場産業が壊滅、働く場所が少なくなり、とりわけ若い世代は働くために、故郷から離れた生活を余儀なくされたからである。復興住宅は高齢者ばかりが住むところになっている。震災で生き延びた命が「希望」すら持てず、阪神以上の悲劇を生むのではないかと危惧している。東日本は今も非常事態なのだ。

初めて東北へ行った時に避難所で出会った高橋てる子さん（手前右から２番目）。仮設に移り、病院で亡くなるまで、交流は続いた。

おわりに

よろず相談室の現在の活動

よろず相談室は、一人暮らしの高齢者が暮らす復興住宅を訪問、話し相手となり、信頼関係を築いてきた。お茶を飲み、話をする。たったそれだけだが、「一人ではない」「置き去りにされていない」と伝えることはできているのだと思う。当初、明石市から芦屋市に点在する被災者宅130世帯を訪問していたが、次々と亡くなり、現在12世帯までに減った。

先日、何回訪問しても留守だった人が、実は亡くなっていたことを知った。「また来てね…」と元気だった人が、次に訪問すると玄関に葬儀の紙が貼ってありガッカリすることもあった。このように私たちボランティアには、当事者がいつ亡くなったかを知らされない現状がある。また訪問時に「もう死にたい」と言われた時、悩むことが多い。

最近、特に訪問活動で認知症やうつ病の人が多くなったと感じる。今、「孤独以上の孤独」「生きることの恐怖」が被災者の心を支配している。あの震災を生きのびた命が、四半世紀が経過した今、生きる恐怖にさらされている。

人は人によってのみ救うことができる

25年の活動を通し「心のケア」「訪問活動」について実感した出来事を2点伝えたい。

私は、「心のケア」に専門家は必要だが、それは最後の砦なのだと考えている。

弟2人を失い、母が震災障害者となった少年は「僕は不登校になりました。でも仮設で一緒に遊んでくれた大学生のお兄ちゃん、お姉ちゃんのおかげで自然と学校に行くことができました」と話した。また、両親を亡くし、離れ離れの生活を余儀なくされた姉妹は「私は楽しい思い出（キャンプファイヤーなど）をいっぱい大学生たちに残してもらい救われました」と振り返り語った。悲しみを乗り越え生きていく力は、われわれのような普通の人から得られるだろうと気づかされた。

「訪問活動」は、肩肘張ってこうしなければならないと思い過ぎてはならない。気負うことで支援者は頑張りすぎ、そこから義務感が生まれ苦痛になるからである。「何をするのでもなく、なんとなく、ずっとそばにいる」。このことが支援者・当事者の距離を近づけるのだと思う。本音の会話が生まれ、心身が癒されるからである。

行政の施策は、見回り支援などいくつかあるが、安否確認の域を超えることはない。「生きてるか死んでるか」ではなく、「今日も楽しかった」と思ってもらえるような訪問の在り方が、なにより重要なのだと思う。

東日本大震災で仮設住宅に住む高齢者も「何もいらないけど、話し相手が欲しい」と言った。

阪神淡路大震災は、6434人のそれぞれの人生を奪った。また、震災を生きてくぐり抜けた人たちの約1500人が孤独死・自殺で亡くなった。その原因は高齢化だけではなく、生き続ける希望を失った結果だと私は思う。

この頃、25年という年月は、被災者に何を与え何を奪っていったのだろうと考え込んでしまうことが多い。「制度で人は救えない」「人は人によってのみ救うことができる」と被災地は学んだはずである。

だが、制度の枠（根底に平等論が横たわっている）から抜け出せない被災地行政と、被災者支援への活動（とりわけ人に寄り添う）を行うボランティアの減少は、被災地に生きる人々の復興への歩みを遅くしている。

一見、復興したと見える被災地も一皮むけば、人々が生きる為のハードルが年々高くなっていく現状がある。メディアには、自然災害の後遺症（身体の不自由、心の痛み、二重ローンなど）を被災地・被災者が背負い続けている事実について慎重かつ確実に伝え続ける責務があり、そのことが震災を風化させないことに繋がる、と私は考える。

震災高齢者にとって25年間という年月は、どのような人生の歩みだったのだろうか。この間、私は多くの葬儀に参列させてもらった。出席者が2人の葬儀もあった。死んでも孤独なのか、楽しいひとときはあったのか、と幾度も考えたものだった。これが、震災高齢者に与えられた人生なのだろうか。

私たちは何をしなければならないのだろうか。少なくとも行政とボランティアが互いにできぬことを補い合い協力しなければこの現状を抜け出すことはできない。

時の経過は、様々な問題を被災地に背負わせていく。阪神・東日本の復興住宅に住む人々への、温かみのある支援の在り方を、行政が今すぐに考えねば、先の見えぬ被災者の自殺・孤独死はこれからも続くだろう。

学生時代に「よろず相談室」の活動を手伝ってくれた学生たちが、今、「訪問活動」「手紙支援」「年二回の集い」を引き継いでくれている。全員が社会人となったが、空いた時間をこれら「よろず相談室」の活動にあてがってくれる。若い世代へのバトンタッチができたことは、何より私の心を軽くしてくれた。

残された時間はほとんどないが、遅くはない。

第2章

阪神淡路大震災を生きた私たちの25年

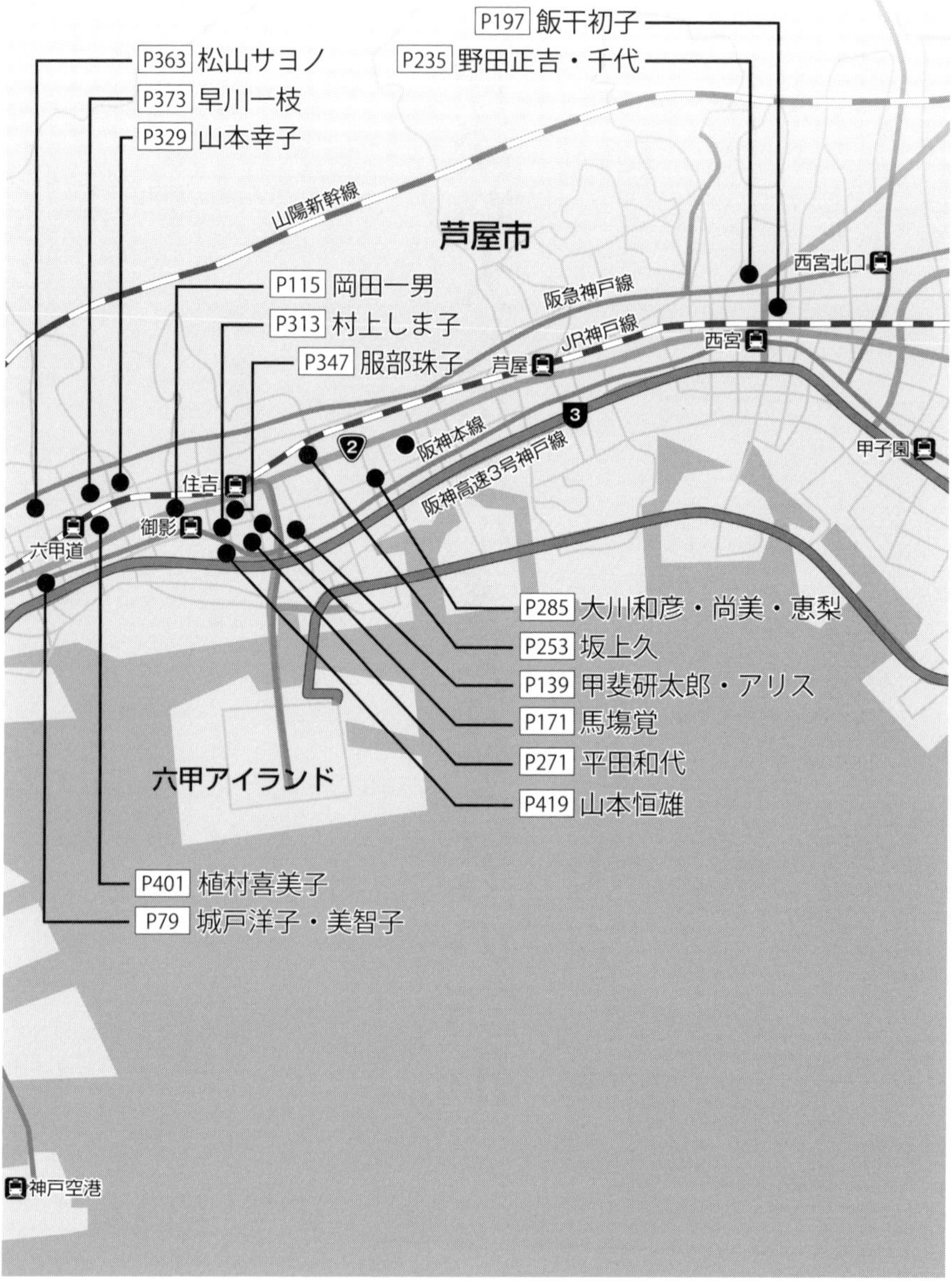
P197 飯干初子
P235 野田正吉・千代
P363 松山サヨノ
P373 早川一枝
P329 山本幸子
山陽新幹線
芦屋市
西宮北口
P115 岡田一男
P313 村上しま子
P347 服部珠子
阪急神戸線
JR神戸線
西宮
芦屋
阪神本線
阪神高速3号神戸線
甲子園
住吉
御影
六甲道
P285 大川和彦・尚美・恵梨
P253 坂上久
P139 甲斐研太郎・アリス
P171 馬場覚
P271 平田和代
P419 山本恒雄
六甲アイランド
P401 植村喜美子
P79 城戸洋子・美智子
神戸空港

1995年1月17日
阪神淡路大震災
発生当時の証言者たちの住まい

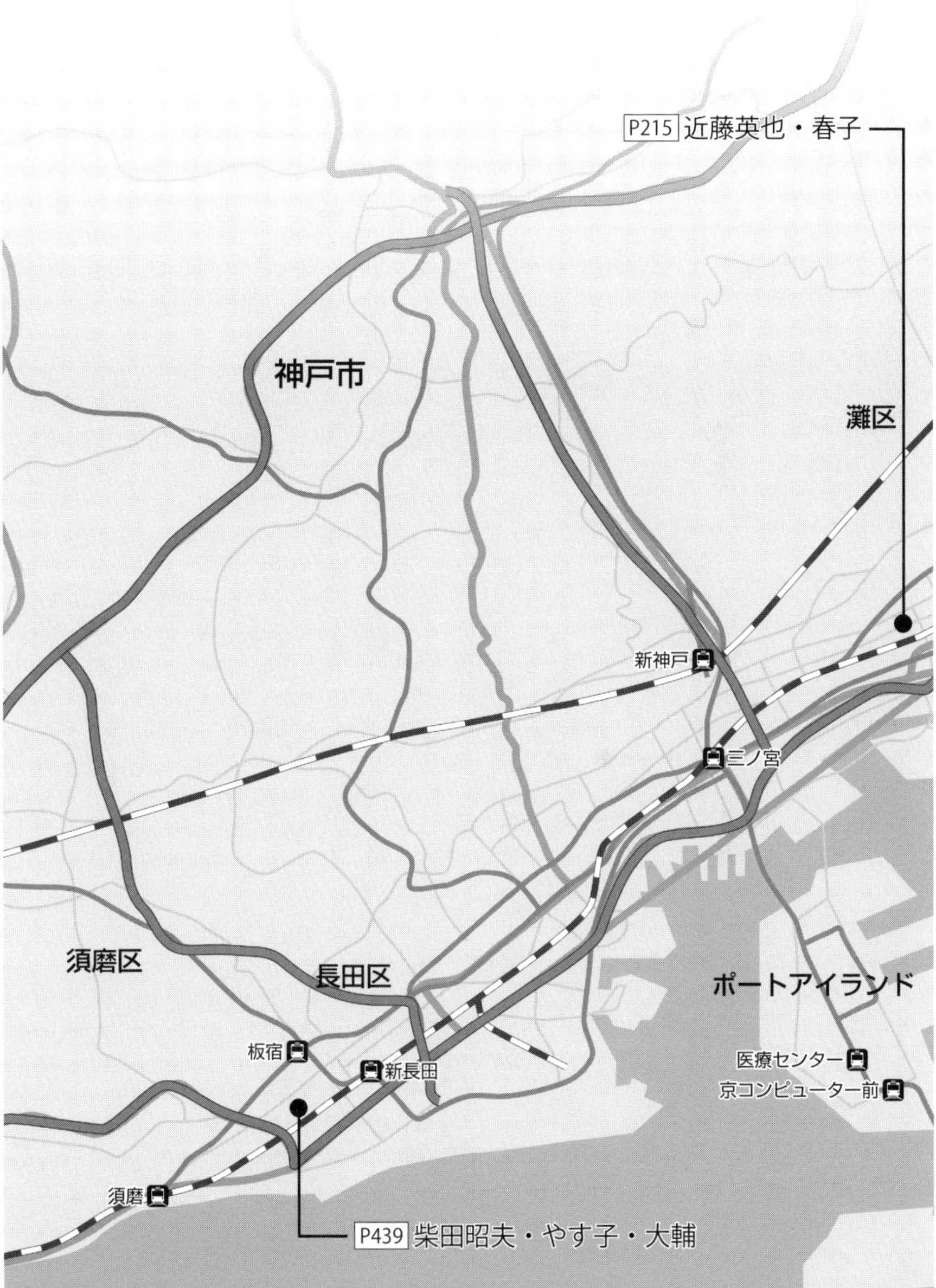

本章は、２０１５年3月26日~２０１９年10月19日にかけて、私が18世帯26人の証言をホームビデオに録画したものが元になっている。貴重な経験をされた方々が次々と亡くなっていくことに焦った私は「よろず相談室の宝物にしたい」とお願いして、この撮影に臨んだ。

震災から20年という月日を経た彼らの声は、発災直後の悲しみや喪失感に満ちたものではなかった。いつもの世間話のようなやり取りの中で、自分の人生を見つめるように、時に深刻すぎると思える話も、淡々と語ってくれた。その穏やかな語りの中にも、悲しみは常にあった。一方で、絶望を生き抜いてきた人のたくましい一面や、今後もこの悲しみは続いていくという厳しい運命を受け止めた覚悟のようなものも、映っている気がする。

その空気感をできる限りそのままに編集した。まとまりのない会話は、読みにくいかもしれないが、読者の皆様にも、被災者の方々と私が過ごしたひとときに同席していただき、震災が人々の心や生活に与える衝撃と、希望を感じ取っていただければ、幸いである。(牧)

「あの色とあの景色は本当に一生忘れられへんと思うけれども。なんか、違う星に私たちは来たという感じで」

証言　01

城戸美智子さん（当時42歳、右）
城戸洋子さん（当時14歳、左）
※年齢は震災当時

震災当時、城戸美智子さんは、夫と子ども3人（長女：中学3年の洋子さん、長男：小3、次女：幼稚園年長）の5人家族。一家は、神戸市灘区大石東町の市営住宅で被災した。倒れてきたピアノに頭部を直撃された洋子さんは、一命を取り留めたものの、高次脳機能障害との診断を受ける。

城戸さんとの出会い

城戸美智子さん、洋子さんとの出会いは、私が勤務していた神戸市立楠高校（定時制）に、洋子さんが入学したときだった。学年主任として、城戸親子と卒業までの4年間を過ごした。洋子さんには認知障害があり、学校への送り迎えにいつも母親の美智子さんがついていた。

「甘い親や」。あまり事情を知らない私はそう思い、美智子さんに「1人で通学できるようにしよう」と持ちかけた。「えっ！」と言われたが…。

自宅と学校は、神戸電鉄の北鈴蘭台駅から湊川駅までの往復。最初は生徒や教師が駅までの送迎を行った。慣れてきたころ、学校から家まで1人で帰らせた。このとき、6時間行方不明になる事件になった。本人はニコニコしながら駅員に連れられて無事帰宅した。

それ以来、1人で通学ができるようになった。私は「社会の刺激が障害者を変える力を持つ」と信じているが、洋子さんはその後、親の手を借りることなく、友達・先生たちと楽しく学校生活を過ごし、卒業していった。

卒業後の問題は、1人で社会生活を営めるかであった。障害者雇用の公的な制度を使って数カ所の企業実習を試みたが、どれも上手くいかなかった。現在、洋子さんは障害者の作業所に通っている。ピエロの格好をして特別養護老人ホームなどを訪問。月収は5千円ほど。親子にとって将来は不安であるが、毎日休まず元気に「行ってきます」と出かけ、「ただいま」と帰ってくることが、少しの幸せだという。災害障害者（災害で障害者となった人のこと）にとって、震災後の生活は苦難に満ちたものが多い。城戸一家にとって、25年が経過した今も震災は終わらない。（牧）

ごくごく普通に平和に暮らしていました

美智子　今日はなんでしょう、先生。

牧　「よろず相談室」として今まで関わってきた人の証言記録を残したいなと思ったんです。

美智子　えー、そうなん。先生、もうそんなしゃべるパワーが、エネルギーがないです。

牧　あるやん。

美智子　牧先生、全然お変わりになりませんね。怖いわ。楠高校時代とお変わりないですね。

牧　変わったわ。(頭)見てみいな。

美智子　先生、高校時代からそないやったんちゃいます？

牧　変わってへん？

美智子　変わってないなあ。(洋子さんと顔を見合わせる)

この日の聞き取りは、2016年3月6日。城戸美智子さんと、長女の洋子さんがそろって対談した。

牧　ほな、城戸(洋子)さんね。震災とき、中学何年…。3年やったっけ。

洋子　3年。

牧　3年。そのときに震災に遭ったんや。その前というのは、どこらへんに住んではって。どんな家庭やったんか。家庭いったらおかしいか。

美智子　家庭って、ドキッ(笑)。震災というか、洋子ちゃんは神戸で生まれてまるまる神戸っ子なんですけどね。(私は)結婚して灘の大石に住んだんです。だから子どもたち3人ともそこで生まれて。まあ、順調に。3人三つどもえでいろいろもめながらですけど。ごくごく普通に、平和に暮らしていました。で、洋子ちゃんが中3になって、高校入試まであと少しということになって、一番下の子は幼稚園の年長さんになって、今度小学校に上がるから。やー、やっと手が離れるわと思って、ラッキーって。

牧　ほな、一番上が洋子ちゃん。

美智子　その次は小学校3年生、弟。で、幼稚園の年長さん。幼稚園は送り迎えとかあるし大変やって。やっとそれがなくなって小学生。高校生のお姉ちゃんと。高校といったらまぁ一段落、義務教育終わるから、ほっとして。一番下の子は義務教育に入るんやけど、やっと手が離れるから、私も「自分が好きなことをしたいな」なんてことを考えていたんです。

牧　何をしたかったん。

美智子　好きなことをね。カルチャーセンター行きたいな、みたいな。いろいろ手作りすることが好きやったから。夢を持って暮らしていたんです。

牧　そのときまでは子育てで大変やったから。一段落するからと。

美智子　そういう時期です。だから震災が17日で、2月5日くらいに私学の入試があるでしょ。

震災が起きたのは、まさに受験シーズンのただ中だった。多くの高校3年生は、大学入試センター試験を1月14、15の両日で終えた直後。そして洋子さんたち中学3年生は、これから、というときだった。当時の報道によると、神戸市市教委の推計では、神戸市内で被災した中学3年生は約3千人に上った。

美智子　この子は併願で行くことになっていたから。1回目の私学のテストまでもうちょっとやねって、馬力かけて。「先生に『城戸洋子がよう頑張っているね』と言われた」と学校から帰ってきて。遅まきながらエンジンがかかってるなと思ってたときに。

牧　震災があった。

美智子　そう。忘れもしない。この人ね、ちゃんと次の日に行く学校の道具とか全部、かばんに用意して枕元において寝る。そこだけはしつけがよかったん。えらいでしょ。前の日も、用意もすんで、寝ますねと。次の日は耐寒マラソンとかあったんやね（洋子さんに語りかける）。「いややわ」、ぶつぶつ言いながら、「おやすみ」と。おやすみと言ったことをすごく覚えているんやけど。もう本当にそうなんです。それで、地震が来るとは思っていなかったんですけど、平和でした。ちょうど私もいい波が来て、「私もああちょっと楽になるな」と思っていたときにやられました。

牧　はい。

　1995年1月17日午前5時46分、大地震に襲われた。城戸家が暮らしていた神戸市東部の灘区は最大震度7を観測した。

牧　そのときに、弟も妹も大丈夫やったん。家はどうやったん。

洋子　潰れた。

美智子　そのときは、洋子ちゃんと主人がこっちの部屋で寝ていて。あたしを真ん中に弟、妹と3人寝ていたんですね。別の部屋で。それで、なんか、びょーんと飛び上がる感じ。何かどーんと飛び上がって、でこういうふう（手を左右に揺らす）に来て、物がぼんぼんと、頭に当たっている。一瞬、私は妹の上に覆い被さったんですね。ばっと。このままの状態で「なになになに」と。で、揺れが止まったときにタンスに触れたんです。タンスが倒れているということは、この下に弟いるから「は！」と思って。大声で主人に「タンスが倒れている」と叫んでましたね、確か。

　主人が飛んできて、私は電気をつけなくちゃ明るくしなくちゃと思って、はっと我に返ってね、「ちょっと待って、こんな揺れていて電気がつくわけないよな」と。「あ、暗いままやな」と思って。タンスが机にはさまってたから少し空間ができてたと思うんですけど、その男の子がぴゃっと自分で出てきたんです。「けがないの」とか言って、主人はその間に洋子の部屋に戻って、そんときに主人の一声です。「ピアノが倒れている」。

牧　聞いたときに、そこでまたどーっという感じで。洋子は大きいから逃げていると思っていて。なんかもう洋ちゃんのことでごめんね（洋子さんの方を向く）。洋ちゃんは逃げてるから大丈夫、とそこまで思わなかった。とりあえず下の小さいのと弟のことがばたばたしている間に。主人が行ってピアノが（倒れていて）、そこから始まりましたね。だから弟と妹は無事やったです。

美智子　タンスが倒れてきて、弟の上にもきたんやけども、なんかものがはさまっていて。そうそう机にからんでてはさまっていたんですよ。

牧　ほんで、空間があったんやね。

美智子　弟は打ち身とか擦り傷とかしていたと思うんです。でも、そんなこと見てあげられるひまもなく、というか。もうお姉ちゃんの方を。ピアノはさすがに上がらなくって。2人では。で、どういう状態かわからなくって。電気真っ暗だし。そしたら、奇跡じゃないですけど、近所の人がすぐに「城戸さん大丈夫？」と来てくれたんです。「城戸さんは荷物が多いから」といつもみんなから言われてたから。ほんとにお隣からみんな来てくれはって、男の人も来てくれはって。すぐにピアノを持ち上げてくれて、洋子をさすったら、うんともすんとも言わなくって。

日本建築学会「阪神淡路大震災　住宅内部被害調査報告書」によると、震度7の地域と災害救助法が適用された地域では、約6割の部屋で家具の転倒・散乱があり、ピアノも1割で倒れた。また、けがの原因も、家具などの転倒・落下が最も多く46％を占めた。次いでガラスは29％だった。

美智子　ほいでとりあえず外に出そうということで、洋子ちゃん毛布でくるんで、運んでもらったんです、下に。暗いとこ。2階に住んでいましたけど、階段はすごい落ちていてね。私たちはよく落ちないで下りたなと。

牧　2階に住んでいたの。1階は？

美智子　アパート（市営住宅）やから。既成住宅に住んでいましたから。下がピロティいうて、空洞なんですね。下がピロティで通路になっているところの上に住んでいたんですけども。なんかL字型に建っていて、こっち側の海に面した方は1階からちゃんとうち（部屋）があってね、向きによって被害のあれが違ったよね。おんなしアパートでも。
　結構、直撃がひどかってね。この並びのところはね。こっちとはちょっと被害度が違ったみたいだから。

牧　全部で何軒住んでいた？

美智子　八十何軒です。8階建てですから。8階建ての2階に住んでいたんです。新築でね。私たち新婚で新築で入ったんですよ。

牧　ほんで、全部ばんと落ちたの。

美智子　いや、落ちていない。上の人はそんなに、ちょっとずれたかなというところがあって、私たち1階、2階、どのへんまでかわからないけど、私のところは、鉄の扉、玄関の扉がゆがんだし、窓も落ちたし、壁もおちたし、ほぼね、全壊状態。

市営団地2階、30坪

　当時、建物の損壊判定は、「損害の程度が全壊は50％以上、半壊は20％以上」という、1968年の内閣総理大臣官房審議室長の通達をベースに神戸市が独自の判定基準を作り、外からの目視で判断した。神戸市では、他府県からの応援を含めて延べ3660人が判定にあたったが、その判定に納得できず、再調査は6万件以上に上った（神戸新聞1999年8月19日付「復興へ」第22部「法」という壁（2）すべて決めた罹災証明）。

美智子　2階、私たちのところは全壊やけども、（建物）全部で判定するから半壊評価。だから罹災証明は半壊でいただい

牧　ているんです。でも、玄関なんか扉が曲がっていたから、ドアしまらへんから、鎖でかけとったって主人は言っていましたけどね。

美智子　ここから2階やから、1階に（洋子さんを）下ろすの大変やったんじゃない。

牧　そうなんです。

美智子　（洋子さんに向かって）大きかったもんな。

牧　だいたいピアノが倒れたというたら、こう、血が出てたんじゃないかとか思いますよ。聞いたら全然何にもない。洋子ちゃんなんです。普通の。顔も洋子ちゃん。でも、意識ない。呼べど叫べど返事もせずに。本当にこの子ね、（今は）こないしゃべってて奇跡やと思うんやけど。

　ほいで、下に下ろしたときに本当に人がぽつぽつと集まりつつあるところで。あの色とあの景色は本当に一生忘れられへんと思うけれども。なんか、違う星に私たちは来たという感じで。空気が違う。それで下りてどうしようかと。8階におった知り合いのお兄ちゃんがね、大人なんやけど、たまたま車を家の近くに止めている、軽（自動車）やねんけど。「病院に走ろう」と、声かけてくれはって。

　で、洋子ちゃんを毛布でくるんでその軽に載せようとしたときに、だれか知らん人が来てくれて、その人、看護師さんやって。洋子ちゃんの目をぴろーんと開けて、なんか私、違う世界やと思うけど、「大丈夫、瞳孔がまだ。お母さん、まだ脈もある、大丈夫」と。「えー、そうなん」と思いながら、軽にね、私たち家族5人と、6人乗ったんですよ。どうやっ

て乗ったか覚えていないの。軽に6人。前には洋子ちゃん乗ったから、後ろに乗ったんかな。なんかわからんけど全部乗ったんです。それで、(図を示しながら) ここ (国道) 43号線なんです。こっちが (国道) 2号線なんですね。ほんで、病院とか商業施設とかは2号線を越えたあたりにある。ここを阪神が走っているでしょう。2号線を越えようと思っていったら電車の高架が落ちているんやね。

城戸家が暮らしていた神戸市灘区の市営住宅の近くでは、阪神電鉄の大石－新在家間の高架が、電車を載せたまま崩落した。

美智子　「高架が落ちてる、高架落ちてるやん」と言うて、「越えられへんから違うところ行こう」言うて。で、こう (違うルートを) 行ったら、また「落ちてるやん、通られへんやん」て。それで通れたかと思ったら、すごい電線が垂れているんですよ。電線垂れていて、上まで上がれなくて。やっと上がって、病院に向かいよったら、2号線沿いの家が焼けていると。「火事が、火が出ている」と。

私、今不思議に思っているのは、「高架落ちている」という言葉ね、普通言わへんやん。日常生活の中で。そやから、「高架が落ちている」とか「燃え

大石－新在家間の高架が崩れ脱線した阪神電鉄の車両
＝神戸市灘区

ている」と言っていた自分とか、そのときは夢中やからあれやけど、普通の生活から考えたら口にすることがあり得ない言葉を言っていたと、後から思ってきました。

牧　運ばれて、とにかく病院に行ったわけや。六甲病院?

美智子　いやいやいや、先生、そんなに甘いもんやないで。そんなに甘いもんやない。先生、ここの話になると、ほんまね。さっき先生、1時間、2時間しゃべれ、って言いましたよね。だから私いやなんです、はしょったらすごくはしょるし、すぐ終わりなんですよ。

ここから、混乱の中、洋子さんへの対応を求めて、医療機関をあちこち綱渡りする時間が続く。兵庫県医師会のまとめによると、神戸市内の会員医療機関約3000件のうち、約25%が全半壊(全半焼)。神戸市灘区の被害は特に大きく、61%に上った。

美智子　お兄ちゃんが連れて行ってくれた個人病院ですね。洋子ちゃんも行ったことがある。そこの病院の先生が飛び出してくれはったんです。お兄ちゃんが呼んでくれて。先生が「そんな今、患者診ているような場合ちゃう。家の中ががちゃがちゃやねん」って言わはって。でも洋子ちゃんを診てくれたんです。車の中で横たわっている洋ちゃんを。「なんでもいいからとりあえず救急病院に走れ」「硬いものをかませろ」と言われたんです。その時、私、車の中で、「硬い物って何?」って、みんな一瞬なんで硬い物って何やってわからなかったんですけどね。確かボールペンをかましたと思うんです。ほんで「とりあえず走れ」って。で走って。六甲道駅の下に救急病院があったんです。だからこのまま、2号線の下の道をひたすらずーっと走っていって。したら、家が倒れているんじゃなくて、なだれ落ちている。垂れている。道路に。

住宅密集地だったJR六甲道駅南側の一体は、震災で建物の約7割が全半壊した。その被害の深刻さから、のちに、神戸市が市街地再開発事業の都市計画を決定し、大規模な復興工事が始まることとなる。最終的に、事業終了まで10年を要した。

美智子

それで車が救急病院まで行けないと。だから乗せてくれていたお兄ちゃんが、「とりあえず、降ろそう」と。「ここに降ろしてそのまま運ぼう」と、言ってくれて。で、洋子を降ろして、まわりにこう男の方たちが立っていて、「すいません。けが人なんです。手伝って下さい、助けて下さい。運んで下さい」って、確か叫んだと思うんです。

そしたら、本当に全然知らない人が、ばーっといっぱい寄ってきてくれたんです。で、洋子ちゃんをみんなで抱えて、本当に一瞬の間にばーっと、西外科（西病院）なんですけど、病院まで運んで、入れてくれはったんです。ほんで私が行ったときには廊下に寝かされていて、点滴打たれて。あの状態で治療受けられていたんなら、そりゃあもう奇跡ですよね。とりあえず注射うたれて、この状態で廊下でずーっと寝ていて。

それで時間の感じがどのくらいかわからないけれど、ちょっと時間経ったら、議員さんみたいな人が「大丈夫ですか」と回ってきてはってた。私はね、神戸が全部やられていると思ったんです。北区におじいちゃん、おばあちゃんがおったから、「北区とかどうなってるんですか」とか「娘がそんな状態だから早くなんかしてください」とか言うたような気がする。それで看護師さんをつかまえてね、「意識がないんやからレントゲンとって下さい」って言ったんですよ、私。そしたら看護師さんが、間髪入れずにね、「電気もないのになんでレントゲンがとれるのよ」って。もう、こういう言葉ですよ。優しくない、「とれるわけないでしょっ」ってもうバーンと言われて、そこで、私、一瞬我に返りましたよね。「あ、そうなんや」って思って。ほいで、ここの病院で夜になって真っ暗になったんですよ。電気もない。トイレも壊れて、トイレのドアも閉まっていなかったです。

関西電力によると、1月17日当日の停電軒数は、発生直後は約260万軒、約13時間後は、約100万軒、約14時間経った時点でも約50万軒に上った。自家発電が機能しない医療機関も多く、加えて、多くの医療機関で給水タンクの倒壊・損壊などがおきた。神戸市水道局によると、市内全域で水道が復旧したのは震災の3カ月後。阪神淡路大震災は、医療機関の防災体制についても大きな課題を突きつけた。

牧 西外科？

美智子 西外科。洋子はこの状態で、本当に早い状態で病院に入ったんです。あとから病院は入れなくなってね。前に人がいっぱいあふれていたんですって。それは下の子どもたちが、夜になったら車のヘッドライトで治療していたと言っていた。でも、洋子ちゃんはそのとき病院の中におって、点滴だけつけてもらっていて。で、時々、先生が来てくれて、「脳外科の先生、今こっちに向かうように連絡しているから、ちょっと待ってくれな」って当直やった先生が何回か声をかけてくれたと思うねんけど。治療なんて、そんな、診てもらえなかった。本当に非常灯もなんにもない、真っ暗でしたよ。暗闇。

牧 このへんはね。全然あかんかったもんね。

1秒、2秒の差が、この子の命をずっとつないできた感じがする

美智子 ほんで、家があれやから。下の子たちもそのまま、パジャマで靴も履いていない状況で出てきていたから、とりあえず家に帰って。下の子どもたちの服とか靴とか持ってくるときに懐中電灯も持ってきたんです、唯一あった懐中電灯をね。洋子ちゃん、照らしてあげとこうと思ってたら、看護師さんが来て、「懐中電灯、貸してくれるー」って。「いいですけど、この子、暗闇怖いからあとで懐中電灯、返して下さい」って貸してあげたりとか。結構、早い段階で入っていたから、洋子のことを病院側が把握してくれていたと思うんですね。重度の女の子が入っているって。そやから、どのくらいの時間かわからないけれど、今から転院しますって言ってきはったんです。

それであの（点滴の）瓶持って、救急車なんてないですから、普通のセールスカーみたいなのに、「痛い痛い」と言っているおじさんと一緒に洋子を乗せてもらって、阪急六甲の近く、高羽のところの近くの六甲病院に運ばれたんで

す。ほんで、運ぼうと思ったら、もう交差点がダンゴになっていて通れない。そしたら一緒についてくれた先生が、「重病人運んでいるんや、どかんかい！」って、すごい言葉でしたけど、本当に怒鳴るような感じで言ってくれはって。ほんで、私も「どいてください」と、言っていたように思うんですけど。そのような状況で六甲病院に運ばれて、出るときもね、セールスカーから出るときも一緒についてくれていた先生が、「この女の子から先に出せ」と言わはったんです。おじさんより先にね。おじさんは痛い痛いって意識があって、たぶん、骨折かなにかだったと思う。ほんで洋子ちゃん出せって言って、出たらお医者さんがばーっといっぱい来て運んでくれはったんですね。あれがなかったらさよならしていたかもわからへん。笑って言ったらいかんけど。でも、本当に、そんな感じでした。

阪神淡路大震災では、発生直後の医療活動が遅れ、通常の救急医療ができれば救えた「避けられた災害死」が500人いたともいわれる。災害などの際、負傷者を症状や緊急度などによって分類し、治療や搬送の優先順位を決める「トリアージ」は、阪神淡路大震災で、その重要性が広く知られるようになった。今では、患者に色分けしたタグを付けるなどのトリアージの練習は、防災訓練などで当然のように行われている。

美智子　そういう、いろんなところの奇跡じゃないけど、本当に1秒、2秒の差が、この子の命をずっとつないできた感じがするんです。ほんでも、そこの病院でも呼吸停止みたいになっていて、先生がわあわあ言っていて。私が「先生、ここは電気が来ているんですよね」と聞いたら、「そんなもん来ているはずないやろ」って言われて。そこは自家発電があった病院なのよ。「えーっ」と思ったら、あっという間にみんな毛布でくるんで、そこは看護師さんもおったから、みんなで階段のぼってね、そこは電気がなかったからエレベーターなんて動かへん。洋子ちゃんをわあっと4階まで運んでくれはって。そこが救急病棟の部屋やって、人工呼吸器つなげるんだけど人工呼吸器が出払って、ない。だから、ゴムでするやつあるでしょ。ピューピューとかシューシューとか、「しばらくこれでやっといて」と言われて。ほんで、看護師さんが「古い形のやつやけど、呼吸器があったからこれにつなぎましょう」言って、ガーッ、ガーッてすごい音がする呼吸器につながれたんです。でも、すごい余震もありましたよ。

大地震があった1月だけで、周辺では震度1～4の余震が1千回以上続いた。そのたびに、被災した人たちは、恐怖におびえた。

美智子　あんときはまだ、いくら自家発電がある病院やと言っても、余震があるたびに電気はちらちら切れるし、揺れるし。でも、看護師さんの本当に献身的な介護。熱もすごい出ていたのを一生懸命冷やしてくれはったし、たんの吸引も道具が使えないから掃除機の端にストローみたいなのをつけてチューッと吸ってくれて。考えられないでしょう。氷もそんなになかったようだけど、氷も脇の下とか足の付け根のところとか冷やしてくれはって。でも意識なくて、そのときに「もう12時間、会わせたい人がいたら会わせて」と。それは主人が言われたらしいんですけど。「えーっ」て。「でも来られへんやんあの道で」って。「誰に来てもらえるん、そんなん」という感じでおったときに、「この子、若いから、3％望みがあるから、その望みで頑張ろう」って先生が言ってくれはって。それがあの中での唯一の救いやった。

それで、「先生、何したらいいですか」って聞いたら、「呼びかけてあげてください」と言われた。「洋子ちゃん、ほら、学校行くんでしょう」とか言って。そうやって六甲病院までたどり着いて、なんとか人工呼吸器につながれて、体にモニターがついて、なんかピカピカいう機械を見て、どんどんする音の呼吸器の中で、いたんです。

牧　それは今、六甲病院での治療なんやね。呼びかけて、その後どうしてたんですか。

美智子　呼びかけて呼びかけて、返事ないんや。先生。

洋子　死んどった。

牧　死んどった？

美智子　2週間くらいしてから、やっと電気が来たから、レントゲンを撮りましょうって言われて撮ったら、「脳がパンパンに腫れている状態やから、脳の腫れをひかす点滴をします」って言わはって。で、点滴はじまったんやろう、と思いますけど。洋子ちゃんはずっと意識なくてしたけど、私もなかなか怖くてね、先生も何も言わへんし。でも、峠を越えた感じですよね。なんでかというと、洋子ちゃんの目に光が戻ってきてわかった。本当に死んだ、お魚腐っているような目をしていて。それが、だんだんときれいな、澄んだ眼になってきたときに、私が洋子ちゃんに、「大変なことになって、大きな地震が来て、みんな大変やの、お友だちも大変やね」って言うた時に、ぱらぱらと涙を流しはったんですよ。

私、「この人わかっているから大丈夫」と。呼吸器入っているから言葉出られへんけどわかっていると。戻って来てくれつつある、命の危機を乗り越えてきた、みたいなところで。だんだん自発呼吸というか、少しだけ呼吸器外して、練習みたいなこともやるようになって。六甲病院は脳外科がなかったんですね。で、弟、妹も北区に預けているから、実家の近くの北区の社会保険中央病院に移してもらうことになって。

社会保険神戸中央病院は、現在は、ＪＣＨＯ（ジェイコー＝地域医療機能推進機構）神戸中央病院と名称を変えている。神戸市中心部から六甲山地の山中を東西に抜けるトンネル「山麓バイパス」を、救急車で向かった。

美智子

2月2日に社会保険中央病院に移ったんです。だから、私はそこで初めて外に出たんですよ。ずっと病院やったからよくわかんなかったけど。救急車乗せられて、病院の先生がついてくれはって行ったんです。その通り道に町並み見たら、「はーっ」いう感じやったし。すごい記憶に残っているのはね、「なまずなんかに負けるか」という大きな立て看板が立っていました。だから、心意気感じながら、大変なことになったな、と思いながら病院に行って。

2月3日に呼吸器がとれて、やっと洋子ちゃんが普通の顔になった。ずっと管が入っていたから。で、体からモニターがどんどんとれていって。それで、「トイレの訓練もしましょうか」とか。それはお医者さんからはいろんなこと言われたですよ。「寝たきりや」とか、「このまま意識のない植物人間や」って、六甲病院で言われたし。ここの病院に来たときも、トイレもできないような状況かもしれへんし、咀嚼というか食べ物をのどでごっくんできないかもしれへんとか。なにせ脳から来るあれやから、言われたんですけども、洋子ちゃんは難なくトイレのことも食べることもクリアしてくれて、順調に回復してくれたんです。

で、歩く練習でリハビリ室に行っても、「足が出るかな」って先生に言われたけども、ちょこっ、ちょこっと足が出て。本当に2、3回行ったら自分で階段駆け上がって帰ってくるくらいな。看護師さんが、「行くときは歩行器で行ったのに、帰りは歩いて帰ってきた」みたいなね。「洋子ちゃんってこんなに背が高かったのね」って言われるくらい。すぐに歩いたんですよ。体の回復はめざましかった。

牧　ほんなら、2週間後にレントゲン撮って、脳がぱんぱん腫れているけど眼にすこし輝きが戻ってきているから、少しづつ戻ってきているんやな、とお母さんは思った。それで、社会保険中央病院に移って、呼吸器をつけて。

美智子　呼吸器はつけた状態で転院させてもらって翌日外れました。六甲病院から、だいぶしっかりしてきたのでね。ちょっと検査して。呼吸器を外して訓練しとったから、先生が、包帯のガーゼをピッと切って、呼吸器のところの管のところにテープでぴっと貼ってね、「お母さん、これ見といてね」って。息しているとガーゼの札がピーコピーコ動くんですよ。「これ止まったらまた呼吸器つけなあかんから」って、言われて。言うたら糸の切れっ端をね、私、必死で見てましたもん。止まったら息が止まると思ってましたから。見てたら、だいぶ順調に糸が動くようになってきたのでね、「あー、自発呼吸出てきているんやね」と言って。「転院も大丈夫かな」って。社保に替えてもらったら、次の日には呼吸器とってもらいましたよね。

牧　この子は病院で入院してるけども、ほかの2人とかどうしているの。

美智子　弟妹は六甲病院に入院したときまでは一緒に行動していたんです。病院の待合室におったりして。一番ひどかった西外科におったときは、1階の受付広場みたいなところに避難してた。ここに入院してはったご夫婦が「弟ちゃん妹ちゃんみといてあげるから、あなたはお姉ちゃんについといてあげなさい」と。その老夫婦がずっと下の2人と一緒にいてくれたんです。もう、どこのだれだか、名前だけは聞いたんですけどね。

この子らは、PTSDやないけどね、ちょっと言うんですよ、いっぱいけがした人が入ってくるから、1階におったから。けがした人がいっぱいおって。赤ちゃんをおんぶしている若い夫婦が来てね、診てくれって。先生が診て「いやもう死んでる、死んでますから」と言ったのを子どもが見ているの。それで、病院にも入れないから、みんな駐車場でヘッドライトつけて、そこで寝てるって。そういう光景を見ているんよ。変なことに私たちは見てない。お姉ちゃんだけしか見てないから。この子たちはこの子たちなりのすごい体験があって。小3のお兄ちゃんが下の子をよく見ていてくれた。食べるものもないから病院の売店でお菓子いっぱい買って食べてた。

六甲病院のその翌日に、明石にいる私の妹が自転車で、途中で車で通れなくなって、車放って自転車に乗り換えて、病院まで来てくれたんです。それで妹が、「下の子2人は北区の実家に連れて帰るから」と言ってくれて。その子らも大変やった。ずっとヒッチハイクやないけど、「車、乗せてください、北区の方に行くんです」と、妹が頼んでくれて。ほんで車が止まってくれて行ってくれはったんやて。それで「お礼にお金を」と言ったら、「いやもう、こんなときやからそんなもんかまへんねん」て。すごくいい人が家の近くまで送ってくれたと。それで下の子たちが震災から2、3日目くらいには実家の方に入って。実家の方はそんなに何もない、というとおかしいけど、普通に食べ物もある。おじいちゃんもおる。そこでどっぷり任せて、私は洋子ちゃんにつきっきりになりましたね。主人は言うたら、家の管理、鍵も閉まらないで開けてきたから、お金とかね。泥棒入ったんですってアパートに。宝石盗まれたりなんか。主人は玄関に鍵閉めたりとか、そんなことしてて。

体が元気になった後に、戦いは始まった

美智子　私はだから洋子ちゃんつきっきり状態になっていて。本当やったら病院も完全看護ですからね。洋子ちゃんは15歳になる前やったので小児病棟に入ったんです。大人の病棟じゃなくって。小児病棟やったから、隣にベッドみたいなのを置いてもらって、一緒にずっと横で寝泊まりできて、退院までしました。いろいろありました。洋子ちゃ

んが呼吸器とれて少し落ち着いて、ご飯、自分で食べれるようになったときに、雑誌とか本買ってきたら、こう、目で字を追って読んでた。あっ、この人しゃべれんけどちゃんと読んではるわ、とか思ったし。紙に窓を見るとか手を挙げるとか漢字で書いて、見せたら同じようにやっていたし、「あ、字もわかる」って。
だいぶ落ち着いてきたとき、入院中、弟の小学校3年生の漢字ドリルとか算数ドリルとか借りてきて、一緒に勉強したけど、なかなか。私にしたら、「え、なんでできへんのやろ」と思った。一番びっくりしたのは、顔を洗いに行って歯磨きを延々としていたこと。とまらへん。ずーっと歯磨き。洋子ちゃん、お風呂に入っても体をちゃんと洗えない。そのとき多動って言葉知らんから、座っているのにいきなり飛び出し、ぽんぽんぽんぽん行くし、お見舞い客、全然知らない人なのに「こんにちは」って挨拶してるし。なんでということが次から次に現れてきたんですよね。体が元気になった後に。そこから戦いは始まっていますね。

城戸家は、鈴蘭台公園の仮設住宅で生活を始めた。当初、洋子さんの病名は、頭部への衝撃によって脳神経が傷つく「微慢性軸索損傷（びまんせいじくさくそんしょう）」とされた。

「夜が明けないで」と思っていた自分がいた

牧　それから6年目で初めて、名古屋で診察してもらって病名がはっきりした?

美智子　はい、障害名ですよね。「高次脳機能障害」っていう。そこで初めてわかりました。だから、それまでに、変な話やけどね、良くなっていくのか、いやいやそれはしんどいやろうっていう、常に心が揺れている状態があったんですよね。

牧　仮設住宅はどうだったですか。どのくらいいたの。

美智子　2年です。大体。仮設生活はね、めっちゃパラダイスでした。怒られるけどね、こういうこと言ったら。私、なんで仮設に入るかいうたら、大石の家はつぶれているし、洋子ちゃんが病院を退院して翌日からリハビリが始まったんですね。そやから、大石から通われへんし。実家からリハビリに通っていたんですけど、実家は父が具合が悪くてね、高齢で半分動けない状態で。お母さんはお父さんの面倒と、私たち家族も入り込んでいるんで、パニックやったと思うよね。妹がいろいろと世話をしてくれていたんですけど。

実家におって、もう、町並みは普通なんですよ。普通の住宅街。今は星和台（神戸市北区）なんですけどね。毎日リハビリに通って、帰ったら周りは普通やし、自分のとこはこんなことないし。洋子ちゃんだって今年の正月はここに元気に来て、おじいちゃんおばあちゃんに、「今年は高校入試よ」っていう話で盛り上がっていた家に、全然違う状況でいる自分とか、本当にしんどくてしんどくて。いうたら、実家で身内の中にいるんだけども、心、大変やったんです。一番大変やったときですよね。生きる希望がなかったんです。はっきり言って。下の子どもたち2人は元気やったんですけど。いつも、夜になったときに、「どうなるんかな」って、ずっと寝られなくて夜が明けてくるんですよ…。外が明るくなってきて、「あー、夜明けんとってほしい、また1日が始まるやん」と思って。「夜が明けないで」と思っていた自分がいたんですね。

でも、リハビリ、毎日通わないかんから、通って。はじめはバスで行ってたんやけど、バス並んで順番待っていたら、洋子ちゃんなかなかじっとしとられへんから。前の人を触ったりとか。すごい気を遣っていて。なんで私はこんなことしているんやろ、なんでここにいるんやろって、いつも思っていて。バスに乗って行くのがつらくなって、タクシーで行くことにして。タクシーで行ったら行ったで洋子ちゃんドア開けへんかなと思って洋子ちゃんの手を押さえて、病院に行っていたんですよ。ちょっと落ち着いてきたらバスに乗れるようになってきた。けっこう山の上に病院があって、バスで坂を登っていくんですけど、ちょっとしたらダムがあるんです。いつもダムの横を通って「ああ、ここから飛び降りたら死ねるよな」とかそんなことばっかりいつも思っていて。でも、「途中でひっかかって死なれへんかったら困るしな」とあほなことを考えながら、行っていたことをすごい覚えているけれど。いま、思ったら、本当に前向きに全然思っていなくて、やっぱりしんどい、なんでやろとか思うし、リハビリ行くのにね。

市民、国民を助けるのは国とか行政の人たちでしょう

通院で患者さんたちが待合室でいっぱいいるところ、(洋子ちゃんは) 車いすに乗って点滴つけて、トイレおしっこちゃんのカバーまでつけて、その一般の人の前を行くんですよ、みんなにじろじろ見られる。私、心の中でね、「震災でこうなっているの、好きでやってるんじゃないの」って怒りがこみ上げながら。ぐっとこらえて、この壁をどーんとどついてやるくらいな感じの、悔しさ。「なんで?」って。で、洋子ちゃんはリハビリで、作業療法の先生に色鉛筆見せられて「この色は何?」いうたら、もう全然わからなかったのね。今、大丈夫やけどね。色鉛筆わからへんわ、よだれ出してるわで、「最悪や」と思って。もう大変。洋子ちゃんがリハビリしている間、私、外の待合室でいつも、涙、涙、なんでって。

そのころではないけれど、このことを相談できる、助けてもらうにはどこに言えばいいの? 「震災でこんだけ大変なことになって、この子はこれからどうなっていくかを相談して一緒に考えてくれるところはどこやねん」って、たぶんどこかで思っていた。洋子ちゃんが退院して、新聞で探してもないし。「なんで?」って。「洋子1人がけがしたんじゃないよね」って思いながら。私は、どうしていいかわからなかったときに、誰かにどうしたらいいか、聞いてほしい。それもね、交通事故とかじゃなくて、みんなが遭った天災やから、いうたら市民、国民を助けるのは国とか行政の人たちでしょう。

だから、その機関でそういうことをしてくれるところがあるでしょう、と私は思ってしまったんですね。それが、なかなかなくて。明確にないところに、PTSD、「心のケア」どうのこうのなったときに、私、すごい大事なことだと思うけど、ある意味、心のどこかでカチンときたんですよね。心やったらもうボロボロでしょ。洋子ちゃんも、家族も、「心」言ってられませんと。「体がこういう状況におる人はどうしたらいいんですかね」みたいな。まだ、洋子ちゃんそのとき学生やったから。これから学校どうするのよみたいな。右も左も上も下もなんにもわから

へんとこからのスタートやからね。私、たまたま、一応障害者で手帳も持っているお母さんやけども。

お母さんの美智子さん自身、若年性リウマチで、身体障害者手帳を持っている。

美智子　私、行政に、学校やそんなことでお世話になったことがほぼほぼなくて、それなりにうまく人生越えてきてて、なんで今、娘のことで何にもわからへんのみたいな。だから、その時に手をさしのべてほしかったですよね。そこが一番しんどかったところでもあるし。事実、洋子ちゃんはいろんなことができないけども、ぱっと見は元気だから理解されない。病院行きのバスは本当に高齢の方が多くて、満杯でね。でも、私たちは危ないから座ってるし、そしたら「若いねんから立っていたら」っておじさんに言われたんです。「障害あります」って言うたんですけど、なんでみんなの前でこんな個人情報を言わなければいけないのか、みたいな。

牧　それから、どれくらいして、楠高校きたん。それからすぐやったの。

美智子　いえいえ、違いますよ、先生、紆余曲折。そいで病院を退院して、洋子ちゃんは私学に願書だしていたんですよ。神戸女子商業高校に。まだ洋ちゃんが入院して、生きるか死ぬかの大変なときよりちょっと落ち着いていたころかな。中3の先生から電話で、「お母さん私学に願書出しましょ」と言ってきはって。「先生、願書出しても行けません、そんな今の状況で学校行かれへんし」て言ったら、「中学3年間、頑張ってきたんやから、その成果として一応願書出そう」って言ってくれはって、「お願いします」と。出したら受かったんですよ。受かったから、この子、入学の許可を一応手には入れたというか。パスポートはもらったんです。

神戸女子商業高校は、もともと長田区のＪＲ新長田駅近くにあったが、震災で校舎が全壊。須磨区に移転した。現在は、神戸星城高校に改称している。

美智子　でも、到底すぐ行けるわけがないので、もらったイコール即休学の措置していただいて。1年間、休学して待ってもらって、2年目になったときも、まだ多動で落ち着かないから、とても授業、座ってられる状況じゃなかったので、「もう1年できますか」みたいな状況やなかったかな。本来はあかんやったけど、震災だから特例でね、「待ちましょう」と言ってくれて、すごくいい高校やったです。女子商業が待ってくれて、で、2年休学させてもらって、3年目に入学しました。ちゃんと洋子ちゃん、休学中もクラスがあって、クラスメイトもいて、ちゃんと席置いてくれはったんです。

3年目に入って、女子商で1年間、もう無遅刻無欠勤、皆勤です。しかも夏の補習実習も皆勤です。でもね、テストが大変だったですよね、なかなか新しい物が入ってこないということがあって。先生たちもすごい苦労してやってくれはったんですけど、1年たったときに、このまま2年にあがるのもね、洋子ちゃんにとって何が大事かな、みたいにちょっとこう投げかけられた。本当に、すごい大変だったんですよ、勉強が。簿記があるからね、商業高校やから。私も一緒に宿題をやったりしながら、親子とも疲れてしまったところがあって。それで、ちょっとここで仕切り直そうかなというのがあって、女子商を一度やめたんですよね。退学したんです。

牧　それはあれ、お母さんの意向で。

美智子　そうそう。どうしますか、って言われて。洋子ちゃんは他になんかあるかなと思ったんですけども、なんにも浮かばないんですよね。選択肢なくて、ないままに。女子商業は無理やな、と思ってやめました。

牧　なんでやめたんかなあ、と思ったけど。知らんかった。

洋子　ほうやったの、ほうやったの。

美智子　洋ちゃんよく頑張った。本当に。スクールバスがたまたま近くを走っていたからね、通学はほとんど苦労がなくて、ずっと皆勤で行きました。

牧　すごいな。

美智子　それは、誇れる一つですね。お休みしませんでした、1日も。それで、体育祭もちゃんと出て、みんなと一緒にボンボン持ってダンスを踊って。絶対、1人だけ遅れるから私はわかると思っていたけど、最初から最後までわからなかった。上手くやってた。でも、先生が最後に、「大変でした」って言っていたけど（洋子さんが母の背中をたたく）。でも、本番ではちゃんとやってましたね。そんなんあって、1年間は普通高校に在学させてもらいました。でも、かえって女子商に行かせてもらったのもね、向こうの教頭先生がすごい理解がある人やったし、女子商の生徒さんも1人亡くなってはったり、学校自体がすごい被害で、長田にあったのが須磨に変わったしね。学校がだめになっちゃって。震災のことに関しては理解深くて、優しくしていただいて、恵まれてました。

ああ、合格したよ洋ちゃん

美智子　そんなんでパスッと女子商を切って、じゃあ次どうするって時に、何にもないんですよ、浮かばないし、それこそ相談に行くところもない。そんなときに、これまた、道を歩いとってたまたま私の友だちに出会ったんです。親しい人やから、「洋子ちゃんこんなんで学校辞めて」って話をしていたんです。その方が「じゃあ夜間高校はどうなの」ってぽんと言いはったんね。その人は昔、夜間高校かなんかの家庭科の先生をした経験があったんです。その方が、「夜間やったらええんちゃうの、障害の方も来てるよ」と。あたしはね、夜間というのはね、それまで、お勤めの方が行くところというイメージしかなかったんで、「ああそう、聞いてみるわ」って。

神戸市立楠高校（兵庫区）は夜間定時制の高校。働く若者のみならず、中高齢者や障害者、中学の時に不登校だった生徒、全日制高校の中退者、在日外国人たちが学んでいた。

美智子　で、行ったら願書申し込み最終日みたいな感じ。その足で（震災の時に通っていた）烏帽子中学校に電話かけて、書類、在学証明というのかな、「書いてもらわないといけないものがあるから頂きたいんです」って中学に行って。職員室でずっと待ってて、書類を頂いて願書を出した。本当にね、偶然というとおかしいですけど、そうやってこの人は間一髪的なことを拾ってきているというか。

でも、そのときね、洋ちゃんの中学に初めて、震災後行ったんですよ。半分壊れとって、燃えたんですけども、そのときはきれいになってて、知ってる先生もおったから、「頑張りね」と言われて。

洋子さんが高校の通い直しに向かっていたころ、母校・神戸市立鳥帽子中学の洋子さんの同級生で高校に進学した子たちは、高校を卒業し、大学進学をするか、という時期だった。

美智子　なんか、本当にもう、泣きの涙やないですけど、複雑な、しんどい、つらい思いでしたね。で、願書出して、試験もちゃんと受けて、受験番号をちゃんと掲示板に出してもらって、ああ、合格したよ洋ちゃんって、はじめて、はっきり自分の成果で入れるような形で楠高校に入らせてもらって。で、ずっと送り迎えをしていたんです。で、「過保護な親やなって思っていた」と、先生言っていたでしょ。「高校生やのに、なんでいっつもいっつも親が迎えにきとるんや」って。それで初めて、(震災で) こういう状態でということをみんなに知ってもらって、先生方とつながった。そのとき (牧) 先生、学年主任の先生やったんですよね。でも、楠もほとんど休まなかったし。

牧　そうやね、休まへんかった。

美智子　ほんでも電車通学ほとんどできへんかったりするから。ボランティアつけてもらうという時に、先生が教育委員会行きましたよね、一緒に。文書、書いたりして、上下移動ができる者にはそんな支援あれへん言うて。それはもう行けーって言われて、後はもうお尻たたかれて。みんなで教育委員会行って、私はじーっと座って、牧先生とか原田先生がわあわあ言ってくれて、すごいとか思いながら、なんでできへんねんとね。結局ね、車いすではなくって、歩いて階段上り下りできる人には支援もない。洋子ちゃんは本当にわかりにくいでしょ。言葉おかしいけど、あんまりいい言葉ではないけど、「わかりにくい障害」に対しては支援してもらいにくいし、気づいてもらえないし、話を聞いてもらえないですよね。

涙というのは枯れへんのかと思うくらい泣いた

美智子

第一、私、仮設にいるときにね、毎日この人のリハビリ行っていたんですよね。仮設にいた時は、いっぱいボランティアさんに関わってくれはって、幸せの村のカーボランティアのおじちゃまたちに、車で連れて行ってもらって、車で帰ってくる、とかいうルートができて、お世話になったんですけども。あたし、そのとき初めて洋子ちゃんと離れた時間をいただいたんです。カーボランティアのおじちゃんと「行ってきます」と言って、「行ってらっしゃい」と言って。洋ちゃんが行って2時間くらいで帰ってくるんですけど、その間、家の仕事をしながら、本当に涙というのは枯れへんのかと思うくらい泣いたですね。もう、洗濯干しながら涙出るし、シャワー洗いながらも涙出るし。下の子どもたちは小学校通ってたんですけども。まったく一人の時間になって、本当にもう泣けてきた。

あるとき、その関わってたボランティアがね、「洋子ちゃんは震災でこうなったんだから、通院やリハビリの病院の費用なんかも出してもらってるんでしょ」と言われたんです。「いえいえ、普通通り、3割負担ですよ」と言ったら、「それはおかしいんじゃないの」って。「一緒に役所についていってあげるから聞いてこよう」と言ってくれたんです。

で、忘れもしない、雨がざあざあ降りの時、洋子ちゃんと私とボランティアさんの3人で区役所に行ったんです。そのときはまだ高次脳機能障害とかわからないときに行ったの。一生懸命、出てきはった福祉担当のおじさんに、何しゃべったかわからへんけど、「震災でこうなった」ってしゃべってたら、おじさんが「あなたは一体ここに何を言いにきたの」みたいな態度になってきた。結局、役所でこの手続きをしたいんですと言いにきたんじゃないから。「あなたは何が言いたいの。あなたはお金がほしいんですか」みたいな態度に私には見えてきてしまったの。

結局、そのおじさんは話にならなくて、たまたまその横で聞いていた女の方が、身障センターというのがあるから、よかったら相談に行ってみたら、みたいなことで、帰ってきて、帰り道、雨がざあざあ降る。そのボランティアさんと2人で、何かなんにもないこの悲しい、空振り状態。何の希望も得られずに、行政からはまったく相手にもされない。洋子ちゃん、おとなしくして座っているから、全然障害のことをわかってもらえない。

そいで、悲しい思いして帰ってきたというのも、なんでそういうことに対する窓口がないのということに対する、後々の思いにもなってきたのかもしれないけど。そんなん、本当やったら経験しなくてよかったと思うんだけど。

ほかの人と交わることがすごい刺激になる

牧　城戸な、こうずっとお母さんが話してきたやろ。こう震災がありました、運ばれました、六甲病院行きました、それから中央病院行きました、どこらへんを覚えている？　全然覚えていない？

美智子　どこから覚えてる、洋ちゃん。社保（社会保険神戸中央病院）からやない。

洋子　社保。

美智子　そうやね。

洋子　社保。

「高次脳機能障害」とは、脳の損傷により、注意力や記憶力、感情のコントロールなどの能力に問題が生じ、日常生活や社会生活が困難になる障害のことを指す。周りの人が気づきにくい「見えない障害」と言われる。

牧　ここ覚えてるのん。ここの（人工）呼吸器をとったんやな。

美智子　それはおぼえていないなあ。先生、ないない。

洋子　（指さしながら）ここないな。

牧　とってから。

洋子　うん。
牧　とって、しばらくしてから？　それから、お母さんとなんか話をした、お母さんがいろいろ話をしてくれるのがわかった？
洋子　うん…（美智子の方を向く）…ちゃう？
美智子　たぶん、洋子ちゃんがだいぶ自分のことがわかってきだしたのは、リハビリが始まって、リハビリの先生、覚えてるでしょ（洋子さんの方を向く、洋子さんもうなずく）。そのへんやね。リハビリの先生のことを覚えているから。
牧　だから、病院の病室でのことはちょっと先生わからへんね。病室はあんまり覚えていない？
洋子　病室…んー。
美智子　あ、でも、隣にいた男の子のこと覚えている。ちっちゃい男の子がおった。名前忘れたけど。
洋子　なおくん。
牧　おお、よう覚えているやん。
美智子　なおくんのこと覚えている？　なら、ちょっと覚えているかな。
牧　リハビリの時に、だんだんわかるようになってきた。そのとき、城戸は自分はどうなったんか、ということがわかったん？　寝てて、病院にいてるなあ、ということ。
洋子　んー（首をひねる）。
美智子　そうやね。
牧　今まで、たとえばな、中学校までいろいろなこと、できてたやんか。
洋子　うん。
牧　あれやろ、バレー部やろ。それが、寝たまま、あるいはリハビリしている毎日があるやん。で、私はどうなってるんやろなあ、とかいう風なことは少し考えた？

洋子　うん。考えた。
牧　どんな風に、何を考えたん。
洋子　うーん。ほんまに生きれるかなと思って。生きれるかなって。
牧　それはどういうことや。それはこのままで生きていけるのかなって。このままでええんかなと思うてたわけや。
洋子　（うなずく）
美智子　それは、もっともっと元気になってからのことだと思うけど。まだまだ、そういう感情とか、こういう言葉が言えるのはもっともっと、後ですよ。
牧　ぼくが覚えているのが、お母ちゃんに「甘い甘い」と俺が言うとったわけや。お前を送って、ほんでまた迎えにくる。「そんなんせんでいい」と、「駅に1人で来さし」言うて。しんどいからね、毎日毎日。生徒が迎えに行ったり、教師が迎えに行ったりな。
美智子　先生にも送ってもらいましたよ。カーボランティアを作ってもらいましたよ、先生に。
牧　親は静かにしておいてということになって、そこで初めて親だけでなく他人と交わることができる。俺、数学教えておった。覚えているか。泣きよったんやこいつ。ものすごい泣いた。それは今でも覚えているわ。因数分解を教えとった。今まで何もなかったのに、突然、わからへんって泣き始めた。その後が社会の授業で、そのときも泣いてたらしい、ずーっと。だから、社会の先生に「牧、お前なんで泣かしたんや」と俺が怒られたんや。それから変わってん、この子は。感情が豊かになった。
美智子　だからやっぱし、学校に出たりとか、他の人と交わることがすごい刺激になるから。もう引きこもったらあかんと私もずっと思っていたから。
牧　いろんな人とね。学級の友だちもおったしな。そうやってずいぶんと顔色、表情も変わったかな。

2002年春、洋子さんは市立楠高校を卒業した。22歳になっていた。

美智子　洋ちゃんもいろいろあったけど、振り返ってみたら、学校にもちゃんと行って、卒業証書も手に入れて。あの大変な状況の中でもやってみて、洋ちゃんも偉いけど、本当に恵まれている環境というか、支えてもらって関わってもらったから、できてきたと思う。本当に洋子ちゃんは人を寄せ付けるといったらおかしいけど、関わってもらえるキャラ。私たちだけだったら、あのひどかった時に、泣きの涙で、ここから飛び降りようと思ってた。けど、仮設に行って元気つけてもらって、みんな同じような境遇の人たちの中で2年間暮らさせてもらったことがすごい力になって。いい人ばかりやって。入った途端からみんな親切。仮設に入る時に、下の子2人はピーピーうるさいし、洋子ちゃんは飛び出すし。仮設のドア開けて、なんぼ外に出て行ったか。それを、弟が走って追いかけて捕まえて帰ってくるみたいな。ときどきはほんまに行方不明になってね。見つからなくてね、もうこれはおまわりさんかなあって。

牧　あったよね。行方不明事件。

美智子　学校でもありましたよね。楠高校、校門までは確認して、そっからおらへん。先生たちに探してもらって。そんなことがあって、私は今日の晩、どんな思いで寝るんやろ、洋子ちゃん帰ってくるんやろうか、と思いながら洋子を捜しとったりしてね。そんな時期もあったんやけど、なんとかクリアというか、こうやって現在ここまで至ってきたことを思い出したら、本当にそのころは恵まれているとか、たくさんの人に関わってもらって、守ってもらったんやなというのが実感。でなかったら、やっぱり生きてはいけなかった。

牧　それはねお母さんが動いたからやで。それはそうや。

卒業証書を受け取る洋子さん

美智子　お母さんはね。でも、私はね、自分がこんな体やったからね。普通の元気なお母さんやったら、もっと違うことで洋子ちゃん助けてあげられるんちゃうかなと、いっつも思ってて、動くに動けない、いいんかなといまだに思いますけども。でも、あのころにしたらよく動けたなと。今やったらとても無理やけど。よう私ができたなって思うこと、あります。頑張った。

牧　これ（しゃべり）がすごかった。

美智子　神様はここ（口）だけ与えてくれましたね。本当に。あなたはそういう使命ですって。私やっぱり、愛なんですけども。お父さんは一生懸命働いてくれてました。働くだけ働いてました。でも、いっさい、あんまり関わりませんでしたね。こういうことには。主人は淡々と働いていました。

できんなぁって、うっとうしくなるで

牧　今まで、ずっと生活してきたじゃないですか。お母さんにとって一番つらかったこととか楽しかったこととかある？

美智子　震災当初は、つらかったというより悲惨だったですよね、どっちかといえば。ある程度、落ち着いてきたときの方がかえってつらいですよね、この状況を見せられたときにつらかったし、洋子ちゃんが落ち着いてなくって、飛び出していったりとかわけのわからないことをいっぱいやったどきにはもう、もとの洋ちゃんと今の洋子ちゃんのギャップの差がつらかったですし。でも今から思ったら、あんまりいいお母さんじゃないから、もっと下の子たち2人に関わらなあかんかったやろうなというのもあるんですよ。

牧　ま、それは。

美智子　ほんまに。特に一番下の女の子なんかが、ちょうど小学校にあがる年やったから。1年生から6年生まで小学校あったわけやけど、あの子の小学校時代のことってあんまり記憶にないくらいなね。子ども3人、洋子ちゃんが行った（灘区の）西郷小学校にいくんやという頭で、そういうビジョンができていたから。それがいきなり変わって、一番下の子が入った小学校が（北区の）星和台小学校。仮入学という形で入ったんですね、あの子の場合。まったく知ら

ないお母さん、まったく知らない友だちっていう感じで。これもつらいというか、現実なんやからしょうがないけど、でも、そんな中で救いはね、下の子2人ともね、とても震災のあれと思えないと。友だちともね、ずっと昔からこの学校におった子のように思うって、懇談会に行ったら言われたのね、下の子2人は。だから、私に世話をかけることも何にもなく大きくなってくれたんですよ。

牧　今、（洋子さんは）36？

美智子　36になったね、洋子ちゃん（洋子さんうなずく）。

牧　それから、当時小3のお子さんは29か。

美智子　小3の子は30になりましたね。ほんでその下が28になるのかな、今度。今27なんですけどね。もう男の子は結婚して名古屋の方に行っているから、独立してるんですけど。妹ちゃんはまだ一緒に住んでいるんですけど。

牧　今、城戸な、覚えている中学校の思い出はある？

洋子　うん、ある。

牧　で、その後の震災があって、今まで生きて、今、自分が何もかもできないやんか。つらいなあと思ったことはある？

洋子　あるで。

牧　どんなこと？

洋子　できんなぁって、うっとうしくなるで。

牧　悔しいなぁ。ずーっと思ってる？

洋子　（うなずく）ずっと。

美智子　そう、だから、時々キレているよな。洋ちゃんな。

牧　ようキレとったもんな。こんなん（ペットボトル）持って、バーン投げとったんやぞ。覚えてへんやろ。「やかましい」って言うとったやろ。

美智子　洋ちゃんは洋ちゃんで、どっかで葛藤しているからね。だから、すごい大変やと思う。

牧　だから、普通に働きたいなとも、なあ、働こうと思ったら働ける。ほんで行っているんやろ。あそこの「かがやき」。

洋子さんは社会福祉法人「かがやき神戸」に通っている。障害者就労支援事業のうち「就労継続支援B型」をしている施設で、障害があるために一般の企業で働くことが困難な人たちが、授産的な作業をして報酬を得ている。洋子さんは、ここで「ぐりぃと」という班に所属し、「土曜日の天使たち」というチーム名で、クラウン（ピエロ）の格好で高齢者施設訪問などをして、人々を楽しませる仕事をしている。

牧　1カ月どれくらい仕事しているの。行っているんやろ、クラウンの。

美智子　農作業しているんやけど。クラウンの出演依頼自体がそんなに頻繁にあるわけやないから。メンバー全員が依頼があるところに行っているわけやない。選抜というか、ここの依頼にはこの人たちが行きましょうという感じやから、なかなかね。洋ちゃん、そんなにね。

牧　多くなったん、人数？

美智子　人数どれくらいやろ、14人くらいか。

牧　毎日行っているの？

洋子　うん。行ってるで。

美智子　行っとるでぇ。元気な人でもお仕事の場がいやになってしまう時もあれば、また元気になって働いているのと一緒で、洋子ちゃんもクラウン、「ぐりぃと」に行っていて、「ぐりぃと楽しいわ」と言っているときもあれば、「もういややわ、うっとうしい」と言うてるときもあるから。結局、親としてはそれを聞きながらちょっと揺れたりしながら。でも、どこに行ってもあることやから。でも、この間なんかあの、娘は「つまらん時はトイレに引きこもってるねん」と言ってはったから、「そんなところに長い間おるなよ」と言うてんけど、「トイレにずっとおったんねん」

と言うから、悪知恵というか、そういうところは発達しとんなあ、と。そういうことは考えられるんやって。でも、考えたら私たちでもトイレに入ったらしばらく、はぁーっとおるときあるもんね。

牧 城戸、これから、どうしたいなと思う？

洋子 クラウン、ずっと行きたいなと思う。

牧 そうか。いろんな仕事？　クラウンの仕事したいの。

洋子 そう。

牧 もうでも長いよな。

美智子 長いですよね。7年くらいかな。「かがやき」に入って10年くらいやから。クラウンは7年くらい。それまでは施設で給食の仕事したり、レーズンの種むしりしてたり、ハコ折りしてたり、そんな仕事をさせてもらってたから。

希望とか、そういう言葉にとらわれるとしんどい

牧 お母さんは。これからどうしていきたいという希望みたいな。希望といったらおかしいなぁ。

美智子 先生、そんな、しんどい。

牧 しんどいか。

美智子 希望とか夢とか望みとか、そういう言葉にとらわれると、なかなかしんどいですよね。日々元気に「行ってきます」と行ってくれて、「ただいま」とちゃんと帰ってきてくれて、ほっとやし。言うたら洋子ちゃんだけじゃないから、妹もおるし、結婚しているけど息子のところもあるから、もっと考えなければいけないんだろうけど、なかなかそこまで行かないうちに、自分の体が朽ちてきたというのが正直なところで。口は動くけど、体はほんまに動かなくなったなあって。痛いところがなかったら、まだあっちこっちにいけるけど、痛みとかがあると、やっぱりネガティブになってしまうよね。自分の足で電車に乗って、そこの場所まで行って帰ってくるという自信あればもっといろんなことができるんだろうけど、いま本当に主人におんぶにだっこで。送ってきて、迎えに来てと。

牧　今日も。

美智子　そうそう。だから、そんな生活をしていると、もどかしさみたいなのを自分に感じつつありますし。洋子ちゃんの家族会のときは、毎週木曜やから、リハビリや思って参加させてもらって。それ以外はテレビの子守していたりとか、芸能ニュースまかしてみたいな、本当にあかんなぁ、と思っています。だから、いろいろ、思い出すけどね、先生と行ったこともね。あちこちよう行ったなぁとか。

牧　ええ思い出とは限らんけどな。

美智子　でも、実績。やったなというのはあるよね。

牧　これから体に気をつけながら、毎日。城戸もな。

美智子　もう元気…やないか。まだ何かできる、やりがい的なものがあればいいんだけど。

牧　今年、東京に行こうとみんなで言うてるがな。

美智子　岡田さんとか足痛いとか言っているけど、元気ですもん。私、全然動かれへんもん、動きたくもない。

牧　昨日も一緒に行ったんよ、東京。診断書にね、自然災害とつけると。全国版。兵庫県と神戸市はあるねんで。全国はない。

美智子　でないと、こういうこぼれ的なものが、またやってまうよね。

牧　それを訴えて。そんな難しいことではないやろ。

この収録の約1年後の2017年2月28日、城戸美智子さん・洋子さん母娘は、ほかの震災（災害）障害者家族ら「よろず相談室」のメンバーとともに東京・霞が関の厚生労働省を訪れ、古屋範子副大臣（当時）と面会した。よろず側は、震災などの災害によって障害者となった人たちの実態把握に少しでもつなげてほしいと、障害者手帳の原因欄に「自然災害」も加えることなどを要望。美智子さんは、洋子さんの隣で、「1・17が来るたび、私たちのことは語られませんでした」と声を詰まらせながら訴えた。

厚労省副大臣（左）に面会し、意見を伝える美智子さん（右）

厚労省は3月31日、これまで「交通」「労災」「戦災」などしかなかった障害の原因欄に「自然災害」を加えた書類を使用することを求める通知を全国に出した。

「気軽にお茶飲みながらでもいいからお互いの話して、
ちょっとでも、
ちょっとずつでも軽くなっていったら」

証言　02

岡田一男さん（当時54歳）

当時、岡田一男さんは阪神御影駅（東灘区）から南北に通る商店街に建つビル1階の喫茶店「パーラーコイケ」のマスターだった。震災でビルは全壊。同階に住んでいた岡田さんと妻、娘はがれきに埋まった。岡田さんは50センチ立方の空間に閉じ込められ、身動きできない状態が18時間にも及んだ。偶然にも応援に駆けつけた和歌山県田辺市のレスキュー隊に救出されたが、2年間に及ぶ病院生活と重い後遺症、クラッシュ症候群を抱えた。

岡田さんとの出会い

岡田さんは足首にテープをグルグル巻きにして固定しないと歩けない。小石を踏めば飛び上がるほどの痛みが今も残る。それでも、気丈夫な岡田さんはデパートの夜勤の警備員として週3、4日働く。1日2万歩を歩く激務であるが、「身体のためだ」と決して弱音を吐かない。だが、「取り残され感」は震災10年が過ぎた時に激しかったという。それは、社会が、被災地神戸が、すっかり復興した時期と重なる。

震災から11年目の冬、かつて岡田さんの店の客だった私は、勤労会館のエレベーターホールで偶然岡田さんと再開し、声をかけた。岡田さんは「震災で後遺症を抱えた私は、重たい荷物を背負っています。薄紙を剥ぐように軽くしたい。そのような場がほしい」とつぶやいた。私はこのとき恥じた。「孤独死・自殺」を防ぐ活動をしていたが、助かったものの辛い生活を余儀なくされている人々の存在と苦難に思い及ぶことができなかったからである。

震災12年目の3月から毎月、「震災障害者と家族の集い」を始めた。震災で障害者となった人々が集い、悩みを打ち明けることができる貴重な場となった。

そして、今後起こり得る大災害に備えるためにも、「支援策の根幹は数の把握である」と訴え、２０１７年3月31日、岡田さんの信念が国を動かした。厚生労働省は、身体障害者手帳申請時の医師の診断書の理由欄に「自然災害」を加える決定をし、全国の自治体に通知した。生きてつらい生活を送る震災障害者に「死んだ人よりもマシ」と当たる風潮が社会や当事者にある。この現状に、岡田さんは「話したがらない人も多いと思うが、話さなければ何も変わらないのです」と語っている。(牧)

助かるなんて、全然思わなかった

岡田さんの母は終戦翌年の１９４６年に病気で、父も同じ年にシベリアで亡くなった。岡田さんは当時5歳。弟とともに親戚のもとで育つが、妹は別の親戚に預けられた。中学校を卒業後、神戸市の洋菓子店でケーキ作りやバリスタの技術を身につけ、25歳で独立。「パーラーコイケ」をオープンした。震災はそれから28年後、岡田さんが54歳の時だった。

聞き取りは２０１５年7月19日。岡田さんの自宅で、牧の他に取材者も同席した。

岡田 被災した時には（妻と）娘と３人しかおらんかった。

牧 そっか、一番上の男の子が自衛隊に。震災でガッと傾いたじゃないですか。写真とか…。

岡田 あっ、ありますよ。

レスキューの頭の上こんな状態ですよ。（写真①）この下でレスキュー隊が休まんと作業してる。僕は余震来ても休まんとやってくれたことに対して、ものすごく（感謝している）…。

１カ月くらい経ってから、娘が現場入って撮ったって。白い目で見られたって言ってたけど、これでいろんなことがわかったので。

牧 この奥ですね。この奥に岡田さんが閉じ込められて

（写真①）

た。建物がぐっと倒れて。

岡田　ぺちゃんこになってた、ほんまに。

牧　これは、上から梁が倒れてきて、この奥に岡田さんが埋められてた。（写真①）

　これ、撮ったのは御影工業（高校）のグラウンドから。レスキューが引っ張って岡田さんを助けた。（写真②）

岡田　これがね、下のフェンス、上がネット。これ1メートルくらいでしょ？　ここが家にめりこんで…。

牧　これが2階ですね。これが野球場のフェンス。これを切って、ここから入った。野球場がなければ（レスキュー隊が建物に入れず）、絶対助かってない。ここから助けたんだけども。

岡田　この辺をレスキューがカッターで切って。これが外から、これが中。ぐちゃぐちゃになっているからちょっとわからんけど。ここまで2階がきてるから。1メートルくらいのところから落ちた。（写真②）

牧　これが建物。これが外から。ここは商店街で、ここは岡田さんが経営していた「パーラーコイケ」という喫茶店。（写真③）ここが押しつぶされて、奥のところに岡田さんが寝てた。拡大したとこが、正面から写したのがこれ。（写真④）これが全景で（写真③）、これが局所的なところ。（写真④）2階が落ちてきた。

岡田　これがこたつ。これが壁。斜めになってる。（写真⑤）

牧　このこたつの板。上から落ちてきた。ちょうどこのこたつの板で支えられ

1階が潰れた住宅の様子。店舗兼住宅の裏手にあった御影工業高校のグラウンドから撮影した写真。野球場のフェンスが住宅にめり込んだ。（写真②）

1階部分が押しつぶされた「パーラーコイケ」。建物が傾き、2階が落ちてきた。（写真③）

た。ここらへん、岡田さんが大体50センチ立方の中で動けなくなってた。埋まったまま動けない。

岡田　こたつの板が頭のこっちに来て、ブロックに、壁に押されてドーンてきた板と挟まれて。頭あげたらコンクリートにコツってあたって。５センチほどあげたらコンクリート。

（写真④）

（写真⑤）

牧　こういうところで、ずっと救助を待ってたわけですよね？

岡田　最初は「死ぬか」だったけど、だんだん外の様子がわかってきて。

牧　だいたい18時間？

岡田　18時間ぐらい。

神戸市消防局のホームページには以下のような記述がある。「地震発生とほぼ同時に、１１８回線ある１１９受信専用回線が全て受信状態となった。それ以降も、１１９番通報は止むことなく鳴り続いた。受信件数は7時までに４４１件、17日は６，９２２件であった」「消防救助隊は各担当地区の多数生き埋め現場（西市民病院等）へ出動し、他都市応援隊、警察、自衛隊とともに、救出活動を行った。木造家屋の倒壊においては、エンジンカッター、チェーンソー等の資器材が救出に役立ったが、その数量は不足していた」「初期段階では、現有消防力では手がまわらず、そのため、市民自らの手で、家族、近隣住民の救出活動が行われ多数の人々が救出された」。日ごとの救助状況を見ると、17日は486人を生きて救出し、118人が亡くなったが、翌日以降は生存救出の数が死亡者をぐっと下回った。

牧　18時間後に救出されたわけですね。きっかけはなんですか？

岡田　昼前から娘が裸足でかけあがって…上あがって呼んだら近所の人が来てくれて…声かけたり助けようとはしてくれたみたい。いろんな道具持ってきたり。工業高校（当時の市立御影工業高校）の先生もフェンス切ろうと思ってペンチ持ってきたけど、全然切れなかったっておっしゃってた、あとで。

牧　このとき岡田さん、埋まってて…。

岡田　助かるなんて、全然思わなかった。

牧　このとき、どう思いながら18時間過ごしてた？

岡田　最初はいきなり息できなかったから、息することに専念してたんだけど。7〜8時間したらもうあかんなと、とにかく無理やろと。僕がこたつのこっち側に、嫁がこっちにいたから、とにかくあの部分に、あの机の中になに置いてる、これ置いてる、もしあれだったら利用できるものは利用せえと。

牧　それは会話で？　埋まりながら？

岡田　埋まっていて。

牧　奥さんと？

岡田　うん。もう無理だから、あそこにお金、置いてるし、こうせえと。奥さんは押さえられてなかった。真っ暗だったからわからなかったけど、実際はだいぶスペースがあったみたいで。冷蔵庫、倒れたから氷食べたり。冷蔵庫、斜めにバーンっていったから、氷がダラーってきて氷が手に入ったらしい（笑）。こっちは息するのに精いっぱいなのに、氷食べてた。

牧　奥さんは何時間くらい？

岡田　その部屋もともと、おじさんおばさんが自分ら住むために良い造りしてたから。そんなもの手で突いたら一発で破れるから手で突けって言って、ボーンと突いたら破れた時に、外から「おったー！」って、引っ張り出した。だから、あれは8時間くらいで出た。

取材者　18時間の間に死を意識したことは？

岡田　最初から。救助するの、無理だと思いました。みんな重機呼んでくるとか、何呼んでくる（とか言う）。「そんなするな」って。もし遠くにあって、ここまで来るんだったら、他も一緒だから他でつかまってしまって、ここまでたどり着かない。（救助がくるのは）あり得ないことだと僕は思ってましたから。

兵庫県警察本部の記録には、倒壊の激しい地域における救助活動の中では、到着した救助班が待ちかまえていた被災者に取り合うように別々の現場に引っ張られたり、目的の救助先に向かう途中で受けた救助要請を断りきれず、本来の目的地に到着できなかったりしたことなどが指摘されている。

万が一助かったら、何かまだ役目が残ってるのかな

取材者　人は死を覚悟すると、どんなものが、蘇ってくる…。

岡田　蘇るというか、いろんな考えがあるから。その時に一番最初にどうしようかと思ったのは、冬眠すること。とにかく機能を抑える、最低生きられるギリギリの線まで心臓から呼吸から、空気吸う量も心臓の動きも、それでいけるはずやって。アメリカで実験したという本、可能やってことを見て読んでいたので、それしかないやと思って。子どもの時から心臓が抜群に強かったから、神戸来てからでもレントゲンみて、「ええ心臓しとるな」ってお医者さんに何回も言われてるから、持つまでやれって。

取材者　死を覚悟して諦めるというよりは、ご自身生きようと、そのとき思った？

岡田　何か役目残ってたら、助かる可能性が万が一あるかもしれないけど、大体することなかったら、これで終わりだろうと。万が一助かったら、何かわからないけどまだ役目残ってるのかなって。

牧　助かったら、何か役目があるんだろうと。

岡田　役目があるから助かるんだろうと。役目がなかったら助からない。ふたつにひとつ、自分の中ではっきり区別してた。万が一がいつくるかわからないから、それまで頑張ろうと。限界に近かった。

取材者　救助された瞬間、レスキューが手を差し伸べてきた？

岡田　手なんか握れる状況じゃないんでね。2時間ほどかかって、コンクリートとかカッターで切ったりしながら。これ見たら壁の下を穴掘って、2カ所の穴掘ってた。写真見たら、たまたま僕がいたところが、畳がずれてたんで、ひょっとしたら床がずれてたから隙間ができて助かったのかなと思ってたんですけど。10年後に田辺のレスキューに聞いたら、岡田さん、引っ張っても挟まって出られなかったから、もうひとつ穴掘って、床下って言ってもこれくらいでしたけど、柱切って床落として抜いたんやって、それではじめて畳がこうなってる意味がわかった。

岡田さんの救出にあたったのは、和歌山県の田辺市消防本部から応援にかけつけた救助隊だった。消防庁の記録によると、当日午前10時に兵庫県知事から消防庁長官に対して、消防組織法に基づく応援要請があり、直ちに都道府県知事を通じて、各地の救助隊が待機した。午後1時40分に大阪市消防局の応援隊10隊50人が長田区に到着したのを皮切りに、以降18日午前0時までに陸上部隊170隊約900人が到着したという。その後、1月25日まで2千人以上の応援体制を維持したという。

岡田　写真、ここにあるんですけど。（写真⑤）この隙間のずっと奥の方に入ってたから。レスキューが手、突っ込んでこのベルト、この服と同じセーター着て寝てたから、ここガーってつかんで「おったー！」って言われて。その時に、ああ助かったと思った。

牧 救助された瞬間、どのようなこと頭によぎった？

岡田 「すぐ引っ張っていいか」って言われたから、「ちょっと待って」って。こうなってるから、頭挟まれてるから。ベルトつかんで、レスキューが「このまま引き抜いていいか？」って言われたんですけど、顔挟まれてたから、かちっとなってたから、なんとか抜けんかなと自分で。ちょっと待ってって言ってやったけど、抜けないし、呼吸の方もこれ限界だと思ったから、「ええわ、引っ張って」って言って引っ張り出されて。

一番最初の言葉は「ボンベちょうだい」。（酸素）ボンベを当ててくれたけど、吸おうと思ったらまったく吸えない。吸おう吸おうと思ったけど吸えない。1本無駄にして、また1本開けてくれたけど、吸えなくて。救急車って言われたんだけど、いなくて。「誰か車」って言ったけど、誰も車出なかったので、工作車の板に乗ってるもの全部投げて、そこへ乗せて病院の方に。

病院に行くときに、病院に行く経路ですけど、ちょっと下がったら「ここはガード落ちてるから行かへんで」って、回ってる感じがあった。そういうの聞きながら、（周りの状況は）そのときはわからん。とにかく息がいっぱいいっぱいだったから。とにかく「酸素くれ、酸素くれ」って。あとで見たら、レスキューが瓶のふたで水くれてたみたいだけど、それも覚えてなかった。

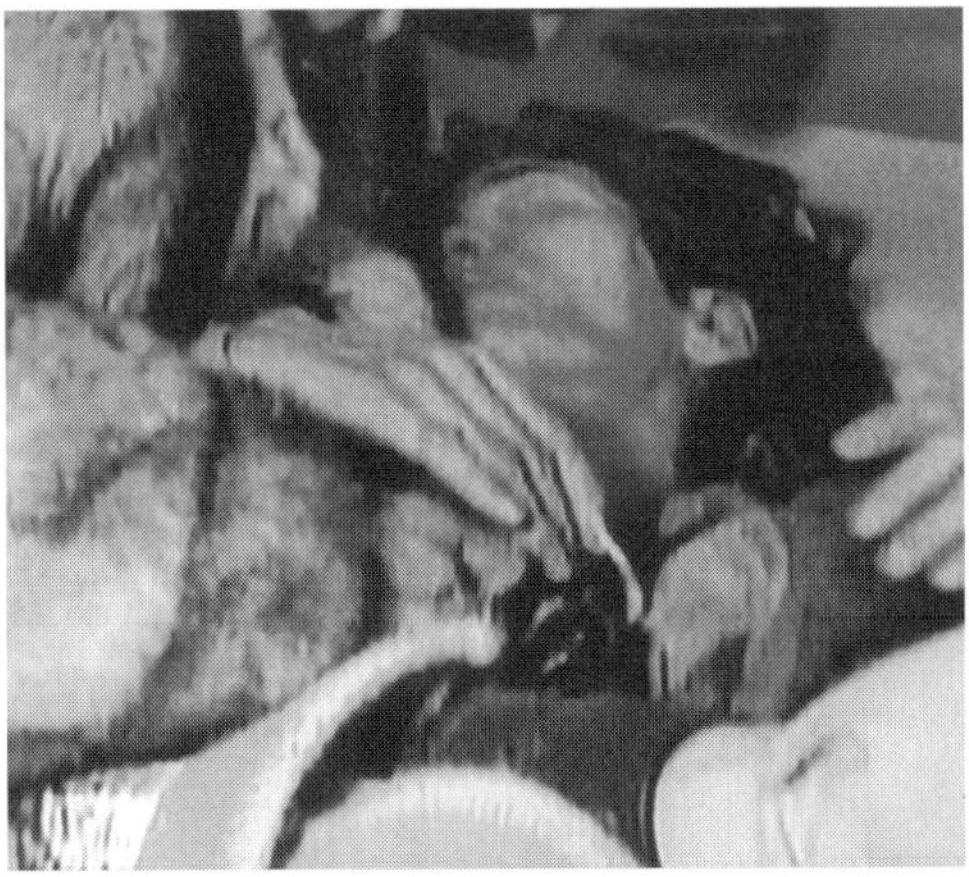
救出された時の岡田さん、田辺市消防本部救助隊が撮影した。

震災から10年が過ぎた2005年8月、岡田さんは妻とともに、和歌山県の田辺市消防本部を訪れ、当時の救助隊員や真砂充敏市長ら約10人と会い、花束を贈った。「みなさんがいなかったら、今は生きていなかった。本当にありがとうございました」。岡田さんは当時、そんな感謝の言葉を述べている。

岡田　10年目に田辺市のレスキューにお礼に行った。行きたいって思ってたけど、なかなかチャンスがなかったし。10年目の夏に電話して、とにかく電話でなく顔見て、お礼言いたいということで、向こうが受け入れてくれて。行ってお礼が言えたいうことで、自分のもやもやした気分が半分くらいスカッとした。軽くなった。

岡田さんの命を救った広域からの救急応援。阪神淡路大震災の教訓を踏まえ、大規模災害時に全国の消防隊員が管轄を超えて援助し合う「緊急消防援助隊」制度が震災の年の6月に創設された。それにより、従来までは被災地の都道府県知事の応援要請に基づいて部隊の派遣が行われていたが、消防組織法が改正され、被災地からの応援要請を待ついとまがない場合や人命の救助のために特に緊急を要する場合は、消防庁長官の判断で部隊を即座に派遣できるよう体制が整備された。消防庁によると、これまで、東日本大震災や西日本豪雨など40回以上の出動実績があるといい、2020年4月1日現在、全国723消防本部の6441隊が登録しているという。

岡田　ずっと思ってたんです、あの人らに。余震が続きながらも、自分らも危ないような状況のなかで、一つも休まんと作業続けてくれたと思ってたので。顔見て、お礼言わなかったら人間ちゃうわ、っていうのが自分の中にあったので。それが晴れたのが、10年たった夏。

絶対、生きたろって感じだった。

岡田　（救助されて）次、気が付いたのは、東神戸（病院）から。ストレッチャーで坂降りて、玄関から入って、ロビーに入ったときに、ガーっと人の…。1階は非常電源で。

東神戸病院は神戸市東灘区のＪＲ住吉駅北側にある病院。1995年3月、病院を運営する神戸健康共和会は震災から1カ月の記録を収めた「震災の真ん中で」を刊行。「初日の来院者は500人以上と推定されるが、詳細は不明」「1月18日電気復旧」「2月10日水道復旧」「2月16日依然としてガス未復旧」などの記録がある。「病院（150床）には、一時300人を超える人が長イスからフロア、廊下にあふれ、足の踏み場のない状態に」なったという。

岡田　レスキューのストレッチャーで降りて行ったときに、けがした人、頭包帯巻いたりした人が、地べたに一面ガーっと座ってた。すごいなと思って、なんやこの数と思いながら。入った瞬間の光景は、はっきり覚えてる。2階のほう行って、ICU（集中治療室）のほうに。そのときはまだ、呼吸が苦しいだけ。とにかく「酸素、酸素」って。向こう（生き埋めの現場）でも「酸素くれ」って言ってたけど。普通は酸素っていったら、水通してぷくぷくしてやるでしょ？　それがなかったら、ボンベから直接ホースを口に入れて。「あと3日しかもたんな」っていう会話も全部耳に入ってたし。その間に、そこの電気屋の奥さんがどうのこうの、妊婦の奥さんがくる、とかそんな会話も全部耳に入ってた。

岡田さんは、崩れてきた建物に長時間圧迫されたことによるクラッシュシンドローム（挫滅症候群）だった。ただ、岡田さんはその事実を後から知ることになる。長時間圧迫された筋肉組織から毒素が出て、腎不全などが起き、早期の透析が必要で、死に至るケースもある。阪神淡路大震災は死者の9割が建物などの下敷きとなったことによる圧死であり、負傷者にもこの症状が多かったことから、名前がよく知られるようになった。

岡田　足は1、2時間くらいで、2時間くらいしたら腰から下は全然、感覚なかった。感覚あったのは右手と左足。左手は出た瞬間にほとんど麻痺が。握力ゼロだったし、ぶらんぶらんしてた。助けられたの見たら、腕をこうして引っ張られてる感じ。映像ではそうなってるから。あのときは全然意識、感覚がなかった。

「これ、耳切ってるな」と言われて、助けられたときここ（耳）から血が流れてた。耳引っ張って、挟まってるの抜いたから、ここが切れてたので、それを縫おうかって相談してて。「麻酔は？」って言ったら、麻酔なしで。

気付けにちょうどいいからこのまま行こうって言って、麻酔なしで縫ってくれて。それもきれいに縫ってたんで。後で聞いたんかな、岡山から応援に来てた先生がやってくれたって言ってた。

牧　このあとね、闘病生活始まるじゃないですか。闘病生活はどんなものだった？

岡田　あとでわかったんだけど、ＩＣＵの部屋の前の廊下で、いたらしいんですけど重傷者10人、大阪へ搬送するって。10台呼ぶから岡田さん乗ってって言われたんだけど、用意している間に全部出てしまって、あとから1台呼んで。とりあえず（兵庫県尼崎市の）杭瀬まで行ったんですね。でも杭瀬の病院ではまったく手がつけられなくて、どっか透析できるとこって言って、千船（病院）入って一番最初にＣＴ撮られて。ＣＴ撮ってる時に「やばいやばい」って大騒ぎして。あのときに4人くらい先生がいて。

千船病院（大阪市西淀川区）は兵庫県と大阪府の境を流れる神崎川近くにある総合病院。尼崎方面からの救急搬送を受け入れている。

牧　千船で初めてＣＴ撮った？

岡田　そう。そのときに血圧、「上が60切ってるよ」って言って。「やばいやばい」って先生が言ってるのは聞こえてたから。そんな状況でまず透析ってことで、ベッドごと移動して。当日か、あくる日か。

牧　透析始めたのは。

岡田　13回か14回、毎日。病院のほかの患者さんが、「あの人おかしいな、毎日やってるな」という会話は耳に入ってくるんだけど。連日14回かな、透析。14回目に身体がパンパンに膨れて、点滴いれて、皮膚がはちきれるくらい、6本くらい打たれて。２日目に説明があって、神戸大学から電話があって、岡田さんと同じような病気の人が13人いるけど、「病名は挫滅症候群、いわゆるクラッシュ症候群っていうんです」って。そのときに初めて知った。

牧　これは2日目？

岡田　2日目。神戸大学から電話があって、13人神戸にいるって。僕はそのうちの1人。千船病院。

牧　毎日透析して、こういう病院生活、治療はどのくらい続いた？

岡田　クラッシュでも急性腎不全は透析で14日でなんとか脱出したけど、心不全だけは3カ月弱、3月末まで治療…。それでも治らないので、転院してからも行ってた。

入院してた時、寝てたらぐるぐる回ってる。窓開けたら大阪の市営住宅、4階くらいの住宅がまっすぐ建ってる。じーっと見てて、これが垂直だと見た途端にぐるぐる回って。

牧　3カ月間は入院してたってことですよね？　そのあともリハビリを結構やってた？

岡田　そこ（千船病院）ではリハビリまったくしなかった。リハビリするんだったら神戸帰りたいと。

牧　こういうふうな状況、続いてるじゃないですか。まったく歩けないとか、寝てたら目ぐるぐる回るとか。透析を毎日していくというふうな日々を送ってるでしょ？　心不全も3カ月かかってる。

岡田　この間の岡田さんの気持ちというか、震災の前日まではお店をやってて、ところが一瞬にしてこうなった。僕自身は、万が一助かったら何か役目があるんだろって思ったから、どんなことがあっても絶対生きたろうって気持ちがあったから。娘と娘の友だちが来たときに、頭なんかもコンクリートまみれで、咳したら鼻からコンクリートの粉が出てくる。いっぱいコンクリート吸い込んでたみたいだから。そんな状況にあっても、目だけがらんらんとしてたって言ってた。絶対、生きたろって感じだった。

この人の電話なかったら、僕は生きてないと思う

牧　この気持ちが岡田さんを支えた？

岡田　そういう気をおこされたのは、ある電話。

岡田さんの喫茶店の隣にあった音楽ホールに出入りしていた作詞家水木れいじさんからの電話だった。水木さんは、２００９年氷川きよしの『ときめきのルンバ』で第42回日本作詩大賞を受賞。翌年は天童よしみの『人生みちづれ』で2年連続となる第43回日本作詩大賞を受賞した。岡田さんとは、約20年の付き合いがあった。

岡田　東京から「岡田さんの弟分の水木です」って電話が入って。弟分になるわけない、向こうのほうがはるかに有名人で。弟分って言葉を出したあの人の気遣いというか、それでいっぺんにがーっと身体熱くなって。弟分なんてありえないって思いから、ガーって熱くなって血が巡ったというか。

牧　岡田さんにしてみたら、年上やし。

岡田　（水木さんの方が）年下。

牧　そういうふうに声かけられて、頑張ろうと思ったんですよね、一緒に。

岡田　とにかくその気持ちが僕に通じた、勇気与えた。

牧　なんか一言、言ったの？

岡田　ぼく電話出られないから、婦長さんから「東京から岡田さんの弟分ていう人から電話、入ってます」って聞いた。水木さんっていうのは有名な人だったし、その心遣いというか。その人が手紙くれて、自分のいろんなものも。これも人にあんま見せたことないんですけど…こういう手紙。

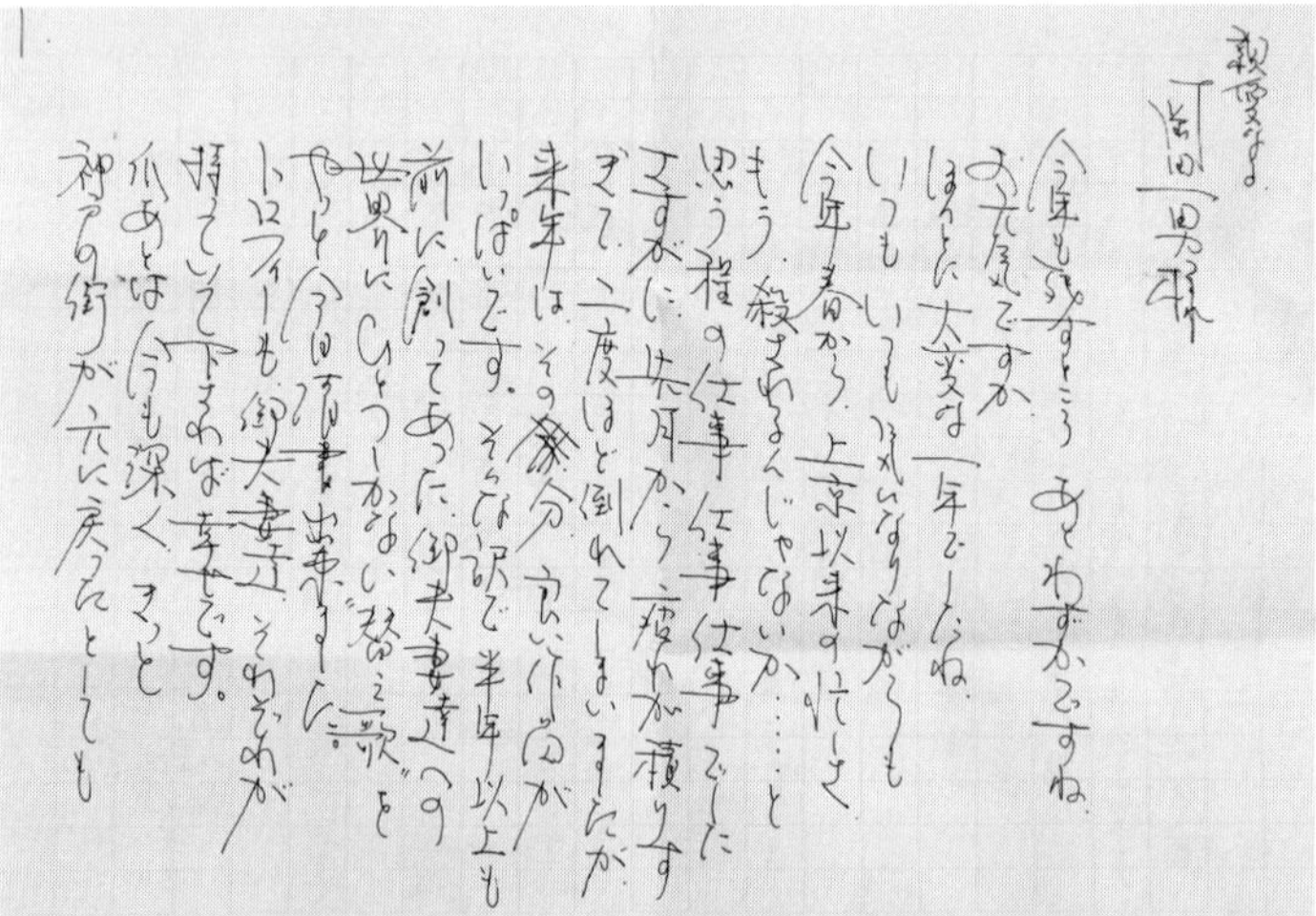
親愛なる
岡田男様
今年も残すところあとわずかですね。
お元気ですか
ほんとに大変な一年でしたね。
いつもいつも浮かれながらも
今年春から上京以来の忙しさ
もう殺されるんじゃないか……と
思う程の仕事仕事仕事でした
さすがに先月から疲れが積り
ずで、二度ほど倒れてしまいましたが
来年はその分良い作品が
いっぱいです。そんな訳で半年以上も
前に創ってあった御夫妻達への
世界にひとつしかない讃え歌を
やっと今日清書出来ました
トロフィーも御夫妻達それぞれが
持っていて下されば幸せです。
あとは今も深く きっと
神戸の街が元に戻ったとしても

作詞家の水木さんから岡田さん宛に届いた手紙

「岡田さんに世界で一つの歌作ってあげる」って。その手紙と…（賞状見せる）詩を書いて色紙に書いてくれてる。震災の3、4年前に、「ぼくは絶対日本一になるから」って約束して。それが20年目に日本一になった。偶然テレビつけたら日本一って…。泣くと思ったら泣いてた。あの人の言葉なかったら、生きる元気、湧いてなかったかもしれない。

牧　こんな話、岡田さん初めてだな。

岡田　初めて言う。言って迷惑かけるといかんと思って。相手が相手だけに。

牧　すごい。

岡田　助かって、よかったたって書いてあった。ほんまに僕にとっては…。

牧　いい文章やね。

岡田　この人が、「弟分や」って電話くれた。弟分ってつけたことによって、僕はありえないって思ったから、ダーって来た。そのときに血が、全身熱くなったというか。この人の電話なかったら、僕は生きてないと思う。

牧　この人の電話で…。

岡田　はっきりと生きる方向が見えた。

牧　それまで揺れてた？

岡田　揺れてるっていうか、自分の体力がもつかどうかの問題。

牧　震災後いろんな苦難あったと思うけど、何に希望託して生きてきた？　この人のことがあって、震災後のリハビリとか…。

岡田　なんとか生きたいって思ってたから。

岡田さんは、リハビリのために東灘区の甲南医療センター（旧甲南病院）に転院。右アキレス腱が損傷したことが原因で、テープで足首を固定しなければ、床から足を持ち上げることができなかった。

歩行練習を重ね、退院後はすぐに働き始める。震災の2年後には大手百貨店に警備員として就職。現在も後遺症を抱えながら、月に14日ほど夜間警備員の仕事をする。後遺症として辛いのは「米粒1粒あたっても痛い」ほどの右足の痛みだという。足で体を支えられず、自転車で転倒し骨折をしたこともある。また右太ももの筋肉が3分の1以上なくなってしまったことで、排泄にも支障が出た。

薄紙を剥がすように、心を軽くしたい

牧が1975年から16年間勤めていた御影工業高校（現在は統合して、市立科学技術高校に）は、岡田さんが営んでいた喫茶店「パーラーコイケ」の裏手にあった。牧と岡田さんは、客とマスターという関係だった。

2006年1月、神戸大学の岩崎信彦教授（現在は名誉教授）が、震災で障害や後遺症を持った人たちに集まろうと呼びかけた小さな記事が新聞に載った。

記事を見て参加した岡田さんに牧が勤労会館のエレベーターホールで気づき、声をかけた。「重たい荷物をおろし、薄紙を剥ぐように軽くしたい――」。岡田さんのそんなつぶやきがきっかけとなって、牧が運営してきたよろず相談室は震災障害者問題に向き合うようになった。2010年、よろず相談室が「阪神淡路大震災よろず相談室」としてNPO法人化した際、牧は理事長に、岡田さんは副理事長になった。

牧　岡田さんがそうやって震災で障害をもった。このことで岡田さん、ずっと（震災障害者の）人数把握とかいろんなことを訴えてきた。人数把握も不十分ではあるけど出たと。今後、行政とか被災地、今だったら東北の人とかに訴えたいことある？

岡田　自分のことはあまり話したがらない。話せない人もたくさんいると思うし、話してもどうなるんだろうかと思う人もいるかもわからんけど…。やっぱり話さなかったらわからないというか、変わらないというか。後のこと考えたっ

て話しとくことは必要だなと。何かのヒントになれば。その話を聞いてた人が、何かのときに、自分がピンチのときにそれを思い出してくれて、助かる方向に向いてくれたら、またそれもいいと思うし。現実的にはそういう形でしか、僕ら関わることはできないので。

牧　岡田さんは自分の経験とかを新しく、神戸の人もそうだけど、東北の人にも伝えて、自分に役目があるなら助かるだろう、なければ助からないと思ってたんだけど、自分は助かった、役目はあるだろうと。いろんなことを仕事もしんどいけど頑張りながらやってる。集いという場も、岡田さんが「作らないと」って言ったから。

岡田　読売新聞か、ニュースクランブル（読売テレビ）の取材で、先生来た時に、そんな場がほしいって言って、待っといてって言われて、3カ月後にできた。僕ね、この辺が不思議なんで。自分が障害者という意識が10年間まったくない。それよりも、とにかくなんとか人のことで、自分が動けるなら動かないとって、そっちの方ばかり。

牧　岡田さんの言葉で心に残っているのが、「薄紙を剥がすように（心を軽くしたい）」。

岡田　あれはちょうど、牧さんが来られたときに、「岡田さん、どないしたいと思うか」って言われた時に、一人ひとり、人に言えなくても、自分が障害負ったことで、いろんなマイナスというか、元気だったら仕事もできるのに、元気だったらこれもできるのにというものを多分持ってるから。それぞれが重荷、背負ってやってきてるような状況なので。でも一般の人と、そういう目に遭ってない人と話しても、余計むなしくなるだけなので。それは感じたので。ちょうど10年目ごろ、「まだ震災の話かいな」っていうのもあって。

また別の話では、障害を負った人に行政が全部ちゃんとしとってくれたんやろって、一般の人はそういう頭。でも現実にはそうじゃない。そこがわかってへんから、一般の人の、けがしてない人、被害あってない人、家が潰れてない人と話したってなにも通じない。自分がむなしくなるだけやって、話すだけ馬鹿らしいと思って。だったら当事者同士、同じ目に遭ったような者同士だったら話が通じるんじゃないかっていうのがあったから。

気軽にお茶飲みながらでもいいからお互いの話して、ちょっとでも、ちょっとずつでも軽くなっていったら。会うたびに気楽に話できる状況に変わっていったらいいなと思って。そういう集まる場所がほしいってことを言った。楽になるんじゃないかって。それは現実に僕ら行ったときにも、最初はみんな緊張感があるし、話すのもあまり…。1回目、2回目、3回目とだんだん変わってくのが目に見えたから。その間に恵梨さん（証言10）と洋子さん（証言01）なんかでも、だんだん解け合って。2人で年末の忘年会も食べては走りまくって。

牧　あのとき、岡田さんに言われたのは、同じ悩みを持ってる人たち。それは震災で障害を負って、「震災で障害者になった」って言ったら「まだ言ってるの」とか、そういう言われ方とか。自分の抱えてる障害の程度とか、それぞれ違いますよね。でも、「震災で障害者になった」という同じ悩みを持っている人たち。その人たちは十何年経って、重くなってる、荷物が。どんどんどんどん重くなっていってる。

岡田　取り残されてる。

牧　取り残されてたもんね。それで、そのときにパッと取り除けるかって言ったらきっと無理だろう。というので、岡田さんだったらお茶を飲んだり、話をしたりっていうことで、薄紙を剥ぐように荷物を軽くしていきたいって、それを言ったんだよね、最初ね。そういう場がほしいって言った。

岡田　場がなかった。場がないというか、どこにいるかもわからないから。

よろず相談室の「震災障害者と家族の集い」は2007年3月に始まり、毎月1回集まった。

牧　出会われたわけですけど、岡田さんはそのときどんな思いを持ちま

震災で障害を負う同じ体験をした人たちがつどい、忘年会などの交流を続けた

した？

岡田　どんどんどん変わってくのを見て、すごいうれしかった。忘年会とか鍋やったりしたら大騒ぎで。取材でも映ってるけど、にぎやかな忘年会とか誕生会。こんな山みたいなデコレーション切って、ワーワー言ってる。

牧　一人ではないと思うのは意味があった。ずっと自分で抱えてるものが軽くなっていくし、自分だけじゃないって。

岡田　吐き出せるからね。吐き出したものを受け止めてもらえるから、その分、気分が軽くなると思う。理解してもらえない人に話すっていうことは、ぬかに釘をさすようなもの。東北行ったときもそうでしたね。震災障害者っていっても全然意味がわからない。

牧　ご自身の体験を語り合っていったわけですよね？

岡田　そう。とにかく1回目のラジオのときに、毎日放送のラジオか、その取材のときに話したけど、行政のなかに気持ちのあったかい人がいたら、掘り起こしてくれってことを何回か言った。あのとき「震災障害者って知ってますか？」っていうラジオで2、3回に分けて放送された。そのあと毎日新聞さんが30何人分の特集やってくれて、大々的に。

牧　毎日新聞が一番あのときは積極的にやってくれた。

取材者　そうしてみなさん出会われて、神戸市と兵庫県の実態調査を行いましたよね。それで10年経った今。今の状況を岡田さんはどういうふうに受け止めていますか？

　阪神淡路大震災の時のけがで障害が残った人たちの実態を把握しようと、神戸市は兵庫県とともに２０１０年、身体障害者手帳の申請書類を調査。すると、少なくとも３４９人が震災で障害を負ったことが判明した。しかし、精神障害者と知的障害者は調査の対象にならなかった。

岡田　実態調査は完璧なものではない。県の方もそれは十分わかってるようなこと言ってたし、現実に僕ら集まってる中でも、漏れてる人、何人かいるので。一番最初の、朝日かな、2006年の阪神淡路大震災の被害状況の最終確定が出てた中に、軽傷者、重傷者とか、倒壊したとかはあるけど、数としての、2級以下の数は把握してないから、行政もそれは持ってないって、ただし書きみたいなものついていたので。「それはおかしいやろ」って。

災害弔慰金法にもとづく災害障害見舞金（世帯の生計維持者の場合250万円、その他の場合125万円）は、両眼失明、両腕のひじから先を失う、両脚の膝から先を失うなど、1級相当の障害のみを対象としている。岡田さんのような障害は対象外だ。

まずカタチを、数をつかめる状況にしとかなかったら、その次が進まへん

岡田　「1級と2級の違いってどれだけ大きいの?」って。2級の人だってどれだけの目に遭ってるんやって。なんで1級だけ目つけて、2級の人の苦しさはなんでわからんねんっていう思いがあったので、掘り起こすべきだろうって訴えをした。それで、神戸市で183っていう数字だしてきた。県も追随して、（神戸市の合同で）349という数字を出してきたっていうこと自体は評価してもいいんじゃないかなって思う。

1回県の復興支援課長、（よろず相談室の集いに）来ましたね。これで全て終わりってポンって言ったから、おかしいやろってちょっとかみついたけど。国の予算は調査費出してるじゃないかって、なんで終わりなのかって。それは何ができるかを知りたいがための調査じゃないのか。本当はこれからだろうって。その年の終わりにだいぶ食い下がったんだよね。

牧　医者の診断書の理由欄。自然災害を入れる…。

岡田　やっぱり自然災害でけがした人っていうのは、誰も補償をなにもしてくれないわけだし、自分が痛むだけなので。自然災害で障害を負ったり、特にひどい障害を負ったりした人に対しては、ちゃんと支援してほしい。というか支援するべきだろうと思いますし、交通事故だったら保険がおりたりするのに。

震災、天災っていうものに対しては何もない。天災なら諦めるっていうのが今まであったので。道はつけとかないと。そういうような人っていうのは震災（自然災害）の項目に○をつけて、この人たちは一応震災とか天災でこうなりましたっていうのを、まずカタチを、数をつかめる状況にしとかなかったら、その次が進まへんなと思って。

牧　それがいま一番訴えたいこと？

岡田　そうですね。もしなんか支援してくれって言ったって、兵庫県だけでワーワー言ってみてもしょうがないので。次どこで何が起きるかわからないし、そのときにまた同じようなことが繰り返されるってことは目に見えてるので。そうであってはあかんなって。

（東北の方でも）多分いると思いますよ。なぜかっていったら重い人ほど長期入院してますよね。長期入院するっていうことは復興から取り残されるっていう。まして、被害に遭ってない病院に行ってるから、現地から離れた場所に行ってる可能性が高いので。そういうとこ行くと、温度が全然違う。千船（病院）でも温度差、感じましたもん。神戸と大阪で。

牧　岡田さんがずっと言ってるのは、数を把握することで次のことができる。数を把握するために自然災害という4文字が必要だろうと。これもずーっと叫んでることで、ええ加減にこの4文字を医者の診断書の理由欄に。

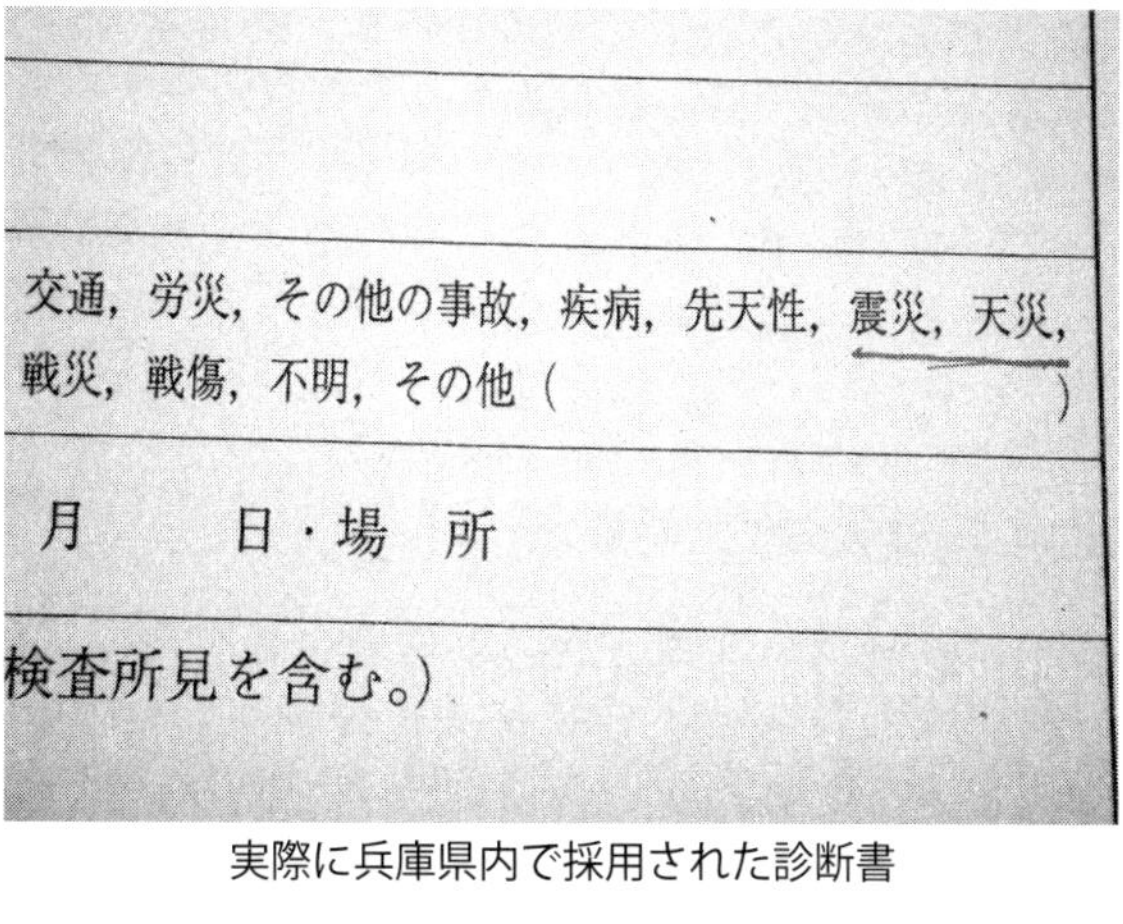

実際に兵庫県内で採用された診断書

岡田さんは、「支援策の根幹は数を把握することだ」という信念のもと、神戸市や兵庫県に働きかけを続け、兵庫県は2012年4月、医者の診断書の理由欄に「震災」「天災」の項目を加えた。

牧　全国的に、波及させせないと意味ないから。

岡田　最初ね、参議院の災害対策の質疑見てたら、歯がゆくて歯がゆくて。要は、それをすることで、行政にものすごく負担かかるやろっていう言い方だった。当時の厚生（労働）副大臣の答弁はそういう感じで、あくまでも従来の施策で、って繰り返してた。だけど、どういうのか、兵庫県と神戸市がやってみれば簡単なことですよね？

牧　兵庫県と神戸市はやったから。

岡田　用紙を変えて、なんでもないこと。診断したお医者さんが○したらすむことで。どこに混乱が起きるんやって感じですよね。

牧　この問題は今年で決着つけたいと思ってるんですよ。もうええ加減に何べんも何べんも言ってるし、神戸市も兵庫県もこれは国に言ってるみたいですよ。これとそれから、1級だけっていうの、むしろ幅広く2級、3級、4級までいったらどないやって。毎年、言ってるみたいですよ。でも跳ね返されると。
　だから当事者や支援者の我々が直に、向こうが言うには国に直接来たらどうですかって。向こうの誠実な国会議員もおるから。マスコミなんかがね、来たらどうですかって。やったらええって。そしたらすぐ、そんなにかかるものじゃないし、反対する理由もないし。

岡田　ホームページ見たら、ちらっと書いてあった。インターネット放送で今も残ってるはずですよね。質疑が全部残ってるはず。第何回のあれ、参議院災害対策特別委員会って、前ネットで見たことある。質疑、見てたら歯がゆい。「大臣は（神戸市にある）人と防災未来センター、行ったことありますか？」って。残念ながら行ったことがない、機会があったら行きたいって言った1週間後に来てましたもんね。国として何ができるか考えたいっていうことは言ってました。

　岡田さんや他のよろず相談室のメンバーの陳情もあり、厚労省は2017年3月31日、これまで「交通」「労災」「戦災」などしかなかった障害の原因欄に「自然災害」を加えた書類を使用することを求める通知を全国に出した。

「自分たちの経験が少しでも役に立てたら、一筋の光明じゃないけども」

証言　03

甲斐研太郎さん（当時46歳、右）
甲斐アリスさん（当時44歳、左）

甲斐研太郎さんとアリスさん夫妻は、神戸市東灘区魚崎北町の木造2階建て住宅に住んでいた。自宅は全壊。研太郎さんは落ちてきたタンスと屋根に足が挟まれる。アリスさんはそれらの隙間が作った空間に閉じ込められ、大きなけがはしなかった。夫婦とも20時間後に救出されたが、研太郎さんはクラッシュ症候群で11カ月間の入院を余儀なくされた。

甲斐さんとの出会い

甲斐さんと私が出会ったのは、２０１1年に兵庫県と神戸市が合同で震災障害者の実態調査をした後のことだった。新聞記者が、甲斐さんを「震災障害者と家族の集い」に連れて来た。当初、どのような会なのか不安だった甲斐さんだが、参加するうちに「ここは私たちの居場所なのだ」と感じたと言う。すでに震災から16年が経過していた。いつもポジティブな甲斐さんは、現在「よろず相談室」の中心メンバーとして活動を続けてくれている。

震災時、同じように閉じ込められていた夫妻だが、夫の研太郎さんは死ぬほどの痛みに耐え続け、妻のアリスさんは打撲だけで済んだ。研太郎さんは埋もれている間、仏壇から転がってきたりんごを食べたり、自分の尿を飲んだりして、のどの渇きを癒やした。尋常ではない痛みに耐える夫に、クリスチャンのアリスさんは「神に祈りなさい」と言ったので、研太郎さんは思わず「シャラップ！（黙れ）」と叫んだという。

甲斐夫妻が住んでいた地域は古い地域で、住民たちがどこに何人住んでいるのかを把握していた。この把握が近所同士での安否確認を可能にしたという。夫妻が閉じ込められていることは、まず最初に見回りに来た近所の人が気が付いた。それを消防団に報告、消防団が自衛隊に伝えて助けられたという。

手術・入院・リハビリなどの全額医療費免除は、震災の年の12月31日をもって打ち切られた。甲斐さんの自己負担は６００万円に達した。払える人はいいが、払えない人はどうすればいいのだろうか。（牧）

東向きに寝とったら、頭、やられとった

牧　あの、今日ね、震災があるじゃないですか。その前からずーっと始まって、どんな生活してはったのかって、どこにいはって、ほんで、震災のときにどうやったか。で、その後の生活。で、今。自由に話してほしい。僕が聞きますわ。ほんで、このときどうでしたみたいな。それで答えてもらったら。

２０１７年6月3日、夫の研太郎さん、妻のアリスさんに牧が聞き取りをした。研太郎さんとアリスさんは１９９１年に結婚した。アリスさんはマレーシア生まれでオーストラリア国籍。結婚と同時に日本に来た。

研太郎　まああんた（アリスさん）が日本に来て、魚崎に住みだして、その後、まあ入院したり、それからアフターアースクエイクのライフ（震災後の生活）。それからこれからの、ニアフューチャー（近い将来）の、色々。それを、ステージバイステージ（その時々）で。先生が質問するから、あなたのわかることは答えたらいい。

牧　甲斐さんはどこに住んではったんですか？

研太郎　魚崎北町。

牧　ほんならこの辺なんや。ここでずーっと、2人で生活してて。甲斐さんどんなお仕事されてました？

研太郎　うん。だから、自営のね、表装。美術表装というかな。絵画の修復がだいたい基本。ふすま貼ったりとか、表具屋さんちゅうのは色々あるんやけども、ちょっとまあ特殊な仕事で、縁があってそういう仕事をしてました。

牧　ほんなら家で？

研太郎　いやいや、工房、水道筋のところで借りてたわけ。

夫婦が住んでいた「魚崎」は、酒造りで有名な灘五郷（兵庫県西宮市～神戸市灘区）の一つ、「魚崎郷」として知られる地域。震災で木造の酒蔵の多くが倒壊するなど大きな被害を受けたが、今でも桜正宗などの本社や、剣菱などの酒蔵が存在する。「水道筋」は、神戸市灘区を東西に伸びる神戸有数の商店街。同商店街のＨＰによると、大正時代、西宮から神戸に水道管が通され、その上に道ができて「水道筋」と呼ばれるようになったという。

牧　それずーっと生活してて、奥さんも家にいはって。

研太郎　いや、一緒に。

アリス　手伝い。

牧　あ、ほんなら一緒に動いてはる。

研太郎　当時はね、ああでもアースクエイク（震災）のときはもう親父が、前の年に亡くなってね。せやから94年に亡くなって。

牧　ほんで、そこの魚崎北町の家で、震災に遭うた。

研太郎　うん。工房と通いでずーっと仕事しとったわけ。この人も一緒で。それとパートの人も、雇ってたんけど。

牧　家はどんな感じやったんですか？　一軒家？

研太郎　一軒家。木造2階建て。

牧　震災のときには、こう。（写真）

研太郎　もう完全にね。

牧　斜め向いてる。

研太郎　うん。そして、こういう隣のね、プレハブの家が建っとって。これにガ

将棋倒しのように崩れた自宅（左）

ターンとこう、もたれかかるようにして、ぺっちゃんこにならずに済んだわけ。家はもちろん瓦屋根もバラバラやけど。

牧　ほんで、そのときに1階に寝てはったんですか？

研太郎　1階。1階のど真ん中。

牧　ほんなら、どんな？　上から見た見取り図で。

研太郎　上から見たらね。家がね、形状としたらこういう形ね。で、これが庭。階段がこうあってね。このあたりに寝てた。で、ガッターンって。

アリス　隣の家も。

牧　こう、お互いにこう。

アリス　そうそう。

研太郎　将棋倒しみたいに。

牧　で、このポジションで。

研太郎　生き埋めになったと。

研太郎　一応リビング。洋間みたいなところ。木造50年ぐらいの、2階建て家屋の1階のど真ん中。被災したときも。

牧　で、このときになんか物で、色んな物が倒れてきたり。

研太郎　2階はね、もう完全に崩れてべちゃーんとなって、2階のいうたら部屋ごとドスンと、まあ極端に言えばね。

牧　1階の方に？

研太郎　うん。そうそう。

アリス　大体、全部階段に。で、階段の下は服や銀行箱、金庫箱。

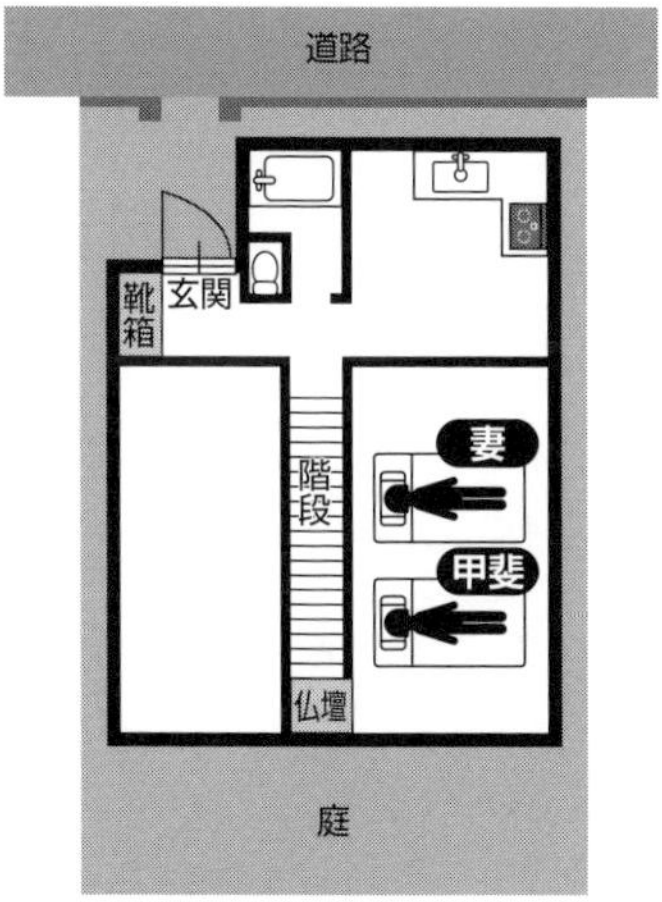

築50年 木造二階建て住宅

研太郎　金庫とかハードな物で、結局ペッチンとならずに。
アリス　でも、天井は全部壊れた。顔のこのぐらい。足は、天井に当たる。
研太郎　そうそうそう。2階の天井の上に梁が通っとおでしょう。あれがちょうど我々が下敷きになっとるここに来とった。うん。まあ極端な話ね。バサッと倒れてるから、もう2階の部屋は、基本的には飛んでしまったような形で、バラバラになって。で、その上にある1本もんの、昔の松の、ごっつい、あれ（梁）はもう折れようがないから、あれがドスーンと我々のこの辺に来とった。
アリス　（研太郎さんが）見えない。でも聞く（聞こえる）。
研太郎　この人は、うまいこと奇跡的に、戸板とかバタバタっとね。猫の額ぐらいのところに（収まった）。だから打撲はあったんやけど。
牧　全然動けなかったんですか？
アリス　足はプッシュ（押した）、天井をね。もし私、プルバックは（後ろに引くと）、天井落ちる。天井は柔らかい。日本の古い建物。
研太郎　安普請（安い費用で建てた家）の建売住宅やから、合板とか、普通の材木で作っとったから。
牧　2階は部屋だけがあった？
研太郎　2階は2部屋。昔の家やから。階段セパレートで右と左に。だからバーンと倒れたときに、金庫があったために、三角形のトライアングルのスペースがあったりとかね、それで完全に押しつぶされるいうのを免れたいうような、形やね。
牧　もし金庫がなかったら、と考えたら。
アリス　多分ね、もし階段、もし頭、反対側はもう多分終わり。
研太郎　そう。2人とも頭が反対で、西向きに寝てたからね。あれが東向きに寝とったら、頭、それこそタンスとかあんなんでやられとったらもう。

牧　どのぐらいこう、身動き、2人とも取れなかったんですか。

研太郎　うん。生き埋めのときとはもう全然、声だけ。どのぐらい離れてるかいうのも、ほとんどわからないしね。こっちはもう、痛みをこらえんのでそんな、フラフラ。

牧　挟まれたというのか、そのちょっとした空間があって、奥さんと甲斐さんが、一緒におったんでしょ？

研太郎　うん。おったんやけども、この人はもうそのとき、どーんと来たときに飛ばされるような形なんで、この人は北っかわの方にだいぶ飛ばされとるわけ。ほんで、我々寝てた部屋と、ダイニングの戸板があってね、その戸板がバタバタって倒れてきた下にこの人がおった。多分おったんやと思う。こっちはもう、まともに足をタンスにドーンと挟まれて。そうこうしてるうちに2階のいうたら部屋ごと、梁がドスーンとそのタンスの上に落ちてきよったんです。だからもう。

牧　ほんならそのとき寝てはって、奥さん飛ばされて、ほんで甲斐さんの上にタンスが倒れてきて、足元に。

研太郎　足元に、そうそうそう。

アリス　砂にまみれて。

研太郎　もう、色んなほらガラクタみたいなのがバサバサバサバサっと来てるから。

もうそんなことよりもう、足。ともかく足、両足

牧　ほんなら、奥さんは痛みはなくって、じーっと、じーっと動けなかったいうことですね。で、どのぐらいで助かったんですか？

研太郎　いや、一緒。18時間ぐらいかな。

牧　だいたい、時間わかります？　何時ごろ助けられたとか。18時間やったら。

研太郎　およそだけどね、明け方の5時ぐらいかな。4時か5時ぐらいかな。

アリス　研太郎、先。あとで、多分30分後、私。

研太郎　夜中にね、多分ね、あれ時間的に言うたら真夜中ぐらいに、自衛隊が「甲斐さん、今からチームで救出にかかりますから頑張ってくださいね」と。で、それからだいぶ、やっぱり上の物除けたり、なんだかんだで、ここにライトが来て、隊員の人が目の前に来るまでにやっぱり、3時間ぐらいはそうやってかかっとったもんね。

アリス　うん。ジャッキで。

牧　ほんなら助かったんが明け方やったら、地震が5時でしょ。

研太郎　その間に余震がまだグワーっと来るしね。そんなスムースになんにもないとこでいるような訳にはいかんからね。

牧　5時40何分ぐらいかな。まあ、20時間ぐらいやね。

研太郎　20時間言うたら、うーんと、1時。でも助けられたん1時違うでしょ。引っ張り出されたん。

牧　まあ、そうか。20時間オーバーぐらいかな。きっちり計算したことないから。まだ真っ暗やったからね。

研太郎　そうですよね。

アリス　うん。冬場1月やったから。こっちがやっとこさ、両腕掴んで、引っ張り上げてもらって、庭裏の庭伝いに、隣のプレハブの家は無事やったから、その家の中通してもろて、表に出て。で、そのときにこの人が埋まっとるから、ともかく助けてくれと。

研太郎　でも、自衛隊、助けてるとき、建物あるね、いつも、地震あった。で、みんな逃げる。来る来る来る来る。ハハハ。

アリス　トラウマね。

研太郎　そうそう。それトラウマ。

牧　余震が結構あったもんね。後でね。

結構、強いのがあったしね。

気象庁によると、1月17日午前5時46分の本震も合わせて、それ以降2月6日までの間、全部で1397回の地震が起きた。そのうち震度1以上の有感地震は136回。本震の朝、午前7時38分のM5・4（震度4）を最大とし、午前5時49分、午前5時52分、そして午前8時28分にいずれも神戸で震度4を記録する余震があった。

牧　もうそのときいたら生きた心地しないね。助けられるかなーと思ったら、またガーみたいな。みんな逃げてしまうしね。

アリス　うん。そうそう。

牧　不安はなかったですか？　余震があるでしょ。私は大丈夫。助け出されると思てた？

アリス　ああ、大丈夫。大丈夫。自衛隊あるは大丈夫。

研太郎　この人は打撲とか、まあ体は、ギリギリやけど動いとったから。

牧　甲斐さんが上に、足のところに屋根が倒れてきて、身動きとれん状況。

研太郎　足だけね。上半身は動けた。

アリス　でも、グラスをね、全部グラス、窓の、グラス割れたでしょ。

研太郎　ガラスの破片やと思うけど。そんなんは別に関係ない。

牧　もちろん痛いのはありました？　ガラスの痛みとか。

研太郎　いやいや、もうそんなことよりもう、足の、うん。ともかく足、両足、ぐちゃっとこうタンスの下に埋まってしまってるから、その上にほらこんな梁が乗っとるから、それをともかく上げてくれたらもう自力で足引き抜いて出る言うたんやけど、その梁が動かんから。そのために、自衛隊員が、もうあかんから言うてジャッキ探しにいって、なんかトラックかなんかのジャッキを借りてきて、ただジャッキも下が地盤が安定してるとこでこそ効くけども、下が瓦礫の上にジャッキ置いたってほら、下が沈みよるから。もちろんチェーンソーみたいなやつ、皆持っとるから、あれでこのぐらいの角材をね、切って持ってきて、その上にジャッキを置いてガーッと上げだしたら、足がフッと浮いたの。あ、こらいける思て。

アリス　まあ良かった。そしたら自衛隊としゃべる。

牧　落ち着いてたんや。
アリス　うん。
牧　その、痛みずーっと続いてたでしょ。
アリス　痛いです。痛い。
牧　そのときに絶望というか、もうあかんやろなというのはなかったんですか？
研太郎　それは全然。いつも言ってるみたいに、以前に親父の会社の工場の監督しとったときに、結構そういう、指バーンと落としたとか、緊急時の対策いうかね。だからこういう場合には、体冷やしたらいかんとか、脈測れとか、そういう経験いうのが今思えばね、かなりそういう意味では、実践で役に立ってる。だからあの状況において自分でも後で考えれば自衛隊の方に指示、こっちから送って。
どういうことかいうと、もう1分1秒早く足の痛みから解放されたいと、もうその考えしかないからね。ほれでも、投光器降ろして下さい、そっからどのぐらいに頭がこっち向いてあるとか、色々インフォメーション送りながら。あれだけでも、かなり救出される時間短縮には役には立ってると思うけど。
牧　何もなければね、自衛隊もどないしたら（いいかわからない）。
研太郎　そうそう。そういう状況で、どういうところに埋まってはるのかいうのも、まったくわからへんしね、真っ暗やしね。ほんで余震は来てるし。それでもあの状況で火事がなかったから良かったけども、やっぱり20時間近う、2人とも救出されるまでには丸1日ぐらいかかってるからね。

人間の生き死にいうんはちょっとした、些細なことでね。こうも明暗を分けるか

アリス　のど乾く。で、自分のおしっこ飲んだ。ハハハ。
牧　すごいね。やっぱり知識があったんですね。自分の飲んだらええわって。
研太郎　まあ昔、飲尿療法っていうて、体の色んな悪いとこはどういうふうにして…いかなる薬よりも、もうおしっこ飲む

のが一番適切。造影剤みたいなもん。

牧　お水っていうたらあかんけど、奥さんはどないしてはったんです？

研太郎　いや、この人飲み食いなし。助けられるまではね。

アリス　うん。

牧　甲斐さんは？

研太郎　これだけ。

牧　尿だけ？　前に、りんごの話してはりました。

研太郎　ああ、りんごはね、仏壇に、この人がちょうど震災前に正月の日に供えとったりんごがね、ちょうどこっちの手の届くとこにパッと。

牧　こっちにころがってた。

研太郎　そうそうそう。後でこの人の友だちが詩を書いて、亡くなった両親から苦しんでる息子への唯一のプレゼントだったんでしょとかって書かれてたけど。ほんとは、腎機能やられてるときにりんごなんか絶対ダメなんやけどね。

アリス　ダメ、でも喉乾く。ショックもあるし。

研太郎　だからもう笑い話やないけどね、そんなときにどこにおるかもわからへんのに、りんご1個あるから、ほんならもう食べるぞーいうて。結局食べて。

牧　食べるぞいうたら、ちょっと待てと言うたんでしょ？

研太郎　待てとは言わへん。

アリス　ないない。主人は先、先。ハハハ。

研太郎　もしあんたがいる場所がわかっとったら食べるつもりでしょ。

アリス　ない。食べない。大切な。

研太郎　まあでもね、いま思えば、ああいう苦しい状況のときに、1個のりんごをね、食べるとか食べへんとかは別にして

牧　もね、そういうことを考える時間いうのはね、その痛みをこらえる、もうほんの一瞬だけども癒やしになって、ほんならりんご食べてるときはそのことやっぱり頭に考えるから、その瞬間だけでも、激痛いうのはちょっと忘れられる。それはいま思えば、感じるね。

研太郎　痛みをちょっとこっちにそらせる。ね、りんごによって。

牧　ちょっと集中してね。まあ今だからそんなこと言えるけど、ほんとそういう感じやね。

研太郎　それが非常に印象的やったんです。りんごの話が。

牧　それはほら、やっぱこの人（アリスさん）、言葉できないのはわかってるしね。こっちは痛いけど、頭やられてないからまだ生きてるいう、痛みを感じるいうことはまだ生きてますいうことやし。ただ、いま思えばあんだけ痛かったんやけど、この人のことをちょっとでも考えられる精神的なゆとりは少しあったんかなと、いま思えばやけど。だからエブリワンナワー（1時間おき）ぐらいかな、声をあげてな、いうふうな話はしとった。

アリス　そうそう。

牧　かなり、のど乾きました？

アリス　あ、乾く、乾く。

研太郎　そらやっぱりね、両足首挟まれたのが、カリウムの数値バーンと上がるでしょ。で、腎臓がもうその瞬間から部分的には血流が届かんところはもう壊死が始まるしね。せやからさっきも言ったみたいに、喉が乾くんやね。

アリス　ホコリいっぱい。

研太郎　それからホコリは吸ってるわ。ここらガラガラなってるから。だから、ほんとはね、医学的に言えば、水飲んだらあかんらしいけどね。ああいうときはね。だけどもう、声がでんようになったら、自衛隊が来ようが、救援隊が来ようが、全然（呼べない）。

アリス　あまり、呼んでないで。コンコン、コンコンなんて。わからない。どのぐらい、時間ね。助ける（助かるまで、どのくらい時間がかかるかわからない）。ちょっとエナジー、セービングね。

研太郎　そうそう、そうそう。
牧　外で救出作業が聞こえてたり、人の声が聞こえたりはしたんですか？
アリス　もう、呼んで、外の人の声、聞きたいね。でも、呼んでもみんな、声、静かになった。
研太郎　外部の声はいつもの話やないけども、震災が落ち着いた後に、ほらヘリコプターね。
神戸市広報課には、市民から「助けを求める人の声が聞こえない」「超低空で飛ぶので屋根がヘリの振動と風で壊れる、何とかしてくれ」という、取材ヘリコプターの自粛を求める要望、苦情が相次いで寄せられたという。

アリス　ヘリコプターと救急車。
研太郎　救急車か自衛隊かなにかわからないけども。
アリス　ちょっと、音が。
研太郎　あれによってね、いま22年経って思うのは、2世帯（住宅）で1階にお住まいしてたのは年寄り、若夫婦は2階よ。だいたいお決まりのパターンが、1階の高齢者の人は、うちの近所はほとんど全滅やったもんね。完全にべちゃっと。だからもしそういう人が、どっかで生きながらえてた人が、「助けてー」いう声でもね、あんだけバタバタバタバタ、バタバタっていうたら、多分それで聞こえないためにね、所在もわからずにそのまま逝ってしまったいう人も、結構あると思う。あの状況下で言えばな。
アリス　良かったね隣。「大丈夫か？　甲斐さん」。何回か来た。
研太郎　隣近所で、まあまあ家は潰れてもね、けがしてなかった人が近所同士でほら、家族構成、大体わかってるからね。で、大丈夫ですか？　言うて、みんな聞いて回って。それを消防団とか、役所関係の救援隊の方にレポートして、ほんで、自衛隊が発動指令が出て、どっかの自衛隊のチームが東灘区役所を通じて、甲斐さんのところ2人、夫婦で生き埋めになってるから、いうので、近所の人がレポートしてくれたんやろね。で、その順番が回ってきたのが12時。

牧　夜中の12時ぐらい。多分ね。そういう意味で言うたら、近所の人ってありがたいですね。お互い知ってるってね。全然知らんかったらね、わからないもんね。それはとても大事なことですよね。

内閣府の調査によると、阪神淡路大震災では救助された人の中で近隣住民により救助されたのは77・1％になる。

研太郎　だから、今の先生の質問じゃないけど、やっぱりね、古い昔からの居住地区やったから、わりかしほら、仲いい悪いは別にしても、ここはお向かいさんはお婆ちゃんと若夫婦と子ども2人とか、だいたい近所はわかるでしょ。あいうパニックになったときはお互いに、救助とかそういう面では情報いうのがね。自衛隊の人なんかわからへんからね。あれはすごく大きいと思います。

牧　それを知ってる人が、自衛隊の方に、あそこに埋まってるよということを伝えてくれたわけですよね。知らなかったら伝えられない。

アリス　そうそう。うん。

研太郎　そらあのときはもう、ちょうど丸1日過ぎてる状況やから、それこそ生き埋めの人もいっぱいいるしね。で、火事いってるところはもう駄目やったから、ともかく火事がなくって生き埋めになってる人を集中的に。それとか、成人の日の振替休日が幸いして、豆腐屋さんとかね、パン屋さんが休みで、火が出なかったいう幸運があるけど。まあ人間の生き死にいうんはちょっとした、些細なことでね。こうも明暗を分けるかいうのは、ほんとよくわかるね。

牧　前のお家、どうなったんですか？　やっぱりもう全滅？

研太郎　全滅。

アリス　全部。

牧　ほんなら結構亡くなられた人たくさんいはって。結構ひどかったもんね。

アリス　ひどい。ひどい。戦争みたい。

研太郎　木造の2階建ての2階に寝てた人はね、かなり重軽傷はあったにしてもね、亡くなったいうのはあんまり聞かない。こっちも、11カ月もずーっと入院生活しとったから、以降にどういう状況になったかいうのは全然入ってこないからわかりにくかったけど。退院してからやっと、あそこどうやった、ここどうやったいうのがわかった。訪ねて行ってわかったぐらいでね。オールドピープル（お年寄りたち）は全部駄目やったね。

阪神淡路大震災の兵庫県内の死者を世代別で見ると80歳以上が約2割を占めた。60歳以上だと6割近くに上った。

牧　ほんまにちょっとの差で助け出されたでしょ。ほんで病院に運ばれたんですか？　そのときはどんなだったんですか？　覚えてはります？

ベトナムの野戦病院みたいな状態やった

研太郎　うん。こっちはね、先に自衛隊にとりあえず引っ張り出してもらって、近くの川井公園いう公園の横に開業医さんの、そこも機能してなかったんやけども、一応の応急処置のは持ってるいうことで、そこにとりあえず1回運ばれて。で、そっから例の。

牧　東神戸病院。

研太郎　病院に転送いうのが決まって。とりあえずのところに、この人が2、30分ぐらいしてからかな、自衛隊に抱えられて来て、顔見て、こんなになっとるけどね、お互いに助かって良かったなと。そっからは東神戸に転送されて、ベトナムの野戦病院みたいな状態やったけどね。とりあえず状況見て、あの当時は近郊の都市から、大阪とかから医師と看護師2人がチームになってずっと応援に来とったからね、機能してる病院だけに。そこで応急処置を受けて。

牧　どんな応急処置やったんですか？　足痛いでしょ。もちろん。腫れてるんですか？

アリス　うん腫れてる。

牧　どんな状況やった。僕、想像つかないので。

研太郎　あんときあんた、見てた？

アリス　見てた。うん。頭だけ。そう私見てた。ですからね、ブレッドアウト。こう、バンド、それだけ。

研太郎　わかりやすく言えば、まあ骨折が3カ所ほどと、後はもう圧迫やね。血流、止めてしまう状態でね。血流が止まると筋肉がグワーッと腫れてくるわけね。で、腫れて薄い被膜に筋肉がこう覆われとってね、それがパンパンなって、それ以上は、腫れられなくなるわけです。そしたら毛細血管とかそのへんの血流も全部、止まってしまうわけ。その瞬間から壊死がずーっと部分的に始まる。

今までの救急外科なんかの場合はね、「減張切開」って言って、腫れを減らす切開術として、パンパンになってるふくらはぎとかをね、回復したときにダメージが少ないような切り方いうのがあって。ほんで足の前脛骨筋とかね、つま先上げたり下げたりする筋肉の横をズバーっと30センチほど切るんですよ。そのことによって出血はするけども、腫れがずっと減って、ギリギリで残ってる血流いうのがね、まあなんとか回復に向かえるという状態を作るわけ。

で、その手術をこの人が多分見とったように思うけど。その後、要するに止血剤を入れて。もうホコリだらけやからね。昔で言う、古い言葉やけど破傷風とかああいうのにならんように抗菌クリームとか塗って。ほんでもう、とりあえず包帯してね。治療できる病院へ、順番待ちのような状態です。

牧　そのとき当然、切るけど、麻酔とかないですよね？

研太郎　麻酔はね。もうでもね、痺れてるからね。打たれたかどうか、全然わからない。もうジーンとお点前のときに正座させられて痺れて立たれへん、あれのもっと強烈なやつが両足になってるいう感じ。

牧　もう足パンパンに腫れて、どうしようもできないいうのは自覚あるんですか？

研太郎　漫画みたいな話。足の上に乗ってるタンスと梁をのけてくれたらね、自分で足抜いて歩くぐらいの気はまだあったわけ、うん。実際はそんなもんじゃなかったんやけどね。だから、かろうじて救出されて、減張切開をうけた後でも親指とかね。

アリス　うん。

研太郎　そのあたり、この人（アリス）、看護師の経験があるから、「ああ、ちゃんと機能は、かろうじてしてるな」いうのはチェックしとった。だからもう全然、血流がストップして部分壊死起こして、もう駄目やいうイメージはなかった。結構その点は、重症では、考え方としたらまあ前向きに考えとったかなと。自分で自信もあったしね。

牧　なんで、そんなに自信あるんですか？

研太郎　いやいや。感覚的にまだわずかやけども親指動かせたからね。

アリス　動かないは危ない。

研太郎　自分の意思でちゃんと動く部分があったいうことは、まあ、なんとか。

牧　いけると。

研太郎　うん。元通りには。そやからあれがもう痺れて完全に…。

アリス　そう、もし完全にないのは全然だめだね。脈あるし、動くあるし。

研太郎　動脈とかほらああいうところに…。

牧　手置いて？

研太郎　そして、触診でね、ああここはちゃんと脈打ってる、いうのがわかるから。そしたら、まだ可能性はあるんではなかろうかというふうに思っとったらしいからね。

牧　そんな生活というか、その東神戸病院もそうやったでしょ。で、転送されて他の病院に。

研太郎　大阪府立病院。

牧　そこで治療がまた始まったんですよね。どんな治療なんですか？

研太郎　府立病院がね、端的に言えばまず、いかなる外傷よりも腎機能優先。だから手術するにしても何にしてもね、腎機能回復しないと、薬剤も使えないし、解毒作用が肝機能とか腎機能やられると駄目になるからね。それで血圧も、痛かった分だけかなり出血はしとったし、上が80なかったんちゃうかな。だからギリギリの線で生き延びとったわけやから。回復のために点滴、ブドウ糖やとか、一番太いとこからずーっと24時間点滴で。救急で最初言われたんは、20何時間、この状態やったから、「今までのデータから言ったら、（透析が必要か）ギリギリの線です」言われて。24時間点滴で、上から薬剤いれて、おしっこは導尿でずーっと入れて出して。要するに体の中を全部、浄化。

牧　それは腎臓回復のためにですか？

研太郎　うん。腎機能が落ち着いて透析までいかない（必要ない）いうことが、一応医学的に判定されて、それから外科的な手術を、そしたら順番に悪いところをやっていきましょかと。だから、そっからは整形とかの担当科になる。

牧　それまでどのぐらいかかったんですか？　1カ月？

研太郎　いやいやICU4日ぐらいやったかな？　透析にいくか、一般病棟に行くかいうのは多分4日ぐらい。4日ぐらいで、甲斐さんは病棟に移します（と）。だから一番早かったんちゃうかな。まあ馬場君とかはもちろん先に行っとったけどね。

甲斐さんが入院した大阪の病院には、馬場覚さん（証言04）も転院で搬送されてきた。馬場さんもまた、長時間がれきの下に埋もれ、助け出された人だ。

研太郎　彼は5時間ぐらいで助けられてるからね。ほんで、そっから本格的に血圧が安定するまで点滴ずーっと繰り返して、腎機能の回復を待って。で1回目の手術が、それでもやっぱりワンマンス（1カ月）ぐらいかかったかな。あの、スキンプラント（皮膚移植）のね。

アリス　スキンプラント、ひどい。上の肉からこっちに。

研太郎　壊死が進行して、それが結局、病理検査でね、部分的に取って検査しないと蘇生できるかできないかいうのは、この検査に出さないとわからない。で、一応部分的にはいけるんじゃないかいうことでやったんやけど、開けてみて切開しながら病理検査に出して、どう？　この部分はどう？　言うたら、ほとんど駄目やった。右足のつま先を上げるこの前脛骨筋いうここがちょっとあかんないうので、皮下組織を血管つきで…。

牧　移植ですか？

研太郎　うん。移植する。血管縫合の手術いうか。

研太郎さんに施された移植手術は、植皮にとどまらない大手術だった。当初、両足に植皮をしたが、右足には定着しなかった。内部のダメージがかなりあるとわかり、造影剤を入れて、内部組織を確認。人間の運動機能に一番影響の少ない部位の組織ごと移す手術をすることに。直径1ミリ程度の血管を、8カ所ほど、顕微鏡で見ながら縫いつないでいくものだったという。

これはどういう機能の回復のための手術かいうのを考えてた

牧　すごいね。

アリス　そう。2週間動かない。

研太郎　それが22年前で、そのぐらいの技術は（あった）。あれはやったのは形成外科と整形のチームらしいけど。ところがやっぱり、血管縫合なんかいうてもね、私があのときに47か8（歳）ぐらいやった。若いほど血管ちゅうのは強いから付きやすいんけどね、もう60代の人にそういう手術をしてもすぐ詰まって、手術の時間も全部無駄になるから65以上の人にはあんまりしないと。ギリギリ50前やったから、まあやりましょかいうことでね。

牧　しなかったらどうなる？

研太郎　しなかったら、おそらくその部分をガバッとほら、切り取らないと。骨に入っていったら、骨髄いうのがやられたらもう完全に、膝から下は切断しないと、壊疽（えそ）でしょ。糖尿病の人とか血流がとまってしまって、組織が潰瘍状態みたいになってね。ボロボロと落ちてくる。あれになる寸前くらいで止められて。そのときにこの人が救急の医者に言われたのは、最悪は右足の膝から下は、いくら指が動いとってもね、その組織が駄目やったら、ひょっとしたら。それはまあ言われてたよね。でも幸いになんとかそれが付いて、左の太ももの予定が、あまりエリアが大きすぎるいうので今度急遽こっちの、背中の組織をこっちに移して。でもそれはなかなかテクニシャンな医者でね、きれいにやってくれて。

牧　大手術ですね。

研太郎　うん、それはね、やっぱり6時間ぐらいかかったかな、血管をつなぐ技術は簡単じゃないけども比較的できるんやけどね、詰まらんようにするいうのがね、大事なんですよ。それで血管を拡張する薬液があるんですよ。むちゃくちゃ高いらしいけど。それをずーっと、2ウィークス（週間）やな。で、その血管の膨張剤を入れんのにね、ベッドを21度までしか起こしてくれへんのですよ。これで2週間は、きっついわ。それも床ずれにはなるわね、食事はせないかん。

アリス　ずっと動けないんで。

研太郎　で、排泄もせないかんしね。あれがやっぱり、長いこと入院してたけど一番きつかったね。それでも、幸か不幸かそのかいあって、血管がつまらずに一応ちゃんとな。全部、手術の結果がまあまあOKやったんで、ほんであとは日にち薬やね。骨折れとるところ、順番に治したり。足関節って一番ややこしい、その足首のくるぶしのところのね、毎週ずーっと。大阪で4カ月の治療期間を経て、本来はその年の秋にね、足首がグラグラになった状態のものを治す。経験値が豊富でなかったらできん手術らしいんやけど。

それをやる予定やったんやけども、従兄弟で九州で、博多で整形の医者しとんのがおって、待機期間中にいっぺん向こうに見せにいってね。それ以降の話は向こうにもし、転院できるんであれば後は全部、私が面倒みさしてもらう言うてくれたんで。一応、大阪は大阪で良かったんやけど、従兄弟がそない言うてくれるから。大阪を丁重に

牧　お断りして、ほんで九州行って。で、7カ月かな。九州で7カ月。

研太郎　7カ月。だからトータルで11カ月か。

牧　これは、リハビリ抜いて、入院だけで11カ月ですか？

研太郎　そうそう。いや、1回の手術の終わった後は抗生剤を1週間ほど打って、それからすぐリハビリ開始。だから1回メス入れたら、治療してリハビリしていうのが、だいたい1カ月。そやから6、7回やったらそれで半年ぐらいすぐなる。

牧　結局、手術してリハビリして、戻るまでに約1年。この期間、どうなんですか？　甲斐さんにとっては、この約1年という期間の入院生活。それまでは働いてはったわけやし。

研太郎　でもそのときはね、毎度の話やけどこの人（アリスさん）がね、とりあえず五体満足で無事やったいうことが、一番精神的には安心。だから家がなくなり、結果的には約2年近く働けなかったし、だけどもこの人がちゃんと普通に動けてね、家の後片付けであるとか。ただ被災証明はね、もらいにいくのは言葉のハンディとかもあって（難しかった）。そういうときに幸い我々のまわりの兄弟、それから仕事の関係の人にね（助けられて）、非常にダメージが少なかったんです。これもね、すごくいま思えば我々が復活できる、すごいいい条件で進められたと思う。

　だから、姉のとこは例えば家ペチャンとね、この人もしょっちゅう行き来してたわけやから。向こうも家が倒れたぐらいで、下水道、水道、電気の回復も早かったし。で、被災者の人は結構そこにお風呂入らして

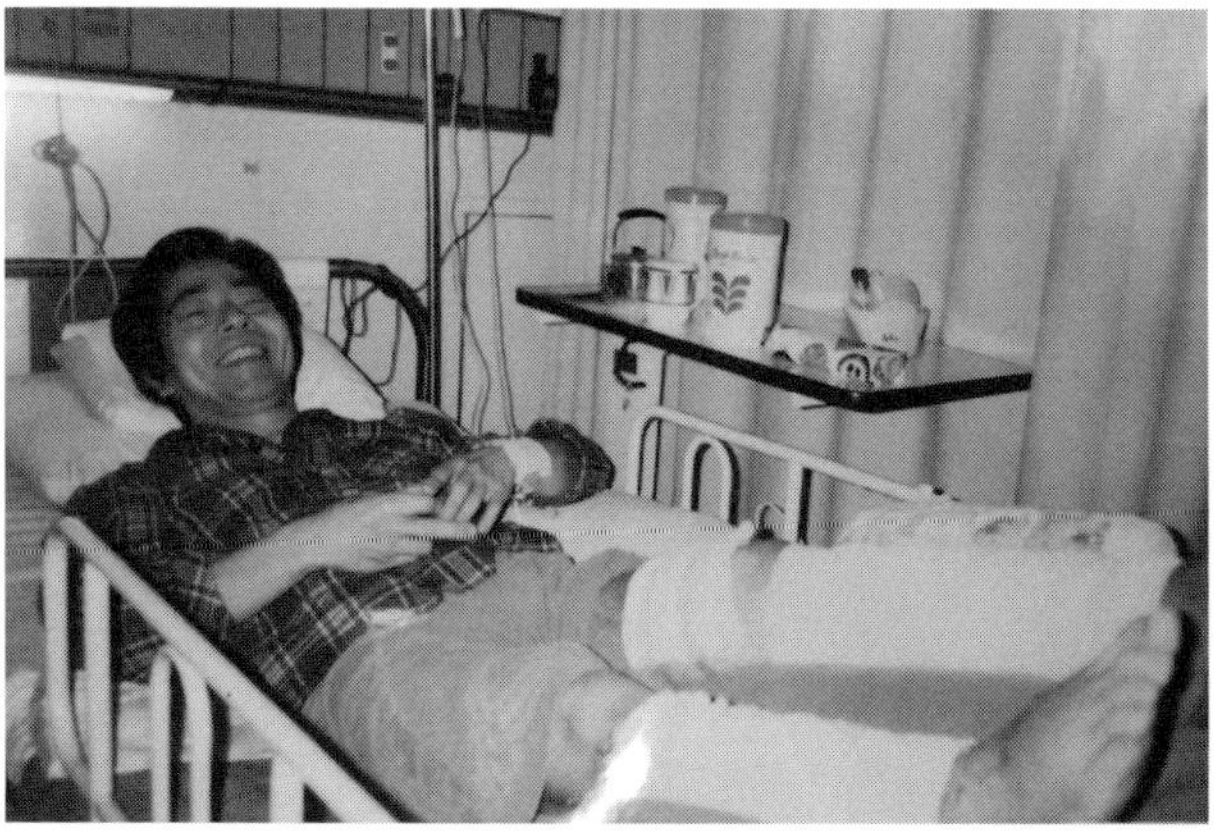

入院中の研太郎さん

もらいにいったりとかね、そういうサポートもあって。だからその間は、私は自分の治療にね、もう仕事のことは自営業だから、別にそれはそれでもう駄目やって、ギブアップしても構わないわけ。経済的な問題だけで。

その間にも、いかにして自分のダメージを元通りに回復するために、結果論だけども、従兄弟の病院に入って、あんまり彼は口下手で、ものは言わないんやけど、とりあえず一生懸命、自分が元通りの、なんとか機能回復できる、自分の全てを治療に専念してくれてるいうのは非常によくわかったから、だからこの人に全面的に任しましょうと。で、順番にずーっと。だから最初、見積もりでは3カ月の予定やったんが、結局7カ月に延びたんやね。

だけどおかげで、(私は)装具なしで、一般歩行はできるようになったしね。そういう色々なラッキーがあって、入院中に考えてたことというのはね、この手術終わったら次はこのステージに行って、これはどういう機能の回復のための手術かいうのを考えてたら、半年ぐらいあっという間。うん。それは自分の身をもって、それからちょっとずつでもね、回復していく過程においてやっぱり考えるわけやから。

「怖い怖い」は、ない。ない。いっつも明るいの

牧　このとき奥さんは元気やったと。んでまあ、これからの仕事のこととか、色々考えはると思うけど、できなくなるかなぁということも視野に入れながら、考えたんですか？

研太郎　最悪ね、大阪の治療のときは、膝から下切られる言うと、ちょっとねえ。立ち仕事いうのはどの程度かなーいうのはね。でも幸いほら、上半身がまともであればできない仕事じゃないわけやから。前のボスなんかも、「車椅子で仕事できるようになんとか俺がしてやるから」って、言うてたんやけどね。そういう温かい援助の言葉を差し伸べてくれたりとか、まわりが非常に我々の場合、応援してくれたけれどね、そういう環境にあったいうのがね、ものすごい精神的には(助かった)。

牧　甲斐さんの場合は自分の体の回復のことを考えて、行動しとったから良かったと、結果的にはなるんですかね。

研太郎　うん。そういう環境にたまたまあったからできたわけで、それはこの人もけがしてね、あくる日から生活どないせ

なあかんいうことなったらもう、正直足のことばっかりは(考えられない)。うちのよろずの仲間になってるメンバーの人なんかも、それぞれの被災したときの状況を判断したら、我々はそういう意味では恵まれておったと。取り巻きがね。だからリカバリー（回復）に集中できたいうこともあるし。だから悲壮感とか、実際にはそういう被災したいうことに対する受け止め方がね、人それぞれ考え方いうのは違う部分があると思うけども、我々の場合はこの人と一緒に、この人がけががなかったいうことがまず第一。

牧　奥さん、甲斐さんが入院してはる、で、退院してもこれからの生活はあるとやっぱり考えるじゃないですか。不安はなかったです？

アリス　フアン？

研太郎　うん。不安というよりも、私がハンディキャップ（障害者）になるでしょ。そしたらプロフェッション（仕事）、それからリビングコスト・インカム（生活費・収入）いうものを、これからハウシュドウィードゥ（我々どうする）というときに、少しスケアフル（怖い気持ち）になったん違うかという。

アリス　なにもない、頭。アハハハ。

牧　考えない。あんまり神経質やないんや。良かったですよね。神経質やったらね。もう、日々それればっかり考えて。

アリス　神経質って何？　心配ない。遠いの見えない。わからないでしょ。そう。1日だけ。

研太郎　そういう意味では、やっぱり日本の女性、一般的な専業主婦いうたらあれだけど、我々世代やったら結構、戦後多かったけど、そういう考え方いうのははなからこの人ない。

アリス　「怖い怖い」は、ない。ない。いっつも明るいの。

牧　アハハハ。

研太郎　シンキングポジティブ。常にプラス思考にものを考える。

アリス　ナウ、ナウ、ナウ、ナウ。いつも。

研太郎　なんとかなるでしょうという。

アリス　研太郎も、初めからいっつも明るいね。暗いのは全然ない。いっつも笑う。
牧　助かりますね。
研太郎　まあ、言葉で言うたら、悲壮感やね。そういうのが皆無。
牧　普通はね、家も全壊でしょ。生活のことも当然(心配になる)。なんとかなるいうね。すごいな。2人そやから良かったですね。どちらかがそうなっとったら、もたへんもんね。
アリス　心配は、研太郎の足だけ。大切は、主人、心配。
研太郎　確かにね、だからあのときはもうこっちが病院に入ってしまえさえすればね、足のことはもうどないかはなるわけ。だからとりあえずいっぺん、国で心配してるから1回国に帰ってこいと。結局、帰らずに。
牧　帰らなかった？
アリス　帰らなかった。ほんとに地震のとき、怖い怖いじゃない。あとね、10月、震度5、私一人。私、夜、一人、ガタガタガタ震度5。で、私日本語しゃべれない。怖い。ハハハハ。あれはほんとトラウマ。怖い。
研太郎　さすがにあんときはもう、とりあえず入った家で寝られへんいうので、もうあんなんまた来たらどうしようということで。姉のとこに行って泊まったらしい。
アリス　私、帰ってねえ、泣きました。ハハハハ。怖い。一人、夜どうしようかな。
研太郎　やっぱりけがをしてなかったけど、その怖さいうのはほんとよくわかるね。
アリス　そう。ヘリコプターと、救急車（の音が怖い）。ピーポーって。今は大丈夫。
研太郎　そういう人がいっぱいいるやろね。あの救急車のサイレン聞いただけで、ガーッと落ち着かへんようになるとか。それとやっぱり、子ども。一番大きいのはこの人が無事やったいうこともあるんやけど、もしあのとき、遅い結婚でまだ小さい子どもがいて、あんなしてベシャンとなって、あの状態だとおそらく子どももいたらね、多分駄目。そんときの精神的なダメージちゅうのはね、それはもういまだにずーっと、それこそ城戸さん（娘に後遺症がある・証言01）とかね、えらい目遭うてるんで大変やけど、いまだに苦労して一生懸命頑張ってやってはることを目の当たりにすればね。幸か不幸か子どもがいなかったいうのが、すごく大きいです。

牧　なるほどね。

研太郎　だからペットが亡くなってもこんなになって落ち込むのに、自分の子どもがもしね…。そら、自分の足のことなんかもう関係ない。

牧　だけど、僕知ってる多くの人も、なかなかそれほど、なんとかなるっていう考え方は持ちにくいというか、やっぱし悲壮感ありますよね。その中でとにかく前向いて歩かないと仕方ないし。仕事復帰は3年目ぐらいから？

研太郎　うん。結局ね。また自分で自営を再開するいうのはやっぱりちょっとフットワークもうこんだけ悪くなるというので、パートの人とか、手伝ってもらってた人も、いつ再開できるかわからないから、基本的には辞めてもらって。ほんでそのときに、前にいっとき籍を置いとった会社が、向こうは向こうで色んな事情があって、再開して仕事ができるんやったら、この人（アリス）とパートの人込みで店に帰ってきてくれと。ほんで結局もう再開は諦めて。色んな機材コミコミで、前の会社に戻ったんです。それから以降9年ぐらいかな。そこは人間関係のつながりだけで。だから経済的な面ちゅうのも、ダメージものすごい少なかったから、すぐ再開できたんやけど。

牧　早かったですよね。

研太郎　そうそう。けがの割には、仕事を再開できたいうのは。ずーっとやってるうちに、だんだん体力もついてきたし。

牧　今なんか、どうなんですか？

研太郎　やっぱりね、夕方になるとね、足がブワーっとむくんでくる。

アリス　焼ける、焼けるみたい。

研太郎　うん。外観的には一応の足の格好になってるけど、やっぱりあんだけズタズタに、それこそ18カ所ぐらい切られてるんやから。切った後いうのはやっぱ組織が、毛細血管とか完璧には戻らない。だから立ちっぱなしになると、普通の人でもほら、夕方、歳いったらむくんでくるでしょ。血圧が、下から上まで返すポンプが働かんようになるから、足がブワーッとむくんできたら痺れになってくる。だから行儀が悪いけど、常に足を心臓よりも上にとりあえず置いて、寝るときは今でもこういう。それを必ず足を上にして寝とったら下がってスーッと、腫れも。

牧　そうですよね。

ああやっぱりこういう活動いうのは、行政とかああいうところでは絶対できん仕事やな

研太郎　今までもそうだし、これからもそうやけど、やっぱり心の病とか、ずーっとダメージ（受けている人）ね、色んなレポート聞かせてもらって、世の中まだいっぱいいるわけで。我々ぐらいのこういうダメージを負っても、我々の場合は幸い再出発して、ここまで社会復帰もできて、かつ、こういう縁があって知り合って、ボランティア活動にも微力ながら協力しながら、ちょっとでも復興をね、希望をもって、そういう活動に、自分たちの経験が少しでも役に立ってたら、一筋の光明じゃないけども。あなたのこのぐらいのけがやったら、私のこんなんでここまで頑張ってこれたんやから、頑張りなさいと。当事者じゃなければわからないいう部分を我々がサポートするいう。それはここの（よろず相談室での）活動、色々お付き合いをさせてもらって、非常に感じたことですよね。だからできる限りはやっていきたいなと思ってます。

牧　震災障害者の集いは、一番最初の参加は（震災から）15年目ぐらいですかね。

研太郎　そうそうそう。NPOになるちょっと前ぐらいやったかな。

牧　ほんなら2010年か。そのときどうやったんですか？　来るときに。

研太郎　毎日新聞のNさんに「行ってみませんか」って言われて。「甲斐さんもいっぺんちょっと、取材もあるけども1回行ってみはったらどうですか？」いうて。

牧　仲間たちというか、震災で障害を負った人たちがいたじゃないですか。それまでは甲斐さんね、馬場（覚）君とか知ってはったんですかね。

研太郎　うん。馬場君とはね、退院以降も。彼のことはほら、同室で同じような、住吉のほうで被災してるからね、そういう関係があって、年1（回）ぐらいは必ず連絡はとってんやけど。こういう活動は、N氏が言ってくれる前は全然

知らなかった。

牧　この（震災障害者の）集いに参加しはるまでと、参加してからと、気持ちの問題としては変わりました？　それとも変わらない？

研太郎　幸い、今よろずで活動してるメンバーの人に比べればすごく状況が恵まれてたから、そういう誰かの支援とかを是が非でもほしいというところまでいってないわけですよ。この人も含めて。だから、よろずの活動、ここは何をするとこですかいうの聞いたから。（牧）先生が第一声言うたのは、「こういう人たちばっかりが集まって、別になんの金を支援するとか、色んな物資を支援するんじゃなくて、同じ被災者の人ばかりが集まってお茶でも飲んで、色んな話をしましょうと。そういう会です」て。

初めはそれはそれで良い活動やなと思ったけど、それがどういう組織でどういう形で運営されてるかいうのが、まったくわからない。でもまあ時間とかが許す限りは何回か参加してるうちに、別に取材とかは関係なしに、先生のこういう活動を15年もずーっと、それこそ日を浴びずにこそこそとずーっと続けてきた意味。自分は当事者だからちょっと先生とは立場が違うけど、先生がそこまでずーっとほんとに、本気で考えてるんやったら、こっちも当事者としてなんか役に立つことあるやろうということで、この人にも逐一、今日はこういうミーティングでこういう話をしたというのはレポートしてたけども。

そのうちに先生がやっと、お陰様でNPO取れました。で、それまでに岡田さん（証言02）と、先生の出会いから色んな話を聞いた中で、「ああやっぱりこういう活動いうのは、行政とかああいうところでは絶対できん仕事やな」と、だんだんわかってきた。うっすらとね。で、本格的に先生の指示の下に、自分がサポートできることがあれば、できることは何でもしようと。それ以降は6年、7年ずっと経ってきたわけで。でもね、受傷したときから15年間、先生と知り合って今までのデータを教えてもらうまでは相談室どこにもないとか、そんなことは考えたこともなかったたし、必要がなかったわけ。

実際に60何人の人しか（災害弔慰金法に基づく災害障害見舞金を）受けてないいう、あれはやっぱり「え？」と思ったね。次から次から中越や新潟や、あっちこち地震が起こっても、これではもう我々と同じ立場にある人どうなるんだと。余計にそれに拍車がかかって。

牧　今回ほんで、厚生労働省まで行って、国としたら精一杯かわからないですけどね、診断書の理由欄に「自然災害」をと。あの出来事はどうやったんですか？

2017年3月、よろず相談室の障害当事者や家族がそろって、東京・霞が関の厚生労働省を訪れ、障害者手帳の申請書類に、障害の原因が自然災害だと記す仕組みをつくることや、被災地に総合的な相談窓口を設け、担当者を置くことなどを求めて、古屋範子副大臣（当時）らに要請。甲斐さんもそのときの上京メンバーの一人だった。その月末に、障害者手帳の申請書類の体裁を変更する通知が厚生労働省から出た。これまで、地元首長に何度も訴えてきたことだったが、担当副大臣に直接訴えたことで、大きく前に進んだ。

牧　甲斐さんにとってみたら、国に行って話したでしょ。ほんでまあ、それから1カ月後に全国に通知したわけですよ。今、変えた書類は身体障害者だけなんですよ。だから知的障害の人には関係ないんですよ。精神障害も関係ない。

研太郎　完璧ではないわね。

牧　完璧でない。だから、震災で知的障害なりましたとか、震災で精神障害になりましたとかわかるような書式というか、作ってもらおう思ってね、これからまた行くんですよ。そういう項目ありますやん。そういうのやっていこうかなと思ってるんですけどね。またよろしくお願いします。

研太郎　そう。だからそこまでやって初めてコンプリートリーに。サージュリー（手術）とかインジュアリー（けが）だけのケアだったらだめなの。心の病の人いっぱいいる。

アリス　いっぱい。ＰＴＳＤ（心的外傷後ストレス障害）、デュートゥーナチュラルディザスター（自然災害が原因の）。

研太郎　大きいわね。障害者の認定の用紙にそういうことが完全に入るいうことはね。だから障害者、私たちのようなインジュリーの障害者もいれば、ここ（心）のハンディキャップピープルもいるわけやからね。

「ああ、そんなニュースもあったな」で終わってしまう

牧　今度、甲斐さんに来てもらって、うちの生徒に話してもらえんですよ。

アリス　うん。

牧　僕が当事者じゃないから、話してもやっぱり説得力がないというかね、よくわからない。でも当事者の人たちが話をするということは、すごく真剣に聞くし、真剣に考えるし、やっぱり良いんですよね。それと今度また国にも行ってもらいたいし、東北とか熊本とかの人たちに会ったりね、話をして。「神戸で22年前こうやけど」と。今ね、「東北やったら6年経ったけどこうや」というふうなことで、つながってもらえればなあと思ってます。

アリス　問題はいっぱい人、けがある。いろいろの。病気あるし、みんなしゃべれないね。

研太郎　そうそうそう。

アリス　プライバシー、プライバシー、プライバシー。良くない。

研太郎　この人が今、言ってる意味は、窓口がまったくなかったいうね。言いたいことはいっぱいあっても、聞いてほしいことといっぱいあっても、どこに言ってええかわかりませんという。先生は今まで兵庫県庁と神戸市と色々で、やっと20年近くかかって、スタッフを置いて、もし困ったことがあったら相談しましょういうとこ作ったけども。もうトゥーレイト。遅すぎた。ほんと。

アリス　遅すぎ。でもフューチャー（未来）の。

研太郎　そうそう。これから起こりうる。

牧　だから、甲斐さんが活躍する時間と場所がいっぱいあるんですよ。これから。

夫　妻　ハハハハ。

牧　いっぱいあるんですよ。終わってはいない。これからね。たくさんの人がいはる。

研太郎　まあね、毎日新聞がきっかけになったわけやけど、ご縁ね。というのも、今まで我々よろず活動色々やってる上で、やっぱりなんかあるんよね。結局。計算してできるもんじゃないし。だから岡田さんとかレギュラーメンバーで、一生懸命、仕事持つ中でやってくれてる人とかね。やっぱりあれは非常に貴重な時間でもあるし、だから、それを無駄な時間過ごすんじゃなくて、先生が今まで、色んな山あり谷ありの道を20何年間ずっとやってきて、やっとこさこの前の国会に通ったと。あれだって、そういう伏線がなければ実った話でもないしね。だからそれを中途で、あれで終わってしもたらね。

牧　あかんわね。

研太郎　ほんとの被災者支援にはならへん。「ああ、そんなニュースもあったな」で終わってしまう。だからほんと言えば、これからのほうがもっと大事やと思う。ただ、残念ながら阪神大震災から22年も経ってしもて、50前やった我々ですらもう、70や。だからこれからそういう体験談とか、いかに自然災害いうのが怖いかを、もっと世間の人に身近に感じてもらおう思ったら、まだまだ時間が足らないし。国もやっとこさ重い腰上げてというのは、実際に国の方もね、身近にその震災の危機いうものを感じ始めてるわけ。もし東京で震度8ぐらいのやつが来たらどうすんのと。そんな部分的に助けてどうのこうのいう施策では絶対間に合わない。もう尻に火がついてる。そういう状態やと思う、おそらくね。タイミングよく、ああいう当事者込みで副大臣面会できて、案件が通ったいうのはね。

で、僕はね、あの案件が通ったいうことがね、たった4つの文言であっても、これからの色んな国の動きに対してすっごい役に立ってくると思う。今までデータどないしてええんや、わからなかったからね。自然災害いうものが入ることによって、そらどの程度実行されてどの程度普及されるかまだわからないけども。あれによってすごく動き方が変わってくる。そのきっかけになる。

牧　熊本は、あれをもって実態調査始めたんですよ。いま調査してるんですけども。で、東北は福島県だけが参考にしたいって言ったかな。支援策についてはまた我々のほうで提言していかなあきませんね。だからこれからですわ。で、それを若い人たち、次の世代の人たちに見てもらって、体験談とか伝えられたらいいなと思ってます。

「ポジティブに発想の転換を持てるようにしてくれたんちゃうかな、と思ってます。震災が」

証言　04

馬場覚さん（当時22歳）

劇団員だった馬場覚さんが、１人で暮らしていた神戸市東灘区住吉東町のアパートは全壊。コタツで寝ていて地震に遭い、両足が挟まれた。6時間後、役者仲間に救出されたが、膝下の筋肉を切除することになった。痛みよりも「これからどうしょう」と思い、「走っている夢をよく見た」という。足首を装具で固定しなければ歩けなくなった。

馬場さんとの出会い

馬場君には「震災障害者と家族の集い」で出会った。同じ障害を抱える甲斐研太郎さんに声をかけられてやって来たのだった。穏やかだが、芯の強そうな人だと私は感じていた。役者の道は閉ざされたが、現在はUSJのショーを運営するマネージメントの主任として活躍している。良かったと思う。

震災前は、ネガティブな性格だったが、被災したことによって同じ境遇に置かれた人と出会い励まされ、いつしかポジティブな性格に変わっていったという。震災で夢を打ち砕かれ、身体も不自由になったにもかかわらず、このように考えることができるまでには、きっと長い時間を要したことだろう。私なら、馬場君のように前向きに生きようとすることができるか、まったく自信がない。

彼は震災で傷ついた人々への支援について「柔軟性のある制度、一人ひとりにあった支援のあり方を考えねばならない」と語る。重い障害を負いながらも「つらいとは言いたくない。陰か陽なら陽に転じたい。被災者を一面的に見て欲しくない」と語る彼の言葉には、一方的に『かわいそうな被災者』と決めつけた対応をしていないか、一人ひとりと向き合っているか、支援者のあり方も考えさせられる。（牧）

ちょうどその当日は、合宿稽古に行くっていう日やったんすよ

2017年1月25日に、牧が聞き取りをした。

牧　なにしてたの?あのとき。

馬場　僕、芝居やってましたよ。役者やってたんで、劇団で。魚崎（神戸市東灘区）に事務所があって。学校公演、小中高、あと地域のおやこ劇場とかあるじゃないですか。朗読演劇鑑賞会とか、地方の一般公演とか、自分たちの手打ち公演とか。そこの「うはらホール」とか神戸文化（ホール）とかでもちょくちょくやってましたし。

牧　いくつぐらいのときから?

馬場　18の秋からやから高校卒業して半年以降ぐらいですかね。

牧　ふーん。それはもともと興味あったわけ?

馬場　そうです。大学行こう思ってたから。大阪芸大とか、ああいう芸術系の大学行って、と。まあ、ちょっと落ちてもうて。はっはっは。結構受けてんですよ。当時、近大と大阪芸大と、推薦、一般みたいな感じで、コースも何個かあるから、それ受けて、ははは、まぁ浪人するのにもね、きょうだい多いから、ブラブラしてるわけにもいかんし。そうやったら興味もあったし、って劇団行ったんです。

馬場さんは、神戸を拠点に活動する劇団「青い森」の団員だった。「青い森」は1980年の創立で、劇場や学校での公演を中心に全国で活動を展開していた。当時の団員は約15人。20〜30代の団員が多かったという。

牧　震災のときはなんぼぐらいやったの?

馬場 震災が22のときです、4、5年目に入ろうとしてたときですね。

牧 ちょうど、芝居が面白くなって？

馬場 まぁ、そう。ちょうどそのときも一般公演の前やったんすよ、地震の日も。

牧 あ、そうなん？

馬場 1月末か、吹田かどっかで、たぶんたしか一般公演の予定やったんすよ。で、ちょうどその当日は、合宿稽古に行くっていう日やったんすよ。西播磨ってあの兵庫の山奥に集まって。

牧 17日に合宿に。

馬場 そうなんです！ 出発の日だったんですよ。

牧 ホンマかいね。

馬場 で、その晩は僕らは、友人への手売りのダイレクトメールを作ってて、そのまま眠って、地震でしたから。

牧 そこどこやったの場所は？

馬場 住吉東町。川のすぐ縁ですわ、六甲ライナー魚崎駅のこっち側っていうか。

牧 そんなら住吉川の西とこ。

馬場 そうそう下ったところです。すぐ。

牧 この辺でもそんなひどかった？

馬場 いや、僕が出されたときは、そうでもなかったです。うちがもう比較的古いアパートやったから、周りはけっこうしっかりとした建物が多かったんで。

牧 アパートが崩れたん？

▲地震発生前

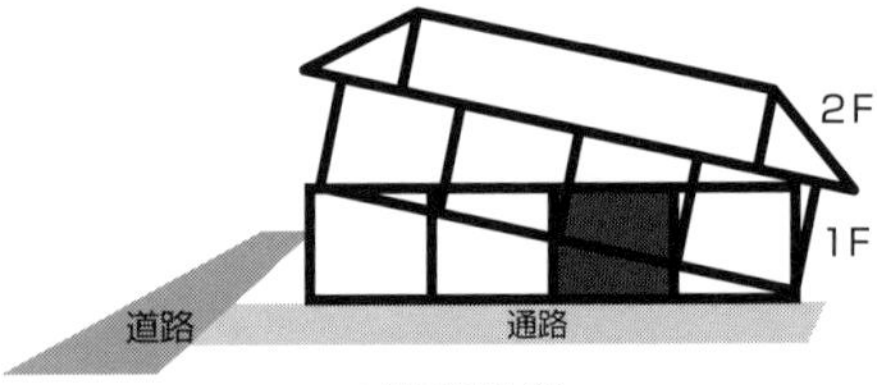

▲地震発生後

馬場　上4戸、下4戸の文化住宅というか、アパートです。

「文化住宅」は、広辞苑では「第2次大戦後、関西地方で建てられた分譲・賃貸のための木造2階建て住宅の俗称。多く相接して建てられた」と説明されている。言葉の起源ははっきりしないが、民間の不動産業者が宣伝のため使った言葉、との説もある。

えっ、気づいたら挟まれとったの？

馬場　年寄りばっかりで若い人いなかったんですけど、安かったです。当時。4万いくらやったんちゃうかな？　4万7千円とか。

牧　ここは、もう全壊よね？

馬場　全壊です。上がそのまま落ちた感じ。下が潰れて、奥に向かって。通りに対して、縦側に奥に向かって流れる感じの建物で、その奥から2つ目のとこに僕がいてて、奥に向かって潰れた感じです。一番端側には一番最後に入居しはったお父さんがいてはったんけど、亡くなりはったと聞きました。不動産屋さんに、あとで。

牧　そのときは、一応助かったわけや。

馬場　僕、助けられたとき、上の階から底抜いて開けられたけど、上のおっちゃんは、なんか、普通の感じの声でバタバタしてはったのはよう覚えているけど。2階の人は、たぶんそのまま落ちただけなんでね…。本当に斜めにすべり落ちたって感じなんでしょうね、崩れ落ちたっていうか。

▲地震発生前

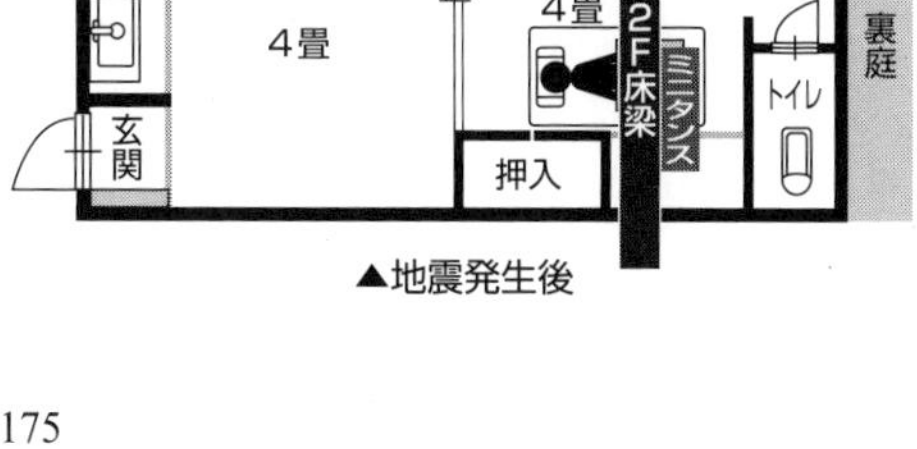

▲地震発生後

牧　なんかこう、グシャッとなったの？

馬場　そうですね。弱いほうにたぶん力が掛かったんでしょうね、建物に。僕の膝の上のとこに、梁が乗っているような感じ。てかまぁもう1個クッションあったんですけど、コタツがあって、小っちゃいタンスみたいなのがあって、その上に梁が乗っかっているような状態だったんで、2階の床先…。まあ結果的にたぶんこうスライドしたから、たぶんそのままグーっと降りてきたんでしょう。気が付いたら挟まれてましたから、全然覚えてないですよね。その挟まれた瞬間が揺れたとかっていうのがなかったから、僕の意識の中で。

牧　えっ、気づいたら挟まれとったの？

馬場　なんか痛いなっていうのも、たぶんほとんど記憶になかったのが、麻痺してたのかもその時点ではわかんないですけども。寝たのも遅かったんで。地震の3時間前ぐらいちゃいますかね、寝たのは。そのままコタツで、誰もいないからそのまま寝てしまった感じなんで。一番最初の揺れっていうのは知らないです。知ってんのかもしれないですけど、わかんないです。記憶にまったくないです。

牧　覚えてんのは、挟まれたっていう…。

馬場　挟まれた、そのあとの余震ですよね。あぁ揺れたから地震かなんかあったんやって、でもえらい静かやなと思って、周辺の音が静かやし、なんの音も聞こえへんで…。朝なのか夜なのかわからへんし。

牧　じゃあ暗かったんだね。

馬場　もう真っ暗やし、ほんで逆に潰されてるから、周りもなんにも見えへんから…。ようやく何時間か経ってからかな、時間の感覚はわかんないですけど。助けてもらったのは、劇団のメンバー。近所にみんな住んでるんで。合宿の出発の日やから、「(馬場さんが）おらへんのおかしいねんな」って、「ここに来えへんかったら、なんかあったんかな」言うて、後輩が僕のアパート知っているから、潰れてるっていうんで先輩が何人か来てくれはって、上から掘り起こしてもらって。で、近所の人にもちょっと手貸してもらったんかな。基本的に（劇団の）3人か4人くらいで。

牧　仲間たちに助けられた。

馬場　そうです。劇団のメンバーに掘り起こしてもらって。
牧　何時間後くらいかわからないの？
馬場　えっとね、当時6時間くらい挟まれてたはずなんですよ、地震から…。
牧　昼前までね。
馬場　そうですね。そのまま挟まれてしばらく。けがして…。東神戸病院はどうしようか言うてて、川のとこまで行って「どうやって運ぼうか？」って。ほんでたまたまそこを通ってる車があって、その人に乗せてもらって搬送してもらった。
牧　普通の車が？
馬場　一般の人の車に乗っけてもらって。東神戸病院に入れてもらって、お医者さんに診てもらって、開かな（手術しないと）あかんねってとこと、あとは記憶にあるのはトイレ行きたいっていうのでトイレへ。

東神戸病院は、岡田さん（証言02）と、甲斐さん（証言03）、植村さん（証言16）も運び込まれた病院。壁に亀裂が入るなどの被害はあったが、病棟は倒壊を免れ、多くの被災者が殺到した。

牧　6時間挟まれてるもんね。
馬場　なんか尿意があるから「僕トイレ行きたいです！」って言って行かしてもらって、そのあとは、開かなあかんっていって、処置室でなんかここの腫れてるところを、っていうのは覚えてるんですね。あとは、親が迎えに来た、顔見に来たっていう記憶しかないです。確か19日に大阪に転院してるはずなんで。2日後やったかな？　たまたま大阪向いて帰る救急車がおったからっていうのは聞いてるんですけど。それに乗っけてもらってて、たまたまタイミングがよかったのかも知れないですけど。
牧　このときに、甲斐さん（証言03）と一緒になったの？
馬場　そうです。大阪の府立病院で甲斐さんと一緒になったんですよ。

甲斐さん（証言03）と馬場さんは、同じ東神戸病院に運ばれ、その後に大阪府立病院に転院した。2人が出会ったのは、大阪の病院だった。

馬場 甲斐さんは集中治療室で一緒やったかな？ どっちやったかな？ でもまあ一般病棟に上がってからは確実に一緒やったんで。甲斐さん、ヘリかなんかで運ばれたかだと思いますけど、いろんなところから来たんでしょうね、府立も受け入れて、芦屋の人もおったり…。

牧 これほんならその尿意もよおしたって言うてるけど、トイレ自分の足で行ったの？

馬場 いやいや、もう歩けなかったんで。踏ん張れなかったんで、車いすに乗せてもらってました。長時間正座したあとぐにゃぐにゃ麻痺している状態ってあるじゃないですか。あんな状態。もう足が利かない。膝から下がもう全然動かない。だから引っ張り出してもらった後も、担いでもらって。

変な話、走ってる夢はよう見ましたもんね

牧 股関節とかそういうのは大丈夫だった？

馬場 骨は全然大丈夫で、要は圧迫されていた状態で、最初、筋肉だけがダメなっちゃったって感じですね。壊死しちゃって。「クラッシュシンドロームってやつです」ってあとで聞いて。

クラッシュシンドローム（挫滅症候群）は、岡田さん（証言02）や甲斐さん（証言03）にも起きた症状だ。当時の報道によると、地震直後から多くの負傷者が搬送された神戸大医学部付属病院では、地震当日と翌日だけで、この症状の患者が約20人いたという。

牧　筋肉まで壊死っていうのは？

馬場　まず切開して、圧迫を解除してあげないとどんどん膨れ上がっていくから血流が止まってしまうし、どんどん壊死してしまうから切開せなあかん、だから皮膚を開いてあげてふくらはぎのところ両サイド開けて、圧力が収まるまでずっと開いたままで、しばらく入院状態でずっとガーゼ巻いた状態。そこからぽとぽとになるんすよ、ガーゼが。お医者さん言ってたのは「浸出液」いうタンパク質みたいなんですけど。落ち着いてきたら閉じましょうかと。そん中でもう壊死している。要はもう動かへん筋肉って、石灰化してしまうとか、いろいろなことがあるみたいなんですけど、その前に死んでる筋肉取ってしまう。まあ神経はたぶん難しいやろうなって言ってはって、「歩けるかどうかもわからへん」と。「最悪の場合はもう切らなあかんかったよ」って。両足切断。そこまでは言われてました。自力歩行もたぶん難しいんちゃうかなっていう話あったくらいなんですけど。

牧　それは、そのときは覚悟はしてた？

馬場　まぁ覚悟はしましたけども、なんか僕、両極端でね。振り切るときが日によって違うんでね。「もうええか」って諦めてるときと、でも思い出して「やっぱあかんか」ってときと、ぶれが激しいから。そういう意味では、ねちっこく引っ張るタイプではなくて、逆に割り切ろう割り切ろうってたぶんどっかで思ってるんですよ。「ああ、もうしゃあないな」って。じゃあどうしようかっていうとこには、まだ発想が行かなかったんですけど。だから変な話、走ってる夢はよう見ましたもんね。

牧　入院しててね。

馬場　動いてるとか、動かすとか（の夢）。

牧　もう全然動けないけども…。

馬場　うん、そうです、そうです。

牧　入院のとき何を考えてた？　そういうこと考えてたの？

馬場　自分の痛みもありますけど、痛みよりもどうしようかな〜って思いましたよね。劇団には漠然と戻るやろうし役者もするつもりでいたけど、この体やったらもう無理やなってのも理解してて、じゃあどうしようかなと。なんか別な仕事やれ！言うても発想ないし、この状態で何ができるかもわからへんから、それやったら今の仕事続けていって関われることを探していくしかないかなって。元々生活するための仕事じゃなかったていうか、好きなことをやってる仕事やったんで。そういう意味ではお金にこだわりはあんまりなかったから、その当時はそのくらいのレベルで整理がついてたんちゃいますかね。

牧　1月19日に入院して。

馬場　1回、3月に転院したんですよ。春先に、地元の松原（大阪府松原市）の病院に。中学校からいる地域です。実家なんで。松原の病院に転院して、そこでリハビリを。

牧　リハビリも含めて半年？　1年？

馬場　夏前ぐらいまでそこの病院に、リハビリ入院も兼ねて入院して、で、そのあとに通って、夏に1回仕事にはちょこっと就けさせてもらって、秋に復帰しているんですよ。その年。事務仕事で。

一方的に「かわいそう」って言われるのも大嫌いなんで

牧　俺、わからへんのがね、大阪に転院したときに症状としては、もう動かないっていう。痛みもあったと思うんやけども、リハビリをずっと重ねる中で、例えば「走られへん」とか言われたり。仕事のこともそうやし、自分の人生のことも考えざるをえないような時期、どんなこと考えて入院を？

馬場　確かに当時こういう状態の人っていっぱいいてはったと思う。大阪に転院したときに、たまたま主治医の人が、そんなにシリアスじゃないというか、すごいラフな格好の主治医だったんで、気持ちの面ですごい助けられてたところもあった。ほかに視線を向けてくれるじゃないですけど、「なんか遊びたいやろ、こんな入院してるよりもう早う帰っていいよ」って。それがよかったかもしれない。そういう環境もあったのと、やっぱ甲斐さんとか、入院生活の中に同じ（境遇の）人がいてたから。まったく1人やったらしんどかったと思うんですよ。同じ大部屋の中で違う人ばかりで、説明するのも面倒くさいやろうし、こういう状態でただ一方的に「かわいそう」って言われるのも大嫌いなんで。かわいそうやないんやけどなと思う。結果的にこうなっただけやし。

牧　場　そん中でも甲斐さんも同じやからね。励みになるよね。

馬　場　そうです。日常の延長線上でコーヒー飲みにいったり、ちょっと車いすで移動できるようになったからって地下1階の喫茶店行こうとか言うて、なんやかんや言いながら。

牧　場　それは大きかったね。きっと。

馬　場　そうです。甲斐さん2回り上ですかね、僕のちょうど。

牧　場　僕とそんな変わらないね。僕よりもちょっと上。

馬　場　そうです。同じねずみ年なんですよ、甲斐さん。

牧　場　ほな、ちょうど24違うんや。

馬　場　そうです。ちょうどね、もう1人別なけがで来てはった人が、ちょうど間のねずみで、ねずみばっかおったんですよ。ちょっと気持ち楽になるようなところがあったと思う。一方では、劇団の人と会うのは、「みんなこんな活動してはんねや」とか、ちょっと焦りはありましたけど、やりたかったことなんでね。それができないことが一番大きいと思うし。走ろうと思ったこともあります。

馬場さんが所属していた劇団「青い森」は、震災の年の春には公演を再開していた。震災をモチーフにした作品「見えないネコ、声を出せない僕――僕は自分を探していた」は、97年の初演から翌年秋まで1年半の間に各地で100回の公演を重ねた。その後、震災5年、震災10年など節目の年に公演を復活させていたが、2005年に解散した。

馬場　だから、足の装具して、歩けるようになって、自力で。本当に歩かれへんのかなっていうので、何回も自分で試したこともあるし。

牧　それ自分で固定するの？

馬場　そうです。自分で着けたり外したりできるんです。で、それを着けて、ようやく歩行できる。ただ、それでもやっぱりちょっとリハビリとか自分でコントロールしないと強い方に筋肉が曲がるから、筋肉ってバランスが取れないと歩けないから。

牧　かなりしんどい？

馬場　いや最近になってきて、特にもう装具いらないんちゃうかと思うことありますけど、でも普通のスニーカーとか作業靴とか履くとやっぱつまずきます。ちょっとした小石とかでも、よく階段とか駅とかでも気を付けとかないと。あとは点字ブロック！　あれつまずくし、痛いんです。僕らからすりゃ。硬いから底が、あの踏むやつあるじゃないですか、マッサージとかの健康器具。あれと同じような感じです。あと、歩道って勾配つけてるから、ちょっと傾斜あるじゃないですか。ああいうのも結構バランスが気持ち悪くなってくる。

牧　日常的にいつも痺れるとか痛みとかあるの？

馬場　寒さとかには敏感ですよね。寒さ暑さには。だから暖かくなってくると筋肉がちょっと柔軟性を持ってくるので、すごく楽になってくるんですよ。その代わり、汗かきやすくなったりとか、足の指とかも、関節の部分って皮膚が裂けてくるんですよね。硬化してるんで、どうしても硬いから。で、裂けてくると知らない間に血が出てたりとか。雨の日に歩いたあと柔らかいじゃないですか。そういうときでもやっぱりちょっと。いまは爪がもうボロボロになっちゃってますけど、こっちの足。

牧　それは何？　その言うてみたら栄養とかが行きわたらないから。

馬場　とか、どうしても菌が入っちゃってるんかもしれないです。

牧　それはそれで痛くないの？

馬場　痛くないです。ただ、爪がもう本当に、水虫みたいなもんです。盛り上がってしまって。最初きれいやったんすけど、だんだん仕事するようになってどうしてもこう、どうしてもケアできる時間って少なくなってくるんですよ。

牧　両足、装具着けてもらって、そのあとでは普通に（歩ける）？

馬場　まぁ変な歩き方やと思う。ペタペタした歩き方やとは思う。他の人に比べると。

牧　それ（歩くの）はいけるんや。

馬場　一応いけます！　軽く走るぐらいまでやったらいけます。ただ装具が負荷かかっちゃうんで、あんまりやったらあかん、とは言われるかもしんないですけど。装具が片方3万5千円とか、そんぐらいするんで、両足で7万ぐらい。

牧　高いよね。どれくらいもつの？

馬場　一応、5年ペースで組んだみたいなんですけど、使い込むとやっぱり3年くらいでもうヘタってくるんで。交換せなあかんですけど、僕、ちょっとここ数年サボって、作り替えてないんで、だから今年くらいに作り替えんとヤバイなと思って。

陰か陽かいう表現を使ったら、僕はどっちかと言ったら陽に転じたい

牧　日常生活は、今までの状況と比べたら、どういう風に不便になったの？

馬場　いまちょうど人生半々ぐらいじゃないですか。半分ぐらいは通常の状態で、生まれてから20何年間きてて、半分くらいこういう生活。だから、慣れたっていうたら慣れたんですよ。これがもう当たり前やと思って。でも不便かって言われたら、やっぱり照明の仕事とか裏方の仕事で、ああこれできへんな、こういう狭いとこでこういう動きが昔やったらできたのに、できへん。動き出しが遅かったりとか、やっぱり歩く速度も遅いから、その辺が自分の中でストレスですね。ああこんなに遅れていくんかって。70、80とかやったら、なんかこういう自分と頭との違いっていうのをよく聞くじゃないですか？　思ってる自分と実際の自分。でも、その乖離がもう30代からはっきりして

きて、こんなにこの子らとは歩く速度が違うんだとか、ペースが違うんだとか。

牧　いわゆる健常者と言われてる人たちと同じ年代でね。それを実感するわけや。

馬場　そうです。ああそうかこれが違うかっていうのは考えます。それイコール感情につながるかいうたら、イコールではないです。「しゃーないし、これは自分やし」っていう受け入れは早かったかもしれないです。もしかしたら。

牧　それはもう受け入れられた？　今は？

馬場　仕方ないですから。かといって、こういうお話さしてもらうときに、同じ、震災でけがされた方とか、身内亡くされた方とかいろんな方がいらっしゃる中で、僕の感覚っていうのは、またちょっと違う色やと思うんですよ。お話聞いてても、いやな言い方でもなんでもなくて、単純にこう陰か陽かいう表現を使ったら、僕はどっちかと言ったら陽に転じたいんですよ。

「つらい、つらい」とかは言いたくはないし。だからこんだけ温度差がある。例えば東北でみんながしんどいかって言うたらそうじゃない。一面的なとらえ方をしてほしくない。

牧　そう（障害者に）なったらかわいそうとかね。

馬場　そうです。イコールにしてほしくない。多面的にとらえてほしいなって思うから、こういう話をするときは自分の立場として経験を話す。

牧　だけど、人はそれぞれやからね。前向きに生きることができる人と、なかなかできない人がいるよね。それぞれだと思うね。

馬場　かといって、前向きに生きる人がすごくスマートにというか、順調に復帰してこられたわけじゃなくて、かなり努力してきてはるし、大変やったんやろなと思うけども。別に「大変やったね」ってヨイショしてほしいわけでもないだろうし、支えてほしい人もいるやろうし。そういう意味で温度差、感覚の違いを時々感じるときありますよね。

震災がなかったら、たぶん僕今…しょうもなかったんちゃうかなと思います

牧　自分ができることをやろうじゃないかっていう風に、今はだんだん収まりかけてきている？

馬場　そうですね。で、今の仕事が、ちょっとチームの上に立つような仕事してるところで。

5カ月後に退院した馬場さんはいったん、役者として劇団に戻り、地方公演にも同行した。だが、体を動かすことの限界を感じたため、役者として舞台に立つことはあきらめ、裏方に回って支えた。そしてその後、劇団を去った。新聞の求人広告で、2001年開業のユニバーサル・スタジオ・ジャパン（USJ）が、開園準備のアルバイトを募集しているのが目に留まった。

牧　どんなところ行ったん？

馬場　今、あんまり詳しくは言えないですけど、ショーの運営するチームの1チーム、現場のマネージメントで。役者も裏方もいて、そういうチームにいてて、管理してるその中の1人です。

牧　そこで仕切ってるわけやん。

馬場　まぁ一応指揮、一般的な会社で言ったら主任的立場の。

牧　やりがいはあるよね。違う？

馬場　そうですよね。逆にマネジメントの方に変わって事務作業や調整ごとが増えたりするんで、そういうストレスはありますけど。

牧　自分が動くほうがいいやね。

馬場　そうです。だから最近なんか芝居やりたいなとは思うけど、この仕事も忙しいし、難しいよなって。なんか作ってみようかなとは思ったりもするけど、そこまでクリエイティブじゃないし、僕は。だから、そういうフラストレー

ションはありますけど、でもいまだに周りにお芝居やってはる、前の劇団におったときの関係者とかでまだやってる子もいっぱいいますし。

牧　その人たちのつながりがきっとあるやろうしね。今までの仕事のお芝居というのは完全に捨てきったわけではなくって、それに近いところでね。

馬場　そうです。ＵＳＪに行ってるのも、結局今までって商用演劇とかじゃないいわゆる小学校、中学校、高校とかで芸術鑑賞会で見せるようなお芝居というか。新劇って分かります？　シリアスなというか、リアリティのある演劇をやる劇団なんですよ、もともと。何かのイデオロギーや概念を持って、過去をたどれば運動系からきているような劇団というか、そういう系統からきている。でも、今（ＵＳＪ）はちょっと毛色が違う。ショーエンターテインメントっていうのは、すごい漠然とした言い方で華やかなところじゃないですか。同じエンターテインメントの世界ではあるけど、お芝居のちょっと毛色の違うところも見てみたいと。あまり一面的に捉えて狭い世界におってもしょうがないし、いろんな方向性を見てないと視野が狭くなるやもという体質やから。

牧　で、今もそう思ってるわけ？

馬場　思ってます。他方でこういう方法あんねんなって。若いころ、小劇場って言われるところで若い子たちがやっているようなものもたまに見に行ったりとかしてたんですけど。なんかちょっと刺激受けたいなと。

牧　例えばの話やけど、震災がなく、あのままずっといってたら、自分はこうやろなというのは、考えるときある？

馬場　なかったら、たぶん僕今…しょうもなかったんちゃうかなと思います。自分自身。いろいろ考えさせられるものがあった経験があって、しんどい部分があって、モチベーションになってるっていうか、この状態の中で「負けへん」とかじゃなくて、なんか強くしてくれたんちゃうかなと思って。自分を。

牧　震災が？

馬場　うん。とは思っています。しんどい部分はいっぱいあるんすよ。「体痛いなあ」と思う日もあれば「動けばいいな」っていうときもあるんですけど、それでも。

牧　マイナスばかりじゃないってことね。

馬場　「この装具うっとうしいな」とかいっぱい日常的に思う。痛いときも、ずっと固定していると硬いの当たってるから凝るじゃないですか。

牧　でもそのことによって得るものもあったって、そういう考え方だね。

馬場　僕はそうです。

牧　人の性格だからね。引きずって引きずって、生きるのがしんどなって引きずって、そうして生きていく人もいるし。それを抱えて、でもこれを自分のものだと、そうやって自分の状況を受け止めて生きることができれば、ね。

馬場　確かにそうなんですよ。時間って人それぞれだと思うんです。家が壊れてしまったこと、失ったものが大きすぎてっていう想像もできるけど、でもそれを感じられるものとして言えるならば、僕いっぱいアルバム持ってたんですよ。生まれたときからのアルバム。

家屋がつぶれたあと、一応引き出せたんですけど、雨とかでちょっと色が落ちてしまってたり、昔の写真なんて取れてしまったり、小中高のアルバムももうダメになってカビてしまって。そういうの見ると、ああ見られへんねんな、思い返されへんな、とか。あまり見ることないかもしんないですけどね。日常生活で。でもそうなると、あんまり振り返りすぎないっていうか、前を見ようとする部分も。

牧　それは、アルバムとかいうのは震災で失ったん？

馬場　結構そうです。一応回収はしているんですけど、全部カビてしまってくっ付いてしまって開かれへんとか。

牧　そっか、ここのアパートに。持ってきてたんだ。

馬場　そうです。僕はそのまま全部一応引き出して、家（実家）に置いとかなかったんで。

牧　それはやっぱりアルバムとかいうのは大切なの？

馬場　うん、やっぱ大切な写真もあったりするんで。まぁそれは、たまたま割ときれいな状態で回収できたんかな。１枚は。すぐ取りに行こう言うて。たぶん、解体される前に。それまでに雨降ってて。現場の人に言ってたんかな、母

牧　親が。僕、割と整理して置いてたんで、ここらへんにあるはずやからっていうことは言ってて。それいつごろなの？　写真とかそういうの。

馬場　3月くらいやったかな？　1回ちょっと動けるようになってからなんで、春先やったような気がするんですけどね。割と早めに行った記憶がありますね。

牧　僕なんて昔の写真あるけどね、しょっちゅう見るわけじゃないけどね、それが消えてたらつらいよね。

馬場　そうです。

牧　ちびっとは残ってたんや。

馬場　一応回収はほぼほぼできて。アルバムにしてあったり、ボックスに入れてたんで、ある程度状態はよかったです。やっぱり水が入って、もうダメになっちゃったのが多かった。

もうしゃあないよな、今のこれが俺やしな

牧　震災ってなんやったの？

馬場　確かに、簡単に言っちゃえば、その（役者の）道を絶たれたのかもしれないです。役者としてもっと経験積めたかもしれない、舞台をやってたかもしれないっていうことは「しゃあないな」とどっかで整理しちゃってるから、今そういう話し方になっているのかも。でもやっぱりその当時は大きい出来事ですし、反面、6時間挟まれてて火に遭わなくてよかったよねとか、命持ってるもんねっていう部分は、すごく大きいと思っている。もともとネガティブなところを、ポジティブに発想の転換を持てるようにしてくれたんちゃうかな、と思ってます。震災が。

牧　何があって震災でポジティブになる？

馬場　もちろん周りの支えとか、甲斐さんの話聞いたり。一方でほんまに全然経験してない人もいる。僕の状態も、地震に遭ったことも知らない人もいるわけですよ。感じ方も違うし、逆にそのまますんなり受け入れてくれる人もいる。今の状態の僕自身を受け入れてくれるんじゃなくて、「ああ大変やったね」という人もいるし、すごく様々で、こ

んだけ反応違うんやと。

いまの会社に入ったときもあえて言わなかったです。でも僕が一番嫌やったのが、僕が変な歩き方してるからあるパフォーマーが、面白い歩き方をするってマネしはった。そしたらある同僚が「それはあかんで」みたいな感じのこと言ってくれたんですけど。その人はたぶん親切心で言ってるんです。でも僕にとってはかまわないんですよ。ということは、僕を見てなくて、その状態だけをみて、彼の思い込みだけで言っちゃってるじゃないですか、まぁ確かに親切心なんですが…。

牧　場　注意してくれた。

馬　場　そう、優しさなのかも知れないけど、僕は逆に傷ついた。だって、マネされても、面白い歩き方すんねって言われたら、「うん、僕こうやからね」って言えばいいだけの話だし。変な気の遣われ方じゃないですか、ある意味。

牧　場　まぁでも普通ちゃうの？　なんか真似してたら「いやあかんで」と。例えば足が悪いことに対して嫌やなと思いながら歩いているかもしれんわけやね。わからへん。

馬　場　そうです、そうです、そうです。

牧　場　ほんま親切心で言うたんやない？　きっと。

馬　場　と、思うんですよ。それは間違いないと思うんです。僕が屁理屈で変なのかもしんないですけど、でもやっぱりその人に対して「ありがとう」とも言う気になれなくて。別に隠してないし、嫌やとも言ってないし。逆に気遣われるのも嫌だし、腫れ物に触るような感じって、ちょっとニュアンス的に違う。昔から、障害者とか差別問題とか取り組む学校に関わるようなことが多くて、同級生にも障害ある子が1、2人いるようなクラスだったんですよ。で、なんかクラスにこんな子がおって一緒にせなあかんから大変やねって感覚もなんかどっかで感じてるし、でも「当たり前の環境になった方がいいんでしょ」って考えがどっかにある。僕の中のベースに。

牧　場　小さいときから障害がある人と接していることで、何かあるんだね。

馬　場　電車でも、僕は障害があるけども立ってます。立ちたいから立ってるんで「座ったらええやん」って言ってくれても、「別に大丈夫です」って。座りたかったら座るし、しんどいとき座ってるし。お年寄りも一緒なのかも知れないですけどね、そういう感覚。もしかしたら受け入れてるのかもしれないですけどね、この状態。個性やと思ってるんですよ、どっか。僕はこういうキャラクターやと。もうこれが僕ですよって。

牧 あの震災でそうなったやんか。で、そうなってから一番辛いなって思ったときは？

馬場 同じ仕事量でもこれ以上動かへんなとか、翌日になんか影響がでる。そういう制御ができないときは、やっぱすごくしんどかったですね。今の仕事28から始めてるんで、ちょっと動きづらいなって、慣れるまでね。別にリハビリさぼっているわけでもないし。例えば、今動けてても止まった瞬間に、運動をやめて止まって座った瞬間に、10分もせんうちに痛くなって固まってきて、次の動き出しがしんどいとか。僕は常に動いてるほうがいいとかを経験で知ってきて、自分との付き合い方がわかってくる。そこまでは、ちょっとしんどかったですね。

牧 そういう身になったことのつらさより、そこからいろんなことを考えてセーブせなあかんとか、仕事のためにできたらいいのにできなくなるっていう一つ一つがしんどかったね。

馬場 そうですね。他の人と同じことができへんていうのがしんどいなって思うときがあります。以前やったらできたことも、できへんなって思うと、人に頼むしかないし。若いとき、そうなった直後っていうのは悔しかったやろうし、「たられば」は常にあったと思う。「たられば言っててもしゃあないよな」って、どっかで思ったんでしょうね。若いとき結婚してたら、とか、普通の会社に入っていればもうちょっと給料よかったかもしれへんとか、思うかもしれへんけど、もうしゃあないよな、今のこれが俺やしなとか。

牧 いま何級なの？

馬場 僕、2種4級です。

身体障害者手帳は、視覚障害、聴覚障害、肢体不自由などの障害の種別ごとに、障害の程度によって等級がある。1級から7級まであり、数字が小さいほど重度。「肢体不自由」のうち「下肢」については、1級は「両下肢の機能を全廃したもの」「両下肢を大腿の2分の1以上で欠くもの」とある。馬場さんが該当する「4級」は、「両下肢のすべての指を欠くもの」「一下肢の機能の著しい障害」など6項目に分かれている。1種・2種は、旅客運賃の割引の区別で、肢体不自由の4級は2種に該当する。

牧　災害でそういう人が必ず出てくるやんか。いまの制度には、震災で障害者になった人たちに対する制度っていうのはあんまりないねん。なんかこんなことがあったらよかったなとか、ある？

馬場　う〜ん…。

牧　2種4級であまりないよね。

馬場　ないですないです…。（よろずの）活動の目的とは反する話かも知れないですけど、僕はある程度までは、等級が低くて自分が稼げるんやったら、その仕事に対してのアプローチやと思うんですよ。要は稼げない状態やったらやっぱりその症状、状態の重度差によって、その分サポートはしてあげなあかんけど、微妙なラインの人がいっぱいいると思う。僕もいわゆる微妙。4とはされてるものの、もしかしたら5になるかもしれない。そうすると全然変わっちゃうんですよ。補償範囲のラインが。すごく怖いなとは思いますね。働けちゃって動けますやん。いらんやんって、だから5で行きますねって言われたらもう…。

牧　4と5で全然ちゃうの？

馬場　違うはずです。たぶん。4級まではたぶんいろんな交通費とかが変わってきますし。例えば装具を作るとかってたぶん自己負担率が変わってくるということにも関わってくると、当時の話ではそういう話をしてた。

牧　例えば、交通事故でという場合とは全然違うわけね。交通事故やったら加害者がいて、加害者の方が相手がちゃんと手術が終わって、ある程度症状が固定するまでは面倒をみるやろ。保険会社も一緒や。で神戸の（震災の）場合はね、その年の12月31日までは医療費の免除をやっているみたい…。が、その医療費免除になるか、ある程度負担かわからない。でもその次の日の1月1日からはゼロやった。それは例えば1回手術しましたと、2回目はその次の年にしましたというと負担が全部自分にかかるわけね。そこらへんやっぱし、なんぼなんでも全て自分でやらなきゃいけないのは過酷やなと。

馬場　それはそうですね。それは大変かと思います。

政府は、住宅が全半壊し、主な生計維持者が死亡または重傷を負ったなどの条件があてはまる人について、健康保険は1995年5月末まで（低所得者は12月末まで）、国民健康保険は12月末まで、医療費の窓口一部負担を免除した（「マル免」と呼ばれた）。被災者が生活を再建するめども立たないうちにマル免が打ち切られたため、治療を中断せざるをえなかった被災者も出るなど影響が大きく、多くの批判が集まった。

馬場　僕も28で仕事をして、親からサポートもしてもらってたから、そういう意味では治療費ここまでは罹災証明とかなんやかんやで出てきます。

牧　治療費、医療費の控除？

馬場　医療費の補助とかもあります。でもそれ以外のところの負担って親がちゃんと支えてくれてたり。どこまでサポートするか期限は別としても、でもやっぱりある程度ないとしんどいなと思います。で、そのすごく迷うんですよ。やっぱ自然災害って、ありとあらゆるところで起こるし予知できへんし、しゃあないやっていうところで、っていう考え方ももちろんあるんで。人数も多いし。じゃあどこまで補償なんですかって。一律で補償しても満足いかへん人はとことん満足いかへんで。

牧　どういうことかな？　例えば？　医療費だけで考えても。

馬場　医療費だけで考えても本当に症状が全く違うわけじゃないですか。じゃあどういう状態でこの人は生活してますよってことも含むのか？　単純に症状だけ見るのかとか、例えば家族構成がこうやからこの人はサポートしてあげないと、とか。ただ僕の場合20代で、40代の親がいましたと、じゃあある程度7割は補償しますとか、計画的にその比率を変えていくとか、具体的なプランがあってもいいのかなって感じがするんです。

牧 人によってね。

馬場 そうです。別に一律に30万とか、50万とかじゃなくていいと思うんですよ。

牧 足らない人も、それで十分いける人もいるしね。だから、生活し直せるっていうか、症状は治らへんねんけど、そういう風になるまで、ある程度の支援は必要やろうなとは思うね。

生活できる環境に持っていける制度じゃないと意味がない

馬場 一方で、職業あっせんじゃないけど、働けるんやったら働ける場所の提供もするとか、いろんなアプローチがあると思うんですよね。医療保障だけじゃなくてね。

牧 相談窓口やね。それをいろんな部局につないでもらえるとかね。いろいろと相談できる行政側の窓口が一つと、それから集いみたいな当事者でやってるような窓口かな。あとお金の方の（支援）。

馬場 たぶん、本当につらい人って動けないと思うんです。だから、ちゃんとそこがフォローできるようにしといた方が。だから、そこの状態を知るというか、かかりつけの医師じゃないですけど、地域によって、こんなんですよって市役所につなぐとか、制度と近いものがやっぱ必要なのかなって気はするんですよね。

牧 自分があえて行かなくっても、近いところで頼んで来てくれて。

馬場 もうしんどいねんというお年寄りもいっぱいいるでしょ。ここからあそこまで行くのもしんどい、しゃべるのもしんどい人ってたぶんいっぱいいはると思うんですよ。だから、そういうのが機能してるかしないかによって、復興スピードとかも違うんちゃいますかね。

牧 地域に住む人たちを守っていけるような、民生委員のような人がその人のことを知って、医療者や行政につなぐ。

馬場 その人だけじゃなくてもいいですけどね。コミュニティてすごい大きいなって思う。地域に、隣に誰が住んでいるかわからへんじゃなくて。うっとうしいけどこのおばちゃんやたら声をかけてくる、みたいな人も少ないし。

牧　今後のこと、どんなことを国に要望するかというと、いま言うたことをしたいね。

馬場　「それはできませんね」ってところから始めなきゃっていうところがイメージできる。だからそこも結局、連携、コミュニティなんやなと。僕はちっちゃいコミュニティがいっぱい要るんやなって思ってるんですよ。民生委員、地元のケアマネージャー、そういうのが配備できる。そういう制度をまずは地域にできるように。

牧　地域の人のことがわかるというか、そういう人たちを見守る民生委員の役割。で、行政はそれで動くと。大事なことなんだよね。重度障害見舞金ってあんねん。

自然災害で大けがをした場合、災害弔慰金法に基づき災害障害見舞金が支給される。世帯の生計を立てる人であれば250万円、それ以外は125万円。ただ、対象は両腕切断など1級障害相当に限定され、重傷者が1万人を超えたとされる阪神淡路大震災での受給者は、わずか64人にとどまっている。

牧　これは、世帯主は1回だけ250万円。1級だけやで。2級はあかん、2級以下は全然ゼロやねん。これ見舞金というならね、2級も3級も何十万円かはもらえないと（いけない）。見舞金っていうのは「あなたのこと忘れてませんよ」というメッセージやねん。もっともっと障害の人いるわけで、見捨てられた感がすごい強くって。

馬場　義援金も、分配とかあったら150（万）とかでしたっけ？

牧　こっちはなかったね。全壊家庭で10万。

馬場　10万でしたっけ。そうです、30とか10とか段階的に来てたんです。

牧　30万は、高齢者とかなんか障害の。

馬場　そうでしたね。それってほんまに一過性のもので、何も役に立たないって言ったら失礼やけど。

牧　1回だけやからね。ぽんっと渡されてもね。

馬場　250万って年収400万って考えたら半分。半年も生きられませんよって。

牧　何回もほしいということじゃなくて、これからの生活のために支援の手を考えようという。

馬場　お金じゃなく、本当に生活できる環境に持っていける制度じゃないと意味がないですよね。そこがたぶん一番重要だと思います。お金じゃないと思うんですよね。

牧　相談窓口で（相談しろ）じゃなくて、地域の民生委員が、例えば民生委員を知らない人が（いても）、この人のこと知って、こういうことが必要だということを役所に言うことが必要だね。

馬場　ちゃんと機能させるところまで力を注がないと、作りましたで終わったらダメだと思うんですよ。

牧　ある議員が、マスコミもいっぱい来てるときに「1・17過ぎたら（報道が）ゼロになりますよ」って、何を言うとんねんって。今もマスコミはこの問題が大事だからといって来てるわけね。もうほんまに情けなかったな、あれ。1・17過ぎたら何にも来ないみたいな。

馬場　その人をかばうつもりもないですけど、似たような感覚は自分の中にもあって、終戦記念日とか、ああいうときもそうなんですけど、形だけが先行するのがすごく嫌やねって話を入院のときも甲斐さんと話してた記憶があって…。結局、これ風化して行くんやなっていうか、形だけ先行していく。だからもう僕の中ではそういう話をしたときに、1・17だけにこだわるのでなくて、こういう問題があるんだなっていうのが継続されたらいいよねっていうことも、たぶんテレビ取材なんか受けたときに話をした。そんときは上手くしゃべれてないですけど。

牧　だけど実際、これは神戸だけの問題じゃなくて、次に来ると。

馬場　そうですね。忘れないって言ってもやっぱり忘れてしまうし、でも思い出すきっかけとしてセレモニーていうか、1・17とかあってもいいと思うんですけど、先生が「記録と記憶の違い」って言いはって、結構、記憶の方にしていかなあかんかな〜って、記録になったらあかんて。結局、大きな災害がありました、かわいそうやねって、そういうことだけが先行してしまう。別に大変やったからってなんかしてくれって思わへんけど、でも、こうやって知っといてね、「あなたにも可能性があるんですよ」ってこと、いざそういう風になったときのための制度ですよって（言いたい）。

「なんで私がこんな目に遭わなあかんの、もう何もできない、歯がゆい、自分の身体が」

証言　05

飯干初子さん（当時48歳）

飯干初子さんは、4歳年上の夫と2人で住んでいた西宮市中前田町の2階建て文化住宅で被災。住宅は全壊。脊髄を損傷した。1種1級の障害者で車いす生活を余儀なくされる。介護用品が必要だが、多くは自己負担。生活は厳しい。夫は大工だったが、震災のショックでアルコール依存症になった。

飯干さんとの出会い

飯干さんと出会ったのは、震災から12年後に開いた「震災障害者と家族の集い」だった。同じ悩みを持つ人との交流は心が癒される、と「集い」にはできる限り参加している。

夫は、震災のショックでアルコールが手放せなくなった。長い間立ち直ることができず、夫婦の日常生活は壊れた。

飯干さんの病状は今も少しずつ悪化している。時折「痛い痛い」と足を叩く。気休めだが叩けば気が紛れるのだという。70歳を過ぎてから「このまま死んでしまうのかな?」と思うときが多い。だから何かしないと鬱になりそうだという。足は痺れて痛いし、しんどいけれど…。震災前はバレーボールをしていたが、今は動けない。「どうせ歩けないなら、痛みだけでもどうにかして」と話す。

震災から15年目、兵庫県・神戸市が実態調査を行い、349人の震災障害者が判明したと報告した。だが、飯干さんはそこから漏れている。当時、医師の診断書の理由欄に自然災害の項目がなく、調査ではその他の項目に「震災」と書かれた人のみが対象とされた。飯干さんの診断書には「圧迫」と書かれていた。公的には今も震災障害者ではない。25年が経過する今、「身も心もボロボロになった」と言う。(牧)

これからはお父さんと私で、頑張らんといかんなと思ってた矢先にやられてしまった

聞き取りは2度行われた。初回は２０１６年9月23日、２度目は２０１８年11月18日に実施した。重複する内容を編集し、まとめたものを紹介する。

飯干　（震災から）もう21年になったのよ。ここにきて丸々19年。

牧　震災前の生活は。

飯干　私の生まれは宮崎県高千穂っていうところ。素晴らしいところですよ。今パワースポットがあるらしい。生まれて高校卒業するまでいた。結婚して西宮にきた。20歳で。

牧　旦那さんも同じ？

飯干　同じ。主人は先にこっちに来てた。向こうでお見合いしてこっちに来た。

牧　最初は西宮のどこにいたの？

飯干　最初は今津ってとこにいたんですけど、子どもができて部屋が暗いから明るいところにって、中前田ってところに変わったんです。長いことそこにいました。阪急電車のちょうど南側になるから、地震ですごかったらしいですよ、そこらへんは。（阪急電鉄）西宮北口と夙川のちょうど中間ぐらいになるかな。だから阪急電車のあれも、落ちたって言ってましたね、私も知りませんが．

西宮市の死者は１１４６人に達し、倒壊家屋は約6万世帯。阪急電鉄の夙川－西宮北口間は高架橋の大半が崩壊した。

牧　そこで震災に遭ったの？
飯干　そうです。周辺はぼろぼろだったらしいですよ。私こんな体で動けなかったから（知らない）。（震災前）周辺はいっぱい文化住宅があって、住みやすかったですけどね。マンションよりも文化住宅が多い。阪急電車の下には商店街ができたりして、便利がよかった。自転車でちょっと走れば阪神西宮駅にも、JR西宮駅にも行けるし。
牧　周辺は子ども育てるには環境はよかったのね？
飯干　そうですね、子どもたちが多いから、いっぱい遊ばせて。
牧　市場もあった？
飯干　ありました。庶民的な。市場があると言葉の会話ができるじゃないですか。「これがおいしいよ」って言われて、「どないして食べる？」って聞いたら「こうして食べたらおいしいで」って言ってくれたり。毎日買い物できましたね。
牧　地震前はそうやって近所の付き合いもあって？
飯干　そうです、よかったですよ。今西田町にいる人も、年間に何回か訪ねてきてくれますよ、今でも。
牧　俗にいう下町の付き合い？　人情があっていいですね。
飯干　そうです。醤油、味噌ちょっと貸してとかね、「こんなんしたよ、食べてみる？」とか言って。
牧　子どもを育てながらずっと家にいて、旦那さんが働いてて、子育てに専念してた？
飯干　そうですね。下の子が小学校3年生くらいになったときにパートに出たりしてましたけど。
牧　震災のときはいくつ？
飯干　48歳。子どもはもう2人とも嫁いでましたね。娘2人。昭和43年（1968年）生まれと、昭和45年（1970年）生まれ。震災当時、長女は明石にいて、次女は尼崎にいました。子どもたちが結婚して出てしまったからね、これからはお父さんと私で、ちょっとでも残しとかんといかんなと思って、頑張らんといかんなと思ってた矢先に、やられてしまった。

病院にいて、泣いて寝てるだけで。なにもできなくって

牧　嫌な思い出だけど、そのとき文化住宅は2階建てですか？

飯干　2階建てです。文化（住宅）で6個イチだったんだけど、私のところは大家さんに許可もらって、くりぬいて真ん中に階段いれて、上下使えるようにしてあったのよ。ちょうどその当時、娘は明石にいたんだけどね。泊まりに来てて、前の晩に帰っていったから、よかったね。子ども連れてたからね、ちびをね。
　家がどーんとなって、えーって言ってる間に私は動けなくなった。起きてたんです。すごい音でした。そしたら、がたがたって言ってる間に。昔の家だから土壁です。あっという間に、どないなったかわかりません。座ってたから、何かが背中に当たったんでしょうね。梁みたいなの。当たりどころが悪かったんでしょうね。それからただ、動けなくて、助けて助けてって、呼んでたらしい。
　呼んだ気がするんだけど、その声は届かなかったって。やっぱりつぶれてると、外へは声って出ないんやね。だから今笛を持ってらっしゃる方がいる。笛の音だったら聞こえるって。あとは私も覚えがないんだけど、主人がノコが手元に出てきたから、それで木造だから切ってたとか言ってたけど。あとは引き出して、畳かなんかに私を寝かせて、病院へ連れてったって、周りの人が寄ってきてくれて。

牧　レスキュー隊とかではなく、近所の人たちが？

飯干　そうみたい。誰がどうしたか、いまだに知らないんだけどね。

牧　気が付いたら病院？

飯干　病院にいて、泣いて寝てるだけで。なにもできなくって。レントゲンだけとれたのかな、夕方かなにか遅い時間に。
「骨折してます」いうことでそのまま寝かされてた。一応部屋には移されたけど、部屋に何人も寝てて。
　最初西宮の病院で2、3日いたと思うけど、点滴だけしかしてもらえないから、どこか行かないといけないって

思ってたら、「堺の方の病院が『1人だけだったら受ける』って言ってくれてるから」って娘たちが。友達の運転で、ワゴンで堺の病院に連れてってもらった。かれこれ1年近くはそこにいた感じですね。

牧　手術はそこで？

飯干　圧迫骨折みたいになった。ここらへんの骨を取って移植して、ボルトでとめてあるみたいですけど。足だけだったら骨折しても治った。脊髄。見ていいよ。ここにボルトが入ってるんだと思うわ。硬いでしょ？梁みたいなにか、わからないけど、落ちたんだろうね。T12、T12番目の骨って意味？　腰椎。脊髄でもどこかほかの、こんなところじゃなかったら、もしかしたらおしっことか、便とか、わかったかもしれないけど（※飯干さんは震災の後遺症で、尿意や便意が自覚できない）。一番下の悪いところだったみたい。

牧　入院生活で一番しんどかったことは？

飯干　西宮を出て知らないところに行って、誰も知らないから自分も調子悪いし、やっぱり寂しいっていうか…。帰りたいけど帰るとこないし。ごはんも美味しくないし、食べたくもないし。それでも、1カ月に1回は近くのお友達が訪ねてきてくれてましたけどね。

牧　震災前の友達？

飯干　うん。今もその人だけは。（友達が来てくれるのは）嬉しかったですね。

がれきの下敷きになって脊髄を損傷した飯干さんは、1年近くの入院を余儀なくされた。両脚の自由を取り戻すことはできず、車いす生活に。今でも、時々、両ひざの周りに激痛が走るという。

飯干　手術したら歩けるんだろうと思ってますもん。それが歩けないって言われたとき、頭の中真っ白。「歩けない」て。「一生、車いす生活ですよ」って。言われると思ってませんもん。「手術したから足も動くようになるんだ」「リハビリしたら大丈夫になるんだ」って、素人考えですけど、それしか思ってないから。

入院してたとき、私と同じような患者さんがいて、「どんな格好でもいいから歩いてみたいね、立ってみたいね」って言われたの。私も今でも思いますね。一瞬でも立ってみたいって。

牧　そういう気持ちがずっと、飯干さんの中にあるわけだ？

飯干　たまにはね。思い出したときね。このときちょっと立てたらなとか。車にぱっと乗るときだけでも、ちょっと立てたらぱっと乗れるのにな、とか。そしたら普通のタクシーでも乗れるのにな、とか思ったりします。普通の車でも乗れるのに…。

牧　それが完治せずに？

飯干　こんなに今みたいに痛かったか覚えてないけど、痛いのは痛い。ずっと痛い。気圧のあれかな。年とともに痛みがだんだん激しくなってくるから、生きててもしんどいなと思うようになった。整形行っても「ペインをやってみろ」とかそんなんばっかりだから、原因とかないから、今、整形も行ってないんです。今度新しく整形できたからそこの先生行ってみようかなって思ったりしてる。ほんまに痛いんだから。腰が痛いんじゃなくて、ここらへんが。

牧　足がしびれるって言ってたもんね？

飯干　うん、痛い。たまらない。今でもずっと痛んでるけど、なんとか辛抱できてるから。

牧　あのときから今まで、ずっと痛み抱えてるのか。

飯干　震災に遭ってから、ずっと痛い。

牧　びりびりとしびれるような痛み？

飯干　びりびりぐらいじゃないですよ、先生。息が切れるくらい痛いですよ、痛いときは。本当に。このまま死ぬん違うかってくらい痛い。生きてくの本当にしんどいわと思いますよ。もうこればっかりはね。手術の担当の先生が「座っているときにしびれるとかそういう状態はずっと続きますよ」とはおっしゃったけど、そんなものじゃないです。じんじんじんじんはしてるけど、ぐーっと痛みがきて、痛みとしか表現のしようがないんです。

男の人のほうがやっぱり弱いのかな

牧　震災のときはお父さんと2人？

飯干　そうです。お父さんも骨折してたみたいです。しばらくしてから、手が動かないって腫れてきて。

牧　旦那さんは骨折したけど、飯干さんは気失った？

飯干　私は気失ったかわからないけど、友達が呼んでも返事がないって言ってたら、お父さんだけが外に出たん違いますか？　それで下にいるってことで、友達とか周りの人たちがみんな集まってきてくれて、結局畳か何かにのっけて、病院に運び込んだって聞いたんですけど。お父さんのことはもうわからない。夢遊病者みたいにうろうろしとったみたいですから。だから病院にも全然来てないし、近所の人が心配して、ついてくれてたけど、近所の人もずっと私についているわけにはいかないから、帰るでって言って帰りはった。後で聞くとお父さんはそんな状態だったらしいです。

牧　その日？

飯干　その日もずっと、しばらくはずっとそうだったみたいですよ。車に寝泊まりしてたらしいですけどね。それからはアルコール中毒になってしまいました。

仮設住宅でのアルコール依存は社会問題となった。震災後、1999年7月までに仮設住宅や周辺で孤独死した253人の死因を調査した神戸大学医学部の上野易弘教授によると、7割が男性で、50、60代が多かった。孤独死の死因の3割はアルコールが遠因とみられる肝臓疾患であり、そのうち90％が男性だったという。こうした中、兵庫県は1997年度、「アルコールリハビリテーション支援事業」に着手。明石市や尼崎市など被災自治体は「アルコール・リハビリテーション・ルーム」を設置するなどして、アルコール依存症対策に乗り出した。

飯干　男の人のほうがやっぱり弱いのかな、どっちかいうたら。お父さん、長いこと立ち直れなかったね。本当に心のケアがいるかなと思ったね。ばあちゃんこんな身体になって頑張ってるのにって子どもたちがよく言ってたわ。もう飲むしかない。だから仕事もなにもかも嫌。もともと大工だけど、大工なんかもしたくない。

牧　それまでは？

飯干　飲んでるのは飲んでたけど、飲み方はよかった。地震からは1人で、仮設も2カ月くらいで当たったんじゃないかな。それから仮設で、一度だけ帰ったら、そこらへんに瓶が転がってました。それからはずーっとアルコール漬け。常にアルコールが入ってた。切れるのはなかった。

牧　飯干さんが仮設に戻ってから、ずっとそうだった？

飯干　主人は主人の仮設、私は車いすが出入りできる仮設だから、別々の仮設にいました。仮設にたまにくるけど、お酒の匂いはぷんぷんしてるし、仕事も行ける状態じゃないですよね。

牧　避難所はいかなかったんだ？

飯干　避難所なんて行ってないです。どうしようもないし、私も体動かないし、どうしようもない。

牧　気持ちはわかる？

飯干　そうですね。それからは働く気力もなくなったから仕事もないし。アルコール臭かったらだれも雇ってくれないし。ここ（現在の集合住宅）に当たっても、仕事がないって知ってる人に雇ってもらえたりしたけど、やっぱり酒の匂いするからだめだって断られるし。

牧　仮設生活はどれくらい続いた？

飯干　私が平成7年（1995年）の12月30日くらいに仮設に帰ってきたんじゃないかな。私はね。主人は7年（1995年）の3月くらいに入れたんじゃないかな？　私は大阪の堺のほうに入院してましたからね。

牧　お父さんは早いね？

飯干　私がこういう状況だからっていうことで、わりと早く当たったみたいですよ。でも私が帰れないような仮設ですやん。車いすで動けない、トイレとお風呂と一緒の。そしたら知ってる方から「車いす対応の仮設が空いたから」って連絡受けて、そこへ行った。平屋で、6人くらいは入れるような。24時間ヘルパーさん対応の。宮城県かどこかからの…西宮市川添町ってところでした。

牧　宮城県の知事が木切って建てた。

震災翌月、阪神間を視察した宮城県の浅野史郎知事（当時）は、宮城県建設業協会などに呼びかけて「阪神大震災の被災者に住宅を提供する県民の会」を結成し、1億円あまりの建設費を集めた。宮城県側からの「介護の必要な被災者のための住宅を贈りたい」と申し出を受け、芦屋市や西宮市には、介護者つき仮設住宅が建設された。

飯干　川添もたしか宮城県からの寄贈って聞いたような気はする。平屋でした。スロープで板ずっとひいてあった。ホールみたいなのがあった。部屋で食べてもいいし、ホールで食べてもいいし。

牧　「地域型仮設」と言ってたやつだ。お父さんはどこ？

飯干　西宮の中央体育館の。だからめったに来ませんでした。来てもらわないほうがいいなと思ってた。娘がちょこちょこ来てくれましたからね。次女がまだ子どもが小さかったから。

それこそ、釈迦のお世話になったらいいわ

牧　22年間気が滅入ることは多かった？

飯干　やっぱり身も心もボロボロになる。生活様式も変わった。心っていうのはやっぱり、もうだいぶ20、21年たってるから、明るくみんな話はするけれど、やっぱりもう、変わった。中途障害の人のほうがしんどいって聞くわね。ただ身体の調子を説明したって本当にわからない。カテーテルとって、自分でおしっこ取ってるって言葉で言っても

わからない。

牧　今までできてたことが…。

飯干　できないもんね。悔しくて悔しくてね。ここの団地の人に「飯干さんが元気だったらなんでもしてくれるわね」って（言われる）。元気だったらここ（現在暮らしている集合住宅）に来なかったかわからん。

牧　活動的だったの？

飯干　うん、家にいるのがいや。どっちか言ったら外のほうが好きな人。高校でて、田舎でおじさんのとこ手伝ったりしてて。遊技場だったから、いまはこれか（パチンコをする手振り）。ずっとお手伝いしてたんだけど、お見合いしてこっちきたから。20歳やね。それからずっと西宮だから、田舎にいた年数よりも西宮のほうが長い。結婚して50年になるのよ、今年。子どもが小学校3年くらいになってから、ちょっとずつパートに出だしたかな。

牧　ママさんバレーやってたってね？

飯干　そうそう、子どもが学校行きだしてからね。ちょっとしたパートに行ってはバレーボールしたり。人と話すの好きだから、「飯干さんの周りにはいっぱい人がいるから」ってみんな言ってくれる。嬉しいことだ。

牧　60歳で（震災に）遭うのと、40代で遭うのは違うと思うねんな？

飯干　子どもたちも巣立っていったからって思って、これからやなって思ってるときにやられると、にっちもさっちもいかない。とにかくここにきて、3~4年っていうのはとにかく（外に）出たくないっていうのがあった。そのときは、なんで私がこんな目に遭わなあかんの、もう何もできない、歯がゆい、自分の身体が。

ぱっとできてたことできない。洗い物ひとつでも、びちょびちょになって洗って。ベッドに上がろうと思ったら、足持ち上げてあがらないとあかんし。まだ慣れない。本当に中途障害、自分に受け入れていくまでね。

牧　身体が不自由になって、その原因が自己責任ではないわけやんか。震災、自然災害。

飯干　自然災害やからどうすることもできないし。いつも思うのは、私なんかおしっこも、便も、自分でとらないといけない。介護用品がたくさんいるわけなんですよね。手袋いるし、カテーテルいるし、パットも。遠くへ出かけようと思ったらパンツも。…自己負担でしょ。西宮は出ない。いっぺん尋ねたけど、ダメって。カテーテル代だけでも年間8万くらいいりますね。

牧　飯干さんの医療とか、医療に伴う介護とか、全部自己負担なの？

飯干　介護保険ひかれるでしょ。1割かなんか負担。お医者さんは1回行って、西宮だと私は400円払ってるんですよ。3回行ったら、3回目はいりませんけどね。カテーテルだけじゃないですもんね。パットとか、グローブとかいろいろ。それがつらいですわ…。おしっこなんか、わからないからいつも当てとかないと、いつ漏らしてしまうかわからないし。遠く出るときは、パットだけじゃいけないから、どうしてもパンツ式のね。

牧　月いくらくらいかかる？

飯干　トータルしたら？　わからない…。娘がアマゾンで（揃えてる）。そんなん計算してたらやっていけない。本当はきちっとしてたらいいんだろうけど、そこまで神経使ってたらしんどい。なるようになるさって。ならんようになったら、それこそ、釈迦のお世話になったらいいわ。

牧　飯干さんは、年金で生活しているの？

飯干　障害年金。1種1級。主人も働いていないから国民年金でしょ。主人も少ないから。

牧　障害年金のほうが高いんや。初子さんは、国民年金がもらえないのか。

（障害者に）なって、違ったお友達ができた

牧　飯干さんはよろず相談室ってどうやって知ったの？

飯干　NHKの東京の人が取材に来て、「こういうのありますけど一度参加されませんか？」って言ってくれた気がする。女の子、足をなくした子（が神戸に来るという話）の。

牧　ハイチ？

飯干　そうそうそう。

2010年1月12日、マグニチュード7・0の大地震がハイチをおそった。30万人以上の人が犠牲になったとされるが、正確な数がわからないほどの大規模な未曽有の被害となった。大統領府や国会議事堂も含めて多くの建物が倒壊した首都ポルトープランスで被災し、片脚を失った女子学生ガエル・エズナールさんが、支援団体の招きで2011年1月に来日し、阪神淡路大震災で中途障害者となった人や家族らと交流した。

飯干 そのちょっと前くらいから参加したのかな。その子が来たときにも行ったんだけどね。岡田さん（証言02）と最初に会ったとき、2人で何しゃべったのかわからないけど、やっぱり2人とも地震に遭って障害になってるもんだから、何か知らないけどしゃべらないといかん思って、なにしゃべったのか（笑）。ただ、自分らが体験してるからって、なんとなく話せたの、初めて。

牧 そういう絆には追い付かない。我々は。

飯干 （障害者に）なって、お友達だって違ったお友達ができた。この前見たでしょ？　イタリアのリタさん、フルート奏者の。

リタ・ダルカンジェロさんは、世界的に有名なフルート奏者。飯干さんの地元、西宮市にある兵庫県立芸術文化センターの管弦楽団で第一フルート奏者を務めた。

飯干 その人なんかに出会えてね、私のためにフルートを、ホームコンサートしてくれるって言って、友達の家で。そんな人たちとの出会いがあったりとかね。そういう人に出会えてるのよ。

牧 普通ならできない（出会い）。

飯干 できない。

牧　元気をいただいた？

飯干　（うなずく）

牧　楽しいことをいっぱい思い出す？

飯干　そうそう、だから地震のときのことが薄らいでしまってさ。

牧　こうやって気にかけてくれる人とか、同じような経験をした仲間たちとか、いろんな交流のなかで楽しい思い出も？

飯干　そうだね。ヘルパーさんの力も大きかったですね。ヘルパーさんが外に出ることを勧めてくださって。「飯干さんものづくりしよう」って言って、介護用の車を出してくださって、迎えにきてくださって。それでちょっと出て何か作るようになったりして。そこからちょっと楽しみができたり、カラオケができるようになってカラオケ行ったりして。ちょっとずつ楽しみができた。編み物っていうか小物づくりですね。

中越の地震（２００４年）があってそこの方が来られたりして、私も出かけるようになって、そこで知り合いになった人がいる、ボランティアのTさん。あちこち飛び回ってはりますわ。M君って子と。M君はいま大学かどっかの教授になってるのかな。その人がよくアメリカに行くから、アメリカの生地買ってきてくださったりして。これも教えてもらって作るようになって、こんなのがアメリカに行ってるんですよ。アメリカの人からこの前はお便りが届いてました。日本のお友達って書いて。

作った小物を見せる飯干さん

牧　これから、西日本豪雨で障害を負った人たちへの支援。これから起こりうることもある、南海トラフとか首都直下型地震とか、ほかのところもあるかもしれない。実際西日本豪雨もそんなん起こると思わなかったからね。ところがそうなる人もいる。そういう人たちのために、国とか県とかにどうしてほしいと思う？

飯干　市も国も、本人に対して、耳傾けて、とにかく支援できるものを支援してほしい。どうすることもできない、身体に関してはどうしてももらえないからね。他で何か。

身も心も変わって、生活まで変わったねって

牧　しんどいときに話聞いてくれるとか？

飯干　そうそう、なにかできること。本人しか、たぶんわからないもんね。

牧　災害っていうのは、自己責任じゃないところで、自分の身体や心がやられるからね。

飯干　身も心も本当に変わります。生活様式もいっぺんに変わりますね。いつもそんな話しします。身も心も変わって、生活まで変わったねって。

　私、子どものころに1度だけ土石流に遭ったことがあるんです。台風が来て、宮崎の田舎だから、けっこう山の中で、台風が寄っていくんですね、必ず寄り道になる。家がぼろっちいからって言って、隣の家でお茶して、ちょっと部屋変わろうっていって変わって、変わって座るか座らないかのうちにドーンって。山の水と、木とかもお茶してたところにダーってきて。一瞬にして。あんな怖い思いした、子どものころに。それで仕方ないから私のぼろっちい家のほうに何人か逃げましたけどね。自然ほどおそろしいものはない。

牧　やっぱり困ったときに話を聞いてほしいし、それに対して対策をとってほしいよね？

飯干　そうです。何が一番困ってる、どうしたらいいん。そういうところも手伸ばしてほしいなって。

牧　今なにもないもんね？

飯干　ないです。私だってこんなんで何もないから、議員さん知ってる方いたから、議員さんに「こうこうこんなんだけどどう」って言ったら、ふんふんって。で、飯干さん調べたら普通に身体障害者になってるでって言われて。

　そうじゃなくって、これから何かあったときに、災害でこうなってるからってことを（行政に）ちゃんと把握しておいてほしいがために、あなたにお願いしてるのにって思って。選挙のときだけお願いしますってなんやねん！っ

て思いましたね。「困ってませんか」「どうしたらいいですか」って。やっぱ回ってきてほしいな。家に閉じこもったらダメですもん全然。

震災から15年目、兵庫県・神戸市が実態調査を行い、349人の震災障害者が判明したと報告した。だが、飯干さんはそこから漏れている。当時、医師の診断書の理由欄に自然災害の項目がなく、調査ではその他の項目に「震災」と書かれた人のみが対象とされた。飯干さんの診断書には「圧迫」と書かれていた。公的には今も震災障害者ではない。

牧 家に閉じこもったらろくでもない？

飯干 うん。山中教授の（ｉＰＳ）細胞で、何年か後には脊髄損傷の人も治るかもわからないってやってますけど。でももう私24年も、25年もなったら、固まってしまってるので今更遅い。手術もできないし。今からもう残りの人生もあと何年、2年生きるか、1年生きられるかなと思ってみたり。最近特にそう思うようになりました。70過ぎたら。さみしいことですけど。とにかく今まではそんなに思わなかったけど、今年自分戌年ですので。戌…だから去年今年来年前後っていうのは気を付けないと。

当たり年は…。そんなの思ったことなかったです。それが72になって、今年は特に思いました。もう逝ってしまうのかな…とかふっと思ったり。（外に）出られなかったりすると、うつ状態になってしまいますね。自分でいろんなこと考えてしまって。病院へ行って先生にこんな状態だから、薬もらってきて飲んで寝たりするんですけど。あんなこと、こんなこと、しょうもないことを考えてしまう。身体がぱっと動けないから余計でしょうね。

「大変よ。頑張らなあかんよ、一日一日。そんな泣き言、言うとられへんよ」

証言　06

近藤英也さん（当時58歳、右）
近藤春子さん（当時58歳、左）

近藤夫妻は、阪急春日野道駅から南へ、阪神春日野道駅まで伸びる春日野道商店街で「グリル近藤」を経営していた。2階建ての店舗兼住居は全壊。商店街も壊滅的な被害を受けた。夫妻と同居する2人の息子（長男：当時30代、次男：同20代）は無事だったが、長年続けたレストランは一旦畳むことになった。

近藤さんとの出会い

がんで亡くなった近藤夫妻の長男の英雄は、私が勤務していた御影工業高校での教え子だった。野球部員の英雄との出会いは、私が監督となったときである。ピッチャーだったので、「ボール受けたるから投げて来い」と言うとカーブを投げてきた。受けた私の左手人差し指は骨折。今も私の指は曲がっている。

「グリル近藤」にもよく食べに行った。震災前、地域の大小の企業で働く人たちで商店街は活気にあふれ、夜中も店を開けている店が多かった。「グリル近藤」もそのうちの一つであった。気さくで明るい家族だった。震災直後は英雄が店の前に寝泊まりし、商店街の夜回りをしていた。泥棒が多発していたという。

震災から2年経ったころ、夫妻は店を再開することにした。すでに60歳を過ぎていたので、子どもたちは反対したが、借金を背負い再開にこぎつけた。毎月の返済は40万円。本当に返すことができるのか、不安で時々胃が痛くなったという。今、閑散としている商店街で震災をくぐり抜け頑張っている店はわずか3軒である。

現在も毎日「グリル近藤」は営業を続けている。何より馴染みの客が多い。何を注文するのか聞かなくてもわかるという。夫妻は「お客さんが来てくれるから、元気でおれるし、ボケる暇ないわ」と言う。店は開店からすでに60年が過ぎた。毎日、ＨＡＴ神戸の復興住宅から、単車に2人乗りで出勤する姿を想像すると、私は「頑張らなあかんなぁ」と背中を押される気持ちになる。（牧）

ちょうど、バブルが終わったころやね。地震があったのはね

夫妻への聞き取りは、２０１７年5月7日に行われた。

牧　震災のとき、それからその後のことを聞きたいんです。まずは震災の前。店はできて、もう58年

英也　まあ、そうだよな。震災の前はもうそやからな、もう（震災時で）30年近くなっとる。

牧　ここらへんどうでしたか？この春日野道商店街。

英也　ものすごい人やった。

春子　映画館あったなぁ。映画館が3軒か4軒あって、パチンコ屋もようけあったよ。

春日野道商店街のホームページには以下のような記述がある。「明治の終わりから大正にかけて、神戸の東の拠点として発展し、戦前までは西の都心・新開地と並ぶ繁華街として賑わい、また、小野中道商店街とともに神戸の三大商店街と言われた。戦後も鉄鋼、製鉄やゴムなど多く工場が集まる中、市場拡大とともに、工員たちが楽しむ立ち飲み屋など独特の下町文化が根付いた」。周囲には神戸製鋼のほか、川崎製鉄神戸工場、住友ゴム神戸工場などがあり、まさに企業城下町。川崎製鉄神戸工場の跡地は後に「ＨＡＴ神戸」として開発され、住友ゴム神戸工場の跡地には、坂上久さん（証言08）が暮らす市営筒井住宅が建てられている。

牧　ほうほう。

春子　今、２軒か3軒しかないやろ。

牧　春日野道商店街、すごい人で賑わってた。

春子　製鋼所もある、神戸製鋼所。せやから、あの死んだ平尾（誠二）さんなんかもみんな、来よったやん。

牧　ああ。

春子　ラグビーの選手やったんよ。

英也　ちょうど、バブルが終わったころやね。地震があったのはね。

牧　商店街は、ずっと栄えてた？

英也　もうぼちぼち下がりよったな。あの時分言うたらねぇ、あかんやめようか〜思ったら、また忙しなったり。

牧　30年くらいやってきたときに、地震やったわけね。

春子　そういうことや。

牧　地震のとき、どんな状況やったんですか？

春子　ああ、全壊よ。もう完璧に。

英也　全壊でもう、みんなもう使われへん。家そのものが。

春子　調理道具もないし。冷蔵庫なんかもひっくりかえってな。

牧　1階が店で、2階が家？

春子　2階に住んでてん子どもと。もう何もかもないわ。

牧　2階もろとも、ぐしゃっと。

英也　うん。まあ、形は残っとったけどね。

春子　もう、使い物になれへんわなぁ。

英也　2階上がっていくのも怖かった。

牧　火は出なかったけども。

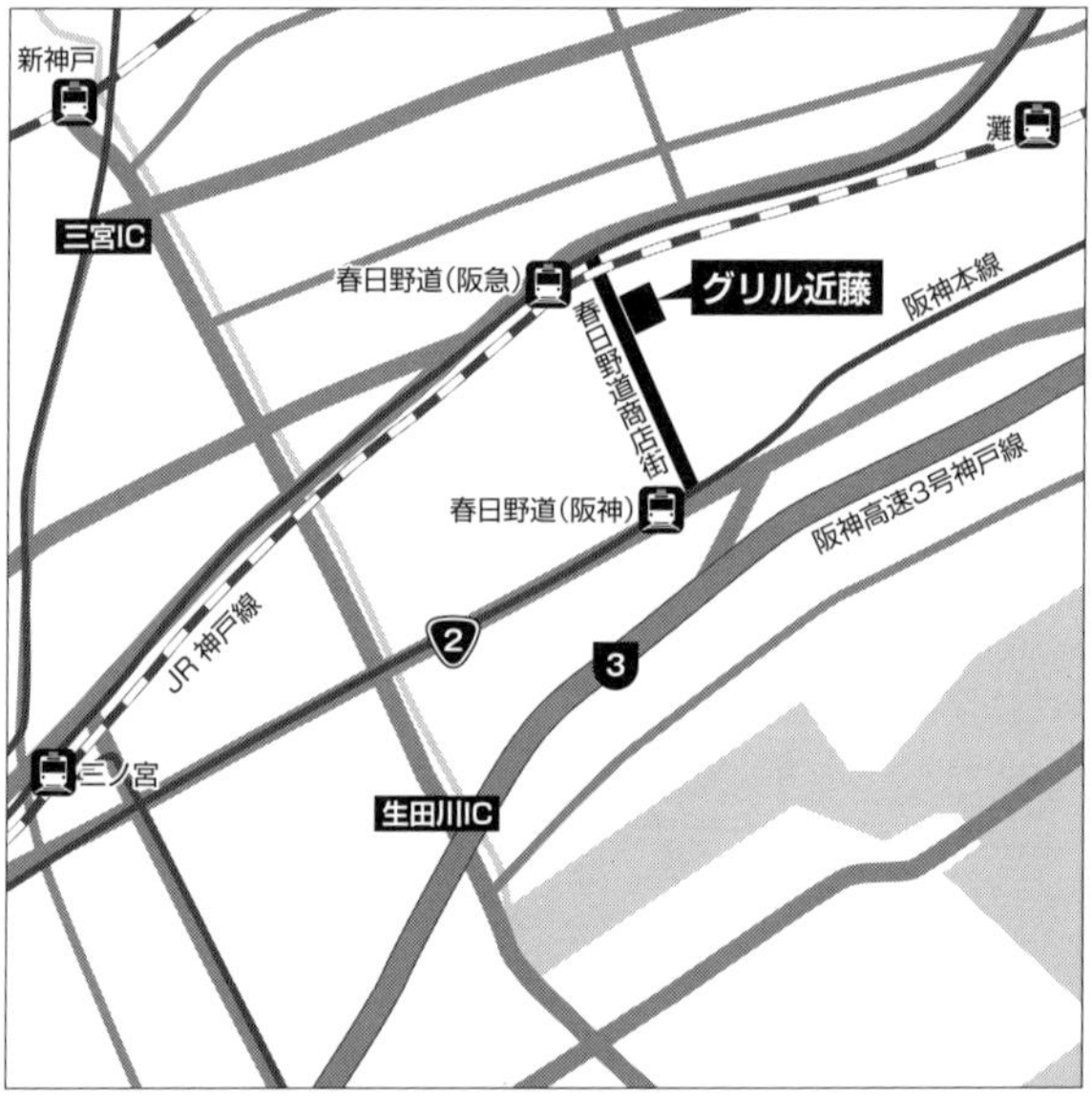

春子　うん、出ない。朝やから、もう全部消しとるからね根元も。

英也　火は出なかった、この辺はね。

牧　けがはしなかった？

英也　うん、けがはなかった。不思議にね。

牧　この春日野道商店街は、どうやった？そのとき。

春子　ほとんどもうあかんよ。

英也　うん、全壊が多いね。せやからもう上から下まで建て直しとるとこが多いよね。まあ、古いとこはそのままのとこもあるけどね。

春子　置いたままな。

英也　その時分、戦後すぐにバラックみたいな感じで軽く建てとるから、逆にそれがもってるところも多いね。戦後にちゃんと建てとるとこは重みでバン、と。

春子　（震災の直後に）救急車来たから、ここで止まったからもしかしたらコマツさん（近所の顔見知り）かな思って（見に行った）。

牧　だからそういうふうに言うたらあれやね。こう商店街っていうのは隣近所の人たちがわかるから。

春子　そうやで。先生な、こんなこと言ったら悪いけど、私ら今そこ（大規模復興住宅のHAT神戸）におるけどね、誰が誰かわからんよ。付き合いがないの。

牧　そやな〜。HAT神戸もそんなところや。わかれへんな。

春子　わからへんよ。

現在の春日野道商店街

神戸市中央区〜灘区にかけての臨海部の東西2キロに広がる「HAT神戸」には、復興公営住宅が多く立ち並び、30棟3500戸に約7千人が暮らす。震災後、高齢者など社会的弱者の入居が優先されたが、地域のつながりなどは考慮されず、多くの単身高齢者らは新たな人間関係を築くことが難しかった。入居者のうち病院通いをしている人が8割、友達がいない人が4割、外出の頻度が3日に1回以下の人が3割という調査もある(朝日新聞記事より)。

牧　ほんだらあれやねぇ。復興住宅と、ここの商店街の状況とは全然ちゃうんやね。

英也　全然、うん。

春子　でもな、今だって(救急車を)見に行ったいうのは、私らは長年、一緒におったから、気になったから覗いただけや。だから私んとこも、HAT神戸に電話かかってくるで。この間、朝いつも出て来とんのに出てけえへんからやな、コマツさんから電話かかってきて、「奥さんどないした〜?」言うて。

牧　うんうん

春子　HATの人なんにも知らないよ? こう、戸が閉まったらもうわかれへん。孤立しとるから。

牧　うん、マンションはみんなそうやね。

英也　ある意味では、煩わしくなくてええ、言うたらええねんけど。

私、何がつらい言うて、あの子を連れて行ってあげられなかってな

春子　まずかわいいネコを飼うとった。ものすごい賢いネコやったからね。3時過ぎにならなかったら、裏からニャーンと、なんかくださいしか言わないねん。

牧・英也　(笑)

春子　で、おしっこも、あの水洗便所でしてくれるんねや。で、今度その土でこうするんを、水でこうしてくれんねや。

牧　すごいね。

春子　ほんと賢いの。ほんで、お客さんが「すみませんお便所貸してください」言うやろ。で、「いや今ネコがしてました」って。もう、そんなネコやねん。私、何がつらい言うて、あの子を連れて行ってあげられなかってな。

牧　ああ。

春子　どこ行ったかわかれへん。で、ちょいちょい似た、もしかしたらこの子ちゃうかなぁとかね。ネコ通りよったら、思いますよ。

英也　半年くらいは似た子がうろうろしとったな。

春子　うろうろしとる。探しとった。鳴いとった。

英也　で、半年ぐらい経っておらんようになった。まぁ、あの、家もつぶしたしね。

春子　かわいそうなことした…。

英也　家なくなったと思ったんやろうなぁ。

　兵庫県南部地震動物救援本部の推計では、被災動物の数は犬4300頭、猫5000頭。震災後は犬の4割は避難所で飼い主と同居し、猫の6割は壊れた自宅にいた。約5％の避難所で動物嫌いの人とのトラブルが深刻化しており、中には責任者の判断でペットを飼っている人全員を避難所から退去させた事例もあった。

牧　地震で家壊れて、それからどうしたんですか？

春子　ひでぼう（長男の英雄）はやな、結婚してなかったから、そこの、（商店街の店の近くの）高山さんの前で布団ひいて寝よったんや。

英也　直後な。

牧　外で？

春子　うん、外で。布団ひいて寝て、夜回りしとったんやわ。ひでぼうが。

建物が崩れて内部がむき出しになり、警察官も被災者の救助に追われる中で窃盗などの犯罪が多発し、各地の避難所や商店街が自警団を組織した。「倒壊した家屋からクーラーや冷蔵庫を盗む人がいて、自警団を作り、ゴルフクラブと懐中電灯を持って夜警に回った」「避難所の校舎は入り口が多く、夜侵入して弁当等を盗んだり、不審者が夜間にイタズラをしたりという事件が絶えず、住民の中に夜間パトロールする者もでてきた」「繁華街の宝石店の多くが盗難に遭い、商店会や町内会が自警団を組織した」などの証言がいくつもある。

牧　夜回り聞いたことあるわ。

英也　車も乗っとったよな？　車の中で寝たりしよったよな？

春子　それと、さっきここにおった奥さんの倉庫が空いとったから、玄関の先で置いていて、そこで座ったまま寝たりな。

仮設も入られへんかったね。「1000人待ちや」言われた

春子　昔はここへ常連さんで来よった人から電話かかってきて、「近藤さん、六甲道の駅の前なんですけど、おいでよ～」言うて。ほいでそこへちょっと世話になって、そいでも気になるから、こっち（店）が。

英也　店なぁ、ちょこちょこ来よったなあ。店やなんか潰れとるんやけどなぁ。なんとなしに。

春子　その後は、肉屋さんの上のワンルームを優先的に、家主も入れてくれてな。ま、こんなときは長年店やっとるから。ほんで、そこにすごいおったな。結構、ひでぼう、活動しとる。

牧　うん。なんか、自警団っていうかなあ。

春子　そうそうそう。ほらもう、ワンルームやし、そこにはタンスひとつないねん。なんにもないワンルームや。

英也　クローゼットもなんにもないしな。

春子　重ねて、持ってきた布団かなんかがちょっと置いとるだけや。便所もお風呂も一緒や。

牧　そこでは2人？

春子　2人と、それから弟（次男）が帰って来たから。弟は、自分ももう東京引き払うって来てな。お兄ちゃん（長男の英雄）こっから働きに行きよったんや。

牧　行きよったんや。そこに4人でいてた？

春子　そうやよ。あの狭いところ。

英也　それからまた部屋借りて。8畳か10畳ぐらいの。

春子　弟が「僕がなんとかするから」言うて。そしてどっか、三宮の方が空いとったんかな。まぁ、もちろん高いけどな、家賃も。

英也　あっちこっち見に行ったなぁ、そういうのをなぁ。

牧　仮設住宅は？

英也　仮設も入られへんかったね。「1000人待ちや」言われた。

牧　そんな？

英也　抽選には行った（が、当たらなかった）よ。

牧　ここが、家が潰れて、避難所へ行くやんか。避難所は？

英也　うちは行かへんかった。だからその下のとこ（近所の方の家）におったんだよ。

春子　近所のお客さんがおいで、言ったから、行ったよね。

牧　そこのお客さんところおって、そこから仮設に？

春子　いや、仮設はないねん。ワンルームを借りて。店がまだ気になるから、なんとかとにかくもう一回商売しようという。

英也　そのときはそやから、知り合いのところに世話なって、部屋空いたから借りて。

阪神淡路大震災では、約5万戸の応急仮設住宅のうち、既存のアパートを仮設住宅として利用したのは139戸にすぎなかった。用地取得が難航するなどでプレハブの仮設住宅建設はなかなか進まず、課題を残した。東日本大震災では、阪神淡路大震災の経験も踏まえ、民間賃貸住宅を仮設住宅とみなす「みなし仮設」制度を活用。約12万戸の仮設住宅のうち57％（約6万8千戸）をみなし仮設が占めた（土木学会第32回地震工学研究発表会講演論文集「被災者への住宅供給システムについての考察　東日本大震災の事例より」松下朋子、沼田宗純、目黒公郎）。

ここだけの話やけど、1300万ポンと貸したのよ、銀行が

牧　子　最初、震災後に店を再開しようかどうか悩んでたよね？

英　也　うん、そうそう。

牧　子　お父さんがテレビの前でじーっとしてた。その姿を見て、お母さんが「もういっぺん店しよう」と思ったって聞いた。

春　子　あ、そんなやった？

牧　子　借金してまでやめとけいうて、息子が。そういう息子の気持ちは嬉しかったけれども、夢は捨てたくないって。

春　子　そうそうそう。

牧　子　毎月の出費は40万だって。マンションの家賃が12万。店の家賃が15万。神戸市からの借金返済で13万。足したら40万や。

春　子　あ、そうそう。そんなもんや。

牧　子　やから、それがしんどうて、お客さんが来ればいいけどもなぁ。

春　子　そやけど、まあなんとかお客さんが来てくれたからなぁ。それで、借金返されへん人いっぱいおんねんて。

牧　子　うん、そうやと思うわ。

春　子　ここだけの話やけど、1300万ポンと貸したのよ、銀行が。なんでか言うたらな、あの商売長いことやってな、続けてる、いうのを見るらしいわ。

牧　子　はあ～。

春　子　運転資金とかで100万借りたの、きちーっと返してるやろ？　そやから。

英　也　その実績が残っとるわけ。で、金融公庫から借りたりできて。

春　子　「珍しい、こんなに長く商売する人いませんよ」って、金融公庫の人言うてくれたもん。ほんで銀行口座見たら1300万入っとるねんボーンと。そのかわりしんどいで、ずーっと引き落としで（返済）。

牧　子　そりゃそうねぇ。

春　子　で、その間にお父さんはがんになったから余計やん。店休んだりして。そやけどあんた9年で返したな。

牧　子　すごいねぇ。

春　子　だから夜も頑張って、ひでぼうも11時ごろまで手伝うてくれてん。お正月休み。

牧　子　ほんだら（震災の約2年後に）再開したときは、毎月の借金40万のために、朝から晩まで働いとった？

春　子　やってるよ。今みたいに夕方5時に終わらへんよ。下の子も帰ってきて、神戸のどこやら働いとって、家賃ぐらいもらったしな。あとなに？　先生。

牧　子　いやいや、あんねんいっぱい。店が潰れました。で、再開して、しんどいながらも頑張りました。借金も頑張って返しました。

春　子　うん。

牧　子　その途中で、HAT神戸当たったん？

今も「グリル近藤」のキッチンに立つ近藤夫妻

英也　返しよるもう終わりぐらいやね。もう、これ以上しんどいなぁ〜いう感じだった。

牧　それどうやった？　その前は毎月返済がね。40万と別に生活費も。

英也　別にいるわけ。

春子　生活もせにゃあかんからな。

牧　50万以上は稼がないと。結果として返したけども、その日その日大変やったよね。

英也　大変やった。

春子　大変よ。頑張らなあかんよ、一日一日。そんな泣き言、言うとられへんよ。

牧　HAT神戸に移らはってから楽になった？

英也　しばらくは楽や。そのときは今より収入もよかったし、（それ以前は）家賃もあった。

牧　2人には辞めようっていう意識はなかった？

英也　食べていかなあかんからな。食べていくには、結局どこかで働くか、自分で働く場所をこしらえるか、どっちかやけ。自分の経歴から言って、自分で働く場所をこしらえた、いうだけのことでね。まぁ震災後言うたらみんなそうですよ。

「頑張ろう」と何年かおって、頑張りきれない人もおるのも、確かやけどね

牧　そやなぁ。この店を、震災が起こってもやり続けたけども、後悔はなしね？

英也　うん、そやねぇ。結局そのときの、決断というか考え方いうか。まあ、今もうこうやって歳になってきたからね、あれやけどね。

牧　そう？　58年やろ？っていうことは、始めたのは23歳？

英也　23か24くらいやね。

牧　そのときと今、どうですか？　今苦しいですか？

英也　ああ、それは今の方が苦しいね。まぁそのときは若いから、朝から晩までできるし、別に体悪くもないし。

牧　震災でしんどくなったこととかありますか？

英也　やっぱり資金繰りがいろいろあるから、そういう不安感はあるね。実際、お金が全然借りられないようなときがあったわね。震災後。あとは、1日にどのくらい売り上げてどのくらいしたら返せるかいう不安はあったけど。

まぁ、震災後いうのは、我々みな商売人でも元気よかったわね。働いとる人ね。実際にもうほんまに、ガクーンとしてる人もおったんやろうけど。ガクンとしとるのは半分以下ですよ。だいたい。やっぱり自分なりに、生活しようとみんな頑張っとるからね。誰でもがね。「頑張ろう」と何年かおって、頑張りきれない人もおるのも、確かやけどね。

今でもそうや。東北、九州（の震災）でもそうやん。だから、最初の何年かいうのはもう、うーん言いながらやっとるけど、いつまでもそう言うとかれへんから、みんなそれなりに考えて。僕らの場合は、場所があって、そこでするけどね。東北の場合なんか考えたら、その同じところに建てられないいうのがいっぱいあるでしょ？だからあんな人らなんか復旧はどないするんかい。よそのところでやるいうたらこれはもう大変。

春子　しんどいやろうな、あれ見とったら。

英也　あれは大変やな思う。僕らと条件が違うのよ。きつい条件が待ってるわけや。周りの人、誰も知らない。知らないところで僕らみたいに商売する、言うたってねぇ。

牧　多くの人が働く場を失った。若い人も地元を離れて。働く場所があるからね。東京とかへ行ってしまったから。ふるさとに戻ることはもうできなくなってしまう。

英也　まあ、ふるさとが良くなってきて、働く場所があれば、そこに戻すことはできるやろう。大きな企業が後押しして工場建ててくれて、いうのがあったら、ねえ。大企業いうのはやっぱり、そういうとこなかなかやもんね。

牧　だから、時々テレビなんかでも言いよるよね。あの復活したとかいうけど、再建できない。そこはちょっとしんどいところやよね。気持ちがあってもね。

日本政策投資銀行のまとめによると、震災後、日本製粉が神戸工場を廃止し、川崎重工、三菱重工業、住友ゴムなどが被災地外へと生産の一部を移管した。兵庫県の「産業復興指数」（建設業を除く）では、震災前年を100とすると1997年度に100・2まで戻ったとされるが、業種や地域、企業規模による格差が大きいとされる。

牧　ここ（春日野道商店街）どうなんですか。震災前は賑やかな商店街だったけど、震災後、一気に店がつぶれたでしょう？　お店の人たちは、どのぐらい戻ってきたん？

春子　戻ってきてるのおれへんなあ。というか、続けないのよ。

英也　まあ、社会が全体的に地盤沈下みたいなのになってるからね、今。

牧　やっぱり震災で人が少なくなった？

英也　あの、人通りはなくなったけどね、人口は増えてるんですよ。実際は。

春子　増えてるけども、お金を使われへんやん。うち食べもん屋やからやな。それこそ、安くあげて家の中で作るとか。

英也　や、そやけどね、ここなんかは商店街でも、自分の土地でお店してる人はもう一回建て直してやってたけどね。復興、復興ね。ほんで半分以上は（お金）借りてる人やから、そんな人は半分以上はもう戻ってきてないね。

春子　うちらだけか？ここの辺じゃ。

牧　商店がものすごい変わったなと思ってね。震災前と、後みたら全然違う。

春子　商店街はそりゃ変わってるわよなあ。第一、朝歩いてないやん人が。商店街やったらもっと歩かなあかんよ。

英也　いやそれはもう、商店そのものがね、暇になってる。

春子　なんかこう、魅力がないんやろなあ。

英也　そういうふうには、変わってるね。今はもうここの商店街じゃなしに、どこでもそうですよ。商店のもともとの成り立ち言うたらね、あの、ま、シャツがいるからいうてシャツ屋さんができるわけ。ね。ああ、ほんだら食べ物がいるからって言うて八百屋さんができて、魚屋さんができて。ああ、下駄屋ない。下駄が欲しいなあ言うて下駄屋さんができる。ぼちぼちぼちぼち、こうできてくるんやね。商店いうもんは、でしょう。その商店の周りに住んでいるその規模によって、大きさが変わってくるわけや。その、商店街の。

牧 だから、ここらへんようけ、人が来るでしょう？ 何万人。で、その何万人の規模のセンター街みたいなんができるのと一緒で、これはこの辺の規模でできるわけや。今までそうやったわけ。

で、今度は、もう長くこの戦後、変わってきて、ちょっとずつできとったんが今スーパーになっている。ちょっとずつできたんが、ちょっとずつまた減っていくんや。

で、だんだんなくなっていくのが今の現状やで。これが商店の成り立ちと潰れ方やね。これもう一つのパターンや。経済の原則みたいなもんや。その代わりにスーパーがボーンとでけて、いっぺんにガーッと客集めて。で、あかんなおもたら、そのスーパーもバーッとやめてまうよ。大きい企業のスーパーでも。

英也 商店街とショッピングモール。その違いはなんなんですか？

牧 商店やったら、買いに行きよったら顔なじみになって、お喋りするようになって、ただ買う人と売る人との垣根もだんだんなくなってきてね。スーパーじゃそんなんないわね。

英也 隣のおばちゃんが、なんかちょっと心配したり。関係が濃いというかね。

春子 だいたい皆、何回か来てる人が多いからね。

英也 もうしょっちゅう来てるもんばっかしや。

春子 それでたまたま来ても、昔来とった人が多いからね。だからだいたい食べてるもんわかるね。

今日朝来とった若者も、しょっちゅう来とる2人。「どうしたの、今日休みなん？」って「うん、今日僕お休みやねん」ってビール飲んで、なんか食べよったよ。

牧 そういう関係がね、もうないの。だからこういうの、貴重やと思うんですよ。

復興言うたらね、雇用を作らないことにはね、復興にはならん

英也　僕らが受けてるこの都会での震災。東北とか九州とかが受けている震災、これはまた違うね。僕らより厳しいね。今言うたように、出ていって生活しとったらもうなかなか戻ってこない。戻ってこよう思ったら、自分らの生活の基盤がなかったら戻ってこられないわけや。

春子　先生、向こう、何回も行ってきた？

牧　60回くらい行った。毎月行ってた。

牧は東日本大震災の被災地をたびたび訪れ、復興住宅を訪問したり、学校で講演したりして、「よろず相談室」の活動で痛感した孤独死の問題や、互いに悩みを語り合う大切さを伝え続けた。

英也　復興言うたらね、経済的な援助より、国とか大きな企業で組んで会社こしらえるとか、工場こしらえるとかしてね、雇用を作らないことにはね、復興にはならん。お金だけやっとったって不安やで。一生もらえるわけじゃなしに。すぐにその場でお金もらって、それがええように思うとるけど、それは違うわ。

牧　この店を続けてきたことに対しては、後悔なし？

春子　そら、どうせどっかで働かなあかん。自分の商売して。

英也　いまの歳になってくると、もうちょっとしんどいなぁいう感じは。

春子　しんどいよ。朝早よ出てきて仕込み。全部手作りやうちの場合。8時に来て、お米洗うたり、キャベツ刻んだり。今日はチキンカツがあんならチキンカツの用意せないかん。スープが切れればスープの用意もせないかん。その間に仕入れに行かないかん、問屋へ。

牧　くたくたやねぇ、1日が。

春子　そうやぁ。そやけど歳の割には動いとんとちゃう？

牧　若い。ほんまね。

春子　いや、そんなことない。私もな、ちょいとしんどなってな、隣の先生のとこ行くやん。もう商売もほんまはやめたいって。そしたら「やめたらあかん！」言われたわ。「やっとるからええんや」て（笑）。ほいでも息子（長男の英雄）亡くなったことも先生に言うてるからな、「そやけどせなあかんで、商売は」って言いよるわ。朝、先生「おはよう」いうて言うてくれるから、私も頑張らなあかんなって。なんやこう、みんな声かけてくれるからなあ。で、息子、死んだって思いたくないねん私。言いたくないねん、ほんま。今でも電話かかってくるような気がするし、「お母ちゃんお腹空いた」って帰ってくるような気がすんねん。また嫁さんもようしてくれるしなぁ。

長男の英雄さん

震災後の自衛団など、商店街のために力を尽くした長男の英雄さんは、2017年にガンで亡くなった。享年51歳だった。

牧　最後に、今日これ持ってきてん。昔、近藤（長男の英雄）に話を聞いててね。（牧が）「学校ってなに」っていう講義をしたことあるんですよ。その講義で流すために録音した。声だけ聞いて。

春子　ああ、声だけでもええわ。ひでぼうの。へえ〜！　そんなんがあったん。

牧　うん。8分ぐらいでね。

英雄さんは、夜間高校（定時制高校）に通い、牧と出会った。全日制高校での挫折や、夜間学校での経験、「学校へ行く」ことについての思いを、自分の言葉で語っていた。

英也　上手いこと喋ってるやん。まとまって上手いよ。こんなこと考えとったんやなあ。

春子　知らなかった私。

英也　ちゃんと自分を見つめとるね。

春子　「牧先生テレビに映っとるで」って電話かかってくる。もう、すぐかかってくんねん。「牧さん出とう」って。そのくらい、ものすごい先生のことを思っとったんやろうなぁ。幸せや、先生、それ（録音した音声）ありがとう。先生も、まだ私ら生きとうさかいに来たらええ。やってるしな、店。若いころパワーもろたで、お客さんのパワー。いろんな人が来てるから、うちの場合は。

「こんな風に隠れた障害はわかりにくいとは思うわ。元気な顔してるのになぁ、とはよく言われるんですよ」

証言　07

野田正吉さん（当時47歳、右）
野田千代さん（当時40歳、左）

震災当時、西宮市の国道171号線沿いに住んでいた。一家5人の住む文化住宅（2階建て8世帯）は崩れたものの、隣の銀行にもたれ掛かり完全な倒壊は免れた。当時13歳の長女を守ろうと上にかぶさった正吉さんの首に、冷蔵庫や机が倒れてきた。警備会社の社長だった正吉さんは、直後、症状が出なかったので埋まった子ども達を助け出した。約10日後、脊髄の損傷が発覚する。首の骨がずれていた。以来、ひどい痺れなどの後遺症に悩まされている。

野田さんとの出会い

野田夫妻と出会ったのは、兵庫県と神戸市が震災障害者の実態調査をした震災15年目のときであった。親交のあった記者に紹介され、以後、時々会いに行くようになる。陽気な性格の千代さんの存在が、正吉さんを支えている。訪問時は、辛い話もあるが、明るい話の方が多く、いつもこちらが励まされている。

正吉さんは、経営していた警備会社を手放し、2002年に障害者手帳を取得した。今は杖が手放せず、自宅にこもりきり。両手に手袋をはめて過ごす。そうすると手の痺れが少しはマシだという。

症状が悪化しているにも関わらず、人への優しさがすり減ることはない。見知らぬ家出少年を1カ月泊める。うつ病の人の話をずっと聞きつづける。人が良すぎる夫婦の性格が根底にあるのだと思う。

震災障害者支援には、「話せる人が必要」だという。災害障害見舞金のことを行政に尋ねたが「支援はない」と冷たく言い放たれた。正吉さんの負傷程度では、援護外だった。「目に見える障害にはすぐに対応したのかもしれないが、我々のように苦しんでいる者への心配りも忘れてほしくない」と話す。

行政には、災害が起きたらまず「相談窓口の設置が必要だ」と訴える。「何より待っているのではなく、当事者に話を聞きに行く姿勢」が被災者に安心を与えると言う。

これは今後起こりうる災害対応に欠くべからざる、姿勢であり施策である。（牧）

夫婦で会社起こして、子ども育てながら、順調やったんですね、震災まで。

収録日は、2015年4月24日。牧と「よろず相談室」のメンバーが聞き取りに参加した。

牧　まず震災前。野田さん、どこで生まれはったんですか？

正吉　生まれたのはね、九州。九州の水俣ですわ。2歳か3歳から四国で育ちましたわ。

牧　ずっと四国で、こっち出てきたんはいつごろですか？

正吉　集団就職で出てきたんやね。タイヤとかゴムの会社に入ったんやけど、合わん思うて辞めて、ほんで料理の方に入ったんですわ。

牧　料理ですか。それは神戸？

正吉　いや、大阪にずっとおってね。そこで資格を全部取って、東京─大阪間の新幹線乗ったんですわ。できて1年後に。(新幹線内のシェフとして)チーフやってましてん、料理の。東京で現金輸送の事件があったでしょ。

牧　3億円事件？

千代　犯人と思われたんやて。

正吉　それでな、ほんまに警察来たんよ。ほんで来てから「おたく、東京の方行ってますね」て言うから「はい行ってますよ。新幹線乗ってますので」言ったら「給料明細書とか見せてくれ」って来たわ。「どうしてですか」聞いたら「あの事件のことで」と。俺びっくりしてね。それ一回きりしか来なかったけどね。

千代　失礼やなぁ。

牧　そのときは大阪に住んではったんでしょ？

正吉　豊中の方にね。

牧　そのころはもう結婚されてたの？

正吉　いやいや、まだ。

牧　で、料理の仕事も辞めはったんですよね。

正吉　うん。腕、こっち（左肩）やられたんよ、料理の方で。6カ月かかったわ。こんな（大きな）フライパン、片手で振りよったからドクターストップかかって。車の免許持ってるし、ダンプの運転とかユンボの運転とかもやってたから。（妻の千代さんに会ったのは）そんときやな。

千代　そんときにたまたまな。ま、家が近くやったから。

牧　そのときはいくつやったんですか？

千代　私が高校卒業して、2～3年勤めてからや。私美容室に入ってたんで。

正吉　年はよう覚えてない。一緒に行ったことあるもんな。ダンプ乗ってな。

牧　そんときは奥さん、仕事辞めてたんですか。

千代　ううん、そんときはちょっと嫌なことがあって、家を出てね。主人にみんな言うたんですわ。ほんで私は帰る気なかったから「帰らない」言うて。そしたらもう、「おまえが腹決めたんやったらわかった」言うてね、それからずっと一緒に、やんな。

牧　ほんで、そのとき結婚して、だいたい30歳くらい？

正吉　そんなもんやな。ほんで、こっちの西宮に来て、震災に遭うたとこで長いことおったんやな。こっち来て仕事もわからないし、（警備会社を経営するための）資格を取らんといかん思うて、資格の試験があって「取りに行くわ」言うて、会社を出すのにね。家に3万円しかないのを持って行って。受かるか滑るかわからへんのに。でも1回で受かりましたわ。

千代　とにかくそんときはどん底で、あとはどうするか、とかそんなんは全然考えずに、なるようになるわ思って「行ってこい」言うて、すぐ電話かかってきたと思ったら、1回で受かった。

正吉　友達も来てたみたいやけど9回か10回かかってた。

千代　通った、って聞いたら涙出てね。でもその後、（お金がないから）どうしよ～ってなってね。

正吉　それでもう会社出すわと。最高で40何人おったな。その当時、西宮市で警備会社いうのはうちで、2、3番目やったかな。

牧　子どもさんは何人いはんの？

千代　子どもは3人。

正吉　現場に連れて行って、車で1日中待たせてる。1人はこっち（千代さん）が連れて行って、隣にお寺さんあったんやな、そこに友達作ってうろうろさせてた。

千代　結構ダンプの、土方の人が面倒見てくれたりして。

牧　今考えたら、あれやね、無茶苦茶しとったんやね。

正吉　（爆笑）せや、無茶苦茶や。

千代　男の子1人、女の子2人、本当にそういう意味では恵まれて。

正吉　僕ら、隊員（社員）40何人おったけど、自分が儲けようと思ってなかったから、みんなが潤ったらええわという感じでおったからね。だからちょっとお金たまったなと思ったら「どっか旅行行こうか」とかな。隊員の家族連れて行きよったから。

牧　そら信頼されるわね。

千代　やっぱり、見てるじゃないですか。自分さえよかったらいいっていうような、そんなんは嫌やったからね。

正吉　あそこで震災受けて、（会社経営）できんから、そのときにちょうど弟が来て、弟がやる言うから、それで任したんですわ。

「埋まってる」「助けてーっ」って。わかってるんよ、こっちも聞こえてるし

牧　夫婦で会社起こして、子ども育てながら、だんだん大きくしていって、順調やったんですね、震災まで。で、大震災があった。状況はどうやったんですか。

正吉　そのときはね、もうつらかった。車が入ってきたと思ったからね。

牧　171号線のカーブがあるところ（に住んでいた）。

正吉　そう、そのちょうどカーブのところ。この高架には商店街があったんよね。市場が。ほんでこの横のところに銀行があったんですわ。

千代　阪神相互銀行。

正吉　そう。大震災のときに、その銀行にもたれかかったんですわ。住んでた家が。もたれかかってるから、ぐちゃ、とはいかんかったんよね。

正吉　くの字になってもたれてね、銀行なかったら、バシャーッといってるわ。

千代　死んでるな。

牧　で、野田さんはどこにいはったんですか。

正吉　1階におった。2階建てやったからね。

千代　8軒あってん。で、ちょうど上が空き家やってな。

正吉　空いとったから良かったのかもわからん。

牧　ここの文化住宅で亡くなった方もいたんですか？

千代　いや、いない。近くで文化住宅いろいろ（被害）あったけども、うちだけが助かったんよ。間一髪。周りは全部潰れて圧死や。

正吉　171号線の向こう側に1軒、ごっつ大きなのがあったんよ。ここが倒れてバシャーンなってしもて、そんときに

牧　「埋まってる」「助けてーっ」って。わかってるんよ、こっちも聞こえてるし。行ってやりたいけど、こっちは引っ張り出さなあかんし。行けなかったわ。それはいつまでも覚えてるわ。

正吉　そう、亡くなってます。「助けてー」って言うてはるのよ。「埋まってるから」いうて。で俺、こっちはまだ助け出してないから、裏に回って、ちょうど垣があるんですよ、そこに登って、引っ張りだしたんよ。

牧　亡くなりはったん？

牧　それは、野田さんの周りの文化住宅の人たちとか？

正吉　いやいや、うちの子たち先に引っ張り出して。他の人は間に合わなかった。

牧　このとき野田さんはおいくつやったんですか。

正吉　47。

千代　私が7つ下やから、40やわ。

牧　子どもは？

正吉　なんぼやったやろ。長女が中学生やったやろ。昭和59年（1984年）生まれが長男。昭和56年（1981年）が長女。

牧　この子らもここに、一緒にいたんでしょ。

正吉　そうそう。

千代　大丈夫やったんよ。

牧　奥さんも大丈夫やった？

千代　大丈夫。何にもなかった。それが不思議にね。洗濯するのにね、ごっついロープをつっといたのを取ろか言うてたんですよ。でもそれを取らなかったから良かった。

牧　ロープをつっといて、そこに引っかかった？

千代　そう。ほんでその後ろにこれくらいのガラスが4枚あるんですよ、それも全然割れてなかった。普通やったらガラス散乱でしょ。ちょうど地震来たときに次女が目を覚まして、「お母さんお水ほしい」って言うから「ちょっと待っ

てね」って言ったときにガタガタガタってきて。私が炊事場に立って
すぐやったわ。

正吉　最初は出られへんかったからね。玄関は開かへんし、出るとこないんよ。だから炊事場の方のガラス突き破って外に出て、娘を出して。ほんで自分ら（千代）のところに回ったんや。

牧　どんな部屋やったんですか？

正吉　（地図示しながら）こっちは炊事場なってて。

千代　そうそう、その横がお風呂で。こっちに私と長男と次女が寝てて、ほんでお父さんと長女は少し離れて寝てた。

牧　揺れて、これがどうなったんですか

正吉　1階はね、このままやね。上はぐちゃっとなったけど。全部壁みたいなのがばちゃーっと落ちてたから、動かれへん。
　娘はこっちに寝てて私はこっちに寝てたからね。ちょうど近くにね、勉強机があったんよ。

牧　地震が起きたときには何も落ちてこなかったんですか。

正吉　この横にあった机と冷蔵庫がこう（背中に手をやる）乗ってきたわけ。

千代　あんたのとこに落ちてきたん？

正吉　そうよ、机がばーっと来たときに、その上に冷蔵庫が倒れてきた。長女の上にのしかかったから。

千代　うちんとこは何ともなかったで。だから不思議に、足擦りむいただけやったなあ。

牧　野田さんの首に（倒れてきた）。これが、今の致命傷になったの？

正吉　そうそう。

牧　このときは、救急車で運ばれることもなく。

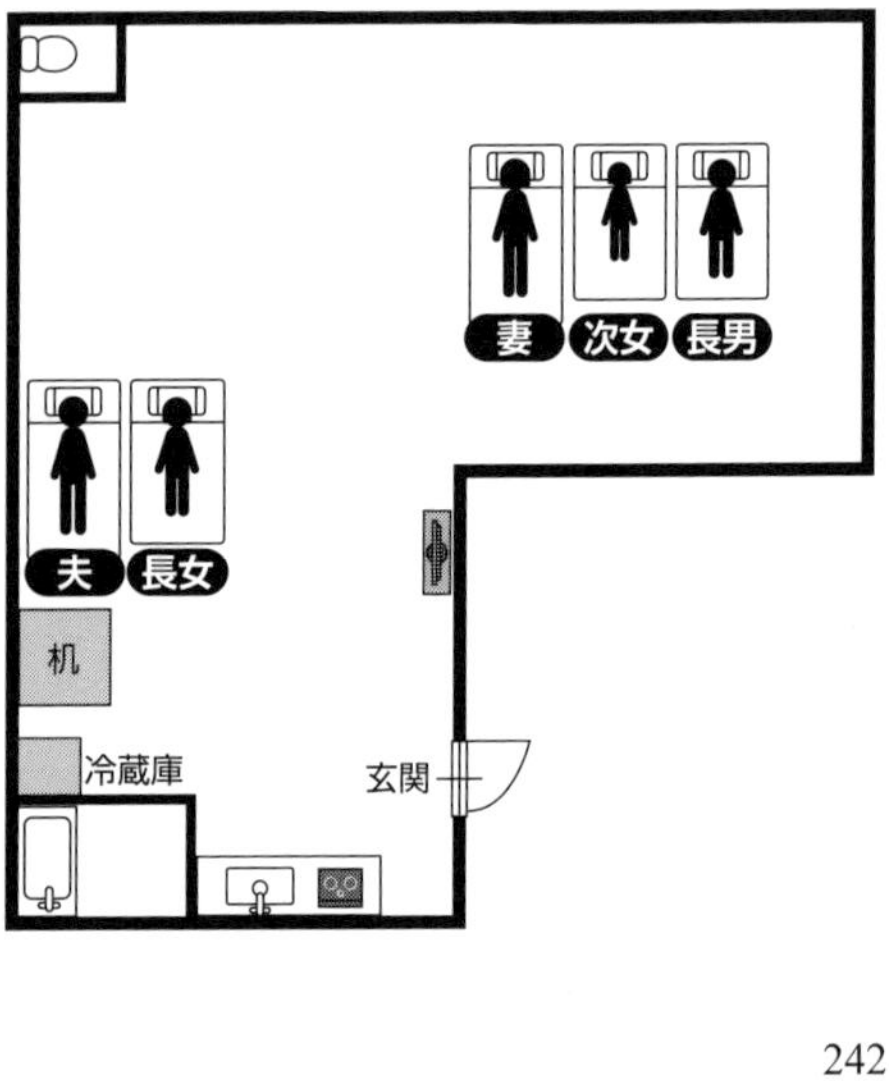

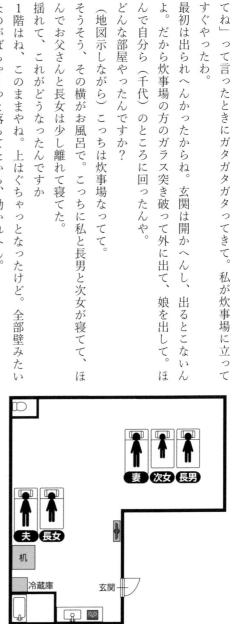

正吉　そうそう、そういうこと考えもせえへん。もうただこっち（娘）を助けんといかんって感じで。

自分ではまっすぐ行ってるつもりなんやけど「まっすぐ歩いてないよ」言われて

牧　直後は特に、感じなかったわけ？

正吉　そう、何も感じなかった。気も張ってるやろうし。会社の方に行って、なんかおかしいな、自分ではまっすぐ行ってるつもりなんやけど「まっすぐ歩いてないよ」言われて。

牧　そのときに、「なんかおかしいわ」と？

正吉　そのとき思ったんやけど、まさかと思って現場に行ったんですよ。そしたら体がくるっと回ってしもうて。隊員が飛んできてくれて「社長、どうしたん？」って。「体回ってしもたんや」言うたら、「病院行ってみいな」言うから行ったら、やられとったんや。

牧　それまでわからんかったんや。

正吉　うん、痛みもそう感じなかったから。多分、気が張ってるいうのもあったのかな、と思ったりもするんやけどね。

牧　くるっと回るって？

正吉　こう（正面向いている状態）なってるんがこう（後ろを向く状態）なるねん。

牧　野田さんの意識に関係なく？

正吉　関係なしに。たまたまね、前向いてて車が通るから下がったんよ。そしたらそれも体くるっと回ったから。それまでに従業員に「まっすぐ歩いてない」ってよう言われてましたわ。自分ではまっすぐ歩いてるつもりやから、まっすぐ歩いてるよ、って言うんやけど。

牧　まっすぐ歩いてない、と言われたのがどのくらいなんですか？

正吉　震災から1週間もたたんかなぁ。

牧　くるっと回ったんは？

正吉　現場行ってから。その前には言われてましたよ。だけど現場行って、くるっとなったから。

牧　現場、いうのは職場でしょ。仕事は復帰したんですか。

正吉　もう復帰したよ、事務所はね、中のパソコンとか飛んでましたよ。そういうのはあった。中は崩れてなかったし。

千代　事務所はここ（自宅）の裏、末広町だったんです。

牧　ここらへんも全部、ひどかったもんね。仕事が再開したんは結構早い時期だった？

正吉　いや、ちょっと遅れましたよ。そんときは僕も、これは隊員がいるわ、と思うでしょ。全然いらん。だいたい落ち着いてからガードマン使うようになって。

牧　仕事再開したのは10日目くらいですか。

正吉　そんなもんや。

牧　それで、病院行ってどないなったん？

正吉　全部調べてもらったら、頚椎をポンとやられてたみたいで。

牧　頚椎損傷。このときには何か言われたんですか？

正吉　「震災のときどんなことありましたか」言うから、「こんなんです」言うたら、「それですね」って。頚椎やられてるからって。何日か経ってるでしょ、だからその間に白くなってるんですよ、頚椎が。「これもう頚椎が白くなってる、手術もできない」って。「今の医学では無理」って。最初に言われたのはね。

牧　今の症状はどうなの？

正吉　症状はね、ひどくなってます。そのときはしびれとか、そういうのはあまり来なかったんやけど、歩くとふわーっと、そんな状態やったけど。しばらくしてからしびれが出てきだして。それから今度は水が、バーンと、電気跳ねられるでしょ、あれ。ぱっと触ったらバーンや。

牧　水が冷たい？

正吉　冷たい、じゃない。電気が走るねん。水が当たると、今も。日によって違うんやけど、しびれとかピリピリ感はひ

千代　どくなってますよ。(だから顔洗ったりとかは) お湯。

正吉　だから腕とかもうガリガリ。

牧　前来たでしょ、あのときよりひどくなってる。

千代　じゃあ徐々に徐々にひどくなってるんやね。

正吉　こう見てるとどこも悪く見えないんやけど、手も (手首) ぼこっとへこんだり。

牧　だから最近タバコ持っててもいつの間にか落ちてるもん。

正吉　今はしびれがずっと続くのと、他の症状はあるんですか

他の症状は、こないだのもつれたやつな。普通こうやって歩くでしょ、(左足が伸びた状態で外向きに固まって) こうなったまま戻らない。足全体が左を向いて戻らない。ほんで歩かれもせんし。「わーこれここまで来たんか」と思ってね。

牧　いつもちょっとくらいは歩いてるんですか? もう歩けない?

正吉　いや歩けんことはない、トイレとかは行ける。でもどっか行く言うたらいつも (千代さんと) 一緒に。

千代　危ないからね。

正吉　スーパーでも出よかって出たらエスカレーターから落ちかけるし。

千代　病院ぐらいしか行かへんし。病院へは介護タクシーなんかでね。

正吉　だから今はもう病院に行くぐらいやな。

千代　たまに息子が帰ってきてな、どこか連れて行ってくれたりするもんな。

正吉　階段はね、上りはまだええんよ、どうにか手すり持って、杖ついて。下りは角を引っ掛ける。下まで落ちたこともある。たまにいたずらしてるとこがあんねん、子どもが。手すりにガム引っ付けて。

牧　前に言うてはった、犬が助けてくれたというのはここですか?

正吉　朝起きて、(外で) バターンと。それで歯を2本折ってます。

千代　足がきかへんから、このままダルマみたいに倒れて。犬の頭のところに。

正吉　そしたら犬は亡くなってもうて（泣く）。

千代　（犬が）いなかったらそのままガターンといってたわ。こっちでも俺コケたもんな。胸打ったんや。それで苦しくて。すぐに連れて行ったよ、病院。

牧　しびれだけじゃなくって、歩くとか座るとか立つとか、そういう動作がやりにくい、制御が効きにくい。

正吉　そう、勝手に倒れていった。そらもう自分で耐えられへん、もうそのままバターンっていったから。どうしようもないな。もう先生からも治らん言われて手術もできない言われてるもん。

千代　進行性やったな。

正吉　早い人は6カ月くらいでダメになるらしいですよ、僕のは長い。それでびっくりしてんのよ。本当よく保ってるねって言われる。良くなるいうことはない。

震災障害者を対象とする調査や対策は、「既存の障害者施策で十分」との行政の判断のもと、長く行われなかった。2011年にようやく、兵庫県と神戸市が「震災障害者・震災遺児実態調査報告書」を公表した。調査では、震災により身体障害者となった人が328人確認された。しかしこの調査は、障害者手帳を持っている人のうち、診断書の原因欄に「震災」等と明記されている場合だけを抽出したものであり、精神障害者や知的障害者は対象外だった。神戸市が2005年に実施した「障がい者生活実態調査」では、回答者の3・5%が障害の原因を「震災」と答えており、市内の障害者数約8万人に単純にあてはめると約2800人となる。よろず相談室では、阪神淡路大震災により以上入院した重傷者数1万683人のうち4分の1程度（少なくとも2000人以上）に障害が残ったと推測している（「よろず相談室」ホームページ）。

ここで死ぬるんかなぁって頭はありました

牧　震災前は活発な社長で、世話好きで。それで「なんで自分が」ってならんかった？

正吉　確かに自分の体がいうこと聞かないし、したらできんこともないと思うんやけど、なんかあったときに迷惑かけたりするのは嫌やから、っていう頭もあるし。だから普段はじっとしたり。

千代　もう、こんなんあんなん言うてたら何にもでけへんから「自分の好きなようにしい」言うて。だから、私は元気でおらなあかんなーって。

正吉　だからもう釣りなんかも好きやから行きたいけどねえ、行けないしな。連れて行ってもらったこともあったんやわ。でも釣れてもよう上げない。アジぐらいはどうにか上げれるけど、タチウオになったら上げられない。釣りとか、バドミントンとか、やってたから。若いときからね。ボウリングもよう行きよったけど、もう前に飛ばんと後ろに飛びよる。いやほんとに、やったんよ。行こうか言うて。俺もやるわ言うたら、前行かへん。後ろ飛ぶ。もうこれ（握力）がないんよね。お菓子の袋も破れないもん。

千代　旅行はちょこちょこ行ったんやけどな。今年も「行こうか」て言ってたんやけど、いろんなことがあって行けなくて。

正吉　行ってもいろんな（症状）あるから。だから一時は息子がついてた。こっちのほうでも、熊の湯いうとこでね。1回は尼崎で、水掛けてもらって、そこの人が救急車呼びましょうか言うてね、ばんばん掛けて。

千代　そこは多いみたい、救急車。濃度が濃いから。

正吉　だからうちの息子がついてくるねん。ここ(家)では何回か死にかけたんや、風呂で(笑)。風呂の外に出てからやな。

千代　ああ、2回あったな。

正吉　風呂から出るまではええんやけど、座って、そのままこう（前のめりに倒れるように）なって。

牧　それは意識がなくなっていくの？

正吉　なくなる。

千代　2回目はな、たまたまうちも一緒に入るわって入ってて、もたれかかってきたからな、「何すんねん」言うたら違うねん。ふらーっと。生きた目じゃない死んだ目しとって。

正吉　トイレの後もね、意識なくなるし。それで1週間ばかり入院したもんな。何回か心肺停止もあったもんな。

千代　熱中症に家でもなったしね。クーラーかけてるのにね、だから外に出されへん。たまに大ゲンカしたときははよ死んだらええのにとか思うけどな（爆笑）

正吉　なったもんは仕方ない思ってね。治るもんなら治したいけど治らへんのや、どうしようもないわ。

牧　震災で障害者になった人は結構いるわけですよ。その中には今まで元気やったけどいきなり車いす生活になった人もいる。その中には死のうと思った人もいるけど。

正吉　そら（私も）ありました。

牧　生きていてもしょうがないって？

千代　いっぺんあったやろ、それ言うてあげて。

正吉　やっぱりね、いろいろ考えると、なんか。そういうつもりはないんですよ。だけどたまたま家の中からすーっとね、出ていきよったらなんか自然と、足がふわーっと浮いてしまう。

牧　どんな風になる？

正吉　ここで死ねるんかなぁって頭はありました。だけどそのうちふわーっとなって、浮いてくるんよね、体が。そのうち（千代さんが）帰ってきたんよ。そういうのありましたわ。

千代　うちが帰ってきて、あんたおらへんかったわな。いつも私の声で、この人助けられてんねん。

正吉　いや本当にそういうことありますよ。まさかと思うんやけどね。なんかわからんけどふわーっと浮いてくるねん。

牧　それは、意識的なんでしょ？

正吉　ではないねん。そうなるまでは、「こっから落ちたら死ぬかな」という頭はありました。だけどそれは通り越して、体がふわーっとなってきて。浮いて。そしたらこっちが帰ってきて。聞いたことはあるんやけど、まさか自分がそうなるとは、ってね。

厚生労働省の統計によると、神戸市の自殺者数は、震災翌年の1996年は202人だったが、98年に376人と急増している。東日本大震災でも、被災から数年後に自殺が増える状況が見られた（朝日新聞記事より）。災害の後は「ハネムーン期」と呼ばれ、連帯感の強まりなどで自殺が減るが、その後は被災者の状況の個人差が広がる「幻滅期」となり、自殺が増える傾向があるという。

牧 そんな風にずっときて、これからどうやって生きていきたいと思ってる？

正吉 そら、病院にも通って多少でもよくなるとか目先が見えれば違うんやけど、悪くなる一方。速くなるか遅くなるかだけのことで、それに対してはあきらめがあるから。その間に何かあれば、病気のことじゃなくて考えることとかそういうのがあったら、こんな感じ（自殺未遂のような行動）に出てくるかもわからない。その心配はありますわ。自分ではわかってないんやから。その心配は自分でも持ってます。

牧 震災で障害者になった人がたくさんいる。頑張っている人もいるし、頑張り切れない人もいる、いろんな人がいるわけですよね。

正吉 確かにそれはある。さっきみたいに考え事とかしてると、自分自身にかかってきますわ。死んだら、とかね、そんな感じはみんなあると思います。

友達というか、話せる人を作ったほうがいいと思う

牧 震災で体が不自由になったとか、ピアノが頭に落ちてきて知的障害になったとか、いるんですけどね。いろんな人生を送っている人のおひとりということでね、野田さんからそういう人たちへのメッセージってあります？

正吉 メッセージというよりは、自分の行動というのもあるんやけど。周りの人のケアが必要やし、やっぱり友だち。ケ

アっていうのはいるんちゃうかなと思いますよ。友達というか、話せる人を作ったほうがいいと思う。

牧　お母さんが以前に言っていたけど、同じ境遇の人と話をすることで、若干ね。

正吉　うんそれはね、違うと思いますよ。話があう人はお互いにわかりあえて。上辺じゃなくてね。良い人でも、症状が重い人から軽い人までおるでしょう。それやったら話が合わないんですよ。

牧　震災障害者間でも話が合う、合わないがあるんやね。

正吉　人によって、私はこれだけこうなったいうのがあるでしょ、一方ではそこまでいってないというのもある。対等の人の方が話はわかりやすい。同じ障害者でも上辺でいくら話されても通じないと思う。ああしたらこうしたら、っていうのも軽かったら通じないと思うし。人によっては「それぐらいなら治るでしょ」って言われたこともあるし。

牧　みんな言われて来てるんやな。震災では亡くなった人がようけおるでしょ。だから生きてるだけマシやんかって、岡田さん（証言02）も言われたし、他の人も言われてるみたいやし、それで傷ついて、そのあとの人生が大変やったんやね。

正吉　俺が言われたら言うかもわからん、それやったら死んだ方がマシやわって。でもそれ（自殺）はせずにきてますわ。話すことによって傷ついてしまうこともあるし。

千代　自分に負けたらあかんわな。

正吉　僕も人がいいんかわからんのやけど、傷つくこともな。うつになった人の相談乗ってあげたりすることが多くてね。

牧　それはしんどいでしょ。

正吉　それはあんまりしんどくないねん。うつ病でもいろいろあんねんね。いろいろ話するしね。楽になったて帰るわ。

千代　私がこんなんで適当なことばっかり言うでしょ、笑かしたりして。

正吉　震災の前やけど、全然知らん子ども、家出した高校生くらいかな、1カ月泊めたことあるわ。どこまで行くの言うたら「行くとこない」言うけど、親も迎えにこないからしょうがなくね。ほっとかれへんくてな。アホやと言われるけどしょうがないな。裏切られても、また話するんやな。許せないけど、また許しちゃうんやな。人が良すぎるっ

千代　て言われるけど。
正吉　真っ直ぐ人生歩いとったらね。
そういう人らがちょっとでも良くなってくれたらと思うんやけどね。

窓口あったら良かった

牧　行政とか社会に、震災障害者の人たちは忘れられてきた。状況を聞き取れていない人も多い。これから震災障害者がまた生まれる。要望はある？
正吉　数多くあると思うけど、それに動いてもらえるとは思わない。
牧　東北では重傷者が多いんですよね。行ってもどこにいるかわからない。そういう人たちに国や行政が、どういう風にしたほうがいい？
正吉　最初震災に遭って、障害に対する話もないし、忘れたころにやってくれるだけ。最初西宮市に電話したんですよ、そしたら「そんな部署はない」と。どうしようもない。
牧　悩みごとを相談するときに窓口がなかった？
正吉　なかってん。
牧　それがあれば良いですよね。
正吉　病院から出てるんやから、話できればね。
牧　どうしたらええやろかっていう窓口ね。
正吉　窓口だけやなしに、解決する部署もね。生涯残るなっていう判断はできるやん。でも病院も直ぐにはしないんよね。当時は、手が切れたとかはわかりやすい。こんな風に隠れた障害はわかりにくいとは思うわ。「元気な顔してるのになぁ」とはよく言われるんですよ。
千代　窓口あったら良かったとは思いますね。生活も変わって、いろいろ変わって。

「震災から避難所、仮設、ここへきて、
また行かなあかん。
4回？　何持っていくんや。みんな放っていかな」

証言　08

坂上久さん（当時59歳）

坂上久さんは、震災の1カ月前から弟と住み始めた神戸市東灘区森北町の文化住宅の2階で被災。全壊だった。1階では住民3人が圧死。坂上兄弟は近所の人を助けてまわった。避難所で水が出るようになると、兄弟は汚物でいっぱいのトイレを掃除した。面倒見のいい坂上さんは、仮設、復興住宅でも、住民の世話役をしていた。現在は、同市中央区の市営住宅1DKの部屋に1人で暮らす。

坂上さんとの出会い

坂上さんとの出会いは、避難所から付き合いのあったKさんが当選した復興住宅を訪問したときのことだった。一人暮らしの高齢者ばかり48世帯が住む、神戸市が民間から20年の期限付きで借り上げた復興住宅だった。集会所はない。坂上さんはそこで世話役をしていた。エレベーターホールに貰ってきたソファや机を置いていた。そこが48人の居場所だった。坂上さんは、いつもソファに腰かけ、「気をつけて行きや」「お帰り」と声をかける。自然と全員の名前、身体の具合や親戚関係などを把握し、みんなの心強い存在となった。Kさんが特別養護老人ホームに入居すると、坂上さんは毎日お見舞いに行き、下着を持ち帰り洗濯し、翌日持っていった。それを平気でやってしまう坂上さんには、驚かされる。根っから「ほっとけへん」性分なのだろう。

借り上げの期限を前に、坂上さんは２０１７年に現在の市営住宅に転居した。「期限があることは入居する時に聞いていたから仕方ない」と言うが、転居先では新たな人間関係を築くことができないでいる。「何もすることあらへん。ここは寂しい場所や、俺ここで死ぬんやろうなぁ…」と話す姿がある。

時々訪ねると、「牧さん、来たんかー」と喜んでくれる。将棋が好きで、腕前は2段。よっしゃとばかり「よろず相談室」の若者が挑んだが、5手で「なんやこれ、ど素人や」と一喝された。これからは私が挑む番である。ただし、金と銀の動き方をよく知らない。「知らんけど挑戦するわ」と言うと、「10年早いわ」とニコッとしていた。（牧）

70まで仕事しようかと思ってたけど、震災から仕事がなくなってもた

２０１５年10月11日、牧が聞き取りをした。

牧　長いこと関わってた人たちにいろんな話を聞いて、例えば坂上さんのことをずっと記録したことはないから、それをよろず相談室の宝物にしたいと思ってるねん。なんでもいいから話を聞かせてほしいなと思ってる。

坂上　なんの話したらええんかわからへん。

牧　ひとつは震災を真ん中に挟んで、震災前の坂上さんの生活とかあるやんか。仕事とか。震災で仕事できなくなったんやっけ？　震災でも仕事できてたんやっけ？　震災のときの様子とか、そのあとの生活、避難所、仮設とか今の場所とか。そんなんを自由に話してほしいなと思って。

坂上　いっぺんに話してる間あれへんで。震災で学校へ避難所に行っただけで、いろいろといっぱいあるわ。

牧　思いつくままに聞くわ。思いつくままに言うて。

坂上　牧さんの声が聞こえへんねん。ほんま…。今（補聴器の）ボリューム上げたけどな。

牧　声張り上げてるつもりやねんけどな。

坂上　学校の先生しとって、なんでそんな声小さいんや。みんな聞こえとるんか。

牧　大きな声自分では出してるつもりやねんけどな。震災前、若かりしころ、どんな仕事してたの？

坂上　生まれは、今やったらどない言うんかな。「洗い屋」言うたらわからへんやろ。俺は家を洗ってるねん。お寺を洗う。洗い屋言うたらみな洗濯屋や、というから俺は「ほうほう」と言っとく。家洗うと言ったらみんなびっくりしてわからへん。

牧　家を洗う中でも、お寺を洗う？

坂上　お寺とは限らへんけど和室や。和室やと天井みな木張ってるやろ。白木を全部洗う。（神戸市北区の）有馬の料亭

なんかいったら全部和室。みんなタバコ吸ったりするから白い木がニコチンで茶色くなっていく。それを洗う。「長押（なげし）」と言って和室にみんなこれ（木）を巻いてある。障子があって。

牧　木の部分を洗っていくの？

坂上　そう、白木な。塗ってるやつは色が変わらん。和室は塗ってるところがあれへんわ。和室と言ったら白い木ばっかり。

牧　どうやって洗うん？　想像つかへんな。

坂上　自分で薬品買ってきて、調整して木の汚れ方によって薄いやつとか濃いやつとか。自分で作らなあかんねん。昔から家を洗うと言ったら苛性ソーダ。苛性ソーダやったら汚れが取れる。ドロドロっと。そのあと苛性ソーダも洗ってとらなあかん。ソーダが木の中に入ってるから。水洗いして、苛性ソーダで洗って、水洗いして薬品で洗って、もう1回水洗いして。工程を5回して、やっと1回終わる。天井なんか洗ったらぼとぼと落ちる。苛性ソーダなんか目の中に入ったら痛くて。慣れたらうまいこといくけど。

牧　結構重労働やね。

坂上　結構金になる。

牧　そういう仕事してる人少ない？

坂上　もう今洗えへん。みんなやめてもて。今は洋間ばっかりできてもて、仕事があれへん。有馬の料亭なんかでも洋間も増えてるから。今は良い薬品ができてる。寺は一坪、畳2枚洗うのに、2万円から2万5千円。

牧　何十年前の話してるの。

坂上　俺が40代のときや。そら、えぇ単価や。

牧　飲み歩いとったん？　そのお金は。

坂上　もうみんなあれへん。みんな飲んでもた。そのとき嫁さんおったから。俺は集金に行けへんからみんな銀行に振り込む。銀行の通帳やら全部嫁さんが持ってる。飲みに行くときは嫁にもらう。だから全部使ってもかまへん。余分にはくれへんから。通帳見たことない。

牧　飲みに行くお金はみんなもらって。仕事は楽しかった？

坂上　仕事なんかたくさんあるからな。多いときやったら50人。お前はこっち、こっちってバラバラ。俺らなんか仕事せえへん。俺が親方や。いちいち仕事せえへん。しとったらほかの人が何してるかわからへん。現場、人行かせたところを見て回る。

牧　そのぐらい仕事もあったし、働く人がいた。

坂上　仕事がなんぼでもあるわけや。人間がおれへんかったくらい。仕事、職人なんて少ないから2人くらい仕事ができたら、あとは素人を連れていく。教えながら。職人ばっかりが5人も10人も集まれへんもん。

牧　特別な技能なんかな。

坂上　誰でもってわけにはいかへんからな。

牧　何年ぐらいしてたの？　仕事そのものは。

坂上　しだしたんが35歳くらいかな。そのときはまるっきり素人。

牧　35歳から始まって50歳くらいまで？

坂上　60歳まで。震災のときは仕事しとった。70まで仕事しようかと思ってたけど、震災から仕事が（徐々に）なくなってもた。家がだいぶん潰れたから、お寺でもだいぶん潰れてる。仕事がないなぁと思って。

「助けて」いう声を聞いたら黙ってほっとかれへん

牧　震災のときは、どういうところに住んでたん？

坂上　正月前の12月1日に住んでた文化住宅が火事で、1階から煙が出て、俺は2階に住んでた。それは燃えてもて。今度(当時)、飲みに行ってたスナックのおばちゃんが、「うちが引っ越すから、(空いた家に)とりあえず住んどき」って。家が焼けてしまったから。年が明けたら、家主と話しようなって言ったら地震でまた潰れた。そんなもんや。火事と地震。

牧　全壊？

坂上　2階やから助かったけど、下の人は死んでる。

牧　何人ぐらい住んではったん？　地震のときに。

坂上　地震のときは2階におった。弟とおった。弟に「ちょっと窓開けて表どんなんか見てみいや」って。もちろん電気は消えてるし、寒いときやから外はまだ暗い。弟が「窓がいがんでるから開かへん。めんでまう（壊れてしまう）で」って。「開かへんねやったらしゃあない、めんでまえ」（と答えた）。2階やけど1階になってる。

窓から出たら「助けてくれ　助けてくれ」。埋まっとるわ。1階の人みんなぺったんこになっとるで。お母さんと息子と娘と3人。子どもはみんな学生。弟が、下にもぐっていってみんな助けた。その人の息子は柱で足が抑えられてしびれてしまってる。神経が通ってない。痛くてしょうがない。引っ張り出してきてじーっとしてたら血が通ってきて、骨もどないもなかったって。よかった。

牧　何人も亡くなってて、何人も助けたわけや。

坂上　俺と弟で、下で3人助け出して。もともと前（の住宅）から知ってる人がいた。どないなってるかなと思って行ったら埋まってしまってて。その人らも1階。その人も引っ張り出して、隣も助けてくれって言われて、弟と5人助けた。そこらで「助けて」いう声を聞いたら黙ってほっとかれへん。あのときはほんまに。

『阪神・淡路大震災教訓情報資料集』よると、救出した人の生存率は、消防団による救出が88%、消防隊による救助が73%だったという報告がある。消防団員は近隣に住んでいるので、救助活動が早く行われたのも一因と考えられるという。近隣住民が救出した人の生存率は80%を超えていたとの推計もある。

牧　そのときはどこに住んでたん？　深江？

坂上　森北。

牧　ひどかったとこやん。森北って上ちゃうか？　魚崎よりもちょっと。

坂上　大きな市場があったやろ、国道、芦屋の手前。大きな市場の横。甲南市場やったかな。大きな市場の西側にいたすぐ近く。そこが地震でつぶれてしまった。

甲南本通商店街ホームページによると、市場はＪＲ摂津本山駅から南西に約1キロ。かつては甲南、新甲南の2市場があり、活気にあふれていたが、震災で両市場とも壊滅した。現在の商店街には、２００メートルほどのアーケードに約50店が整然と並ぶ。甲南市場は戦前からの歴史に幕を下ろしたが、新甲南市場は8階建ての共同ビルに生まれ変わり、97年に再開業した。商店主らが共同で設立したスーパー「ＫＯＮＡＮ食彩館」が1階にあり、2階以上は住宅となっている。スーパーは買い物客でにぎわい、商店街の復興のシンボルとなっている。

みんなトイレ辛抱できへんから、便器が山盛りになってる

牧　坂上さんは全壊になって着の身着のまま避難所へ行ったん？　取り出せたん？

坂上　出せたよ。俺のところは2階やけど、下になってるから窓つぶして出入りできた。履物がないから、ガラスが危ないねん。そやから布団を全部並べたんや。窓をガチャンってつぶしてしまってるから歩かれへんやん。車にある長靴はこうって思っても、裸足で行かなあかん。駐車場が別にあるから。

牧　けがせんと行けたん？

坂上　けがせんとな。弟と2人でパジャマ着たまま長靴はいて。

牧　そのまま避難所へ行ったん？

坂上　3日くらい車の中にいたよ。避難所がいっぱいで。学校が3階建てで、3階までみな満タン。階段に毛布おいて人が寝てる。

牧 どこの避難所やったん？

坂上 本山第三小学校。

牧 そこも広いところ。

坂上 大きな学校や。（校舎が）コの字になってる。それの3階建て。1階で空いてるところあるなぁ、なんでここだけ空いてるんか（と思って）、ぱっと入ったら床が落ちてる。誰もおれへんはずや。車でとりあえず（過ごした）。

牧 食料とかは。おにぎりとか。

坂上 まだまだそんな来ない。なんせ車がみんな止まってる。援助物資はまだまだ先のことや。弟がとりあえず車で走れるから。寝るのは車で寝てた。尼崎のほうまで行ったら弁当でも何でも売ってる。その代わり朝出たら晩まで帰ってこられへん。昼の弁当には間に合わない。辛抱するしかない。

兵庫県は震災当日の夕方、被災者数200万人を想定して「食料1日500万食と飲料水」の目標を定めた。だが、震災直後は食料が大幅に不足し、兵庫県教育委員会の『震災を生きて―記録 大震災から立ち上がる兵庫の教育―』には、避難所となった小中学校で配給時にパニックになるなど「大混乱になったところが多い」と記されている。

牧 武庫川を挟んで向こうは全然どうもなかった。武庫川からこっちはひどかった。

坂上 尼崎まで行ったらもう全然関係ない。電気もついてるし。車の燃料がなくなって、寒いからエンジンかけたままで寝るやろ。尼崎まで買いに行こうと思ったら燃料置いとかなあかんやろ。学校で泊まろうとか言って避難所の学校に行った。震災から3日目か4日目くらい。

牧 それでもいっぱいやった？

坂上 いっぱい。そのときある人が「神戸におってもあれやから国へ帰る」って。部屋が空いた。部屋といっても教室やからみんなゴロゴロと寝てる。空いたから「坂上さん来るか」と言うので弟と2人、そこへ入れてもらった。避難所へ行って4~5日経ったかなぁ。

ほんならトイレの水が出ない。みんなトイレ辛抱できへんから、便器が山盛りになってる。水が出ないから流されへん。校長先生が「みんな誰でも入っていくから､ドアを開かんようにしてくれ」って。釘打ちしてペケにしてたら九州電力が来て、発電機で電気がぱっと（ついた）。水も出るようになった。

さぁ、トイレの掃除せな。だれもせぇへんから、俺と弟でみんな掃除して水流れるようにきれいにした。きれいになったから水出してくれって言ったら、1階と2階の途中でパンクしてて、水が上へあがらへん。せっかくきれいにしたのに。

牧　坂上さんは昔からあれやな、きちっとしてる。

坂上　学校の植木の水やりから池の鯉の餌まで、学校のときでもずっとそれやってた。毛布敷いて寝てた階段から、部屋で空いたところへ入っていくと、空いた階段もドロドロ。新聞ちぎって濡らして階段にまいて下まで（掃除した）。

牧　我慢できへん、ほっとかれへんのや。

坂上　ほっとかれへんやん。

牧　そこでどのくらいおったん?

坂上　俺は8月までおった。7月にもう(仮設住宅)当たってた。隣のおばちゃんが女きょうだいと3人でおって。(他に)男の人が1人だけ残ってて。仮設が当たらへんって。3人おるけど男の人1人で気持ち悪いから、坂上さん辛抱してもうちとおってくれって。

震災当時、「避難所で仕切りの段ボールのすき間から男性に見られて不眠になった」「避難所となった校庭の隅で遊んでいた女児が性被害に遭った」「半壊した自宅に犬の餌やりに戻ってレイプされた」など、性被害の事例がいくつも報告された。しかし警察への被害届はほとんどなく､性暴力を問題視した女性団体が声を上げると「デマだ」と攻撃され、沈黙を強いられた。東日本大震災を経てようやく、被災地における性暴力が本格的に関心を集め、政府も被害者への相談支援事業を行っている。

坂上　その人が当たるまでしゃあないから俺も1人で寝てて。おばちゃんも男の人何も悪いことせんから大丈夫やって。でも、夜中は気持ち悪いやん。それで俺は8月まで。その人が当たったから、8月に出た。弟だけが先に行ってた。

牧　坂上さんと弟が一緒に仮設に当たったたん？

坂上　そう一緒に住んでた。

集会場で、歌を歌ってやぁやぁするのが楽しかった

牧　それがポーアイ（ポートアイランド）の仮設やったわけね。仮設生活どうやった？

阪神淡路大震災の住宅被害は、約64万棟にも及んだ。神戸市内では、全壊6万7421件、半壊5万5145件に上った。市内では、震災発生のわずか3日後に仮設住宅の建設が開始。神戸港内の人工島「ポートアイランド」には8カ所の仮設計約3100戸が整備され、約5年間利用された。

坂上　仮設は結構ええで。仕事も行ってたし。

牧　それはいくつやったん？60前か。

坂上　震災が60のときや。あそこに3年おった。63のときにここ（復興住宅）へ来た。

牧　働けてた？

坂上　そうそうそう。避難所におったからな。そのときはまだ仕事しよった。仮設は買い物は不便やった。

牧　住んでる人多かったやろ。

坂上　俺のところ、第7仮設が880世帯。その横に第6仮設で、おおかた1000世帯。第6と第7の真ん中にコープ

（スーパーマーケット）作った。便利よかった。

牧　すごい数やな。（遺体が）10カ月間見つけられなくて、白骨化で見つかったのあったやん。ポーアイで。知らん？

ポートアイランド仮設では「孤独死」が多く発生し注目された。1998年6月9日までに24人の孤独死があり、仮設1000戸（建設当初戸数）あたりにすると、兵庫県全体では4・6人に対し、ポートアイランドでは7・8人で平均の1・7倍となった。（内藤三義「賃金と社会保障」1230号、1998年7月下旬号）

坂上　知らん。よそちゃうか。ポーアイに（は仮設が）1〜8まであるやん。

牧　坂上さんのところとちゃうかもわからんな。仮設のとき一番楽しかったことはある？

坂上　仮設のときは、集会場にテレビとカセットテープセットがあるから、あれで歌を歌ってやぁやぁするのが楽しかった。中で囲碁とか将棋もできるから。

牧　大きな集会場やったんや。

坂上　広いよ。会長がコーヒーやらいろいろ買ってきて、一杯ずつでも飲みながら集会所で歌でも歌ってやろかって、楽しみにしてたみたい、みんな。年寄りも多いし。あそこに小さな公園があって、くるっと回って上がれるようになってる。一番上でカラオケ大会しようかって、会長がいろいろと段取りして山の上でカラオケ。俺はセリフの入る歌が好きやったからそれ3つだけ覚えて、セリフも覚えときよって。だから「岸壁の母」とかはみなセリフ入ってる。あとは「瞼の母」、村田英雄の九州の歌も。

牧　俺ら小さいときに村田英雄はやったわ。仮設は高齢者が多かった？　若い人は少なかった？

坂上　高齢者は多いよ。ポツポツと亡くなっていく人もおったやろうな。俺のところは第7の話はあんまり。孤独死というのはあまりなかったみたい。みんな入院したとか身内の人が連れて帰ったとかが多かった。

牧　こっち（復興住宅）くるの震災から3年目やんか。そのときには仮設に住んでる人減ってきてた？

坂上　だいぶ減ってた。（復興住宅が）当たったとかで出た人だいぶいた。

牧　残されていく人もさみしいよな。

坂上　仮設でもな、品物だけ放り込んで住んでない人も多いやん。入れてるだけで。俺が住んでたところも、酒飲んでワーワー言うても両隣はおれへん。なんぼやかましく言っても文句言えへん。隣がペンキ屋のおっさんやったけど、大阪まで仕事行くのに、神戸まで来たら行かれへんから大阪にずっと泊まってた。もう1軒隣は女の人で、寝るところは（別に）あるけど、品物入れたら寝られへんから（仮設には）品物だけ放りこんでる。みんないろいろあった。

牧　一番思い出に残ってることってなんやろ、仮設のときで。

坂上　思い出っていっぱいあるからな。鍵を落とすと、みんな俺のところ来た。中入られへんからガラスめぐ（壊す）かなんかせなあかんな。反対側がベランダ。みんな平屋やから外から（窓の鍵が）開くねん。泥棒したわけじゃないけどみんなびっくりする。「開いたか?」って。「おばちゃん、表へ回っとき、俺裏から入って中から玄関開けたるから」って。

牧　あの鍵が開くん？　あれが開くわけ？

坂上　あれ、外から開くねん。仮設の安もんやからな。表で戸をもってガタガタガタってあけたらあれ（鍵）がガタガタガタって。建築現場のやつはみんな知ってる。あれ、開くというのは安もん。

牧　なんぼでも泥棒は入れるやんな。

坂上　人が寝てたらガタガタしたらわかる。何軒か開けたことある。いっぺん開けたったらビール6本くらいくれる。

牧　近所付き合いもよかったわけや。

坂上　集会場で、土日は碁とかばかりしてたから、そこ行ったら俺がおる。「なんかあったら言うてみ」って言うから、なんかあったら俺のところくる。会長も、俺のところに言うてくる。

牧　どんなことしてたん？　鍵開けるだけじゃなくてほかのこともしてたやろ。運営とかやってた?

坂上　8軒長屋で、晩になったら街灯の電気が消えてるとことがある。晩になったら寝る前に全部回って。ここもここも。

牧　あくる日にすぐ役所に電話して、「何号棟のここの街灯の電気が消えてるから」って。
坂上　坂上さんごっつ元気やったんやな。
牧　元気やったから何でもかんでもやってた。

あとは死んでもうた。3階もみな死んでもた。4階も全部死んでもた

牧　ここ（復興住宅）来たのは震災から3年くらい経ってから。
坂上　避難所で3年目の12月にここに来た。だから俺はここに17年。震災から今20年やろ。
牧　21年目に入ってるねん。長いなここも。
坂上　20年もここにおれる。20年経って80（歳）にもなったらもうおれへんでって（言ってた）。もう80になってもた
牧　復興住宅だと、48人で生活した？　あれからだいぶん亡くなってるもんね。

牧は避難所から付き合いのあったKさんが当選した復興住宅を訪問し、坂上さんに出会った。一人暮らしの高齢者48世帯が入居する小さな借り上げの復興住宅だった。

牧　Kさん（坂上さんと同じ復興住宅に住む高齢者）って、俺よう知ってる。（坂上さんは）Kさんがいる特養行って下着を持って帰ってくる。で、洗うねん。洗って持っていくねん、人の下着をな。すごいで。びっくりしたわ。
坂上　KさんとTさんのところは毎日行ってたからなぁ。
牧　Kさん、特養に入ったやん、最終的に。
坂上　2、3回入院して、あの人も家でひっくり返ってたやん。足が痛い痛い、言うから救急車呼んで日赤へ入院した。3ヶ月経ったら出なあかん。上のほうにリハビリ専用の病院がある。あそこからシニア用の施設に入った。ほんで、あそこで死んでもた。親戚の人が岡山で遠い。

牧　あの人えげつない人やで、岡山の人えげつなかったで。

坂上　通帳から何からあの人が全部預かって、年金振り込んでくるやつなんか全部岡山になってる。

牧　それまで全然関係なかった。あまり付き合いがなかった。なにせ、全部預けてしまって頼るところがないから、Kさん。お金ないし岡山の人に頼らざるを得ないから、自分のお金やねんけど岡山の人が来てたらぺこぺこしてたな。

坂上　みんなそんなもんや。頭がわからんようになってたから、お金の心配なんかいっこもせぇへん。

　2階で最初からおった人で元気でおるのはHさんや。あと90なんぼのおばちゃんの2人だけや。あとは死んでもうた。3階もみな死んでもた。4階も全部死んでもた。5階はSさんとかOさんとか3人死んでる。6階もほとんど死んでる。下の階のほうが年寄り。

牧　（この階で）最初からいるのは2人だけ？

坂上　2人だけ。こっから向こうはみんな死んでる。

牧　比較的元気なのは9階だけや。

　兵庫県警によると、阪神淡路大震災の被災者らが入居する県内の災害復興公営住宅は234カ所で、2019年に一人暮らしで死亡した「孤独死」は、前年比5人増の75人だった（全員が被災者かどうかは確認できていない）。仮設住宅が解消された2000年以降で2番目に多く、入居者の高齢化が改めて浮き彫りとなった。

牧　今はどない？　20年問題で、どんどん大家さんが「出てってください」となってるやんか。いなくなったところを改装して若い子が入ってきてるやん。

坂上　関係ない。両隣にあいさつ行けへんのに、誰も言えへんからわかれへんやん。どこに入っとんかもわかれへん。

牧　下によくいるやんか。

坂上　せやけど、もの言えへん。俺も何も言えへん。向こうから言わな、何も言えへん。

牧　隣は新しい人やろ？

坂上　男の人が住んでるんか、女の人が住んでるんかわからへん。「おはよう」っていう人もいるけど全然わからへん。

牧　復興住宅なんか、民間のマンションなんか、もうわからへんな。

坂上　ちょうど半分ずつくらい。

牧　ややこしいわ。

坂上　ゴミほうるときに袋に入れてほらなあかんでって、最初からおる人はみんなわかってる。新たに来た人はなんでもかんでもみんなほうる。段ボールの箱でもな、小さく破って燃えるゴミでほったらいいけど、そのままぽんっと。ゴミ屋きても持って帰らへん。入れてないから。そんなん俺らいちいち言われへん。もう関係ないから、復興住宅の人やったら言えるけど、我々関係ないから言われへん。ほったらかしや。

牧　汚くなる一方やな。

坂上　もうすぐ出るからかまへん。長いことここおられへん。

坂上さんが入居する復興住宅は、神戸市が20年を期限に民間から借り上げた物件で、聞き取り当時、まさにその期限が迫っていた。神戸新聞によると、兵庫県と県内5市が都市再生機構（ＵＲ）や民間から住宅を借り上げた「借り上げ復興住宅」は、多いときで７０００戸を超えていた。神戸市などは、借り上げ期間は20年間で期間がすぎると「85歳以上」などの継続入居要件に該当しない住民は、退去しなければならないとしている。神戸市は、退去に応じない5団地12世帯を提訴。神戸地裁が明け渡しを命じる判決を相次いで出している。

坂上　来年（２０１６年）くらいから市がやいやい言ってくる。ここでもあと20人くらいおるから、１年にいっぺんずつ市が来て、(別の復興住宅の)用紙持ってきて申し込んでくださいって。当たらへんでまた1年って。またすぐ来る。

牧　ここの人はＨＡＴ神戸か、この上(近くの復興住宅)か、空いた部屋確保して、「ここどうですか」って最終的に来るわ。

坂上　あっち（ＨＡＴ神戸の復興住宅）はみな行けへん。病院行くのにものすごい遠い。日赤行くんやったらいいけど。春日野道の病院行こうと思ったら遠い。

牧　だからみんな上（近くの復興住宅）希望するわけね。

坂上　そやけど今年は２人が12月には出る。もう１人出るという話やけど。誰が当たってるかわからへん。

希望みたいなもんあれへん。一日が過ぎたらほっとしてる

牧　震災から20年経つやん。避難所生活があって仮設、ここやん。生活してきてどう？

坂上　震災から避難所、仮設、ここへきてまた行かなあかん。４回？　何持っていくんや。みんな放っていかな。

牧　これは大変やで。

坂上　住宅が当たったからって宿替えするのはいいけど､宿替えするのに運送屋に頼まなあかん。運送屋に払う金がない。宿替えできん。運送屋で月賦って聞いたことないから、現金で払わなあかん。宿替えする人には30万お金が当たるんやけど、宿替えして、住所も変更した後に、そのお金がもらえる。それまでもらわれへん。先渡したら使い込んで、金なかったら困るからやな。

牧　お金ある人はいいけど。

坂上　ないのは困る。今困ってると、役所が貸してくれるところがある。だけど保証人が要る。身内が誰もいない。誰も保証人になれない。

牧　困ったもんやな、それは。

坂上　金を貯めとかな。一銭も貯めてない。ほんまやったら金貯まってるはずやねんけどな。

牧　坂上さん、これから希望みたいなものある？

坂上　そんなものあれへん。希望みたいな。いつまで生きてるかわからへん。希望みたいなもんあれへん。一日が過ぎたらほっとしてる。

牧　何したいな～っていうのは？

坂上　あれへん。考えたこともない。1日が終わったらそれで良い。

借り上げの期限を前に、坂上さんは2017年に現在の市営住宅に転居した。胃がん、糖尿病、心筋梗塞などを患い、部屋のなかで移動するのにも杖が必要になった。電動カートで近くのスーパーに食材を買いに行くのが日課。「前の住宅の住民に会うこともあるんや」と、再会を楽しみにする。

「悲しいこともあったけど、これも生きてる証拠で、
人生ですわ、先生。泣いたり、笑ったり、
ほんとに、この世界」

証言　09

平田和代さん（当時56歳）

震災当時、学校で用務員として働いていた平田和代さんは、神戸市東灘区の２階建て文化住宅で被災。１階で寝ていたため、２階部分が崩れ落ちて生き埋めになった。助け出されたのは昼ごろだった。避難所、仮設、復興住宅と生活の場を移すたびに、喪失感と向き合い、孤独を深めた。

平田さんとの出会い

阪神大水害の年（1938年）に神戸市東灘区住吉に生まれた平田さんは、亡くなるまでこの土地で生活した。母は平田さんが10歳のときに他界し、父も51歳で亡くなった。7人きょうだいの3番目だったが、2016年には平田さん1人になっていた。きょうだいに囲まれ、祖父母がいるときは本当に楽しかったという。

平田さんとの出会いは、御旅公園仮設住宅を訪ねたときであった。東灘区にある地域型仮設住宅（高齢者・障害者だけが住む、2階建ての仮設）だった。この仮設の自治会長は、恒ちゃんこと山本恒雄さん（証言17）だった。「よろず相談室」に近いので、足しげく通った仮設住宅の一つだった。

平田さんは糖尿病を抱え目が見えにくくなるなど、身体の具合はあまり良くなかった。しかし、なにより楽しいことが好きな人だった。よろずの集いには欠かさず参加してくれた。そして、いつも賑やかだったし、いつも泣いていた。

最後に会ったのは、2018年12月の「よろず相談室みんなの集い」であった。チンドン、ギター演奏、ビンゴゲームで大声を出して喜んだ。同じ境遇の人との話は終わることがなかった。そんな人だった。

その翌年6月の「みんなの集い」へ誘ったが、繋がらなかった。よろずのメンバーが平田さんの隣の部屋に住む人を訪ねたときに、鬼籍に入ったことを知った。亡くなる前日まで元気だったと聞き、落ち込んで帰ってきたのだった。（牧）

手だけは出ましたね、ポチっとだけ。あとはもうぴくとも動かない、体

2016年12月23日に、牧が聞き取りをした。

牧　今日聞きたいのは、平田さんの震災前の生活、震災のときどうやったか。その後の生活。そんで今。平田さんが今まで生きてきはったことを、「あんときどうでしたか？」って僕が聞くので、自由に喋ってもらったらと思います。まず生年月日を教えてください。

平田　昭和13年（1938年）8月15日。

牧　ほんと、終戦記念日やん。

平田　私22日やとずっと思っていたら、区役所に行ったら8月15日て。私は「どうでもいい子」やったんです。

牧　わはは。

平田　私、7人きょうだいの女3人目で、4人目に初めて男が生まれたんですよ。そやから私はどうでもいい子でしてん。弟できたとき、「うちに皇太子ができた」って、もうじいさんもみんな喜んで。ワイワイ言うてました。

牧　ほんで、ここ、住吉（神戸市東灘区）で生まれたん？

平田　はい、そうですそうです。ものすごい水害（阪神大水害）あった言うてますやん、昭和13年（1938年）に。

牧　あー、その年か。

平田　はい、「この子が水害の子どもや」って、祖父の友達が、よう言うてましたわ。

牧　水害の年ですね。水害って、あれ、8月ですか？　いつごろ？

平田　7月。

牧　その後生まれはったんやね。ここで生まれて、ずっとここで？

平田　そうです、そうです。
牧　ごきょうだいは何人？
平田　7人。私は3女。下が長男の弟、その下に2人女。
牧　男1人だけ？
平田　2人いました。4歳で亡くなった弟がいます。一番下の男女の双子の男の子。お母さんを亡くしたのは、昔でいうたら、私4年生やった。母は37歳ですよ。今日は月命日ですやん。朝からお仏壇の前に座って泣いてました。昭和24年（1949年）2月23日にお母さんは亡くなった。お父さんは私24のとき、51で父は亡くなった。
牧　そうなんや。7人きょうだいは亡くなったん？
平田　1人だけいますねん、ずっと近くに。「口は出すけどお金は出さん」て、2人ともこう言うてんねん。
牧　あはは。

この後、きょうだいは亡くなり、平田さんは1人になった。

牧　平田さんはどこらへんで震災遭うた？
平田　住吉小学校の下ですね。文化住宅。
牧　このときは、学校の用務員の仕事してはったでしょ。
平田　はい。
牧　ずっと若いころからしてはったの？
平田　学校は最初、本山中学でした。2000人いたんですよ、児童。
牧　すごいね。
平田　ねー。やかん50個入れよりましたもん、お湯（作るのに）。それから、渦が森小学校にも行きました。

牧　ほんで、震災のときは？

平田　神戸商業高校。

牧　商業高校にいてはったわけですか。震災は朝やね。ほなら､家にいて震災に遭ったんよね。家もつぶれたんでしょ？

平田　はい、ぺちゃんこ。2階がばさーっと落ちてるからね。私も寝たきりですやん。動きもできないし。

牧　2階にいたん？

平田　下です。

牧　よう助かったね。

平田　はい。お昼です、出てきたの。手だけは出ましたね、ポチっとだけ。あとはもうびくとも動かない、体。

牧　埋まって、布団の中で？

平田　それが1月15日、16日は休みでしたやん、成人の日で。パチンコして、遊び惚けて。いつものあの時間やったら私いつもは起きて台所立って、火使ってるねん。それがね、眠ってたんです。ほんでバーっと布団かぶって、頭は少しネチャーとするから、窓のガラス破片で頭切ったんやろねえ。それだけですわ、けがしたの。

牧　布団かぶって、上から倒れてきて、で、助かったんが昼？

平田　そう、出してもらったのがお昼。埋まってたんです。「もうあかんわ」思いましたね、あのときは。

牧　助かったのは、救出に近所の人が来たりして？

平田　2階に住んでいた人が、九州から出てきた電気工事の職人の人で。その親方の息子さんが見に来てくれた。「おばちゃんどない？」言うて、「もうぴりっとも動かへん」言うたら「おばちゃんまっとりやー」って。それで解体の仕事してたから。韓国の人で。

牧　よかったね。家がぐしゃっとなって、昼過ぎまで布団の中ですよね。そんで避難所行きはったん？

平田　住吉小学校行ったんですよ。ほんだら、なんかガス爆発があるとか言って。一晩だけですわ、そこは。

震災の翌日、東灘区のＬＰＧタンクが「余震で爆発する危険がある」として、付近の住民7万2千人に避難勧告が出た。

平田　そこから住吉中学校に上がったんです。すのこを敷いて物資の布団もらって、トイレットペーパーを枕に、寝てましたんよ。そこから風呂屋の2階に来たんです。「ここ下りといでー」って言われて、畳の部屋でね。お布団やら、敷き具やらなんやら用意してくれてました。

牧　3カ所移ってるんや。小学校、中学校、風呂屋の2階。これは長かったんですか？　避難所生活は。

平田　はい、最後まで。風呂屋の2階もみんな出て行ってしもて。「平田さん大丈夫か」言われても私行くとこないのに。お風呂屋の2階で1人でいるより、人様のいるところがいいでしょ、言うて、あちこち替わっていきましたね。

牧　この避難所生活、めちゃくちゃ不便だったでしょ？

平田　そうですね、着の身着のままですもん、先生。（当時の文化住宅の）2階におった人の社長さんの奥さんからもらった2重の毛布、まだおいてますわ。思い出に。ええ毛布でしたわ。これ巻いて、裸足で住吉小学校まで行きましたもん。

牧　ここのときの思い出とかは？

平田　泣いてばっかりいましたね、私。神戸にあんな地震あるとは思いませんやん。とにかくえらい目に遭いましたわ。

牧　小学校、中学校、それから風呂屋の2階、8カ月くらいおったんですよね。

平田　8月まで。避難所も長かったねー。

「死なんとってね、仮設では死なんとって」って

牧　ほんだら、御旅公園の仮設住宅に入って。1番南側の端でしょ？　そこで4年間やった？

平田　平成7年（1995年）8月に行ったんやから。ここ来たのが平成10年（1998年）やもんね。大方4年です。

牧　仮設も有名やった。２階建ての高齢者・障害者向け地域型仮設住宅。
平田　あのときは「こんな仮設（御旅公園仮設住宅）行きたない」って。高齢者のとこでしたやん。私まだ56歳。泣きましたで、ほんまに。

ＮＰＯ法人東灘地域助け合いネットワークが発行する情報誌によると、御旅公園仮設住宅には当初１６６世帯が住んでいたが、２年後には１０２世帯１２６人に減少した。トイレや風呂、炊事場などが共用。住居は４畳半か６畳の一室のみの間取りのため狭いためで、みんなが一緒に過ごせるようにと住民の交流や支援の拠点となった「ふれあいセンター」が設置されるようになった。

牧　不便やったね。一人暮らしでしょ。
平田　寒いで。ホットカーペットも、電気ストーブもあたるけど、それでも寒かった。２階の南の１番端で、「寒いわ寒いわ寒いわ」よう言うてました。

神戸弁護士会（当時。現・兵庫県弁護士会）の『阪神・淡路大震災と応急仮設住宅－調査報告と提言－』（１９９７年3月）によると、仮設住宅はプレハブで断熱材を使用していないため、冬は寒く、夏は気温が50度に上がることもあった。神戸市はエアコンを設置したが、電気代は個人負担のため、使用しない人も多かった。床はベニヤ板の上に直接畳を敷いていたため隙間風が入り、アリ、ムカデ、ナメクジなどが侵入するという問題もあった。

平田　あの仮設で、Ｅさんが（1人で）亡くなったときに私、風邪ひいて寝てましたんや。ほんだらある人が総代のとこ行って「平田のねーちゃん、今日は顔見せへん」て。私は朝早う出るから、朝めしやのとこ寄って食事食べてする。「平田のねーちゃん、今日は起きてけえへんで」って。ほんだら総代の人が、ダーって（走ってきて）「平田さん大

牧　丈夫？」言うて「死なんとってね、仮設では死なんとって」って。よう亡くなってましたから、仮設でもね。

平田　うん。高齢者のとこやから。

牧　「死なんとってね」って総代の人がよう言うてましたわ。やっぱり、死人が出たら恥ずかしいから、「仮設では死なんといて」言うて。

1995年2月に仮設住宅への入居が始まり、社会的弱者優先として高齢者や障碍者が優先的に入居した。その後、仮設で1人で暮らす高齢者独居者の孤独死が相次ぎ、社会問題化した。NHK神戸放送局編『神戸・心の復興』（99年1月、NHK出版）によると、98年10月1日時点で224人に上った。

平田　私はまだ働いてて、昼に出てたから。（用務員の仕事は）六甲アイランド高校やった。校長に「この仮設を出てくれ、出て行ったれ」言われて。一番最後までいました、私ここに。

牧　ここは平田さんが最後やから、仮設をつぶしたいから、出ていけ出ていけ言われたんやね。

平田　ようケンカしましたわ。

仮設住宅の入居期間は当初、住宅完成日から2年とされていた。しかし、恒久住宅の供給がまにあわず、入居期間は3度延長された。災害復興住宅の大量建設や移転支援策の充実で1998年から転出が加速。兵庫県内で最大4万6600世帯に上った仮設住宅の入居者がゼロになったのは、2000年1月のことである（神戸新聞報道より）。

牧　避難所とか仮設で一番楽しかったこと、つらいこと、なにがあります？

平田　集会所は「ビール持ち込みあかんで」って言うてたけど、男の人が、伊勢海老やなんやって（持ってきて）、「ねえ

牧　ちゃん飲も－」言うて。楽しかった。焼き肉もしてくれるし、喫茶も開いてくれるし。どこいても私は、ほんま恵まれてましたわ、ありがたかった。

平田　人と人との関係があった。ふれあい喫茶な。

牧　いま、ここもあるんですよ、先生。この隣の棟のとこで。

平田　こういうのも、ここであるんや。いいね。

牧　つい最近できました。

平田　そうなんやね。こういうのなかったら寂しいもんね。

牧　そうですよ－。そんでまたこのお茶とお菓子出してあげようと思ってね。行って、話聞いてるだけでも楽しいですよ、先生。私、家にいたら横にばっかりなって、テレビ見て。目が痛い。

平田　よくないもんね。でも最近はこういう（ふれあい喫茶）のにちょっと行って、気晴らしですね。

牧　はい、チェロ言うの？　女子ばっかりで弾くんですよ、それが人気がええから。ほんなら私が後ろでこれ（踊るジェスチャーしながら）。ほんだら弾いてる偉い人が「踊ってはる人もいるし」て言うから「先生、踊ってるん違うんです、リハビリですー」て。またみんなで、スタッフの人もみんなキャッキャッ言うて笑うんです。

平田　この前（「よろず相談室の集い」）も踊ってましたね。

牧　あ、炭坑節ね。笑うたわ、自分でも。これはお手の物やいうて。

いつも泣いてますよ。毎日ニュース見ては泣き、ラジオ聞いては泣き…

平田　ほんだらその、平成10年（１９９８年）にここ（市営住宅）に入ってきて。そのときは平田さん１人だけ？

牧　そうです。

平田　もともと市営住宅で、復興住宅ではないんですか？

平田　そうです、そうです。

牧田　空いてるから入ったって感じやね？

平田　そうです、いっぱい空いてました。

牧田　ここでもう住んで18年くらい？

平田　だいぶ長いですね。（住み始めたのが）この間のように思うのに。

牧田　18年の間、生活はどうですか？

平田　いいこといっこもありません。

牧田　なんで？

平田　管理人がいないもん。今（暮らす市営住宅）はドアびしゃーと閉めて。

牧田　ここだと管理人がいないので、自分たちでやらなあかんね。掃除もなにもかも。エレベーターもなかったから、平田さんも大変やったもんね。

平田　そうそうそう。

牧田　体の具合悪かったしね。そういう体の具合悪いときに、よーく平田さんが「死にたい」って言ってたな。ここでの生活は、寂しかった？

平田　寂しかったー。

牧田　平田さんにとってみて、震災前の生活があったやん？　震災があったためにずいぶんと変わった？

平田　変わりました、変わりました。

牧田　もし震災がなかったらなあ、と思うときあります？

平田　あります、あります。人生変わります、変わりましたわな。

牧田　震災になって、たくさんの人がね、いろんなもんを失っているやないですか。で、東日本大震災もそうやし、熊本地震もそうやし。平田さんも、震災で多くを失って、それでも頑張ってやってはるから。それは他の災害に遭った人たちに対するメッセージになる。

平田　いつも泣いてますよ。東日本（大震災）のときも毎日ニュース見ては泣き、ラジオ聞いては泣き…。まー、まー、悲しいこともあったけどこれも生きてる証拠で、人生ですわ、先生。泣いたり、笑ったり、ほんとに、この世界。

牧　その平田さんにとって震災のつらさというのはどんなんだった？

平田　どんなやろね。なにしろ着の身着のままだし。

牧　避難所でも結局8カ月間、転々としながら8カ月間ね。で、仮設での生活でも、孤独死がたくさん出てるし、ようケンカしてるし。今だと例えば、若い子が来て遊んでくれるというか、一緒に喋れると楽しいね。

平田　楽しい、楽しいねん。今。2、3日前も、今時分になったら見回りに来てくれる人がいる。「平田さん元気でしょ」言うて、「はいー、元気ですー」言うて。「来年（見回りに）来てくれるころ、私はもうこの世にいないかもしれない」「またそんなこと言うてー」って。

牧　震災で、平田さんの知っている人は亡くなってんの？

平田　大勢亡くなっています。（毎年）1月17日は5時なんぼに、怖がりやけど、数珠して、このひざ掛けと座布団と持って行きますねん。2回行きますねん。朝その時間と、今度保育士やら幼稚園の生徒が10時から、またお参りして。

牧　今度の1月17日もまた行きはるんでしょ？

平田　行きます。ずっと行ってます。仮設からでも行きよります。

　震災以来毎年、神戸市は「阪神淡路大震災1・17のつどい」を開いている。例年約5万人が訪れるが、2021年は新型コロナウィルスの感染状況に合わせて縮小開催が検討されている。

牧　年末のよろず相談室がやってる集まりも毎年あった方がいい？

平田　いいです。行きたいですー。うれしい。

牧　今の平田さんにとってみたら、お茶会とか、人と話をするとか、楽しいことや。

平田　楽しい、そればっかり待ってます。離宮公園（よろず相談室での集いのイベント）も楽しかったもん。車いす押してもらって。「力ないんかい？　あんたら乗り、私押してやるわー」言うてね。この口だけは20歳や。

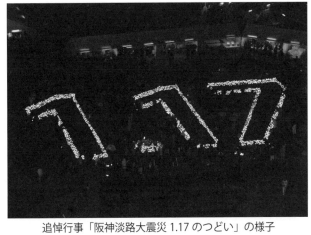

追悼行事「阪神淡路大震災 1.17 のつどい」の様子

「ずっと、今、しゃべりながら、後悔することはいっぱいある」

証言　10

大川和彦さん（当時30歳、後左）
大川尚美さん（当時27歳、前右）
大川恵梨さん（当時生後2カ月、前左）

大川さん一家は、震災１週間前に神戸市垂水区から同市東灘区青木の市営住宅７階に引っ越したばかりだった。母と姉が寝ていた布団の上をテレビが飛び、父の上には本箱が倒れた。３人にけがはなかったが、ベビーベッドで寝ていた生後２カ月の恵梨さんに一番重いタンスが倒れた。５時間に及ぶ手術で命は助かったが、左半身などに重い障害が残った。

大川さんとの出会い

大川さん一家との出会いは、震災12年目のときだった。「震災障害者と家族の集い」に城戸洋子さん（証言01）が参加していることを新聞記者から聞いて、「同じ境遇の人に出会いたい」と参加した。立場や状況は違っても、震災でけがをし、それまでの生き方とは違う人生を必死で生きている人たちと話すことで、自分のどこかにあった孤独感が消えていく思いだったという。

体験を振り返る時の大川夫妻は、「あと2秒あれば助かっていたかも…」「代わってやりたい」と切実な思いを語る姿が痛々しかった。父・和彦さんは、「震災のことや、障害を負った娘のことをあらためて見つめ直すことで、乗り越えて行こうと思えるようになった」と語る。

２０２０年、恵梨さんは25歳になった。悩みは将来のこと。「お父さんお母さんがいなくなったとき、私はどうするの？」と不安がる。母・尚美さんは「お母さん１００まで生きるから、あなたを置いて死ねへんで」と言葉をかける。一家にとって、恵梨さんの幸せな将来が見えない限り、震災は終わらないのだ。

夫妻にとって「集い」のひとときは同じ悩みを吐き出すことのできる貴重な時間だ。「原因が違っていれば、症状が同じでも話が合わない。情報共有でき、初めて自分のことを話すことができた場所」「しんどかったよ、という気持ちをここで出していいんや。それまでは話したらあかんと思っていたから…」と言う。

同じ悩みを持つ人が集い、お茶を飲みながら過ごす時間は何より当事者・家族の心を癒し、互いを支える力になっていくのだと思う。（牧）

引っ越しをして、それから1週間後に、地震やもんな

2017年1月15日、夫妻を中心に、牧が話を聞いた。

牧　普通に（笑）

尚美　めっちゃ緊張しています（笑）

牧　みんなに聞いているのは、震災の前にどういう生活をしてはって、あのときの震災、その後の生活、その中でいろんな苦しんだこと、楽しんだこと。その辺、ざっくばらんに話をしてもらって、どう考えてはるかということを僕と会話するような形で。

和彦　大した話もできないけれど。

牧　城戸さんもいろんな話をしてくれはった。たぶん初めてや。いいですか。

和彦　思い出さなあかんな。

牧　そうですねぇ。申し訳ないけどねぇ。ちょっとつらい話もあるしね。

和彦　あっ、いえ、いえ。

尚美　忘れている部分もあります（笑）

和彦　どこからなんですか。

牧　そしたらね、僕聞きますわ。震災のときはどこにいはったんで

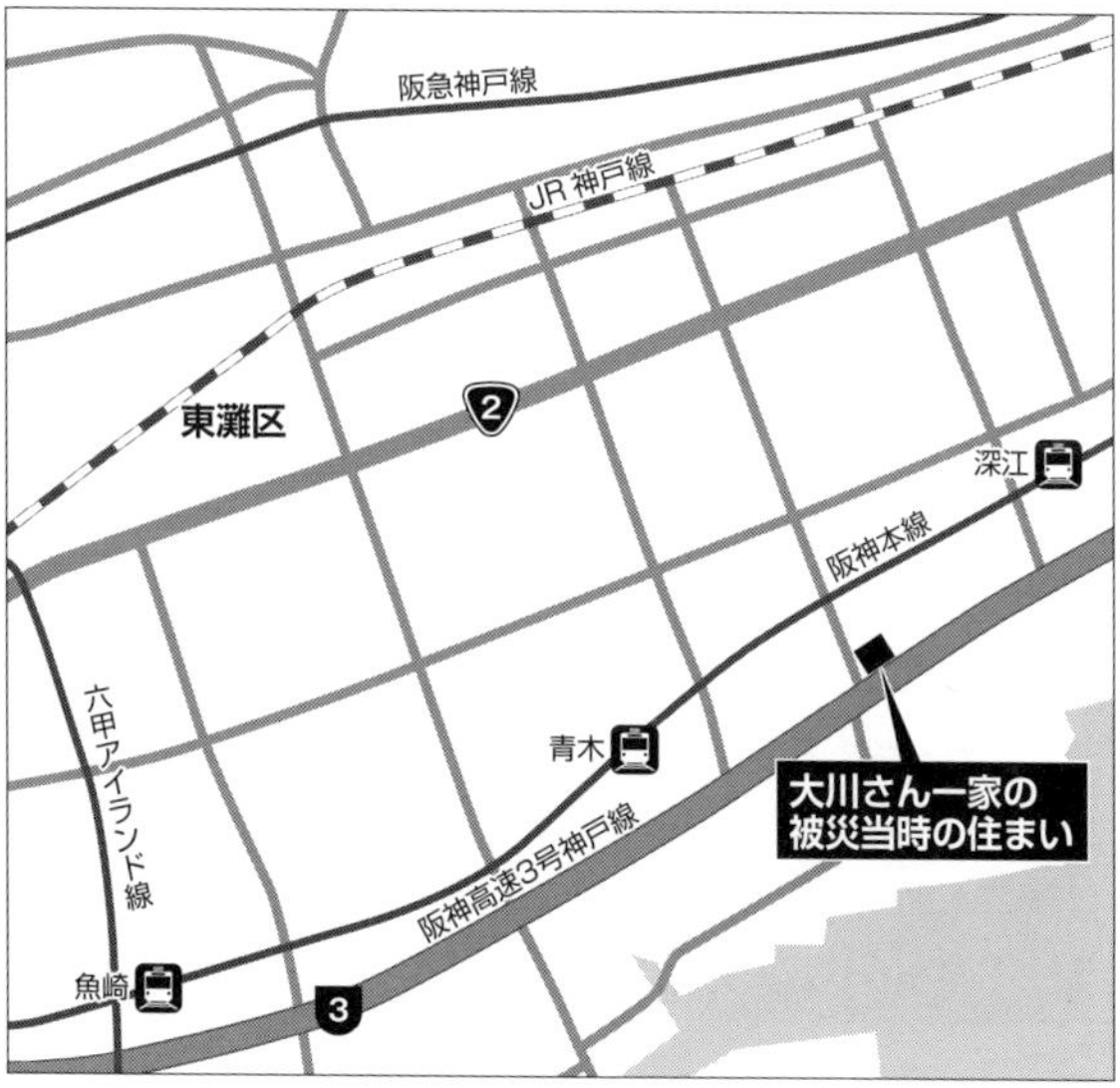

すか。

和彦　震災のときは神戸市東灘区の青木という所です。高速道路のある、国道43号沿いの。オートバックスとかスポーツデポとかサンシャインワーフとかのあそこ。魚崎です。前はバッティングセンターがあったよね。

尚美　そこの市営住宅。

和彦　東灘区青木には、ちょうど震災の1週間前に移った。その前は垂水やった。引っ越しをして、それから1週間後に地震やもんな。

尚美　荷物も…。とりあえず置いている状況だったんで。

牧　垂水の方は震災ではそんなにひどくなかったんですか。

和彦　大丈夫…。でもわかんないよね。垂水、ほとんど火が出なかったけど、何人か死亡者もおった。

尚美　うちよりは…。

牧　ここはわりとひどかったところだったからね。高速道路も倒れたし。

和彦　そうですね。

牧　そのときの年齢っておいくつだったんですか。

尚美　私が27歳で、(和彦さんは) 30歳。

牧　部屋はどんな感じ。

尚美　3DKなんですけど。部屋がつながっていてこっちにリビングとかダイニングがあって、玄関側に入ってすぐに部屋があって、ちょっと廊下があって、2つ続いた部屋があって、台所があって、ここに寝ていたんです。ここに恵梨のベッドを置いていたんです。ここにタンスとかテレビとかを並べていて。私とお姉ちゃんが寝ていて、主人がここにいたんです。

高速道路の倒壊現場

牧　真横に寝とったんや、恵梨ちゃんの。

尚美　そうです。恵梨ちゃんはまだ2カ月だったんで。私のベッドの近く、同じ部屋で。

牧　ここで寝てはって、揺れたときはどうやったんですか。

尚美　揺れたときは、一瞬、私は寝ぼけてた。たぶん、ここに並んだタンスが恵梨のベッドに横たわってたんですね。私とか、お姉ちゃんが寝ているところは、揺れの突き上げでブラウン管の重いテレビが飛んだんですよ。私は思わずお姉ちゃんの上に伏せたんですけど。まさかタンスが倒れているとは思わんから。

牧　テレビの方が軽いから危ないと思うよね。

尚美　そうですね。で、1月の朝5時って暗いしね。ぱっと上を見たら全部倒れているから、えーっと思って。慌てて見たら下の方に恵梨がいる。お父さんもお父さんで本箱の下敷きになってた。

牧　本箱で、身動きとれなかった？

和彦　そうやね、自分とこ倒れてきて。

尚美　うーん、何が起きているか、わからへんかった。パニックですね。

和彦　とりあえず自分が倒れてたから、落ち着いてからすぐ向こうに行ったけれど。

牧　停電やし、暗いしね。

和彦　そうそう。だからタンスに当たってると思わんかったな。

尚美　思わなかった。下に落ち込んでいたんで当たっとうかどうかわからなかったんです。

和彦　当たっとうという感じでなかったなぁ。

尚美　血を流しているわけでもないし。

和彦　なんかこう、タンスが倒れたことで、ベッドが崩れて下に落ちとうような感じだったもんな。中敷きが落ちて。

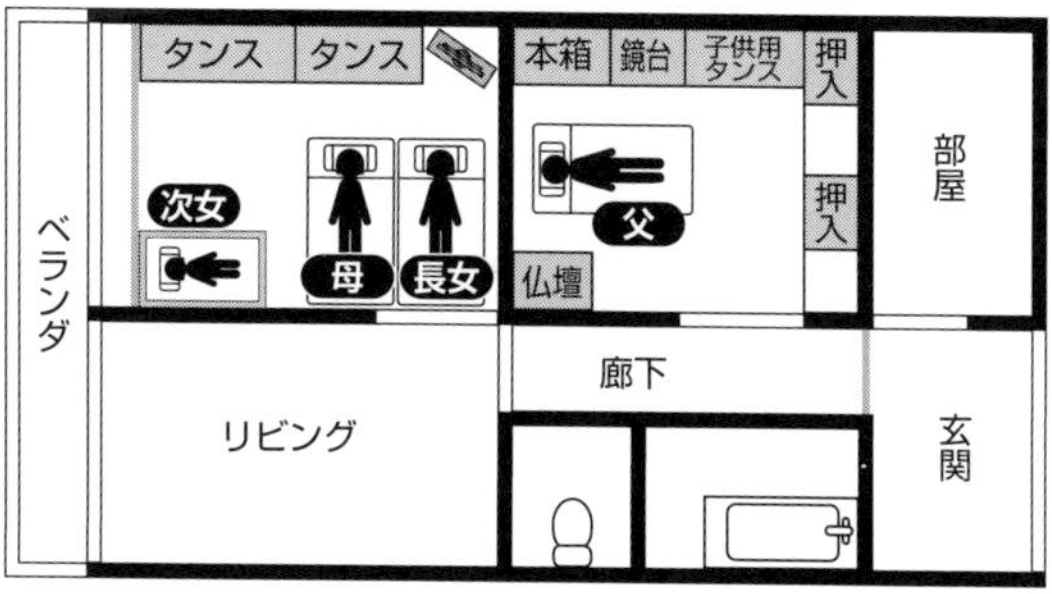

尚美　すとんと斜めに落ちて、その隙間にいて。
和彦　タンスが直接…。
尚美　前の柵をしてなかった、私。
和彦　前の柵はしてなかったか。そうやったか。
尚美　そのころはミルクをあげなあかんかったから、しょっちゅう起きてて、で、寝たところで、頭が余計にぼーっとしているとこやった。
和彦　最初わからんかったもんな。恵梨が当たったんちゃうかなと思ったけれども、外傷はなかったんで。でも、なんか顔の感じがちょっと変な感じやった。とりあえずどこに連れて行くかと言っても、引っ越して1週間で土地勘もなかった。病院もわからんかったしな。とりあえず落ち着いてと。周りは火事起きとうし。
尚美　駅の方でね。
和彦　7階やったから、上から見るとようわかる。火事は。とりあえず、どないしようと言うて、車で行きだしたんかな。1回走ったら、高速が倒れとって。
牧　車出せたんでしょ。
和彦　出せたんです。乗せて、とりあえず建物が危なかったし。とりあえず外へ行った方がいいかなと。
尚美　公園にちょっとおった。
和彦　公園にみんなばーっと集まっていたから。どないするわけでもない。車で走ったのは、ちょっとおかしい思ってからやったっけ。ちょっと様子がおかしいなと思って。
尚美　なんかなぁ。ちょっと気になるから。
和彦　念のため病院に行こうか、みたいな。
牧　外傷はない。
和彦　ない。ただ、なんかちょっと変かなぁ、と。それで病院を探し出したんやな。あんな状況やから病院なんて当然、

牧　なかなかない。
和彦　小さな病院はやられとるしね。診てくれる病院ってね、なかなか。
　で、車で走って、高速倒れとるし、どないしようかって言っていたら、その上の方にA病院があって、そこやったら看護師さんもおったしな。でも、そのときはひどい状況とは思わなかったもんね。ちょっと、もしかしたらと。
牧　ぐたーっとなっているだけで？
和彦　うん、あのー、ぐたーっとなってるというか、そんなにひどくなかったな。
尚美　ひどくはないですね。でも、まだ2カ月やからね。痛いもなにもね。
和彦　言えへんしね。だって、泣けへんかったから、A病院行っても看護師さんが「泣いてないし大丈夫ちゃいますか」と。
牧　ああ、そんな感じやったんですか。
和彦　ちょっと待っといてもらったらという感じで。でも、血を流している人とか、けがしている人が多いから、そっち優先で治療しよったんで。待っててもあかんなと言って。そこらでおかしくなってると思いだしたんか。
尚美　荷物のことも気になるので1回家に戻るかと言って、家に戻ったときに痙攣を起こして、発作がきたんで、あかん、やっぱりあかんと。それで、東に走って。
和彦　とりあえず大阪の方へ。道路がだんだん混んできて、止まって動かなくなったんやな。そこでちょうど西宮の県立病院が見えて。あそこやったら診てくれるんじゃないか、ということで。

　兵庫県では4つの病院と、101の診療所が全壊または焼失した。6割以上の病院と4割以上の診療所がかなりの被害を受けた。水道、電気、ガスなどのライフラインが寸断し、多くの医療機器も使えなくなった。

牧　国道171号線よりもうちょっと向こうですよね。
和彦　ああ、そうですね。（国道）2号線をずっと走っていたから。で、車止まって動かれへんから、先に連れて行ってもらったんやな。

6時間くらいか。全然来なかったんですよ、救急車が

尚　美　だっこして病院に入って。看護師さんに、すいません診て下さいという感じで、で、その看護師さんが恵梨の顔を見たら、すぐに「ああ、来て下さい」って。なんかちょっと違うなと思ったんかな。先生に診てもらって。

和　彦　そこで脳内出血やとわかって。まず出血しているから、貧血で危ない、とりあえず輸血をせんとあかんということで。私が血が一緒やったんで輸血して。ただ、それ以上の治療はでけへんと言われたな。

尚　美　ここではできないと、言われた。

和　彦　治療はでけへん、とりあえず安定させないと死んでしまうんで輸血するけど、どこまで保つか…。中の出血が止められないから。で、そこの、脳の先生が大阪の母子医療センターに勤めとった人で、そこに連絡とってくれて。そこに1台ある救急車で連れて行けば、そこで治療できるということだったんで、それを待って…。

牧　呼ばれたんですか。救急車を。

和　彦　来てくれる予定やったんですけど、そこからが長かったな…。何時間か待った。

尚　美　6時間。

和　彦　6時間くらいか。全然来なかったんですよ、救急車が。あとで聞いたら道が全然通られへん。道がめちゃくちゃやから車が通られへんし、高速もあれやし。で、なんとか着いたという感じですね。

兵庫県の調査によると、最初の病院への搬送までにかかった時間は、回答者のうち1時間未満が25・6%、6時間以上が18・3%だった（無回答31・7%）。

大阪方面への負傷者の輸送も、1980年以前に建設された道路橋がほとんど破損するなどで困難をきわめた。大阪市立総合医療センター救命救急センターでの負傷者の受け入れは、地震発生後6時間以内では3例のみ。大阪

地区での受け入れは、地震発生後30時間の時点からの12時間がピークだったという調査がある。

「植物人間になっても手術されますか」と言われて

和彦　そのときにはもう、私らでも状況がわかるくらいの。もう死ぬかな、と。そこが一番つらかったね。なんもでけへん状況で。ほんまに。ぐたーっとして。ほんまに亡くなる感じやったな。

尚美　どうしようも……。

和彦　救急車が来たから助かるというか、それに賭けるしかなかった。手術すればなんとか、という状況で。そこで、向こうの専門の先生と機材で調べたら、もう、けっこう手遅れの状態やったんやな。

牧　大阪に行って。

和彦　いや。「大阪に移動しますか、もう、たぶん大阪に行く途中で亡くなる可能性が高い」と言われて。救急車って2人乗られへん、親はどっちかしか乗られへん。機材いっぱい積んでいるんで。もしかしたら、ここでお見送りじゃないけど、最期の別れ……。救急車に乗っけて助かっても、植物人間の可能性が高いから。

牧　それは、その救急車の隊員に言われたの？

和彦　脳外科の先生が来てくれて、その先生の診断で「手遅れな状態やから、植物人間になっても手術されますか」と言われて。自分らもこう。そのときの状況を見たらね、もう、亡くなる寸前やから。言われても仕方ない。

ただ、可能性がちょっとでも残っているんやったら。そのときの心境はね、植物人間になっても。後で考えたらな、ほんまになっとったら、本人もかわいそうやから。たとえちょっとの可能性でもちょっと賭けてみてと、先生に頼んで。「責任は全部とる、植物人間でも、亡くなってもとりますんで、お願いします」と言うたら、それじゃあ、と搬送する準備して。

牧　そこで決断して。それで大阪に搬送したんですね。

和彦　そこから私は、長女とこっちに残った。乗れなかったんで。そんときは辛かった。さすがに辛かった。亡くなるかもわからなかったので。

尚美　これが最期になるかもわからんかったもんね。

和彦　わからへんかったから。

牧　つらいですね。

和彦　でも、長女もおったしね、車運転できるの自分しかおらへんから。ちょっとなんとか、こっちに残ったりして、あとで追いかけてでもできるかなと思って。

尚美　「病院へ向かうのも5時間かかるんと違うか」と言われた。それが1時間で着いたんですよ。それで、私は前に乗っけてもらっていたんですけど、「お母さんこれだったら助かりますよ」と言うてくださって。もうその言葉を信じて…。夜中の11時くらいやったかな、着いたのが。

和彦　病院への帰りは、車が道を開けてくれたんですよ。

尚美　ばーっとこう。もう、奇跡やと思いましたね、ほんまに。こう開けてくれたんですよ。ありがたいなぁと思いながら。

和彦　早く病院に着いたのがね。帰りも5時間かかったらあかんかったもんね。

あそこであきらめていたら、亡くなっとんな。100%な

和彦　その病院自体も結構大きな病院で。脳外科の先生がそろっていたもんね。

尚美　そろっていた。3人くらいそろっていただいていて。

和彦　機械も大丈夫やったみたいで。もし、あの西宮の病院に行かなかったら、母子医療センターとのつながりもどうやったかわからへん。たまたま、そこにおった先生が頼んで、つながった。

牧　偶然がね。うまくつながりましたよね。

和彦　つながらんかったら、もし、A病院であのまま待っていたら、たぶん、亡くなっていたかもしれんし。わからへんけどね、それは。いろんな可能性があるからどう転んだか、でも、たぶん、なぁ。結果的には助かった。

牧　　手遅れですって言われていたのが…。

和彦　あそこであきらめていたら、亡くなっとんな。100%な。

牧　　向こうに行って、手術をして、処置にかかったんですね。

尚美　はい。何時間も。5時間。

牧　　そんなにかかったの？

尚美　はい。よう頑張った、成功したよって。すごい生命力やわ、と言われて。ほんでそのままICU(集中治療室)に入って。ずっと治療していただいて。でも、思ったより早く退院できた。3カ月くらい。3月には一旦、退院もできて。

和彦　自分が連絡したのは、震災の次の日やな。

尚美　次の日に主人から電話があって。

和彦　私も病院から自分の家に戻って。家に入るのがさすがに怖かった。あの建物が余震でどうなるかもわからへんかった。時間も遅かったから、前にある本庄小学校、中学校もいっぱいで入られへん。入り口まで人があふれていた。それで車で寝て、次の日やな。みんな並んどる公衆電話があったから、「あ、つながるんやなぁ」と思って一緒に並んで、初めて公衆電話で電話した。

尚美　携帯電話がないからねぇ。

和彦　助かったと聞いて、よかったなぁって、ねえ。

牧　　そのときは、だめと言われたけど手術して助かった恵梨ちゃんがまた元の体というか、元気な赤ちゃんになるだろうな、と思ってましたか。

尚美　やっぱり、なんか残るやろな、と。先生もどうなるかわからんと。「まだ2カ月やから、どんな可能性を秘めているかもわからない」って言ったなぁ。

和彦　歩くのもどうか、と言っていたな。

尚美　歩かれへんかもしれんし。歩けても足を引きずるかもしれへんし。知能的な面では、今の段階ではなんとも言われへんという。

和彦　レントゲンで撮るとかなり、損傷があるから。3分の1くらいが潰れてしまっているから。右脳がね。

牧　右脳の3分の1がやられてた。

尚美　ないんです。ない。

和彦　今もないな。血液の圧力で潰れていて…。左脳にちょっとでも（損傷が）入っていたら亡くなっていたもんな。今ね、見た目はわからない。普通に歩く。でもまぁ、やっぱり足は硬いな。手はちょっと動きが悪い。

牧　でも、わからない。

和彦　ぱっと見たらわからない。右脳が潰れたから、その分左脳が成長して、右脳の部分を左が補っている。しゃべりも普通やから。右脳はまたちょっと複雑な機能があるからな。結構難しいもんがあるんやけど。

牧　3カ月間入院していて、その後リハビリして、どれくらいかかったんですか。

尚美　それはね、ずーっと。今も続いている。

和彦　昔、大阪に行ったりとか、いろいろしよったもんな。

牧　機能回復？

和彦　そうですね、機能回復。脳が水を吸えへんという、水頭症になったしね。退院して6カ月くらいで。頭が膨れて、水頭症。頭にチューブを通す手術をしてね。

牧　大変や。

和彦　そうなんですよ。せっかくなあ、退院したのに、また手術しないといけない。とにかくな、ちょっとでも良くなりたいという。で、リハビリは妻が一番大変だった。リハビリ連れて行って。

牧　それはどれくらいかかったの。当初の症状が固定して落ち着くまで。

和彦　小学校までずっと行きよったな。最初は1週間おきに…。

尚美　最初は毎日のように、くすのき学級というところに通って。リハビリと、食事をみんなで食べるとかしながら、2

和彦　年くらい。その後は、病院に1カ月に2回くらい通ったかな。

牧　毎週土曜日にな。

尚美　それがずーっと続いた。

和彦　はい。

尚美　ずーっと続いて、で、そんなしよって、そこも終わって。中学にあがるころやったっけ。一旦中学校のときにちょっと止まって。円山の病院に行ったりして。

和彦　今は神戸協同病院。

尚美　そこに、毎週金曜日に行っている。で、最近、ボトックス注射して麻痺を緩和するようなやつ。麻痺してある程度経つと、リハビリしても改善せえへんけど、ボトックス打つとまた脳が回復するという。そういうのもいろいろ調べて。神大付属病院に行ったりして。注射は神大で打って、リハビリは協同病院です。はい。ちょっとでもよくなればと思っていろいろやってきたな（妻に笑いかける）。震災後ね。

兵庫県の2011年の報告書によると、震災で障害が残った人の約8割がリハビリを行い、そのうち7割は被災地内でリハビリを受けていた。震災後の治療は離れた病院で受けても、リハビリは自宅周辺で行った人が多かったようだ。

後悔すること、いっぱい、山ほどある

牧　小学校、中学校は行かなかった?

尚美　いえ、行っていたんです。土曜日だけ。新須磨の方に行っていた。

牧　学校行けるときは、みんなと一緒に教室にいてた?

尚美　まぁ、半々というか。音楽とか体育とかは一緒に普通学級で。あとは、なかよし学級でした。

牧　休むことなく？

尚美　そうですね。嫌という時期もあったけど。今もやけど。まぁでも、休むことなく…。

牧　中学校のときも、健常者の子と過ごすことでだんだん変わってきました？

尚美　そうですね。ここの（神戸市立）明親小学校に小学校6年のときに帰ってきて。たまたま、よく見てくださる先生がいて。みんなも助けてくれてね。ま、でも中学校に入ったら、みんな知らん顔して。（小学校では）その先生がおったからみんな助けてくれてたけど、中学校になったらそれぞれみんな、自分のあれがあるから。さびしいなぁと思っとったんだけど、そんなもんかな、と。まぁ、なかよし学級で中学校は中学校で友達を作ってね。それなりに楽しんでやってましたね。

牧　震災前というのは、2人とも働いてはったんですか。

和彦　私だけですね。

牧　震災までは普通、普通と言ったらおかしいけど、会社で働いて、奥さんがいて、子どもが生まれて、そういう生活やったんですか？

和彦　そうです。市営住宅に申し込んでいてな。

尚美　5、6年ずっと申し込んでいて。それが当たったんで引っ越した。

牧　僕が覚えているのは和彦さん、お母さんも言ってはったけど、「あと2秒あったら助かったのにね」と。

和彦　そうなの。ずっと、今、しゃべりながら後悔することはいっぱいある。

牧　ああ、そうなんですか。

和彦　やっぱり、まずね、ちっちゃい子を助けに行けなかったというのがね。今となっては状況がわかるけど、そのときはわからんかった。いろいろあるな、後悔がな。

尚美　私もそれはもう。あれしとけばよかったとか。後になったら、なんで飛んでいかんかったんやろとか。

和彦　自分も一緒やけどね。あと1週間、震災が起こるのが前やったら、（住んでいるのが）垂水の方やったから。大丈夫やったかもしれんし。

牧　それもね、後悔残るもんね。

和彦　そうですね。後悔すること、いっぱい、山ほどあるもんね。最初の動きもね、病院もしかしたら、ちょっと違う病院行っといたらなとか。そこそこちっちゃい病院もあったから、そこに最初に放り込んだほうがよかったかなとか、考えたら山ほど後悔がある。2秒というのは、その最初の段階のところがね、まず揺れたときにすぐに行っておけば。揺れた瞬間に行っておけばねぇ。そりゃあ無理かもしれへんけど。

尚美　わからへんもん、状況がわからへん。

和彦　わからへんけど、でも後悔はする。

牧　生まれて初めての経験やからね。

和彦　ほんま、わからへん。だけど、それでもやっぱりね、家具をちゃんと固定していたら大丈夫やったとか。

牧　そう思ったらね、みんなそう。

和彦　後悔、いっぱいあるんやけどねえ。まぁ、やっぱり手術する前までのことやね、後悔するといったらね。

牧　病院に行けたのがね、その日の晩やったじゃないですか。夜中の11時でしょう。早く行けたとしたら変わっていたんですかね。結果として。

和彦　神戸のね、須磨のあそこの子ども病院は動いていたかもしれない。私もようわからへんけど。あっちの方に行ってたら早かったかもしれん。わからへんけどね、そのときの考え方やから。そっちが正解やったんか。

牧　そう思ったらほんまね。いっぱい出てくるよね。

和彦　そうなんですよ。いっぱい出てくるんですよ。そういう、そこまでのこと

大川和彦さん（左）と尚美さん

を後悔していたんですよね、最初。

牧 ずっと言ってはったもんね。2秒あったら、とかね。

和彦 まだ朝のときにちょっとおかしいなと思ったけど、あの段階で気づいていたら、もっと早い動きやったのに。朝一に、朝一やったら車も走れたかもしれん。なんか、そんなようなことをいっぱい思うんですよ。そういうことをいっぱい後悔する。その後は、自分らでやれることはやってきたという思いはあるねんな。やれる範囲のことは。そこまでのことを後悔しよったね。

「お母さん100まで生きるからな」って言うとるんやけどな

牧 お母さんはちゃうんでしょ。後悔じゃなくって、代わってやれたらっていうね。

尚美 そうですね。私にタンスが当たれば良かったたって思いましたね。なんでそこに。お姉ちゃんの上には伏せたんやけど、そっちまで頭が回らんかったんですよ。恵梨のところまで行くという。

牧 それは、ベビーベッドやから、なんとなく安心というか。あったんちゃうかな。

尚美 タンスが倒れているということがもう。今まで、あんな地震がなかったから。

和彦 そうやな、あんな大きなタンスが倒れるという発想がなかったもんな。

尚美 神戸は地震が来うへんというのが、なんか、あったんで。

牧 タンスの横にベビーベッド、なんで置いていたんかな、とか思ったんですか。

尚美 そうですね、思いました。全部思いますね。まさか、地震が来るとは思わなかった。

和彦 前の日におかしいね、と思うことがあったんな。確か。電話が混線したり、あんま、そういうことはなかったのに。たまたまやったんか、ちょっとわからないですけどね。小さな地震もあったもんな、前日くらいに。結構いっぱい後悔するところあったから。

牧 今はどうです。20年以上経ったやないですか。あれからね。何となく受け入れてきました?　あかん?　やっぱずっと残る？

尚美　やっぱりね、どうしようもないからね。今はもう、今できることを前見て、やらないかんなという、感じですかね。

牧　思い出したらずっと後悔が残るけど、だんだんだんだんね。ずっと持っていても仕方がないから。だから、前向いて、歩かな、仕方がない。あのときの重たい後悔から、少しづつ、放たれてきたというのはあるんですか。

尚美　いや、もう、だいぶ、薄らいではきましたね。恵梨が、もうずっとあんな感じやから。途中でなったわけじゃなくて、もうずっとなんで。だからまだ、耐えられるというか。そうなる前の姿がないから。

牧　そうかもしれんなぁ。

和彦　今通っている作業所で、苦労しているのを見るとかわいそうやなぁ、といっつも私は思うけどね。鉛筆も使いにくいし、やっぱり物も覚えられへんしね。自分で「覚えられへん」って訴えとる姿見ると、かわいそうやなぁと思うねんけどね。それ言うたら、あれやん、本人が余計にかわいそうになってくるから言われへんし。

尚美　将来のこともすごい気にするようになってきて。

牧　お母さんからしたら、将来気にするよね。ごはん作れるやろか、とかね。

尚美　そうそうそう。本人も、私らがおれへんようになった後、私どうなるのっていう不安がものすごいある。

和彦　ちょくちょく話したからかもしれんな。「将来、ちゃんとしていかなあかん」とか、そんなこと言ったこともあるからな。そういうことを覚えているのか。「自分でせな、いつかおれへんようになる」っていう話をしているから。

尚美　考えると、夜寝られへんって泣き出したり。最近多いですね。

和彦　なんとか一人でも生きていけるように、いろいろ教えなあかんなぁって言って。いろいろ教えたりしていきようけど、そういう過程でなんかなぁ。やっぱり。

牧　不安がらしたらあかんのじゃないですか。

和彦　あかんのかなぁ。

牧　今53歳？

和彦　52やね。
尚美　私、49です。
牧　若いじゃないですか、まだまだ。
尚美　「お母さん100まで生きるからな」って言うとるんやけどな。「あんた置いて死ねへんで」って言うとるけど。ママが死んだら私も死ぬとか、生きていかれへん、というのはないように。絶対長生きするから、って。

障害あるなしに関係なしに、幸せな人生を送ってほしいな

牧　お父さんお母さんのほうから見てね、あの子が日常生活を送るときに、今、何が不自由なんですか。
尚美　お金のことが全然わからへん。数えられへんね。買い物も簡単な買い物しかできへんし。管理もどうしていいかわからない。それは、お姉ちゃんに頼んでって言うとるんやけど、またお姉ちゃんと合わへんからね、性格が。
和彦　性格が違うからな。
尚美　性格が全然ちゃうだけに、余計お姉ちゃんには、何も言えないとか（笑）。1人にはさせへんからってお姉ちゃんも言ってはくれるんだけど。
牧　なら、お金の勘定。
尚美　あと、服も何を着ていいかわからない。春夏秋冬。出された物を今着ている。寒いときに、ぶ厚いものを着たらいいのか、そのへんもわからへんし。料理はちょこちょこ頑張って作っているし、掃除もやったりするんやけど、私がいないと絶対に寝れない、1人になるのが怖いというかね。
牧　働くというようなことはどうなんやろ。
和彦　ちょっと意識あるな。お金が多少もらえるし、ちょっと嬉しい部分もあるみたいやね、働いて。
牧　嬉しいってわかっていたら、大丈夫ですよ。全然わからん子もたくさんいるから。お金を持ってれば、自分が好きな物が買えると思えれば大丈夫ですよ。だから、あの子が（障害者が通う作業所で）月1万円（の工賃）？

和彦　そうですね。

牧　それで自分が好きな物が買えるとなれば、お金って必要なんだな、だから働くということがだんだんわかってくる。そこはあるんでしょ。

和彦　そうですね、そこは。

牧　そこがあれば大丈夫。

尚美　そうですね。今、めっちゃ貯めてますからね。将来のために貯めとかなあかんて。恵梨はあんまり使わへん。

牧　ちゃんと値打ちわかってますやん。

和彦　そうですね。値打ちわかっとるな。

尚美　ねえ、大丈夫ですかねぇ。

和彦　やっぱり、作業所がちょっとな、人間関係が難しいんで。ちょっとひっかかると、最近は、やめたいと言って。

牧　きっと大丈夫ですよ。うまくいかんこともあるけど、それを繰り返しながら、だんだん行けるようになる。大丈夫ですよ。できるだけ、社会に出られるような、働くことができるような方向に進んでいけばいいなと思う。

作業所ではどんなことをしてる?

尚美　手作業とかですね。歯ブラシを入れたりとか、手帳を入れたりとか、箱折りとか、そんなん。手が使いにくい分、しんどいみたいで。

和彦　家にいるよりは行かせたほうがいいんでしょうねえ。

牧　絶対そのほうがいい。刺激やから。できるだけ社会の刺激は与えたほうがいい。できるだけ健常者の中での時間を共有するとかね。

和彦　健常者との交流というのがなかなか難しいね、そういうのがね。今まではちょっとでもよく、ちょっとでも手を使いやすくとか、もっと頭良くなるように、と思っていたけど。今は幸せになるように生きられるようなことを。

牧　お父さんお母さんの願いはそこですよね。あの子が幸せな人生を送ってくれるようにということですよね。

和彦　障害あるなしに関係なしに、幸せな人生を送ってほしいな、というのが、今はね。

牧　一番の悩みですか。

和彦　恵梨がこう、人間関係で悩んどったりしているのを見たらやっぱり。

牧　どんな子どもでも悩むことはあるし、親としては。今は、恵梨ちゃんのことで悩むのは今後のこと。

和彦　そうですね。うん（考え込む）。妻が大変かもしれん。恵梨から嫌なことがあったとかいろんな話を、妻は聞かなあかんから。ずっと聞かなあかん。

牧　しんどいね。

和彦　ずっと話すから。本当はああいう話を聞いてもらえる人がいたらいいのにね。ヘルパーさんとかね。ちょっとお茶飲み行ってね。

尚美　話し相手がいないんで、私しか。

和彦　聞いてくれる人がほしいんかな。その役割がずっと妻やったから。妻が大変。他の用事もせないかんから。忙しくて聞けなかったら、聞いてくれへんって言われるしな。たしかにヘルパーさんがいたら違うかもしれんね。すぐにやってみようか。

「大変なのは自分らじゃないで、みんなやで」

牧　今、実はね、震災障害者のことで、国に行くんですよ。手帳の原因欄に「自然災害」を入れてくれと。そのときに、手帳の理由欄だけでなくて、本当はこういう支援があったらよかったというのも言いたい。それはどうやった？　震災で恵梨ちゃんがこうなって、生活も一変した中で、行政やいろんなところ、こういう風な手助けが必要だったなぁとか。

和彦　最初、相談するところがあればねぇ。もっとちゃうかったという気がするけどな。

尚美　どこに言うて行っていいかわからない。まずわからへん。

和彦　病院にしてもリハビリにしても最初は、自分で探して、全部自分で動いていて。役所なんて相談する程度というか、聞いたら教えてはくれたけど、震災のときに「こういう病院に行って」とか、サポートしてくれたらだいぶ違うかなぁと。

　求めればもっと（情報が）取れたかもしれない。そこはわからないですけど、そういう知識がなかったから。役所って、あのころはこっちから連絡しとった。みんな大変やというのがあったから、自分でやらないかんというのがあったかもしれん。最初の1週間くらいで何かそういうのがあったら、違うかもしれんね。

牧　病院とか、どういう病院にしたらいいかと、症状見ながらね、サポートしてくれる。こうしたらどない、とか。

和彦　ここ行ったらどうかとかあったら、だいぶ違うかった。そういうので手帳がもらえたから。

牧　いつもらった？

和彦　わりと早かったな。身体障害者の。心身はまだちっちゃかったから、わからんかったんで、だいぶ後だったんですよ。身体が3級をな。最初母子医療センターの先生が書いてくれて。

牧　身体は3級なの。

和彦　身体は3級なんですよ。それを最初にもらって、精神はまだ全然、ちっちゃいからわからへんということで、ずっともらわんかった。3級で、もらわんかったけど、たまたま、私の会社で耳の不自由な子が入ってきてね。「恵梨ちゃん知的障害で手帳がもらえるんちゃいますか」と言われて、区役所に行ったらもらえたんです。知的障害のAやったんやな。身体が3級で、精神もほんまはBやけど両方併用でAになったみたいな。

牧　一番重たい。

和彦　あのまま知らんかったら、身体障害だけのままだったかも。たまたま人からそない言われて。申請したらもらえるとか、そういうのも全然、なんも教えてくれなかったな。もっと早くにもらえてたかもしれんな。その病院にしても、全然何も、教えてくれへんな。手続きに行ったらそれだけ、はいはいって。

牧　震災から後のサポートをどうしていったらいいのか。何が必要とされてきたのか。今一番、考えないといかんことだと思いますよ。それを探るためには経験者の人たちの意見、こんなことがあったって、こんなことで困ったとか、それを聞いていけばいいかなって。

和彦　神戸は地震でみんな大変な思いをしてるんで。僕らも、他の人もね。僕の職場の中でも、それぞれ違うけど、みんな大変なことがあるから。「自分らだけが大変じゃないで」みたいなことを言われたことも結構あるんです。

牧　あるんですね。

和彦　「震災で大変なのは自分らじゃないで、みんなやで」みたいなことを言われると、もう、なにも言われなくなるんで。で、恵梨が病院に行ったりして職場を休まないかんときも、やっぱり厳しいときもあって。社会ってやっぱり厳しいなぁって。神戸はみんなが大変やから、言いにくい。僕は会社で言いにくい。妻はそういうことがあったかわからないけれど。そういうところがあるから、いろんなところ行っても、なんか言うと甘えとうと思われるんかな、みたいな。で、区役所行っても、あんまりそれを言うとちょっと変な目で見られるときもね。

牧　そうなんですか。どんな？

和彦　変な目っていうか、やっぱ「何かしてほしいんか」みたいな。

尚美　冷めたというか、「何を思っとるんや」みたいなね。

和彦　「何をしてほしいんや」みたいなね。むしろ違う地域やったら違うかったかもしれん。わからんですけど、震災と関係ないようなところに行って、震災でこうなって大変なんでって言うたら、みんなが、大変やね言うて、なんかすることあるって。神戸ってみんなが大変やったから。そういう空気を感じるから、あんまり言わへんなった、というのはあるね。

話して、しんどかったよっていう気持ちをここで出していいんや

牧　お母さんどうだった。

尚美　私もやっぱり友達には、あんまり言わなかったですね。言いづらいなと。

牧　言えない？

尚美　恵梨と同じくらいの子の親と接するときも、みんな状況が違うから言いにくいし、自分で壁を作ってしまった。

牧　それは壁作ったらしんどいでしょ。

尚美　しんどいですね。

和彦　壁作った部分もあるもんな。まあ、ちょっと変に考えてるかもしれんけど。

牧　そういう、雰囲気があったんやろか。会社でそういうこと言われているって、近所でもそういうのあった？

尚美　自分の中でもみんな大変やから、というのもあった。自分の中にあるし、自分らだけじゃないという。

和彦　家の近所の人は知ってるけど、向こうは向こうで言いにくかったかもしれんね。深く聞いたら悪いんかなと思ってはったかもしれん。話を聞かれたことないもんな。

牧　それが最初のころ、ずっとあったじゃないですか。それで10年くらいして、「集い」ができた。そのときはどんな感じですか。一番最初、何人か集まったでしょ。城戸さん（証言01）、岡田さん（証言02）も来てましたよね。

尚美　話していいのみたいな。

和彦　それまでは、交通事故でとか、知的障害でとか、そういう子と一緒にしとった。状況が違うから、ちょっと相談というのはなかなかできない。

牧　原因が違うからね。

和彦　原因が一緒だと話が合うんやけどね。だから、難しかった。地震で障害が残った人がそうおらんかったから。みんな亡くなったんか、逆に地震でそうなってる子て会ったことがなかったもんね。1回も。だから城戸さんだけやね。

尚美　初めてやったね。

和彦　自分らは家族の中で相談して、こうしようか、ああしようか、と、それでずーっと来てたからな。

震災障害者87人が兵庫県と神戸市の調査に回答した報告書（2010年）によると、行政の相談窓口を知らなかった人が60%、悩みを聞いてもらい相談できる相手が、「家族または誰もいない」が合わせて約85%に上った。家族以外の誰にも愚痴をこぼせない、震災障害者の過酷な状況が見えてくる。

よろず相談室は、震災障害者の「同じ悩みを持つ人たちが気軽に集まれる場がほしい」との声を受けて、震災障害者の支援を2007年3月に始め、本人や家族が気軽に語り合う「震災障害者と家族の集い」を毎月第1日曜日に開催してきた。

和彦　あのときが初めてやったね。同じ境遇でってなると話しやすいしね。

尚美　話して、しんどかったよっていう気持ちをここで出していいんやっていう。

牧　そういうのが集いで初めてですか。

尚美　話したらあかんと思ってたから。それまでは。みんな同じ状況で。

牧　しんどいことを、しんどいと言ったらあかんのやって、そういうのやね。

尚美　はい、そうです。

和彦　震災でああいうものが早くからあったら違うかもしれなかったですね。みんなそうかもしれんですけどね。

牧　あちこちでね。たくさんいてはるわけだから。

和彦　しょっちゅう会わなくても、ちょこちょこでもつながれば。やっぱり、違う。

牧　気楽に弱音を吐いて、早く吐き出せれば。解決はせんかもしれんけど、気が楽になるというかね。

和彦　そうやな、しゃべるだけでもだいぶね。どうしても頑張らざるを得なかったから、弱音を吐かなかった部分もあったかもしれんね。誰かに言うような精神状態じゃなかったかもしれんなぁ。最初のころ。頑張って恵梨を良くせなあかんという、そんな思いがあったから。

牧　本当は、自分の壁とか、世間の壁とかなければ、もっともっと弱音を吐いて、励ましてもらいながら、他の人を励ましたりしながら、楽になったかもしれん。

尚美　そうやったでしょうね。

和彦　楽っていったら楽やったかもしれん。でも、それってできるんかな。結構難しいかもしれんね。それは。

牧　でも、言うてみたらお金のかからんことですよね。そういう制度とか、システムを作ってしまえばね。必ずこういう問題が出てくるので、こういうのを作りましょう、と言って。

和彦　相談窓口とかあって、こういう方来て下さいとかあったら、違かったかもしれんけどね。そこへ行って話して、サポートしてくれる方が来たら、かなり助かったかもしれん。

兵庫県は2013年、震災障害者のための相談窓口を防災企画局復興支援課に開設した（電話078・362・9816）。この収録後、2017年2月28日、大川和彦さんと恵梨さん親子は、ほかの震災（災害）障害者家族ら「よろず相談室」のメンバーとともに東京・霞が関の厚生労働省を訪れ、古屋範子副大臣（当時）と面会。大川さんは相談窓口の必要性などを訴えた。

牧　（恵梨さん）おおきうなったね。170くらい？

尚美　162・3センチかな。

恵梨　うん。

牧　もう23歳になったんかな。

尚美　22です。

恵梨　うん。

牧　おおきうなったな、僕はもう老けたし。

恵梨　そんなことないです。

和彦　今から買い物行くねんな。

恵梨　今日はお皿を買うの。
和彦　あ、そうかお皿買うって言っていたね。自分のお気に入りのお皿がわれちゃったって。
尚美　歩いていかないかん。運動、運動。
和彦　恵梨ちゃん、携帯なってる。
牧　前、キムタク好きやと言ってたけど、今でもなん？
恵梨　今でも好きなんだけど。
和彦　今、錦戸がおるもんな。
恵梨　1番好きなの。
和彦　好きなアイドルは結構ぎょうさんおるんです。
牧　スマホよう使えるな。
和彦　機械はけっこう強いんですよ。
牧　パソコン、恵梨ちゃん打てるの？
和彦　左手が大丈夫やったらこれ（両手でタッチタイピング）もできるんやろうけどね。
牧　右でもガチャガチャいけるの。
尚美　これくらいやな。（1本指で打つ真似をする）
牧　でもどこにあるかは、大体わかるわけや。
恵梨　わかる。
和彦　音楽とかしよるもんな。スマホも使いこなしてるわ、結構。

大川恵梨さん

「私、今になったら仮設のほうが、もっと楽しかったなと思います」

証言　11

村上しま子さん(当時66歳)

村上しま子さんは、神戸市東灘区の阪神住吉駅の高架下に広がる市場の一角に住んでいた。震災で市場は全壊。住む家も崩れ落ちた。震災のショックで、漢字とひらがなが頭から消えた。よろず相談室が開く識字教室「大空」で約20年間、勉強を続けた。

村上さんとの出会い

よろず相談室近くの住吉仮設住宅で初めて村上さんと出会った。ここは大規模な仮設住宅で、３００世帯は住んでいた。村上さんは、多くの人が去り、空き家だらけになった仮設住宅で、草ぼうぼうの中、復興住宅の抽選に当たらず、最後まで1人、そこで暮らしていた。

震災のショックで、漢字とひらがなが読めるのに、書けなくなってしまっていた。避難先に電話がかかってきたので、相手の名前を書こうとしたが、字が浮かばないことに気がついたという。識字教室を始めていた私が、「読み書きを勉強しませんか」と誘うと通い始め、20年通った。

手先が器用なので、小物を作り、親しくなったボランティアの人たちにあげていた。特に「まけないゾウ」（ゾウの形をしたタオル）をずっと作っていた。

識字教室や集いには必ず参加していたので、いつもそばにいるように感じていたが、復興住宅での生活を「ここでは人と出会い、話すことがほとんどありません。倒れたら恐怖の場所」と語っていた。実際に、ベランダで倒れたこともある。幸いにも、意識が戻ったので自分で対処したが、ここでの生活は「日々怖い」。よく「身体が不調なとき、ボタンを押せばちょっと相談できる、そんなシステムがあれば安心するんやけど…」と話していた。

メニエール病、物忘れなどが激しくなり、娘の住む栃木県の施設に引っ越した。識字教室の卒業論文として、自らの半生を綴った冊子『みち』を書きあげた。（牧）

そこらへんが真っ暗になって、すごい音がして、山が崩れてくる夢見てん

２０１６年12月27日、牧が聞き取りをした。

牧　今日はね、今まで村上さんといろいろ話をしたこともあるんですが、記録として残したいねん。普通に僕といつも話してるようなつもりでお願いします。

村上　はい。

牧　村上さん、震災前はどこに住んではったんですか？

村上　うんと、住吉。（阪神住吉）駅のすぐ近く。あの市場の中。住吉宮町１丁目かな。

牧　あそこの市場も、もうダメになってしまったね。

村上　もう１軒もないでしょ？

牧　あの花屋さんは？

村上　花屋さんは、なくなった。ご夫婦亡くなって。

牧　こちら側の高架下にお好み焼き屋さんあったやんか。震災後ね。

村上　高架下…。ハツセ？　そのハツセがあって、私がその前にいてたから。お店が混んできたら、私２階で仕事しとんのに「おばちゃーん」ゆうて呼ばれて、よう行って手伝いました。

牧　ハツセのとこで？　あそう。ほんだらちょうどそのハツセの高架下やんね？　ここらへんの一帯の市場は、駐車場なったり（してなくなっている）。

村上　そう。だから花屋さんもなくなって。私ももう最近そっち行かへんから。ちょうどね、私がいてたんは、電車の線路と沿うて、山っかわにありました。

牧　ほんならここの市場は震災前は結構賑わってたん？

村上　そうですね。（駅前）だから電車で行く人は、「あぁ今あれが下ってきたから、特急が行ったから、走って御影まで行けば次の電車に乗れる」ゆうて。「普通に乗るんやったら、特急が今行ったで」言って家出て駅に上がれば、間に合いました。

牧　なるほど。ほんならここのハツセの向かいで村上さん仕事してはったの？

村上　そうそう、そうです。

牧　前は縫いもんやったっけ？

村上　和裁してました。

牧　和裁ね。もう長いことですか？

村上　そんなに長いゆうほどでもないですけど、三越の仕立てさしてもらってたから。ハツセの向かいの家の2階で。下がふとん屋さんで、綿やなんか入れてはったから、その2階借りて私が仕事してたから。

牧　結構長く住んだ？

村上　長いこと住んでました。娘が小学校入るときにはもうそこにいてたから。娘が幼稚園に行くときからかな。

牧　そうなん。ほんならもうここらへんでずっと生活してはったわけや。震災のときはどうだったですか？

村上　それゆうのがね、私は、あの地震で揺れたというのは覚えてないんです。うん。

　あの話が後先になるけど、正月に、元旦明けて「おめでとうさん」言って隣の子んとこ行って。隣の子が、「おばちゃんええ夢見た？」って言うから、「あんまりええ夢じゃないんやけども、そこらへんが真っ暗になって、すごい音がして、山が崩れてくる夢見てん」ゆうて。「なんで正月早々そんな夢見るんよ」言うから、「そんなことゆうたってあんた、私見てしもてんもん、返すわけにいかへんや」って言うてて。

　あれ、地震でしょ。だから地震のとき、今までしたことないんやけど寝る前に枕元にズボンから、起きて着るもん全部、着替えするもん全部枕元に置いてて。なんかしらん、懐中電灯も置いてましたし。ほんで寝て、トイレに行こう思うて、布団をふっとまくりあげたときにドーンゆうて音がして上へ持ち上げられたんですよね。ほいで、「あれ？」と思うた途端、ドスンでしょ。ほしたら枕元の鏡が、鏡台の鏡が割れて、窓がガシャガシャって割れたままでは覚えてます。

牧　ほぉ。

震災のときに財布持って出たん私だけだったですよ、近所でね

村上　放り上げられて、音がしたのまでは覚えてます。そして私、布団ピッと被ったから、そうしたまま布団の中におりました。

牧　へぇ。時間的には結構長くそのままいた？

村上　私、出してもろたときには、もう来てましたよ、自衛隊。ほいで出してもろうて。前の（家に住んでいた）息子さんは結婚して他で住んではったけど、その息子さんが「おばちゃーん、おばちゃーん」ゆうて呼んでくれて。その前にね、「おばちゃーん」て呼んだらしいけど私が返事しなかって、娘さんがおばあちゃん死んでるってゆって、「死んでるー、死んでるー」の声で私もふ～っと気がついて。

えー、どこのおばさんが死んだ、せやけど真っ暗がりでなんにも言えへんし、起きようにもなんや重たいし、思ってた。ほんなら息子さんが「おばちゃーん」言うたから返事したら、「どこに寝てんのん？」て言うから、階段上がったとこって私も言うたんですけどね。そしたら、2階が1階になっとるから、「2階の窓から入っていくからおばちゃん動かんとじっとしとってよ」って言ったから、「誰がそんなことしたん？」って言うたら、「おばちゃん僕いねんで、今から入っていくさかい黙っとってな」言って。ほんならまぁ手探りで来てくれて。私も気づかなかってんけど、「おばちゃんあのな、天井のけるからな」って言うから、「天井みたいもん、どないしてあんたのけるん？」言うたら、「天井がおばちゃんの上に落ちてきとんねん」言って。

牧　へぇー「誰がそんなもん落とすん」言うて私も（笑）。もう、そのときに頭の中なかったんやと思いますよ。

村上　寝てた2階が結局1階になってた。グシャっとぶれてしまった。

牧　べちゃんと1階になってました。だから私が、5時に目が覚めてトイレに行ってたら、雪隠詰めになるとこでした。

村上　ほんまやね。ほんなら階段ていうのはこれ2階に上がる階段で、この階段がグシャってなってて。

はい、半分崩れてました。私が出してもらうとき、立ったときになんや足に当たったんですよね。「それおばちゃん天井やしな」て。「電気の傘や思う」って言うたんよ。

せやから天井の電気がドスンとそのまま落ってきてて。私がその間から引っ張り出してもろたときに上見たら、梁が残っとったんですよね。このぐらいの裸の梁が乗ってました。そのときもただ、自分が揺れたん知らんから、放り上げられてグシャっていう音は聞いたけど、他の音は聞いてないから。ちょうどタンスと反対側、私の頭側、南っかわに棚を作ってて、その棚の上のダンボールの箱に毛糸とか（布の）切れ端とか全部置いとったんですよ。なんか知らないけども暮れに、重たい布の箱を（棚の上から）下ろして、足元に置いて、軽い毛糸の箱を棚の上に積んだんですよ。せやからその棚の上の毛糸の箱が、みな私の上に乗っかってた。

牧　良かったよね、軽かったから。

村上　そうですねん。とにかく足元には布の重たい箱が、みかん箱が何個も積んでありました。だからタンスも倒れてこんと斜めになってた。その前の日に私が全部入れ替えてた、大事なもん入れてる袋とか保険証とかいうのが引き出しにあったけど、引き出しが半開きになっとって見えてたから、その袋持って私は出たんですよ。

牧　震災の前のときに整理したんで、良かったね。

村上　せやから震災のときに財布持って出たん私だけだったですよ、近所でね。「なんでおばちゃんそんなもん持って出てきたん」言うけど、引き出しが開いとって袋があったからそこへちょうど手入れてそのまま出てきたからね。

牧　ほぉ。そこらへんは覚えてはるんや。外へお金持って出たとか。

村上　オーバーはかかっとったけども、取られへん。前の息子が「おばちゃん、後でまたオーバー取りに来たげるから、とにかく早う出て。僕も怖いねんから」言うたからパジャマのままで出ました。ほんで履きもんがないから、向かいのお母さんが「つっかけ」持ってきてくれたんですよね。それ履いて、遊喜幼稚園に行ったんです。

牧　村上さんが家を出たときは昼？　夕方？

村上　もう8時過ぎてたん違う？　ちょうど私が出たときに、ヘリが飛んでたから。ほいで自衛隊の人が来て、「ここの家まだ誰か残ってる？」って言いはって、「私」って言うたのは覚えてる。

自衛隊は、自治体から災害派遣要請が来る前から「近傍派遣」として阪急伊丹駅（午前7時58分）や西宮市民病院付近（午前8時20分）に部隊第36普通科連隊を派遣していた（『阪神・淡路大震災災害派遣行動史』陸上自衛隊中部方面総監部、1995年6月）。現地の具体的な情報がないまま出動し、救助活動にあたった部隊もあったという。

牧　幼稚園にはもう、たくさん人がいた？

村上　もう本当にすごい人やった。みんな待ってたんや思いますよ。犬やら猫抱いてはって。私も寒いけど何も着てへんし。あとからオーバー持ってきてくれたからオーバーは着たけども。余震がありましたやろ？　何回も。みんなその度にキャーキャー言いはって。なんでこんなにキャーキャー言うんかな思うて。だからよっぽど泣かなかったんや思いますよ。その日の夕方、4時過ぎやったと思いますよ、初めてパンが配給されるゆうて。私、（公民館に）並びに行ったから。並んでその食パン1枚の袋に入っとるのもろて、固いパンやな、思いながら。朝から食べてしませんやろ、なんにも。ほいで帰ってきたけど、そのパン食べた覚えが（ない）。「あのパンどこいったんかな」って未だに考えます。

牧　ほんなら幼稚園から公民館に移りはったの？

村上　公民館行ったんはそのパンもらいに行ったんが1回だけ。そして明くる日の朝にあの、「（魚崎の）ガス（タンク）

牧　が爆発するから逃げぇ」言われて住吉中学校まで逃げました。で、住中でもらった毛布敷いて座ったとこへ（神戸市）北区から探しに来てくれたんですよ。

村上　なるほどね。

牧　姪が「おばちゃーん」て言うてくれて。ほんなら「一緒に帰ろう」言うて。そしてそのまま行ったんですよ。

村上　よく見つけはったね。住中に避難してるゆうのがよくわかったよね。

牧　あの、甥の嫁がね、公民館に行ったらしいです。ほしたら「元気でけがなしに、みんなと一緒に住中に行きました」ってゆうてくれはったから、住中まで探しに来てくれました。

村上　お姉さんが嫁いだところの家族が助けに来てくれはったんですか？

牧　はい。だから甥には世話になりました。仮設は、一番先に当たったからね私。

村上　住吉の仮設、大きかったでしょ？　ものすごい大規模。どかんと野球場あったから。僕が覚えてんのはテニスコートの上っかわに集会所があって、ほんで下はずっとまた仮設で。

牧　集会所には私もよく行きました。

村上　ねぇ。そこで僕会うたんです、初めて。

牧　仮設は1番最後までおりました。ここへは平成13年（2001年）の4月に来たんかな。みんな行ってしもて、最後まで残りました。

村上　仮設の後は、抽選でなかなか当たらなかった？

牧　家が、なかなか当たらなかった。もうしょうがないから公団申し込むゆうて、当たってカギもらいに行く日に、ここが空いてるからどうやって。こっちやったらまぁ病院行くのが近いから、HAT神戸から行くよりもここのほうがいいから、こっちがいいゆうてここに来ました。

兵庫県は、応急仮設住宅を1998年9月までに全て解消することを目標に、96年7月には「恒久住宅への移行のための総合プログラム」を決定。災害復興公営住宅等については、仮設住宅への入居者や高齢者らを優先的に入居させた。しかし、家賃が比較的高い準公営住宅ではなく公営住宅への入居希望が多く、地元または仮設住宅周辺への志向も強く、仮設住宅の解消は、最終的には震災5年後の2000年1月までかかった（『阪神・淡路大震災教訓情報資料集』・恒久住宅への移行措置）。

牧　もともと住んでる市場のとこは、震災で亡くなった人も多い？

村上　下の市場行く角に豆腐屋さんがあって、豆腐屋さんの隣かな。中学生ぐらいの子がいてて、ご夫婦が亡くなりはった。それは聞きました。

牧　そうですか。住吉の駅の近くによろず相談室があったんですよ。震災から、1、2年目くらいから。事務所を借りたの。で、聞いたのはね、このへんの住吉の近くはたくさん子どもが亡くなったと。

　このこちら側、下っかわ。あそこポツポツとね、結構亡くなっててね、ほいで意外やったんは、高架下の住宅あるでしょ？　全然どうもない、高架下は。あれどこも壊れてないよね。

出てきいしませんもん。ひらがなもカタカナも

牧　ほんで村上さん、この地震で、知ってた漢字とか文字がポンと飛んだって言うてはったな。

村上　もう漢字もひらがなも、ありますかいな。ひらがなとカタカナ、一生懸命考えて丸打ったり点打ったりしましたもん。

牧　震災前は書けてたのに。

よろずの集いで集まった村上さん（中）と城戸洋子さん（右）

村　上　あの、震災前に識字習いにちょっと行ってたから。
牧　で、震災で、みんな忘れてしもたって。
村　上　もう全然わからなかった。だから（姉の家に）お世話になってる間、商売してたから次から次と電話がかかってくるんよね。ほんで「電話で聞いたもんの名前を控えとけ」言われても、その字が出てけえへん。出てきいしませんもん。ひらがなもカタカナも。
牧　そういうの飛ぶんやなぁ。
村　上　アホやのにまぁ、アホの上に飛んでしもたらもう余計アホんなってあらしませんやん。
牧　それを知ったときは、自分でもびっくりしたん違う？
村　上　びっくりしない。そんなもん全然、そんなん頭の中にないですもん。わかりません、うん。抜け殻になったらあんなんなるんかな、と思いましたもん。ほんでその震災の後も妹があっちこっち連れてってくれたんよね。だけどなんか道路のあちこち板が渡してあって、その板の上通ったのは覚えてるけど、どこを通ったか全然覚えないんです。きれいにもう。

村上さんは、よろず相談室が開く識字教室に通っていた。

牧　ふーん。今はね、もう結構な漢字も書けたりね。
村　上　その代わり書いてた漢字が、確かああやってんけどな、とまた忘れかけてます。もうイヤになってきます。そうゆうて、（識字教室に）行かなかったら余計わからんようになるやろなと思うて。
牧　「もう教えることは何もない」って（先生が）言うてはったわ（笑）。結構長いこと、やってはるもんね。
村　上　書いとってもその書いたのを忘れるんですよ。だから新聞見たりして、読めるのになんでこれ書かれへんの、あの字が、って言いたいぐらいです。

ここで気分悪なって「助けて！」言うたって、誰も助けてくれしません

牧　ほんならね、５年いた仮設の最後のほうの時期、役員してはったでしょ？

村上　うん。役もろたんはみんなが出ていってしもて、あとちょっとになったから。

牧　（現在住む）ここでの生活は結構、寂しいって言うてはったね。

村上　本当に気おけて話できるのは、３階の人１人と4階の人１人。

牧　入居してる人は高齢者？

村上　ほとんど高齢者やね。一人暮らし多いです。

牧　平成13年（２００１年）からもう15年住んでる。その間にいろんな友達とかできました？

村上　私はできない。もう病院ばっかりで。うっかりもの言われしませんねんもん。

牧　なんで？

村上　私、共同生活したことないから。うーん、わかれへんけど、どう言うてええんか。ここへ入ってすぐに、会計もたされて。２年続けて会計もたされて。それも無理やりですもん。

牧　うーん。ここの集会所のね。

村上　もうその時分は私も毎日開けて掃除しよったけど、最近はそんなんする人おれへんから。

牧　そこどないしてますの？　集会所。開かずの集会所？

村上　開いてる。掃除する人雇ってるから、掃除の人が週2回来て、あの中へ入ってトイレ使うたりしはるから開けてるけどね。みんなの集会所やからみんなで掃除して気持ちよう使ったらいいのになと思うけど、それができひんみたいで。

牧　仮設のときはどうやったですか？　仮設のときは、他の人と挨拶とか。

村上　そうなかったね、うん。でもね、仮設のほうが良かったと思いますやろ？　洗濯干そう思うて窓開けたら向こうも、窓開けはって「おはようさん、寒いな、暑いな」言うて。ここへ来てドア閉めたら、もうそれないですもん。

牧　そうか。仮設のときはそういうのがあったから、わりといろんな人と行き来があった。

村上　そう、いいと思いましたよ。私、今になったら、仮設のほうがもっと楽しかったなと思います。集会所があるから集会所へ行って、週1回、お茶飲んだりしてたからね。今ここではそれがないの。

牧　一番、大事なことやけどね。集会所でみんなとお茶飲んだりね。

村上　せやからドア入って閉めたら、中で言うてることは外に聞こえないから。だからここで気分悪なって「助けて！」言うたって、誰も助けてくれしません。そのくせ、外で話してるのは聞こえます。ここへ入ったらもう外へは聞かれない。だから私が目回ったたって、入口開けんことには誰も入ってこられしません。そこまで行ければいいけど、なかなかスッと行かれしません。

牧　ならもうここは、倒れたら恐怖やね。

村上　うん、怖いです。脳梗塞になったときも私、動かれへんし、吐き気はするし、めまいはするし、耳鳴りはするし、どうにもなれへん。えらいことやなぁ思うたけど、ベランダへ出てひっくりかえって、植木鉢の角で打ってここ（目元）。死んでました。

牧　それは見つけられて助かった？

村上　いやいや、誰も呼ばれへん。そのときはまだ意識があったから、あー目がつぶれた！思うて、洗面所へ行って鏡見て、それこそ卒倒するような顔でした。お岩さんもええとこでした。こっち真っ青になってました。倒れて少しして、自分で起きて、うん。

牧　怖いね。部屋の中で自分がどうなるんかなっていうのね。

村上　だからね、私、気分悪いなって倒れたときにボタンを押したら、消防署なり病院なりに通じるようなシステムがあったらええのになぁって言うたら、なんかそれはあるみたいですよね。それ、もらおう思うたら、今すぐにはもらわれへんて。

村上　例えばこうぶら下げとったら、ギュッとこれボタン押したら（助けに来る）。持ってたら安心やね。

牧　そう。４階の人が、なんか持ってはったみたいやけど、それでも亡くなって。２、３日目にわかったんかな。新聞屋さんが新聞配達に来て、溜まってるからおかしいなっていうことで区役所に言いはったらしい。

　こないだもデイサービスの人が来てくれはって。私、気分悪くてトイレに入ってた。来てくれはって、はーいってトイレで言うたけど聞こえへん。入り口はもうカギ開けてんねんけど、その人は知りはらへんから。ほんで何回も呼んでくれはってピンポンピンポン鳴らして。でもそれも返事もしてんけど、あー聞こえへん、あかんわ思うて。

村上　あぁ、そうやねぇ。

牧　とにかくめまいがしょっちゅう起きるから、どうしようもないんですよ。

村上　そりゃメニエールもあんねん。

牧　メニエールやって言いはるけど、メニエールがなんや私もさっぱりわからへんねんけど。

村上　村上さんが患うメニエール病は、日常生活に支障をきたすほど、自分や周囲が動いたり回転したりしているような感覚の発作が繰り返し起こり、変動のある低周波の難聴、耳鳴りを特徴とする病気。

牧　村上さんにとってここでの生活というのは、そういう意味では日々、怖い？

村上　怖いんですよ。そうゆうて（栃木にいる）娘が「家建ちよるから、手打っといたげよか？」って言うから、「いや栃木まで行く気はないわ、ここであれして、お寺さんでちゃんと供養してもろて、高野山に連れていって山の上に置いといてもろたらええわ」って私言うたんやけども。

牧　村上さん、あれどないしたの？　あの、「まけないゾウ」（手芸品のタオル）はもう作ってない？

村上　もう作ってない。けどそれは頭に入っとるから作れるけどね。あれはようけ作りました。

牧　あれは仮設のときから作ってはったん？

村上　そうです。

牧　仮設の集会所でやらはったわけや。

村上　そう。集会所があんのにみんなバラバラになって、だいぶＨＡＴ神戸に行きはったからね。みんなで寄ってなんかできるもんがあったら教えてほしいってゆうたんがゾウさんだったと。ほいでみんな弁当持って行ったりして、集会所でしてたからね。せやから案外長いことしました。ここへ来てからもちょっとして、取りに来てもらいよったけどね。

牧　なら10年くらいやってはんのかなぁ。

村上　だいぶしてましたよ。ほんでみな欲しい言いはるからあげた。まぁそれは頭に入っとるからどうにかできるけどね。

牧　また一本作っといてください。よろずに飾ります。

村上　あ、ほんと。ほな作っときます。

牧　まあ、今や珍しいからね。前はようもらったけどね。

村上　あのゾウもようけ作ったけど、あっちこっち。インドに行くのんは、正面、おでこに赤いのん貼ってね。だからあのゾウ（の作り方）は頭の中に入ってるんですよ。で、茨城の人が教えてほしいゆうて。作り方書いて渡したからね。

牧　そうですか。また、村上さん、また来年来ますけど、元気でおってくださいね。

村上　はい、ありがとうございます。もうほんとにすんませんもう。ほいでこないだ、自分の生い立ち書いたときに、「先生もうちょっとあの、今のこと書き込みたいねん」ゆうて書き込んで。

村上さんが作ったまけないゾウ

村上さんは識字教室で、『みち』と題した冊子に、自らの半生をまとめた。

牧　完成しはった？

村上　うん。ちょっと足しました。震災後のことをあんまり書いてなかったからね。だから、脳梗塞したことから、ちょっと書きました。ほんなら娘が欲しい言うて、２冊持って帰ったから。

牧　あはは、ほんま？

村上　うん。「お母さんの小さいときのこと、わかれへんもん」言うから、そうか、言うて。

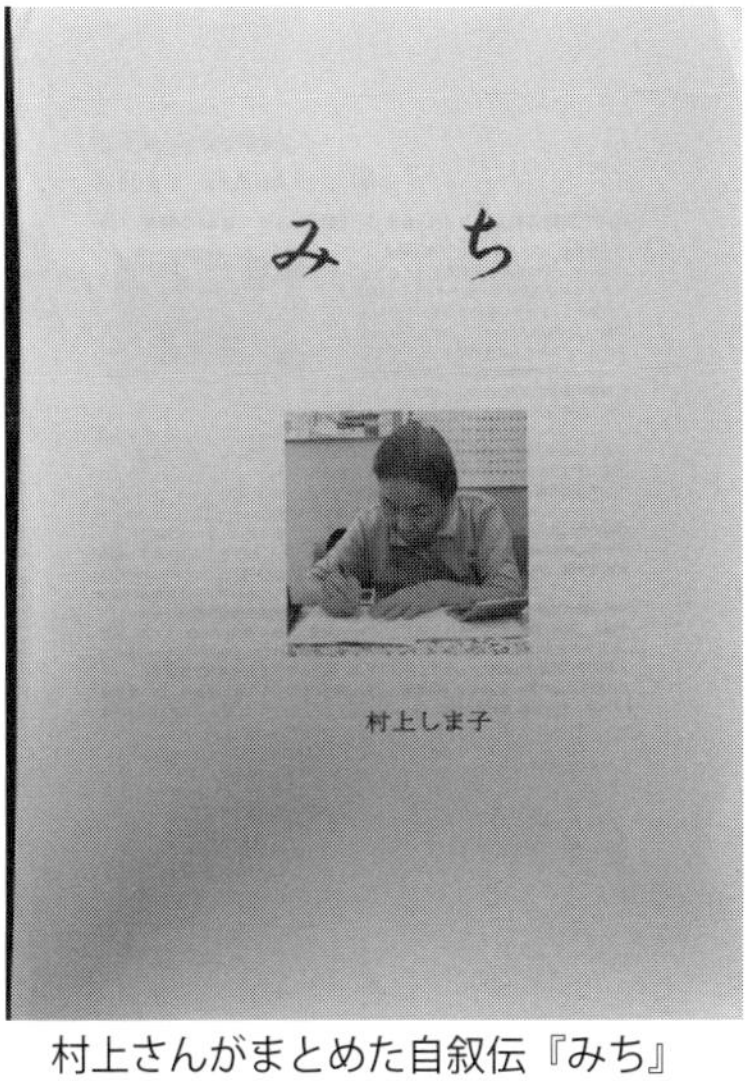

村上さんがまとめた自叙伝『みち』

「自分が塞ぎ込んでしまったら、あかんのよね。やっぱり外に出て、誰とでも発散しないと」

証言　12

山本幸子さん（当時54歳）

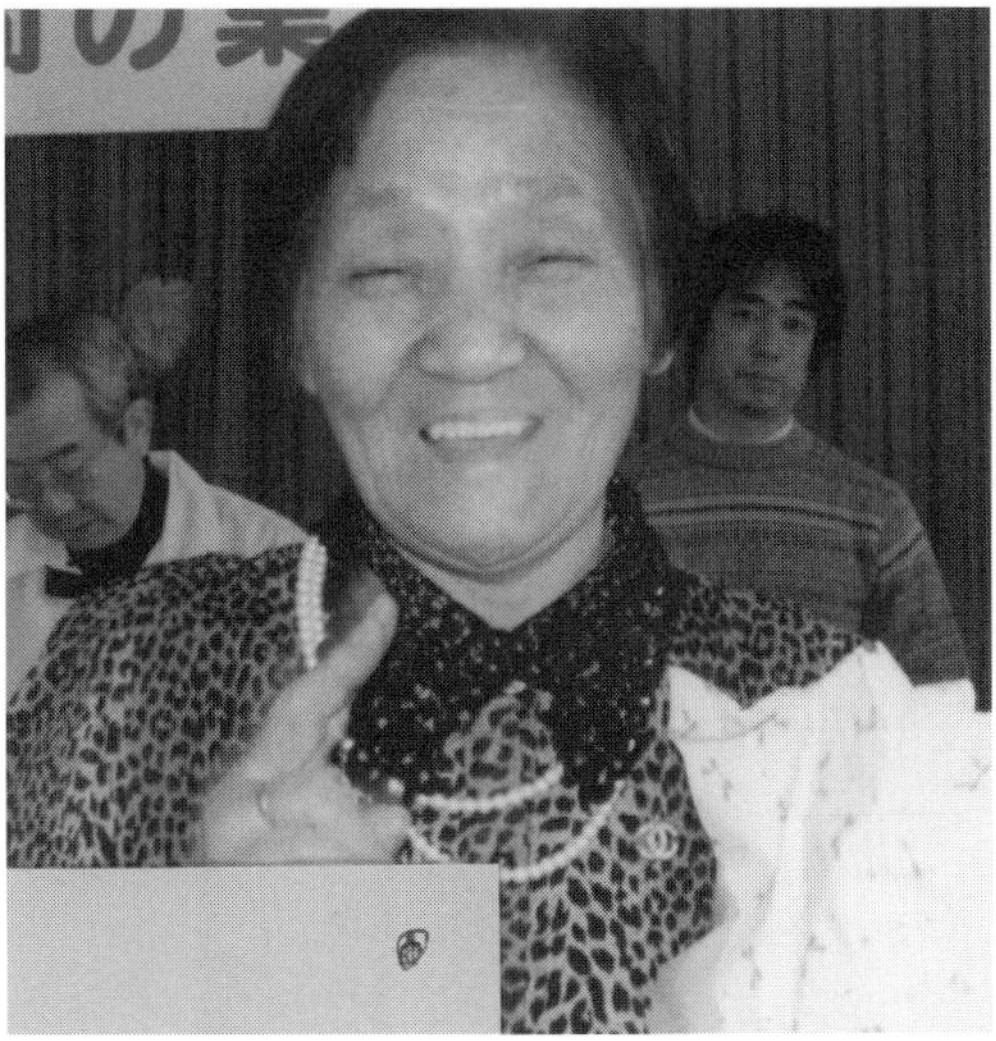

震災当時、山本幸子さんは家族４人（夫妻、子ども２人）で神戸市灘区楠ケ丘の文化住宅に住んでいたが、全壊。山本さんの職場は倒産し、夫は２年後に仕事を辞めた。世話好きな山本さんは避難所・仮設住宅・復興住宅で自治会の役員となり、現在も走り回っている。

山本さんとの出会い

山本さんと初めて出会ったのは、震災直後の灘区の避難所だった。御影北小学校でボランティアをしていた私が、同じく避難所となった近隣の中学校へ訪問した際に出会った。避難所運営について悩みを抱えていた山本さんから、話を聞いたのを覚えている。その後、よろず相談室の活動で六甲アイランド仮設を訪問した際に、偶然にも再会して親しくなり、長い付き合いが始まった。

現在入居する復興住宅では、役所に頼まれ「見守り推進員」として、毎日動き回っている。１０４世帯が住む復興住宅では半数は高齢者、70歳以上の人が40人いる。何階にだれが住み、どのような状況（家族構成・年齢・既往症など）かを把握する住民台帳も自分で作った。

「帽子がなくなった」「カギをなくした」など住民の困りごとに対応したり、エレベーターなどで出会ったときに声掛けをしたり、健康チェックに訪問したり。民生委員に相談し、近隣の認知症の人の世話もしている。自治会役員としても、住民同士の食事会・お茶会・健康相談・手芸教室など様々な活動をしていたが、腕と腰を複雑骨折して以来、無理ができなくなったという。心臓のバイパス手術を受けたり、難聴になったり、いつも何かしら病院の世話になっているが、それでも人の世話をすることは「死ぬまでやめない」という。（牧）

「お母さん、玄関ないで。階段もないで」言うて

2017年5月25日に、山本さん宅で牧が聞き取りした。

牧　震災の前からずっと生活してきはって、震災のときどうやったか。

山本　震災のときは鷹取の学校におって、それから六甲アイランド（の仮設）行って、そこからここ（新在家復興住宅）へ来た。

牧　そうやね。その辺のことを僕が聞いていくので、そのときにはあんなやったで、こんなやったで言って。震災前はどこに住んではったの？

山本　震災の前は、灘区楠丘1丁目の文化住宅。

牧　そこに結構長いこと住んだ？

山本　子どもらが6歳くらいからだから、20年、30年くらいおったんちゃうかな。

牧　そこで家族4人？

山本　子ども4人おって、(長女は結婚してすでに家を出ていて)、お兄ちゃんは(社会人で)隣の文化(住宅)におったんよ。

牧　じゃあ、ここの文化住宅に山本さんと旦那さんと、次女、次男の子ども2人で。

山本　うん。ほいで下の子（次男）は、高校受験で震災に遭うたからな。
　下の子は受験の日で、避難所から受験に行った。

牧　この子も今38歳くらいか。上の子ってもう40？

山本　一つ違うから39くらいよ。

牧　そうか。震災のときに文化住宅ってどうなったの？

山本　震災のときはね、家、潰れたでしょ？　さかい頭金返してくれたんよ。もうべっちゃんこ。2階が1階になって、私ら逃げ道なくって。炊事場の窓がもの凄い大きいねん。小さいタンスの1枚分くらいの窓があったから、そこから出入りしたから。

牧　2階に住んでた？

山本　うん。もう1階がぺちゃんこで、2階がもう1階と一緒。もう地面やからね。子どもらはベッドで寝とったんよ。あの揺れたときに「危ないからベッドから出たらあかんー」言うて。揺れが収まったら「お母さん、玄関ないで。階段もないで」言うて。「なんで？」言うたら「家、潰れてもうたわ」「あらへんで」言うて。ちょっと探したら「あこ（窓）から出入りできるわー」言うて、「ほんなら早よ、学校に避難しい」言うて。よう動かへんねん、女の子（次女）は足がすくんでもうて。

牧　そりゃそうだよね。

山本　ほいでもう、抱えて慌てて場所取りに行って。あの体育館の中に。敷き布団1枚持って出とったから、それ引いて場所取って。長男は「会社が大変やから」言うて「会社の事務所に泊る」言うて、事務所に部屋こしらえて。

牧　これ避難所はどこ？　僕、山本さんに最初に会ったのが、中学校や。

みんな盗られた。もう情けなかったで

山本　鷹匠中学校。家の隣に空き地があって、そこもともと家がなかってん。「そこやったら大丈夫やろ」言うてブロック積んで、畳置いて、みな道具を持って出てもうて。ほいでブルーシート2枚被せて、ロープしとったけど、みんな盗られた。私の着物ケースもみんな盗られた。

牧　そうなの？

山本　うん。洗濯機も、掃除機も盗られた。

牧　ほお。

山本　着物は私良いの持っとったからね。プラスチックの入れ物に入れてシート被せてた。
牧　家にそういう洗濯機とか着物とかあって、体だけで逃げたんやね？
山本　うん、体だけ。
牧　ほな、この家のやつが盗られてしもた？
山本　うん、みんな盗られた。もう情けなかったで。紋付きもこしらえておったからね。親が大事にしとって、「着物は大事にしとかなあかんで」言うて。学校から見えてんよ、置いとったとこがね。
牧　うんうん。
山本　ほんだら「えらい（被せてあった）ブルーシートがおかしいわ」言うて、見に行ったら掃除機も洗濯機もその着物のケースもない。「もうしょうがないや、命だけ助かったんやから」言うて「もう諦めろ」言うて「着物はまたいつでも買える」言うて（笑）。お父さん言ったけど、私は「あんたと結婚するために、みんなこしらえてもろうたやつや、親から」って。言ったけどもう、しょうがないもんな。

兵庫県警によると、1997年1〜3月に県内で発生した窃盗犯は1万2666件（前年同期間に比べ1603件減）、神戸市内では4281件（同650件減）と、3カ月でみると減少した。震災直後は、住民が避難して不在の家屋を狙った盗みが、街路灯が壊れて暗い夜間に実行されたものの、警察が他府県から機動捜査隊を増強して検挙、警戒を行ったため、侵入盗が減少したと日本消防協会の『阪神・淡路大震災誌』は分析している。

ほいでも新聞配ったりはしよった。あの中でね

牧　この当時、山本さん働いてはった？
山本　私はヤクルトと、婦人服の製造元におったの。裁断するところに。
牧　ヤクルトの製造工場？

山本　いや、配達。20年やった。あの篠原と高松町かな、あの辺全部配ってて、2千本くらい。
牧　へえ。
山本　男の人が、配達するヤクルト持って来てくれるの、家に。だから千本くらい入る冷蔵庫据え付けたの、玄関に。ほいで家から持って出て、足らんなんだら、電話したらお兄ちゃんが持って来てくれよったもんね、配達先まで。
牧　この仕事と婦人服も？
山本　婦人服の製造元は10年やってた。「ドマーニ」いう名前の。
牧　震災の前まではずっと仕事があった？
山本　うん。ずっと。ほいで会社も潰れたからね、震災で。
牧　で、お父さんは電器屋さん？
山本　震災で電器屋さん辞めて。
牧　ここへ移ってからもまだ電器屋さんしてたの？
山本　してよった。大丸の方でできたの。震災からここ（復興住宅）へ来て2年、3年はしてよったけど、もうしんどなって。ちょうど年金貰える歳がきたでしょ？　60で。ほいで辞めたんや。
牧　そんなら困らなかったな？
山本　困ることはなかったんや。
牧　よう働く夫婦やったんやね。すごいなぁ。

夫は2017年に肝臓ガンで亡くなった。

山本　私はヤクルトの方も、それからリビングの新聞も配ってたから。
牧　えっ？　この上にまだ新聞も配ってた？　新聞配って、ヤクルト配って、服の製造もしたん？

山本　新聞もあの神戸市の新聞やねんね。それでも千枚くらいあった、そのときで。相当無茶なことしよったから。
牧　ほんまやな。
山本　じっとしとんのが嫌いやから。ドマーニの服の製造しよるときに、ボタン付けるのに1時間で60個付けよったの。
牧　凄いな。
山本　今やったら、もうしんどいからできん（笑）。
牧　震災のときに娘さん（次女）は何歳やった？
山本　16歳かな。
牧　で、その震災で家潰れたやんか。買った物もどんどん盗まれていくし。避難者生活し始めるので、しばらく働かれへんようになったやんか。
山本　ほいでも新聞配ったりはしよった。あの中でね。
牧　お金貰いながら？
山本　うん。僅かでもコロコロ、ずっと仕事しよったから。
牧　避難所のときから新聞配達はずーっと続けてる？
山本　続けてる。ほいからもう新聞配達は20年くらいになるんかな。震災のときはカナデアンアカデミー（外国人が通う学校）で（清掃員として）働きよったんよね。

隣の音がみな聞こえるからね、話し声も。それが一番嫌やったわね

牧　六甲アイランドの仮設、第3やったっけ？
山本　私らは第2や。広かったもんね。
牧　ほんだらこのときにお姉ちゃん（次女）が高校出たんか？
山本　うん、高校に丁度入ってここから高校通ったからね。

牧　お姉ちゃんはどこで働き始めた？

山本　ずっと（食品製造会社の）A社。いっこも辞めてないからね。

牧　ほなこのときからもう働いてるやん。

山本　うん。高校時代からアルバイトで働きよって、そのままの流れで入ってしもうたからもう古い。

牧　もう働く一家やなぁ。みんな働いてる。

山本　私がじっとしとるの嫌いやからね。

牧　仮設住宅のときからもうお姉ちゃんは働いてるわけや。下の子だって高校出てからすぐ働いてるもんね？

山本　うん。ほいで長男がB社入って、もうだいぶなる。上のクラスまで上がっとうから。社長の下で書類をこしらえてるから、事務関係の方の。

牧　この仮設のときは、一番上の子はいなかったわけ？

山本　いなかってん。会社がちゃんと家、アレしてくれて。

牧　うん。じゃあ、仮設で4人暮らし、何年間いたの？

山本　えっと2年間？　1年半かな。平成7年（1995年）に地震に遭うて、平成9年（1997年）11月にここへ来たからね。さかいに2年半くらいしか仮設に住んでないかな。

ここへ荷物運ぶのをボランティアの人と神戸製鋼の人がみな手伝うてくれて。そやからもうここで古株やね（笑）。さかいに、誰が何階で、名前もみな把握できてるから。ほいで「この人が病院入った」とかもみな入ってくるから。

牧　仮設生活で一番困ったことは何やった？

六甲アイランドの仮設住宅

山　本　隣の音がみな聞こえるからね、話し声も。電話掛かっても、内容なんかみんな聞こえるし。それが一番嫌やったわね。もう帰って来て、玄関入ったらもうわかるからね。

牧　そうやんな、ベニヤ1枚やもんな。

山　本　もうそれが一番嫌やったもん。

牧　ほな、仮設生活では隣の音が一番嫌やったいうことで、あとはなかった？

山　本　もう別に気にはせなんだから。私は昼間は殆どおらへんでしょ。

牧　集会所におったんね？

山　本　集会所いうの？　そこで食事会があって、お茶の会があって。ほいで魚が入ったら佃煮炊いて、みんなに配ったりしよったから。集会所におったから、晩しか（仮設の自宅に）おらへん。昼間は皆おらへんでしょ、学校行ったりお父さんも働きよったから。

発散もできるで、相手のいろんなことを聞く。アドバイスもできるし

牧　朝は新聞配って、その後は集会所におったん？

山　本　うん。集会所でお茶飲んだり、人の世話したり。

牧　そんなん全然苦にならへんの？

山　本　苦にならなんだ。今思うに凄いことやってたんや。

牧　そうや、凄い。

山　本　じっとしてないからね。今やったら物足らんねんね。新聞配って来ても1時間。朝7時に子どもが出たあと、すぐ配りに出たら8時過ぎにもう帰って来とうでしょ。で、買い物出て帰って来たらもう用ないやん。

牧　（笑）。

山　本　時間が長いの。

牧　今、毎日病院行っとるんちゃうの？

山本　うん、行きようけど、行ったって注射だけやん。

牧　（笑）。そうか。

山本　お昼11時過ぎなったらもう帰って来てるやん。帰って来たら暇で暇で、もう「そやからお母さんまた手芸しいよ」言うて「それもしんどいわー」言うて。

牧　じっとしてんのも嫌やし、人の世話すんの？

山本　発散もできるで、相手のいろんなことを聞く。自分も「こうした方がいい、ああした方がいいよ」言うてアドバイスもできるし。だから今自治会がなくなって、何もすることないでしょ。前はお茶の会があって食事会があって、そしたら、食事も50人分くらい全部ご飯炊いて、おかずして、ほいで味噌汁炊いて。

　仮設住宅では、入居後3カ月目ごろから行政の支援で自治会が作られ、助け合いを促進するための「ふれあい推進員」が委嘱され、集会所として「ふれあいセンター」が設けられた。山本さんは、ふれあい推進員だった。

　自治会は住民の要望を細かくすくい取り、1996年5月には、仮設住宅の約40の自治会でつくる「神戸仮設住宅ネットワーク」が、寒さや防音対策などの要求をまとめて神戸市に提出している。災害復興公営住宅での自治会結成も行政が支援し、自治会結成率は2000年9月時点で8割を超えた。

牧　仮設で人の世話して、復興住宅来てもまたやっとったわけだ。

山本　「ボランティアの仕事があるんねんけど、してみないか？」言われて。人の世話して、集会所で食事会、病院関係の仕事手伝いよった。ここで血圧測って尿検査して、ほいで食事ね。みんな喜んでね。500円でご飯たっぷりとお味噌汁やおかず食べれるからね。

牧　下の集会所やったね？

山本　うん。血圧測る資格、私取ってたから。勉強したよ、学校行って、ほいで資格取って。血圧器もみな買うて。ほいで「こんな悪いから、一応お医者さん行っておいで。私の検査だけじゃあかんから、もういっぺん病院で調べてもろうて」言うて。

牧　尿検査とか血圧測ることができて、「医者行きなさい」って言うことまでは言えるわけや。

これは、うちがこしらえたんよ。台帳全部調べて

牧　仮設のときもやし、復興住宅のときも山本さんがすぐ役員になるやんか？　手を挙げるの？

山本　ここ入ったときに、ここの住宅の人が知ってたんよね。ほいで「山本さん前しよったから引き継いでしてよ」「一番ようわかるからして」言うて。そのときに役員5人かな、私と男の人4人。そいで「自治会立ち上げようか」言うてしたんやけど、やっぱりすったもんだができて一回解散して、ほいでまた立ち上げて（笑）。ずっと取っ掛かりは私が噛んどるからね。

牧　自治会がなくなったの2、3年前やったっけ？

山本　うん、ここ3年ほどないかな。

牧　自治会で、どんな役割だったん？

山本　敬老会とか、掃除がすんだらお茶こしらえてしよったんよね。ほいで子どもの日とか、盆踊りとか言うて、みなやってたから。食事会のときは2号棟も3号棟もみんな来よったから。選り分けしないから、誰が来てもええようにしとった。食事会の後に、手芸を教えてた。

牧　食事会はたくさん人が来た？

山本　うん、だいたい30人から50人。

牧　これは毎週1回？

山本　毎週1回。そういうのは病院関係がかんでたからね。

牧　血圧測ったりなんかあるから、やっぱりみんな来やすいわけね？　食事会だけじゃなくって。ちょこちょことお医者さん来たり看護師さん来たり？

山本　ああ、先生来てはった。

牧　そりゃいいね。みんな健康に不安やもんね？

山本　うん、だから今でも出よったら「山本さんまた開催しい」言うさかい「もうしんどい」て。

牧　（笑）。この食事会なんで辞めたの？

山本　私がしんどなってん。手、けがしたでしょう。「もうできひん」言うて辞めたんよ。こけて複雑骨折やって。それが縁の切れ目やったんかな。で、そのあと骨粗鬆症なって、そのあと心臓が悪うなって、ずーっともう病院やったから。

牧　それは、みんな「食事会またやって」ってなるね。

山本　そやから知ってる人は「やってね」言うて。「手芸もしたい」って。

牧　ここの復興住宅に来て、これを（名簿を指して）貰ったの？

山本　これは、うちがこしらえたんよ。台帳全部調べて、子どもはワープロできるから「こしらえてくれ」言うて、こしらえてもろうて。

牧　これは亡くなった人？

山本　これはね、福祉貰とる人。もっとおるはずなんやけど、この赤丸はみな福祉貰とる人や。

牧　これ（高齢者住民名簿）ようけあるね。

山本　役所に「これだけいるよ」って。ちょっと増えとうけどね。

牧　すごいね。ここの号棟にこれだけ？

山本　うん、今のとこね。65歳以上の人ね。自分が調べたり、みんなこう名前書いているんやけどね。今年ちょっと会議があって出たら、「山本さん（高齢者）40人いるよー」「うん、わかってる」て（笑）

牧　これ65歳以上の、一人暮らし？
山本　1人ね。みな旦那さん亡くなって私もその口に入ったんやからね（笑）。
牧　ほんまやな。そういう人が、この1号棟で40人いてるの？
山本　うん。
牧　2号棟は？
山本　2号棟は19人かな。
牧　3号棟は？
山本　3号棟が98人とか。
牧　すごいな。
山本　こないだの総会でそないに言うてはったから。
牧　で、山本さんが1号棟のこの人たちを見回るっていうこと？

神戸市は大規模な災害公営住宅に住民の生活を気に掛ける「見守り推進員」を配置。だが、見守り推進員制度がいつまで続くかは不透明だ。西宮や尼崎、淡路など8市が2006年度から高齢者の孤立化を防ぐため、スタッフを巡回させるなどの支援をしてきたが、財源にしていた復興基金が底をついたことから、18年度から6市（芦屋市は15年度で廃止）が事業を取りやめた。神戸市では、18年度以降は市と県が事業費（19年度予算約1億7000万円）を捻出している。

山本　会うねん。みんな、病院行ったり、買い物行ったり、そこの下でたむろしてるから。
牧　一応向こうの役所としては「見回ってね」ということやね？
山本　うん。エレベーター乗ったりしたらみんな出会うから。「だからもうそれでいいでしょ？」って「うんいいよ」って言いはったから。「私も歳いって、無茶なことできひんからね」言うて。こないだも1人、「カギなくした」言いよったら「ちょっとアルツハイマーに入ったから」って。「それやったらどっかに病院入れてあげて」て民生委員の人と話して、ほいで入れてもらったんやけどね。「福祉貰うてる人やからお金ないやろうから、そういう専門のとこに入れてあげてよ」言うて頼んで。

牧 これ、名前が書いてないとこは空き家？

山本 うん。ようけ空いてるもん。10軒くらい。

孤独になるのは、やっぱり自分から溶け込んで行かなあかんねん

牧 ここの号棟で、孤独死やないけど、一人で亡くなった人多いやん。

山本 うん。うちでも一番向こうの端の人が晩に、ガッと開けて入って来て「ご飯食べさせて」って。ここまで入って来よったんやん。

牧 ほんまか？

山本 「それはできひん。おじいちゃんだけしたら、みんなにせななるから、うちはできひん」言うて、すぐ電話して、病院入れた。そしたら1週間くらいで亡くなりはった。そんな人が多いねん。

牧 その人はここで一人で生活してはった？

山本 うん。ここで一人やった。ほいで「ご飯食べられへん。ご飯食べさせてくれ」て。

牧 ほいで病院連れて行って、ほんだら1週間で亡くなったいう？

山本 病院やったらほったらかしやもん。

牧 ご飯食べるだけ？

山本 うん。

牧 ご飯食べるだけになってしまうんや。ここだったら何やかんやと構うてもらえる？

山本　うん、構うでしょ？　お父さんも、家まで行って見て、ほいで「家の中、綺麗に片付けてる」言うて、よう笑いよったわ。「ちょっと見に行って来たるわ」、言って行きよったもんね。

牧　ほんなら、ここも寂しいけども、病院はもっと寂しいなるわけや？

山本　ほったらかしになる。私らで言うと、お父さん病院に2週間おったけど、看護師さんようしてくれはったけどな。なんかそんなイメージもあるねんけどな？　そうやないの？「ご飯食べさせてくれ」言うて来た人は病院行っても、ご飯だけ出してあとはもう全然？

山本　そんなんみたいやったよ。今はどないなってるか知らんけど。

牧　今はここの住宅って約20年経つやんか？　歳とってる人が多いけど、やっぱり入院する人多い？

山本　多い。

牧　ここに若い家族とかいないの？

山本　それはいない。みな、息子さんとかが、日曜とか土曜日に来はんねんね。

牧　子どもいてるか？

山本　子どもさんいてるとこ、ないもん。

牧　ここは高齢者の人ばっかり？

山本　ほとんど高齢者。ここの1号棟は震災復興住宅の高齢者向きの1号棟やねん。最初から復興住宅の高齢者用になってるから、最初から年寄りが多いわけなんよ。

牧　今、東北で復興住宅にどんどん入居していってるやんね。で、やっぱり孤独死とか今問題になってきてんやけど。

山本　孤独になるのはやっぱり自分から溶け込んで行かなあかんねん。人に声掛けたりね。「元気？　私も元気してるよー」いう言い方でしていかないと、自分が籠ってしまったら、落ち込んでしもうたら、自分で孤独になってまうから。

牧　孤独を防ぐために自分から溶け込む？

山本　自分が塞ぎ込んでしまったらあかんのよね。やっぱり外に出て、誰とでも発散しないと。

牧　ここの住宅の人でも閉じこもってる人いるやんか？　あの人らもやっぱしこのままやったら孤独死が出たりするよね？　それ防ぐのはできひんもんなのかなぁ？

山本　もう自分で誰とでも会ったら話するようにせんと。自分で閉じ籠もったらおかしいようになるから、1日何回か外に出んと。

牧　これから山本さんはどういう生活していこうと思ってる？

山本　私はもう自分が思うように、ぼちぼち手芸も始めようかなと思うたり。だけど結局病院が忙しいから、もう好きなテレビ見たりしてゴロンゴロンしたり。

牧　でもそれでも見回りに行ったりな。

山本　うん、それでもやっぱり気になったら「ちょっと下降りてみようか」言うて。出よったら会うし「ああ元気やな」言う。

牧　新聞配達もやってるの？　新聞配ってるの？

山本　うん。朝（同居する）子どもらが出たら一緒に出るもんね。ほいで1時間か1時間半くらいで。

牧　これどんな新聞なん？　毎日配ってるの？

山本　これ（市や県の広報）を配ってるの。これ800枚配ってる。毎月1回。それに保険のチラシも配る。

牧　まだあるの？

山本　うん。それが月2、3回ある。

牧　800枚。これを1日1時間半から2時間くらい掛けて配って。

山本　楽しみにしてる人がおんねん。入れ忘れとったら「入ってないよー」言うて会社から電話が入るから、そやから絶対抜けられへんから。ほいで終わったら報告して「えらい早いなあ」言いはるの。

牧　でも大変やろ？　これ。

山本　大変やけど、ちょこちょこっと配って来れるから。

牧　山本さんはこれからやることがまだあるから元気でおれるよね？　何にもなくてボーっとしてる人いるやんか？

そうじゃないよな？

山本 うん。先生にあげるわ。手芸、こしらえたやつがあるから。これは大根、トマト、なすび。

牧 凄いなあこれ、作ってんのやなぁ。これ貰っていいの？

山本 うん、どうぞ。

牧 玄関置いとこ。可愛らしいね。

文通をしていた琴平高校の関係者と山本さん（中央）と牧

「なんか泣きながら歩いてた。なんで泣いてるの、と思うけど、ひとり泣きながら帰ってきましたよ」

証言　13

服部珠子さん（当時65歳）

震災前に夫を亡くし、一人暮らしだった服部珠子さんは、神戸市東灘区にある住吉神社南側のマンション2階に住んでいたが、全壊。夏前まで避難所を転々として過ごした。その後、大規模仮設住宅に入居。知人の安否を確かめて回り、5年間の仮設生活を送った。

服部さんとの出会い

服部さんと出会ったのは、復興住宅を訪問しているときだった。服部さんが暮らした仮設住宅は私たち「よろず相談室」が頻繁に訪問していた仮設だったが、そのときに出会うことはなかった。

震災前、服部さんは生け花の小原流で三宮から尼崎地域の支部長を務めていた。正会員が1020人もいたという。この地域の多くは震災の被害に遭ったので、そのうち一体どれほどの人が無事なのか、家を失ったり、家族を亡くしたりしたのか心配した服部さんは、全会員の安否確認をすることにした。

まず支部員と手分けして、会員全員に手紙を出した。その結果、200人ほどが被災していると判明。100人近くが避難生活を送っていた。

そこで、無事な会員が被災した人たちに会いに行くことにした。1日中歩き回ったある日の帰り道、なぜかポロポロ涙がこぼれて仕方なかったという。服部さんが仮設住宅を退去したのは、全員の安否が確認できてからであった。それまでは仮設住宅にいようと心に決めていたという。

今、服部さんはHAT神戸の復興住宅に住んでいる。住み慣れた場所から離れ、避難所を転々とし、仮設住宅で過ごし、「終の住み家」と入居した復興住宅の生活も20年を超える。最近、「私のふる里は、住吉川とその周辺なのだ」と思うことに決めたという。(牧)

荷物担いでぞろぞろ、「ジプシーや」なんか言いながら

2017年4月13日、服部さん宅で牧が聞き取りをした。

牧　震災の前はどこに住んでた？

服部　その前は住吉宮町（神戸市東灘区）。住吉神社のすぐ南東。

牧　公園のとこ？

服部　公園のちょっと北の小さいマンション。全壊なんだけど残ってる。早くに「全壊」と赤い紙貼ってくれた。早かったけど、ふと行ったら赤い紙が貼ってあって「全壊や」と思った。なんでかと思ったら、基本になる大事な柱がやられてるか傷んでるかで、全壊なんですって。でも今も建ってるんです。（人が）住んでる。

牧　そのときはみんな避難した？

服部　私と、3階に女の子が一人住んでて、どうしようかなと思ってたらその子が降りてきて、はっとみたら靴履いていない。「私のとこにある靴履きなさい」って言って。「1人同士やから一緒に逃げましょう」と言って。それで外に出て、「住吉小学校まで一緒に行こう」と言った。そのころ、避難所どことか聞いてなかったけど、とにかく小学校に行こうって。その子が「布団持っていく」と言って、持って行ってくれて。3階の女の子。私は2階。

牧　ものすごい揺れたでしょ？

服部　揺れましたよ。つぶれはしなかったけど、台所も倒れて、冷蔵庫も倒れて、

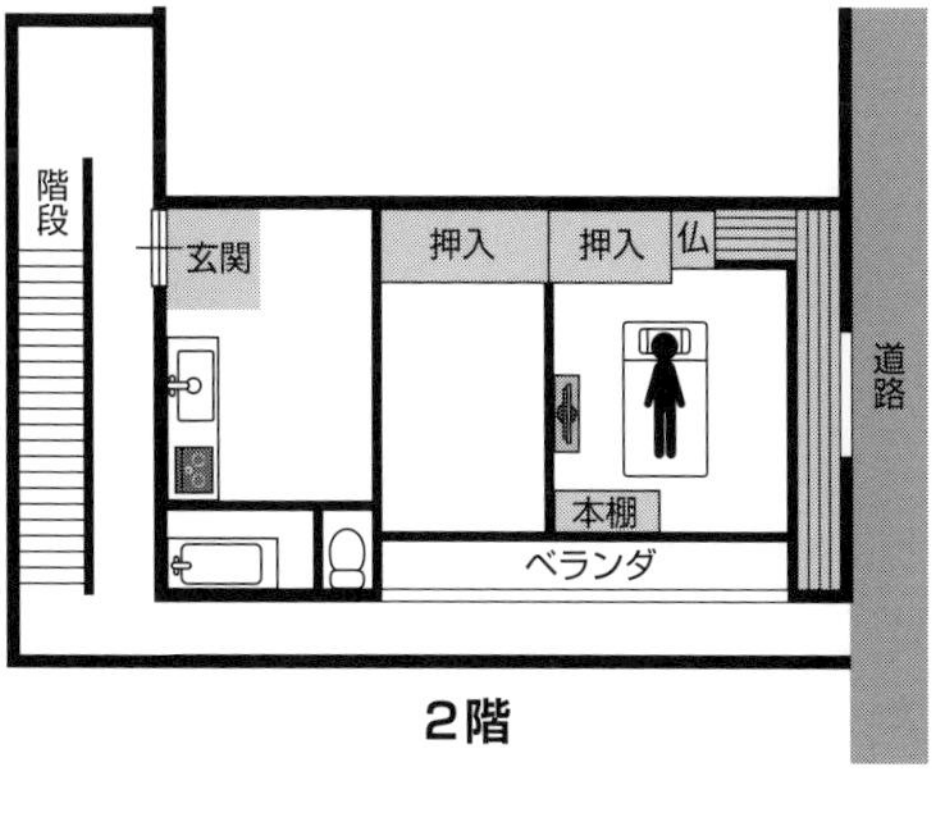

2階

机にもたれかかってて。寝てるときに隣の部屋とのふすま閉めてたから、隣の部屋の天井が抜けて落ちてきたと思った。「天井抜けたんや」と思って。（実際は）残ってたんだけど。どうしていいかわからないと思ってたら、外の道で声がする。上から道をのぞいて、台所が倒れて机にもたれてるし、ドア開けて出るのもどうなのかわからないから、「はしご掛けてください」って言ったら「はしごないし」って言われて。ぐったりしながら（玄関に向かったら）、玄関のドアがこれぐらい開いてて、それでそっと押したら何とか開いたので出れて。（3階の）その子と出会って、下に降りて、しばらくしてから学校に行こうって。そこ、短かった。住吉小学校。

牧　周りのここらへん、家いっぱいつぶれたとこ。覚えてない？

服部　近所の方ね、どうかわからない。

牧　近くの阪神住吉駅。この周りに市場があったんですよ。小さい市場。壊滅してしまってなくなった。

服部　はぁー。

牧　避難所行ってどうした？

服部　行った次の日の朝かな、ガスタンク（からガス）がもれるからとか言って、「国道2号線から上に避難しなさい」と言われて。朝ざわざわしだして「なにごとかね」と言ってたら「北に避難しなさいと言ってるよ」というから「えらいことやねー」って。「行こう」って。まだそんなに朝明るくもなってなかったと思う。

牧　逃げたよ、怖かったもんね。大きなタンク。六甲アイランドの橋渡ったとこに。

服部　「しょうがないね」って言って、相棒（3階の女の子）と2人で「とにかく北に行こう」って。荷物担いでぞろぞろ、「ジプシーや」なんか言いながら。2号線越えたあたりで、「どうしよう、どこに行かせてもらう？」って。考えたら北は甲南小学校か、上の方にある中学校。「近いし、甲南小学校にしよう」と言って、さっそくお世話になった。甲南小学校に移った。

牧　甲南いっぱいでしょ？

服部　教室の一カ所に布団敷いて2人で。真ん中は空いてました。周りはみんな大体詰まったかな、という感じ。

牧　仮設に行くまでずっと小学校にいた？

服部　小学校。何カ月かすると、学校が始まるから出ないかんでしょ。それでちょっとの間、姉のところに行きました。姉が住吉川のところの川沿いの西側に建ってるマンションで。

牧　よかったですね、あそこもひどかったけど。

柏原士郎ほか編著『阪神・淡路大震災における避難所の研究』は、被災者の避難行動を複数のカテゴリーで調査した。それによると、初めに考えた避難所に到着せず、「自宅に引き返した」や「別の場所に変更した」と答えた避難者にその理由を尋ねたところ、「すでに大勢の避難者で入れなかったので」が「震度7」の地域で40％、神戸市長田区で50％、淡路島では22％だった。長田区では、回答者106人のうち98人が避難所に到着したが、そのうち55人は他の避難所に移動した。理由は「他にもっとよい避難所があると聞いたので」が38％、「そこも危険だったので」が22％。この本には、二葉小学校から別の小学校へ移ったが、翌日に戻るなど2日間で5カ所を転々とした被災者の事例が紹介されている。

牧　仮設は住吉中学？

服部　仮設は魚崎の南。魚崎中学のすぐ南側。テニスかなにかの空き地。広場みたいなところでした。いくつか並んでました。

牧　瀬戸仮設住宅（神戸市東灘区魚崎南町の瀬戸公園内）。よく行きました。大きな仮設やね。仮設にいつからいた？

服部　すぐ当たったから、抽選で。夏よりもっと早い。（仮設住宅が）できてすぐやから夏前です。

牧　ここに入居して、仮設は何年いた？

服部　5年。いっぱいいっぱい。

牧　5年やったら、（最後は）人いなかったでしょ。

服部　いましたよ。私の近所の人、東灘でこだわってた。

牧　市営で？

服部　東灘と思ってるから、申し込み出しても70歳以上が優先やからと言って、そのときまだそれより若かったからアウトで。東灘で待ってても、新しい復興住宅は建たないと言われた。「待ってたらだめ」と言われたから、灘もあかんし、ここ（HAT神戸）しかないと思ってたら、ちょうど。相談いったら、ここの中ではこの部屋が申し込み少ないって、4人くらいって言われたから。場所的には見に来てた。ほんならそこ、って申し込んだら当たった。

牧　2000年に入った？　5年仮設にいて。復興住宅で17年？

服部　そんなもんです。20年経っていない。

牧　できたところやった？

服部　できたところ。入ってる人いたけど、できたところ。

千人会員がいる。その人たちの安否が一番でね

牧　仮設の生活どうでしたか？

服部　仮設のときにね、先生。すごい動いてたんです。自分のことにかまってる間がなかった。

牧　他の人のこと？

服部　（生け花の小原流の）支部がありました。神戸支部の東と西が多くなったからわかれて、私は東支部に入ってて、ちょうどそのときに支部長やらされてたんです。

それでもうその方に頭がいってしまって、千人会員がいる。その人たちの安否が一番でね、まだ（阪神）電車も青木までしか来ないし、こっち途切れててバスがたまに通ってる、そんなときだったけど、「安否を確認しないといけないから」と、支部を管理してくれている20人くらいに、「こんなときやけど来れる人集まって」と言って。集まる場所は御影のホール借りるからって。

そしたら鈴蘭台の奥からでもバス乗り継いで、みんな集まってくれた。そのときに「みんな来てくれたー」って。まず、1020人に安否確認。本部が名前書くの大変やからと貼るの作って届けてくれた。作業みんなで手分けして貼って、送って。返送されてくるでしょ、いない場合。今度はそれがまた大変。帰ってきたのを西宮の方の人は手分けして訪ねて安否確認して、東灘は私が責任持って。西宮は電話通じないと言ったけど、「電話じゃだめでしょ、歩きなさい」って偉そうに（言った）。私も（安否確認のハガキが）返ってきた人を訪ねようと思って。

そしたら1人お年寄りのところ、家つぶれてて、深江の方まで歩いて、やっとこさマンションみつけて、そしたら上のほうが全然入れなくて、青木の方までまた訪ねたら、伊勢のほうに行ってますよって。それで「元気なんや」とか。今度、住吉の南の方のマンションに行ったら、そこは若い人だけど、亡くなってました。

服部　（亡くなった人は）家に行ってわかった？　つぶれてますよね。

牧　連絡が入って「亡くなってる」って。若い人だけど、亡くなってて。それからもずっと芦屋川の上まで行ってやっとみつけたら貼り紙で「逃げてます」とか、それで「元気やな」とか。そのころ2万歩くらい歩いてた。1日。わからないから、歩いても違ってたり。訪ね回って、JRの横の歩道をずっとしょぼしょぼ帰ってきてた。なんか泣きながら歩いてた。なんで泣いてるの、と思うけど、ひとり泣きながら帰ってきましたよ。なんかここの5年というのは、仮設にいるときに自分で決めてた。みんな避難所に逃げてる人もいたし、みんなが帰って落ち着くまで、私は最後でいい、と決めてた。

服部　服部さんは深田池の上？　ここの東部？

牧　神戸東支部というのがあったんです。

服部　東支部はどのエリア？

牧　三宮から東。西の人もちょっと入っている。尼崎まで。

服部　そこで1020人。

牧　正会員といって住所が登録されてる人。それ以外もいる。1300くらいになってる。

牧　まずその安否確認に動いた？

服部　仮設にいる間、ほとんどそれですね。安否確認が終わったら、研究会とかがある。支部の行事とか。それもできないで休んでたりする。震災に遭ってない人もいる。「復活しないと」と言って。

牧　安否確認だけでどれぐらい年月必要だった？

服部　ハガキ出してるから返事はくる。しばらくして探して、となる。あとは研究会とか復活するのにそんなに日にちはとらない。５月に復活しました。

牧　その年の？　早かったね。

服部　元気な人たち、災害で崩れてる人は大変だけど、みんな喜んで来てくれた。

牧　家失くした人は、いっぱいいたでしょうね。三宮から尼崎やったら２００人くらいいたんですかね。

服部　いますでしょ、もちろん。

牧　２割か３割の人が家から出てた？

服部　本当に避難生活したのはそんなに。避難してても帰れたらいいわけだからね。そんなにいなかったんかもしれませんよ。避難してたの１００人もいないと思います。

牧　安否確認は１週間ぐらい？

服部　返事来るまでやから１週間ではない。返事待ったり、返事来てから捜すから、１週間では済まない。まとめるには１カ月ぐらいかかるかも。帰ってきて手分けして、急に言ってもすぐ動いてくれないし。西宮の北の病院に入ってた人は亡くなりましたね、１人。震災後に亡くなった人、２人聞きましたね。震災の影響でね。

牧　震災関連死というやつ。

「震災関連死」とは、阪神淡路大震災で初めて認められた概念で、直接的な死亡ではなく、避難所生活による疲労による持病悪化など、「震災に起因したその後の死亡」のこと。災害弔慰金の支給対象者は「災害により死亡」

と規定されており、震災後、病気で死亡した人の遺族などから相談が多く寄せられたために、厚生省（当時）と自治体が協議をし、解釈が広げられた。震災から10年経過した2005年12月22日の記者発表によると、当時発表されていた死者数6402人のうち、震災による直接死は5483人（85・7％）、関連死は919人（14・3％）となっている。だが、身よりのない高齢者などは申請資格者がいないため、「孤独死」「自殺」などを含めると実数はより多いのではないかとの指摘もある。

服部　そのときの仲間たちには感謝しかないんです。助けてもらったって。1人では何もできない。

牧　本部からやってといわれたんじゃなくて？

服部　支部長の責任なので。研究会も1月に震災があって、5月は早いかなと思ったけど、やった。やっぱり（安否確認の）ハガキとか出してたから、（会員も）「行こう」と思ってくれたんかな。

牧　安否確認で届かなかったところに捜しに行って、きてもらったらうれしいよね。

服部　ここ（仮設）での5年は、出るときに「あ、これで最後、よかった」という感じ。道で出会ったりした人がいる。「どこにいるの」と言ったら、この上の仮設にいるとかなんか言って話したりした。

牧　こんな活動してるから、町で出会うとか多いよね。

服部　そうですね。ここにおるのは本当助けてもらったからです。

牧　（服部さんと）同じ仮設の人のところ行ってた。そのときに90やった。その人は友達もいなくて、隣も引っ越ししていって。よく「出て行け」と言われて「さみしい」と泣いてた。仮設で孤独でさみしい、とかは。

服部　それはなかった。

牧　仮設はそれが大変だった。服部さんはお花の活動あったから。

服部　そうですね。

牧　さみしい思いもいっぱいしたけど。

服部　（夫が亡くなっているので）なんで1人でせなあかんねんって腹がたってきましたよ。なんで1人でって。

牧　神戸生まれ神戸育ち？

服部　生まれだけ神戸。幼稚園からずっと魚崎。結婚して住吉。あそこの範囲しか知らない。

牧　幼稚園から魚崎で結婚して住吉って変わらへん。水害いつでした？

服部　小学校4年のとき。住吉川が氾濫して、ダーッと。先生におんぶしてもらって。

牧　すごかったでしょ。

服部　床ぎりぎりまで水が来てました。

戦争も厳しい、地震も厳しい。また違いますもんね

牧　水害経験して戦争して、これ（震災）か。何が一番つらかった？

服部　水害は子どものときやから、あーって。2階で寝たらすんでた。土出したり、手伝ってやってたけど。つらかったの…地震もつらかったけど、戦争はつらいというよりなんか厳しかったような。

牧　たくさん爆撃もあったしね。

服部　終戦の前に、5月ごろ、神戸はわりあい空襲に遭った。深江に航空会社があった。それで狙われた。6月ごろ。私も母と疎開してて、たまたまなんかで父だけ会社に残ってた。家に帰ってきたときちょうど空襲があって。「今日はちょっと危ないから逃げたほうがいいな」と言って、父と灘高校の運動場に逃げた。
　収まって帰ってきたら、家もどうもなかったけど、近くの道路に大きな焼夷弾で、穴が開いていたり。うちの中、突き抜けて縁側に穴が開いてました。人おらんのにな。こんなんやってたんやって。戦争も厳しい、地震も厳しい。また違いますもんね。戦争は、幸いすごい空襲には遭ってないから。

牧　母親が富田林にいた。（服部さんは）母親と1歳違い。同じ女学生のときぐらい。電車で帰るときにずっと遺体が転がってたと。それが最初は、「うわっ」となったけど、だんだん平気になる。そこを平気に歩く。人間って、慣

れてしまう。最初はびっくりするけど、だんだん意識がどうもなくなる。今思ったら大変なことやけど。そういう時代だった。

服部　そういうのには出会わずに済んだけど。でも帰ってきたら、父の会社の近くにいた同じ会社の人が訪ねて来て「よかったね」って言って握手して。助かったから。印象に残ってるわ。

牧　やられる人もたくさんいた。

服部　近所でもぽつぽつと。戦争はいやですね、絶対いやですね。

牧　生まれてからずっと住吉にいて、それから水害があって。

服部　水害は小学校。むかーしですもん、小4のとき。

牧　戦争は。

服部　昭和16年（1941年）でしょ。そのときは兄も兵隊に行きましたしね、帰ってきましたけど。

牧　12歳から16歳。

服部　いちばんおしゃれが大事なときに、それにあたった。ずっと戦争。学徒動員ですもん。兄も学徒動員で兵隊にとられたし、私もそのとき最後の女学生。そのときも最後は飛行機の部品をコンコンと。上手ですよ。金づちでもなんでもアルミ板も切りますし、なんでもできる。
　川西の飛行機の部品工場に行ってましたけど、（先生が）「それはさせたくない」と言って、学校の体育館に工場から持ってきて体育館が工場になった。そこでかんかんやって。

牧　12歳から16歳はほとんど勉強も？

服部　3年生のときがそれでした。英語廃止。英語好きだったんです。父が一生懸命教えてくれるのがうれしくて。英語がわかってるのかしらんけど、英語してたら教えてくれたりするから、けっこう好きで喜んでたんだけど。3年生になったら英語廃止って。今になったらちょっとぐらい続けて勉強できてたら、もうちょっとましやったのにって。でも済んでしまったら、あれも厳しい時代、あれも普通では経験できないいろんな意味での経験ができたんやな、

牧　と思って。食べるもんも少なかったけど。あのころの親はしんどかったと思いますよ。食べさせないといかんし。栄養あるもの食べてないでしょ。そんなに今の我々みたいなもん食べてない。そんなに毎日食べよか、というものじゃないけど毎日食べ続けてるから、えらい元気やなと。戦争経験した世代、元気やわ。いろいろ悪いけど、気持ちは参っとらへんな。俺らの世代のほうがあかん。弱々しい。

服部　でも先生らの時代は落ち着いてしまって、昭和25年（1950年）くらいから、ちょうどいろんなものが出てきだして、ちょっとよくなってきた時代でしょ。

牧　覚えてないけど、朝鮮戦争のとき。戦争のことは知らない。くぐり抜けた人と抜けなかった人、違うねんなやっぱし。いまの子どもの親ぐらいならくぐり抜けてないから。親世代も子世代も豊かなものに慣れてしまって。僕はずっと戦争反対やけどね。そのときのこと知ってるからね。服部さんはこっちに住み始めて水害、戦争あって、震災は60すぎでしょ？

向こうの方にポツンとスーパーがあるだけ。それがさみしさなんですね

服部　震災のときは65ですね。震災のときは元気だったんですよ。荷物も運べてたし。荷物も整理してきたのに、いらんもんがいっぱい増えますね。

牧　捨てないと。

服部　昔の人間は捨てられへん。いらんもん作ったりためたり。

牧　こっち（HAT神戸）来て17年経つんか。どう？　来たときはさみしくなかった？

服部　1人やと思ってきたからあれやけど、さみしいというのか。幸いにお花してるから週3日はそれで出ていく。いろんな意味でのさみしさ。何もないし向こうの方にポツンとスーパーがあるだけ。それがさみしさなんですね。来て1年くらいしてからかな。下でラジオ体操してて、「体操誰でもしていいんですか？」と聞いて、「誰でもできるからしたらいいよ」って言ってくれて、それやったらしゃべらんでいいでしょ。来るまでの不安は「誰も知らんと

ころに1人で入っていくんや」だった。そのときにお稽古に来てた若い人に、「今までみたいに人が寄ってくれる、話してくれると思ってたらだめや」って。「自分から寄っていかなあかんのよ」とびしっと言われた。

牧　ははは、若い人に？

服部　「自分から行かないとだめよ」って。なにげなく「ふんふん」言ってたけど、その言葉、ばしっと残ってるんです。でもそうできるもんでもない。体操できるんですか、と言ったら「だれでもできるよ」と言ってくれたので、上の方に住んでらした人が。体操済んだらすぐ帰れるし、と思って。

体操して慣れてきたら、その方が、老人会でグランドゴルフもやってるよって。あれも楽しいから行ったらいいねん、て。行ったら結構楽しくて。今も行ってますけどね。それしてるうちに、役員してた方が、魚崎に戻る、出ていくから「誰か引き受けてほしい」といわれて私にまわってきて、ここの老人会（の役員）やらされてるんです。

牧　ここの人と接する機会があったんや。

服部　はい。

牧　ラッキーというたらあれやけど老人会の幹事になるのはよかった？

服部　よかった…ははは。年取ったら本当になんでも言えるゆうのがないですね。言いたいことある程度言ってるけど、何でもは言えない。当たり障りなく。

牧　お花の知り合いのほうが。

服部　そこはもう家族みたいな。何言っても気を悪くしない。言い合える。

牧　ここやったらね。

服部　仲良くしてる仲良しさんもあるし、一緒に話して「うんうん」ってある程度のところまで言えるけど、本心でばちっといえるのは少ないですかね。

牧　どんなところも一緒違うかな。僕も本心で言える人少ない。話をして、その話がまたスピーカーみたいになったら嫌やもん。話受け止めてくれるかとかあるもんね。体操とかグランドゴルフとか。

服部　グランドゴルフは楽しいです。週1回です。運動することは嫌いではないので。小学校の運動場で。私ら終わった後、サッカーとか野球とかあるみたいで、子どもが待ってるんです。終わったらしゃっと出てきて、ネット運んだりして。1回でいいからサッカーゴールに蹴らしてほしいわーって思って見てるんやけど、よう言わんねん。ははは。

牧　蹴らしてと言ったら？　どうぞ、となる。

服部　蹴りたい…。まねしてたら「服部さんようそんなん言うわ、若いねえ」って。あほやねんって。なんか興味が。私と一緒、みんなもうちょっとずつ若いんだけど、あんまり好奇心とかないですね。（私が）ありすぎるんかな。無理して作ってるわけじゃないけど、気が向いたらやって、ってなってしまう。好奇心が大きすぎる。

牧　好奇心旺盛なほうが絶対いい。僕もあんまりないから。また実行力がない。肥えてきたと医者に言われても、なかなか（運動）行かない。服部さんだったらすぐ行く。

考えるんですよ。やることなくなるな、どうするんやろうって

牧　こっちの生活は最初は大変だったけど、今は機嫌よく？　何もかも話せる人もいないけど、その代わりお花で。

服部　老人会は老人会でその中では楽しく。3番館に（昔からの知り合いで）なんでも言える人が1人ね。私が入って2～3年したときに入ってきた。私は1人ぼっちで仲間いないと思ってたのに入ってきて。えーって。1人静かにしてたのにって（笑）。今ときどき訪ねてくれたり、ここでご飯食べよかと言ったり。そこはなんでも言える。

牧　そんな人が近くにいたらいいよね。これからどうやって過ごそうかなと思う？

服部　これからね。お花といってるけど、いつかは引くときが。誰でもそうですもんね。いつかは引くときが来ると自分に言い聞かせてる。いつなんかなって自分は決めづらいけど、今家元の教室に自分のためだと思って行ってるでしょ。人にあれする以上に自分が勉強しないとあかんと。そこであんまり思うように生けられなかった、と思ったら引かないかんなと思ってるけど、いかんなと思うのが自分でそれが思えるかどうか。

牧　年齢関係なく続けられるよね。

服部　それでもやっぱり。私と一回り違う先輩と仲良くしてもらってた。その先輩が「服部さん、私がもう引いたほうがいいと思うときは言ってね」と言ってた。冗談でなしに、それは本気でそのときは言う。言ってほしいというから、わかったって。本気で言おうと思ってたけど、震災があってこうなってしまって、東京行ったりもしたから。私はそれを頼む人がいない。自分で決めるのは厳しいなって。いつかは引かないといかんから、することなくなるなって。

牧　今考えなくていい。

服部　考えるんですよ。やることなくなるな、どうするんやろうって。いまは外に出たり人に会ったりするから退屈だと思わないけど、2~3日用事がなかったら退屈、見もしないテレビつけてぼけっとしてるから、みんなどうしてるかなって。

牧　人と出会える活動はなくしたらあかんと思う。お花どうのじゃないけど、先頭に立つのは下りるとしても、その場に行くのは続けないとあかんと思うよ。

服部　みんな家でおって、どうしとってんかなーって。毎日やから。3日ぐらい続いて、じっとすることなかったら…。

牧　それはしんどい。服部さんは活動場所があるから。だれか継ぐのは継いでもらったとしてもね。閉じこもったらあかん。

服部　そうですかね。

牧　僕なんかも閉じこもったらあかん。今まで出ていってる人間が閉じこもったらすぐぼける。それは感じるから、人と出会っていくというかね。服部さんも花を通じて人と出会う。頑張ってくださいね。

2012年東北の被災地へ、服部さんが届けた雛人形。
服部さんは牧と共に、石巻市の青葉地域にある仮設住宅を訪問した。和紙に絵手紙を書いたり、折り紙細工をしたりするのが得意で、仮設住宅の人たちとの交流会では講師役を務めた。

「神戸にみんなが来てくれて、本当に感謝感謝。忘れませんね」

証言　14

松山サヨノさん（当時67歳）

松山サヨノさんは、北野の異人館街で家政婦として働いていた。神戸市灘区泉通の文化住宅の2階で被災。タンスの下敷きになり、痛みは後遺症として残る。長崎の被爆者でもある。聞き取りは、原爆の話に。

松山さんとの出会い

松山さんとは、一人暮らしの高齢者ばかりが住む「コミュニティ春日野」（復興住宅）で出会った。小さいころから苦労の連続であったにもかかわらず、いつも笑顔を絶やすことがない人だった。長崎の原爆、阪神淡路大震災に遭遇するも、懸命に生き続け、謙虚に働き続けた姿は尊敬に値した。

訪問するといつも「あんたはお金持ちやろ、お小遣いちょうだい」と松山さんが手を出してくる。「なに言うてんねん、ありません」と差し出している手をパチンと叩くのが、我々2人の挨拶だった。

75年間、手が曲がるほど働きづめ、経験に裏打ちされた松山さんの言葉は説得力があった。

「言葉は罪を作るので、気を付けないとダメです」

「人に石をぶつけられても、同じようにしてはダメだと私は教えられてきた。その人に感謝するのです。強くなれるから…」

「3年辛抱すれば必ず芽が出てきます。恨んだり、責める言葉を使ってはダメです」

「みんなの支えで生きて来れました。1人では生きられません」

２０１６年7月、名古屋の親戚の家に近い施設に引っ越した。引っ越しの2日前に文通をしていた琴平高校生を連れてお別れの挨拶に行った。「この1週間涙ばかりです」「忘れません」と泣いていた姿を忘れることはない。名古屋の住所はわからず、会いたくても会えない状態であるが、今も元気でいてくれることを願っている。（牧）

戦争、原爆、地震・・・

２０１５年7月4日、松山さん宅で、牧が聞き取りした。

牧　田舎はどこ?

松山　長崎の南松浦。(幼いころは)百姓だから、水くんだりお母さんの手伝いしたり。夜はわらをたたいてぞうりを作るの。弟が泣いたら、お母さんがじゃがいも炊いて塩入れて、それをやるように。私、学校行ってない。3年生までしか。弟を負ぶって学校に行った。弟が泣くから、勉強しないで3時間くらいで帰ってきて。農繁期の時は先生に言って2週間休む。いじめられたけど頑張って、卒業証書はもらってないけど、先生が「あの人に渡してください」って持ってきてくれた。

牧　卒業証書くれたんだ?

松山　そうそう。涙が出て話せないよ。苦労してるから。大人になって10年ぐらい一緒で働いた人、「おしんよりひどいね」って。おしんは映画だけど、あなたの方がひどいって。卒業証書も持ってたけど、原爆で何もない。(涙でつまる)

松山さんは、１９４５年8月9日の長崎市への原子爆弾投下による被爆を経験した。17歳だった。

松山　長崎で働いてた。昭和17年(１９４２年)か18年(１９４３年)ごろ長崎に出てきて、三菱の技師のところで勤めた。城山というところ。私が17歳の時に頼まれて手伝いしにいった。

牧　何の手伝い?

松山　家事の手伝い。奥さん子ども生まれるし、他にも子どもあと3人いた。あなただったら辛抱できるやろうと言われて、そこに行って働かせてもらった。お産の介抱とかして。そこで原爆に遭った。

牧　原爆、どんなやったん？

松山　勤めてて、配給もらいに行ってた。17歳くらい。だいぶ遠いところに電車に乗ってもらいに行かなあかん。

その日、朝から警報が鳴ったりして、（勤め先の奥さんに）「やめときなさい」と言われたけど（行った）。急いで走って、電車が出るというときに飛び乗った。

牧　配給を受け取りに電車に飛び乗った？

松山　本当は近くでもらえるけど、その日は行けなくて、遅くなった人はそこまでいかないといけない。兄が配給もらうところの隣に住んでた。兄は兵隊に行っていて、お嫁さんと子どもがいる。近くだから顔を見にのぞいた。お嫁さんが「サヨちゃんいいところに来たわ」って。女の子の赤ちゃんがいて、配給もらいに行けなくて困ってるという。「10分ほど、子ども預かってここにいてくれないか」と。そしたら空襲警報が鳴った。そこで防空壕に入って、私とお嫁さんと子どもが助かった。それから一歩も出られない。外に行ったら人で動けない。3キロくらいの遠いところだったから、家に帰ることができない。

ようやく外に出ると、そこにけがしてる人がいて手伝いをした。食わず飲まずで。ヤケドだから、飛んできた板切れか何かで仰いで。3日くらいして家の方に進んだら学校があって、そこでまた何百人ころんでる（死んでる）。そこでまた炊き出し。玄米ドラム缶で炊いて瓶に入れてあげる。そこで2日くらいおって、またちょっと進んだら止まる。燃えてて危ないし、はだしだし。道路は人がいっぱいだけど、鉄道もいっぱい。長崎は川がある。川に落ちている人が助けて、というけど、助けられないし。

15日目に働いてる家にたどり着いた。家がぺしゃんこで燃えていて、奥さんと赤ちゃんと5人は（亡くなってた）。6カ月の赤ちゃんは吹き飛ばされてカラカラになって庭の先に。旦那さんも戻ってきて「助かってよかったね」って。奥さんと子どもがあと4人いるから、掘り出さないとあかん。大きなお家だから大変だった。瓦をひとつひとつほかして（捨てて）、旦那さんと2人で。

ガスも電気もないから、乾パンみたいなのを分けて食べて。家ぺしゃんこになったところ。臭いで探さないとわからない。1週間くらいで、ふすまをとったら子どもの形が腐って出てきて、ここだなって。茶の間のところだった。5歳の女の子の手が腫れてしまってて。1日掘っても掘り出せない。奥さんは下にはまって上げることもできないし、頭動かしたら切れるから、大変だったね。20日も経ってるから、ウジがわいてた。今だったらようしない。夢中だった。頭が切れないように、足も切れないように、飛んできた板に乗せて、それを引っ張っていって夜焼く。ずいぶんかかって、(旦那さんが)二歳の男の子のはあきらめるといった。私はかわいそうだから頑張りますといって、何週間もして探し出して、全部の5人の遺体を焼いた。大変でした。

風呂はないし水はないから、住んでるところの下に井戸があって、そこに行ったら3人ぐらい待っててのめない。裏にいったら水道が破れてふきだしてるから、羽釜に汲んできて。かぼちゃがあったけど、光線で腐ってて。自分で防空壕に乾パンとか入れたカンカン入れてた。それで助かった。最後に行政から応援が来た。そのときにおにぎりをね。あれおいしかったなー。

牧 そのうちに田舎の親が心配して「帰っておいで」って。全部おくりだしてから田舎に帰った。3・2キロの辺で助かったわけや。

松山 配給もらいに行かなかったら、私もダメ。行ってきますわって、奥さんと子どもがバイバイと言って、別れて。あとの電車だったらだめだった。電車に飛び乗ったから運がよかった。その後2年、田舎にいて、友達が2人で神戸に行こうかと言うてきた。長崎は原爆で仕事もなにもないから、神戸にね。その人が「神戸というところ知り合いがいるから行ってみようか」と。昭和25年(1950年)に神戸に出てきた。

こんな苦労する人いる? なんでも体験してますからね。

牧 神戸ではどこで働いた?

松山 (北野異人館街の)外国人のうち。親も貧乏だし、お父さんが家建てたいというから頑張らないとなと思って働いて、お金送って、田舎に家立てた。自分のことは考えないで。それは自分がそういうふうな人生。自分が与えられた宿命と思ってるから、親にも腹も立たない。

牧 仕事は料理？

松山 食事。トルコ、ユダヤ、イギリス。インドのうちが一番よかった。マレーシアとかもあるけど。アメリカとかは家族になったらまた違う。

牧 三宮？

松山 北野の異人館街が長かった。そこから御影に（職場が）変わった。世話した子どももたくさんいた。私の名前はみんな言わない。みんな「日本の母ちゃん」って。日本に来て生まれた子もおるし。

牧 その後で地震があったやん。

松山 自分で借りてた家で地震に遭った。泉通というところで部屋借りて、そこから御影に仕事に行ってた。

牧 地震で、文化住宅で下敷きになった？

松山 それで痛めた。２階やったのよ。５時ごろに、まだ早いなと思ってまた布団に入ったらすごい音。動けない。タンスがこう押入れにつっかかって。私の枕のところにテレビが飛んで来てる。下も挟まれて、どうにも動きがとれない。

それでここ（肩）が痛い。なんか乗ってて。２回あったじゃない。余震やね。そのときにぐたっと来た。ここ挟まれて、（頬をみる）それから肩がずれてるねん。しびれがひどいねん。16年、整形行ったけど治らなかった。今年の１月、寒い日に、肩がいつもよりひどくなっ

松山さんは復興住宅の住民でのバス旅行にも参加した

てきた。すぐに病院に行った。そしたら夜9時まで検査がかかって、しびれ酷くて立てなかった。歩けないから入院しなさいって言われて。

牧　脳梗塞みたいやけど。

松　山　頭検査したけど異常ないから心配ない。しびれは治りませんって。

牧　まあまあ元気やん。

松　山　肩もビリビリ、お腹もビリビリ。こんな苦労する人いる？　なんでも体験してますからね。自分でコントロールしてる。自分で動く。洗濯する、掃除する。

牧　動いてるから大丈夫なんやわ。

働くこと教えてもらってありがとうって

牧　神戸に来て何年になる？

松　山　今神戸で、62年目や。神戸はいいところ。住みやすいところ。人もいい。私悪いけど。わはは（笑）。

牧　戦争、原爆、地震…。

松　山　戦争で大事な人を亡くしました。原爆で。それから1人。

牧　大事な人って？

松　山　大事な人やもん。私は助かったけどね。子どもがいたら60何歳になるよっていってたね。昭和21年（1946年）に生まれたらなんぼかな？　64、65かな。知らずに死んでしまった。私も、原爆のときにはちょっとマシだったのが、流産してしまった。それからずっと、1人、ずっと。

自分のことは自分でできる。神戸に来たとき、過労で、ここ（胸）が痛くなった。ろく膜の四期やと。夜熱がでるからそれを自分で歩いて病院に行って、入院せずに働きながら治した。階段のぼれない。洗濯は足で干してた。それも乗り越えた。

牧　すごいねぇ。

松山　頭はぼけてないし、どうもない。私いつも親に感謝。親にもうちょっと何かしてあげたかった。うちは貧乏だったからよかった。お父さんお母さんありがとうって。お金持ちで贅沢してたら何もできなかった。働くこと教えてもらってありがとうって。一生懸命、選んだ仕事に感謝して働いたらきっといいことある。私75年働いた。手が曲がるほど。働かせていただいて感謝。働くところあるからありがたい。私が働いていると思ったら間違い。働かせてもらったらありがたいという気持ちで頑張ったら、どんなことも耐えてできる。人から石をぶつけられても、私は人にそういうことしないようにって教えてくれたんだな、ありがとうと感謝します。不満ばかり言うと不満言う人ばかり集まる、笑う人ばかりだと笑う人集まる。そうでしょ？　人を恨む人なら恨む人ばかり。

牧　地震のときね、仮設住宅に4年いたでしょ。

松山　灘警察の上の方だから。いまゴルフの打ちっ放しになってるけど、ダイエーがあってちょっと上にあがったところの公園。篠原公園だな。（今住んでいる復興住宅は）20年借り上げだから出ないとあかん。2年か3年の命ならここにいれる。ここからさよならーって天国に行ける。ここ平成11年（1999年）に入ったでしょ。

牧　16年しか経ってない。

松山　どれだけ頑張れるかわからないけど、年明けたら85になるから。そんなに長生きしなくてもいいんちゃう？

牧　長生きしないと困る。

松山　こっちに来て良くしてもらいました。ボランティアも連れて来てくれたし。四国の琴平というの？　ようけ手紙もらってね。ハガキもようけもらいました。

文通する高校生からの手紙を嬉しそうに見せる松山さん

２００6年ごろ、よろず相談室の活動を知った香川県立琴平高校の生徒たちが文通をしたいと申し出る。復興住宅に住む被災者との手紙のやり取りの他に、生徒が訪問しての交流も定期的に行われている。松山さんも生徒たちとの交流を楽しみにしていた。

牧の聞き取りから1年後、松山さんは特別養護老人ホームへの入所のため、愛知県への引っ越しが決まった。旅立ちの2日前（２０１６年7月４日）、牧はこれまで松山さんと交流のあった琴平高校の生徒たちを連れて、松山さん宅を訪ねた。松山さんは涙を流して喜び、別れを惜しんだ。

松　山　神戸に来たらみんな良くしてくれるけど、愛知に甥がいて面倒みてくれるというから、向こうの病院に移る。みんなが良くしてくれるし、幸せです。皆さんの心がきれいです（涙をふく）。本当にね、ありがとうね。この1週間、涙ばかり出てる。思い出いっぱいあるから。本当に感謝してる。神戸にみんなが来てくれて、本当に感謝感謝。忘れませんね。

牧　（握手）気をつけてな。

琴平高校の生徒たちと最後の談笑をする松山さん

「あのときは『モノ』だったの、人間の死体が。死体があまりに多すぎてね」

証言　15

早川一枝さん（当時52歳）

早川一枝さんは震災時、娘と２人で神戸市灘区高徳町の４軒長屋の１階で寝ていた。自宅は全壊し、ベッドごと外へ放り出された。この震災で親戚３人を亡くした。現在は、復興住宅の一角で住民向けの「日曜喫茶」を開いている。

早川さんとの出会い

大学生を訪問活動に参加させたいと、ＨＡＴ神戸の民生委員の集まりに参加した時が、早川さんとの初めての出会いだった。このとき、「本気ですか」と聞かれ「本気です」と答えたところ、言われた言葉を忘れることはない。「心でノックしてください。必ず心で帰ってきます」。このことはいつも訪問活動に参加する学生に話している。事実、訪問4回目で初めてドアを開けてくれた人に出会った学生がいた。扉の中の方は「また来てくれたんや」と思いつつ、開けられない自分を責めていたという。学生に感謝とお詫びを言い、長い間、話したという。

もし、1回の訪問で諦めていれば「心の会話」はなかった。扉の向こうに住む被災者の心は、扉のこちら側からは見えない。早川さんは、人とのつながりのあり方を私たちに教えてくれたのだと思う。

被災直後は、遺体安置所もある避難所に避難していた。そこで人の死体をあまりに多く見たためか、人生の価値観が変わったという。「死」は怖いものではなく運命である、と。

今は、日曜：喫茶店（70人集まる）、火曜・木曜：グランドゴルフ、金曜：麻雀教室を主催している。また、ヘルパーとして高齢者宅の訪問もしている。フル回転である。早川さんは「お茶会は、お茶を挟んで人間関係を築いていく場」「休んでいる人は、できるだけ訪問する」「これらは地域の人がしなければならない」と語る。震災を機に根付いた「死ぬまで楽しく生きなければならない」との信念がこの人にはある。（牧）

リフォームして、1年ちょっとで、震災

2017年8月4日に牧が聞き取りをした。

牧　震災の前の生活も含めて聞きたいんやけど。

早川　うん、言いましょ。大変やね。どんな人に聞いている？

牧　僕が関わってきた人、最低10年ぐらい関わって、色々、話をしてくれそうな人に。震災前の生活から聞きたい。ずっと暮らしてきて、震災に遭って、それからのことも。

早川　震災のとき？　実家（にいた）。

牧　どんな状況で震災に遭ったの？　その後、どんな生活を送ってきたかを聞きたい。ここでどんなことを問題に感じているのかも。時間軸で聞きたい。生まれは？

早川　灘区で生まれた。7人きょうだいの末っ子。そう見えへん？　いま75歳。一番上のお姉ちゃんが震災で死んだ。次の姉ちゃんは生きたけど、旦那が死んだ。本人もお義兄さんが亡くなって間無しに死んだ、震災後ね。それで、震災のときは長男が入院していた、六甲病院でね。で、次男はいなかった…というのは亡くなっていたということ。それで、三女は姫路にいて、今もそこにいる。三女の前に三男がいたけど生まれてすぐに死んでいるから。四女は灘区にいる。

牧　この7人きょうだいで、震災で亡くなったのは？

早川　（一番上の）お姉ちゃんでしょ。それから次女の旦那。で、次男の嫁。震災で同時に3人亡くなっている。

牧　震災に遭った人は？

早川　（指折り数えて）長女、次女、長男、三女、四女、五女の6人。長女は震災で亡くなったし、次女も震災に遭って

牧　るし、長男は入院しとったやろ。これで3人な。次男はもうおらへんかった。後は震災に遭っている。ということは7人で、震災のときには1人が既に亡くなっていて、あとの6人は全員が震災に遭っている、ということやね？

早川　うん、そうそうそう。昔はぎょうさん子ども生むからねぇ。

牧　僕のとこも7人やで。で、いまも生きてはるのは3人。下から3人やね。灘区で生まれて、ずっと灘で育ってきたんやね。ご両親はどんな生活をしてはったの？

早川　商売人、うどん屋。飲食業。

牧　灘のどのあたり？

早川　鷹匠中学校、ご存知？　2号線のだいぶ上。六甲の上り口をまっすぐあがったら、鷹匠中学校があるはず。石屋川のきわ。公会堂よりもっともっと上。阪神・JR・阪急とあって、私のところは阪急とJRの間。前の市電筋の山側でやってたん。今の高羽マンションの近く。昔は徳井いうたけど、今は高徳町1丁目。徳井は下の方やけど、今はそんな言い方はしない。

牧　そこで、生まれて育ったの？

早川　小学校は高羽小学校、中学校は、鷹匠中学校ね。中学校を卒業してからは専門学校みたいなところに行っていて。昔やから花嫁修業みたいなこと、洋裁、和裁、活け花とかお茶とか、そんな学校があったんよ。もともとは、洋裁が好きやったからね。

牧　中学校出てから、学校出て、就職しはったの？

早川　就職って…ちょっとの間、家を手伝ってたりしていたけどね。うどん屋はしょっちゅう手伝ってたんよ。忙しいときはね。

牧　お父さん、お母さんは？　早くに亡くなった？

早川　えっとね、昭和47年（1972年）に父親が、平成5年（1993年）に母親が亡くなった。

牧　就職して、どんな仕事をしていた？

早川　仕事？　う～ん、いろんなことしていたよ。水商売もしてた。そこで知り合ったのが主人やからね。

牧　転々として水商売のお店で働いたりしていて、そこでご主人に知り合ったと。いくつのとき？

早川　23歳。

牧　それで、すぐに結婚？

早川　そう、結婚した。旦那は25歳のとき。

牧　結婚したときはどこにいたの？

早川　中央区。諏訪山の文化住宅にいたの、一番初めはね。

牧　ずっと働いていたの？

早川　いや。結婚してからは、旦那の稼ぎで食べていたから、あんまり働いていない。

牧　ちびちゃん（子ども）は？

早川　子どもは女の子が1人。私が31歳で生んだから、（娘は今は）44歳やね。震災のときは一緒に実家におったの。このうどん屋にね。

牧　震災のときは実家にいたんや、娘さんと2人で。旦那さんは？

早川　旦那は…離婚しました。私が50歳のとき。

牧　震災前？

早川　そうです。

牧　諏訪山の文化住宅で、娘を生んだ？

早川　いえいえ、子どもを生んだのは御影ですよ。文化住宅はすぐに出て、マンションに変わって。御影の郡家というところでね、この子は生まれたんです。

牧　郡家ね。震災の前に離婚しはって、娘さんと2人で生活してはったのが、ここ？

早川　そう、震災の前はね。1年10カ月で1000万円ほどパーやね。家を全部立て直した…というか、内装を全部やり直したのよ。商売人の家やったから。

牧　実家をリフォームしたのね？

早川　そう、1000万円かかった。お金は、主人と持っていた分譲マンションを売って、折半してね。

牧　で、リフォームして、1年ちょっとで、震災。

早川　そう、1年10カ月。で、震災で全壊。

牧　悲惨やね。

早川　う〜ん。でもね、二重ローン抱えている人もおったから。その人のことを思うたら、まだ幸せ。（リフォームは）キャッシュで払ったしね。波乱万丈の人生やろ？（笑）

阪神淡路大震災では、ローンを組んで購入した家を失い、再建して更にローンを背負う「二重ローン」が深刻な問題となり、自治体による古い住宅ローンの利子補給制度などが導入されたが、十分な対策ではなかった。「阪神淡路」の教訓から、東日本大震災では被災ローン減免制度ができた。一定の弁済をすれば残額は免除され、義援金や支援金のほか、500万円の預貯金を残して生活再建できる――などの利点がある。

牧　ほんまやね。鷹羽の実家の構造はどうなってたん？　2階建て？

早川　うん。あのね（実家に当時いた人数について）、間違えてたんやけどね。

震災の揺れで1階部分が崩れた住宅の様子

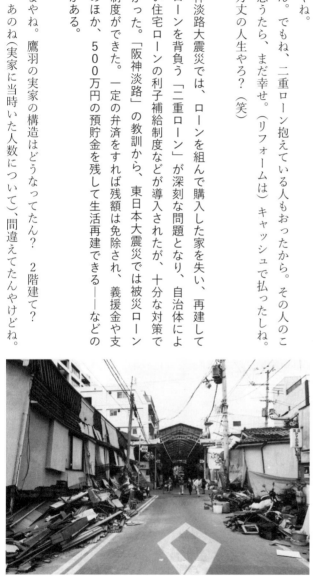

長男がいたの。震災のときにその家にいたら死んでいたと思うけど、糖尿病持ちで、たまたま震災の少し前に低血糖になって、六甲病院に入院していたから助かったの。だから私は、もう家がないから面倒を見られない、と。それまでは、ずっと（兄の）面倒をみていたんよ。だから3人で住んでいたの。お兄ちゃんは2階で、私らは下（1階）で。

声をかけても、返事せえへんかったら、もう無視（するしかない）、全部

牧　早川さんは1階やね。

早川　そう、真ん中が台所になっていて、両サイドが部屋。向こう側に子どもが1人で、私はこっちで寝ていた。2階は、お兄ちゃんは入院していたから、当日は空やった。

牧　どんな形の家？

早川　昔の長屋っていうの？　4軒長屋。一番前に私たちがいて、ここが道路。で、ひとつ空けてここに、ひとつあけて、次男（2番目の兄）の嫁がおったの。

牧　亡くなった？

早川　お義姉さんね。そう。2階が1階に落ちてきてね。なにせ、ここの端の家から、ザァっと崩れて、前の道路が通られんようになったの、車2車線の道路がね。私はそのままベッドごと、道路に放り出されとったの。私の家の内装は白色で、お向かいにあったタバコ屋さんの外壁も白色。だから、私は家（の中）や、と思っていたけど、それが道路やった。で、慌てて子どもの方を見たら、埋まってもうとったん。

牧　結果的に道路を挟んで、こう（がれきが）流れた？

早川　全部、道路に流れてきたん。2車線の道路が、人間が1人が通れるかどうかという、道幅になっていたからね。で、前のここが酒屋さんで、酒瓶のガラスが（飛び散っ

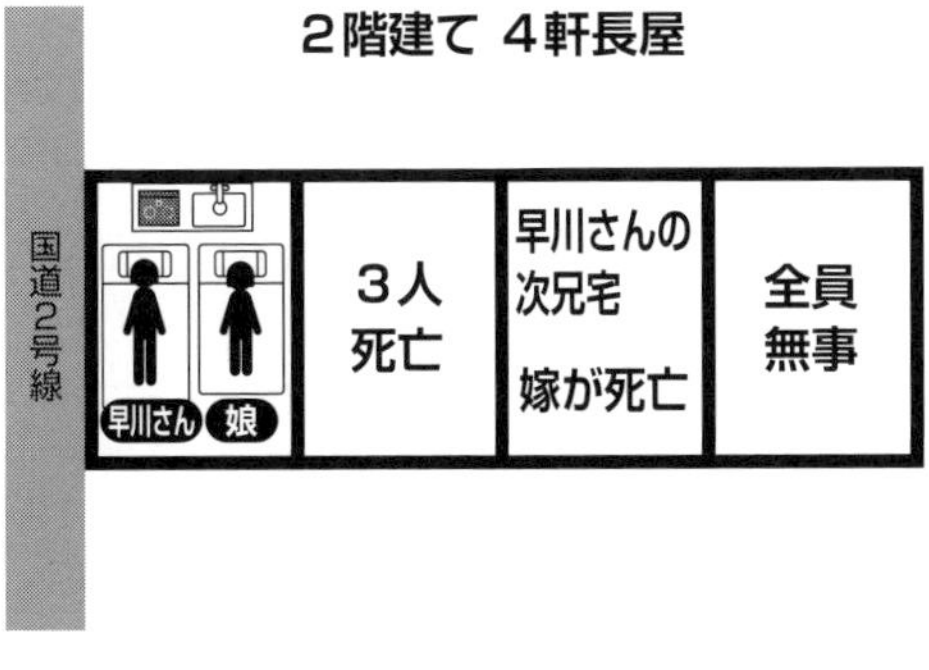

ていて）ね。足が痛いな、と思ったときは、そのガラスで足を切っとってん。（ベッドから）飛び出て、子どもを見に行ったから。簡単そうやけど、私は北の端にいて、子どもは南の端にいたから、こう（回り込んで）見に行かなあかんわけ。子どもは、隣の家が覆い被さってきていたから、埋まってもうてた。私は、そのままバーンと道路へ流されていってた。うちの屋根も全部、道路に出ているんやで。でも、こっちのものが全部乗っかってきているから。で、子どもが埋まってしまった。

牧　どのくらい（救助に）かかった？

早川　いや〜。男の人に頼もうかと思ったけど、誰もね、逃げまくってね。

牧　ここで、次男のお嫁さんも亡くなってるんやね。

早川　そうそう、次男の嫁も同じところでね。隣で3人亡くなってるの。一番奥だけが、助かった。

牧　真ん中がやられたんやね？

早川　そうそう。まぁ…悲惨やったわぁ。

牧　どんな状況？

早川　子どもがおったところは向かいの2階がバァ〜と来た感じ。でも、こんだけぐらいの、お尻が通るか通らんかぐらいの隙間があったの。それで子どもの名前を呼んだら、声はしたから。「お母さん、ここやから〜」って。そんで、手が出てきたから（笑）。

牧　はじめは見えなかったんじゃない？　5時46分は真っ暗けでしょ？

早川　うん、そうやね。でも、一瞬、そのときは何があったのか、分からなかったよ。私全然、家をなくしたのも分からない。家がグラグラになって揺らぐ音を、みんなは「聞いた」と言うの。ミシィとかガタァとか。でも、私ね、何にも聞いてないの。ぐっすり寝てたんや。

牧　そんな人もいるよ。目が覚めたら埋まってた、とかね。僕はガガガァと揺れたのを覚えているけどね。ゴォーという音から聞こえた。

早川　私は全然知らんねん。気がついたらベッドごと外やった、という話（笑）。

牧　娘を助け出すまでに、どのくらいかかった？

早川　そうやね。30分位はかかっているね、私1人で。木を除けたりとかね、多少はあるからね。でも、そのときも男の人がパァーと外に出てきたから「ここに子どもが埋まってんねん」と声をかけたけど、誰も助けてくれへんかった、そのときね。そういう人もおる、と思ったね。

牧　無視していったの？

早川　そうやね。もう本人もビビッてしまっているから。うちの前にあった文化住宅から出てきた男の子、学生さんやったけどね。それはもう全然、何もしてくれなかったね。

牧　あのときの状況というのは、人のことは構ってられないのかな？

早川　そうやったんやろうね。でも私は、助けに行ったよ。だから、頭の良い子ばかりいるのが、良い世の中じゃないと思うの。私は、そのとき地域の中で「ワルや」と言われとった子が「おばちゃん、（助けに）行こう」と。（彼と）一緒に行って、3人ほど助けたな、埋まっていた人をね。

　でも、自分のお姉さんも埋まってるやん。埋まってるけど「お姉さ～ん！」と声をかけても、返事せえへんかったら、もう無視（するしかない）、全部。自衛隊でもそうですよ、あのときは。無視、全部。（埋まっているのは）分かっていても、声がしなければね。でもね、以前は市電の車庫があったので、その下の方まで行ったけど。ただね、私、いまだに思うのはね、ある文化住宅がむちゃくちゃになっているのを見たの。

　そのとき「う～ん」とか「はあああ」とか声は聞こえる。聞こえるけど、文化住宅がつぶれて（がれきの）山のようになっていてね。ほんで助けられなかった、その人らをね。後で聞いたら、親子3人やったらしい。出産で帰ってきていたらしい。そのときほどね…「あぁぁ」と思ったね。

牧　声を聞いているものね。そんな人も多いよ。火事で「助けて～」という声が聞こえるけど、助けに行かれへん。で、そこで焼け死んだって聞いて、やりきれない思いをしている人とかね。

早川　そうそう、トラウマじゃないけどね。その…うめき声を聞いているから。瓦礫の山だったから、助けられなかったけど。でも、うめき声が聞こえるということは、どっかに空洞があったのだろうし。う～ん、でも。可哀想やな～と思ったけどね…そんなこともありました。

牧　それが一番、辛かった？

早川　辛いね。辛かったねえ。

闇の中、余震が続く中での救出活動は危険を伴った。救出中に建物が崩れて生き埋めになり、30分後に助け出された人たちや、子どもといったん脱出し、妻ともう1人の子を連れ出すため家に入ろうとして梁の直撃を受け、亡くなった人もいた。

現在、山口大学准教授の村上ひとみは、1998年6月に福井市で開かれた「世界防災都市会議」で、神戸市の消防職員による救出活動について次のような分析を明らかにした。①木造家屋から1人を救出するのに平均で84人・分（「人・分」は作業を終えるのに何人で何分かかったかを示す単位。「1人・分」は1人で1分かかることを示す）、RC建物（鉄筋コンクリート造り）は188人・分の人数・時間がかかった。②一戸建てよりも文化住1宅の方が建物の壊れ方が大きく、どこにだれが埋まっているのかがわかりにくくて救出に時間がかかった。

牧　このときにいち早く自分の子どもを助け、他の人を、地域のお兄ちゃんと救護活動して、その後は？

早川　その後は、バスの車庫で1泊、泊まった。石屋川の車庫のバスの中でね。でも、そこはあれ（避難所）じゃないから出てくださいと言われてね。それから鷹匠中学校へ行ってん。

牧　1日経ってたら、避難所はいっぱいでしょう？

早川　まぁでも、地元の人ばっかりやからね。「早川さん、おいで」とか「ここ空いてるで」とか、みな、助け合ってくれるね、そういうときはね。なんとなくそこ（避難所）へは入れて、で、子どもは2日ぐらいしてから、姫路の義兄が迎え

牧　に来て、子どもだけは連れて帰ってくれたの。そのとき、まだ娘は17、18やったからね。怖かったやろなぁ。埋まってたんでしょ？

早川　まぁ、埋まってたとはいえ、どっかに空洞はあったのでしょう。無傷やったの。押入れをベッドにしていたからね。

牧　鷹匠中学校の避難生活って、どんな感じでした？　何人ぐらいいたの？

早川　何人ぐらいやろうね。1日過ぎていたから。結構多かったね。でも、近所の人が多かったから、そういう部分ではね。そうそう、姫路へ行くときに、お金もなにも一銭もなかったの。鷹匠中に行くまでに寿公園で、焚き火をして、みんなでしのいでいたときがあるのよ。避難所に行くもう1日前ね。バス内、それから公園で、焚き火ね。そのときに「明日、姫路から義兄が迎えにくるけど、お金が一銭もない」という話を私がポロッとこぼしたときに、ある女の人が「2万円でいいか。なんぼいるんや」とお金をくれたの。その人に、ものすごく感謝したね。まぁ、その人の家は、新しく建てた家で潰れてなかったけど。でも、被害はあったはずで。そんな中で「交通費になんぼいるの？」と聞いてくれて「いや、2万円もあれば充分」というと、すぐに貸してくれた。そういうやさしい人もいるんやな、と思ったね。それから鷹匠中に入ったの。そうやった。私もだいぶん（記憶が）薄れてきよるよ。

牧　こうやって話すと徐々に思い出す？

早川　そうやねぇ。

本当に間一髪というか、紙一重というか…ほんま（人の生死は）わからん

牧　迎えのお義兄さんは、姫路からここまでどうやってきたの？　途中、長田あたりで道が通れなかったんじゃないかと思うけど。鷹匠中学校に避難していることは、電話で知らせたりとか？

早川　いや、誰から聞いたのかねぇ。まぁ自分の実家やからね、高徳町は。あの近辺まで来て、私は「かこ」と呼ばれていたけど「かこ、どこにいますか？」と通っていた人に聞いたら分かるでしょ。そうじゃないかな。電話は誰もしていないと思う。それで、義兄と一緒に本山まで2時間半かけて歩いて、姉の旦那が死んでいるところに行ったの。

本山第二小学校に遺体が安置されていたから。だから「死」いうものが怖くなくなったね、あの震災で。死に対してね。

牧　僕は怖いわ。

早川　「死」に対してね。あのときは「モノ」だったの、人間の死体が。死体があまりに多すぎてね。理科室で、棺桶がぺっしゃんこで来るとは思ってなかった。こう（四角い）棺桶で届くと思うじゃない。違うの。ぺっしゃんこで届くのを、金槌でカンカンと組み立てるのね。本山でも、小さい子どももいれば、大人もいるんだけど、みんな同じ（大きさの）棺桶に入れるの。で、理科室か実験室かのテーブルの上に全部並べる。だから「モノ」に見えたのね。あまりに多すぎて。ほんまは（そんな感じ方は）アカンのだろうけどね。それから「死」に対して、意外と冷静におれるね。自分自身も含めてね。

牧　僕は、そんな経験していないけど、どこにそんなに死体があったの？

早川　だから鷹匠で。

牧　死体置き場でもあり、避難所でもあり、ということ？

早川　みんな、そうじゃん。本山でも死体置き場になっていたよ、ずっと。

遺体安置場所に予定していた寺社などが、避難者であふれたり壊れたりして、使用できない状況が多数起きた。地元住民によって小中学校などへ運び込まれる遺体も多かった。神戸市立魚崎小学校では、学校から救出活動に出かけた避難者が、はずれたドアの上に毛布にくるんだ遺体を乗せて次々と運んできたという。遺体は体育館に安置したが、体育館内の避難者から苦情が出たため卓球台の上に安置することになった。福池小学校では長椅子のある理科室に遺体を安置したが、19体と増えたため、2つの普通教室も安置室になった。

牧　僕はあのあたりの、たくさん被災者がいた状況は分かるけど、阪急沿線で北のほうだったから、避難していたのは人間だけで、死体はなかった。もっと下（南）の方にいけば、東神戸病院のあたりとかは、死体があったんやね。その感覚は、僕にはなくてね。

早川　ああ、そうなん。鷹匠も理科室に死体があったよ。グラッと来たとき、次男夫婦は片方が外に出て、もう片方は家の中にいて、そちらが死んでいる。長女（一番上の姉）夫婦は同じ布団で寝ていて、長女の方だけ2階が落ちてきて、お義兄さんの方はどうもなかった。本当に間一髪というか、紙一重というか…ほんま（人の生死は）わからん。

牧　それは残されたほうも大変やね。

早川　だから、次女（2番目の姉、夫が死亡）は、すぐに認知症（の症状が）出たね。ほんまにベタの（仲のよい）夫婦だったから。海外旅行に行くのも、全部お義兄さんが手配してね。だから、亡くなったらすぐに認知が出た。だから、奥さんとあまり仲良くするのも良し悪しよ（笑）。ベタでいかずに、ある程度の年がきたら、夫婦もそれぞれ自立して「あんたはあんた、私は私」で生活した方がいいんじゃないかな。

ここ（HAT神戸）にいる人たちもね、看るほうが（女性のほうが）みんな死んでいるでしょ。奥さんが身体が不自由になったとか、認知がでたとか。あまりベタに何でも一緒に行動していると、（その人が死んだら）ポカッと何かが空くんだろうね。頭の中のどこかが。そしたら、そこに認知が入ってくる。

牧　長女夫婦はお義兄さんが助かった。お義兄さんどんな気持ちだろうね。

早川　2年ほどお義兄さんは生きていたけどね、最終的には病気で亡くなった。いろんなことがあったから、語りつくせないのと違う？

牧　いや、語ってもらうから、順番に。

私はもう震災で「生まれてきたら必ず1回は死ぬんだから」と思うようになったね

早川　うちのお隣さんが、若夫婦ら3人が死んで、おばあちゃんが生き残った。「逆になってくれたらいいのに」と、おばあちゃんはよく言ってたけどね。3人は2階の同じベッドで亡くなっていた。おばあちゃんは、1階で転んで生き延びた。同じ家の下と2階。そういうこともあるよね。

牧　それで人生が変わることもあるよね。親を亡くした子も可哀想やけど、子を亡くした親はもっとしんどい、と言われている。自分は生き残ってね。

早川　それは、あるやろうね。でも、私はもう震災で「生まれてきたら必ず1回は死ぬんだから」と思うようになったね。早いか遅いかの違いであって。意外と冷たい感じになったかもしれんね、そういう死に対して。割り切ってしまう、というのかな。実際は、そういう立場になったら、どうなるか分からんよ。今の段階では、生まれてきたら死ぬのだから、それまでは楽しく生きればいいんじゃない、と思っている。そういうふうな感覚。

牧　震災で多くの死体を見たために「モノ」に見えた。そのために、死に対して怖くなくなった？

早川　怖くなくなった…というか、もう決まっている、という感じ。生まれてきた限りは。なぜかというと、同時に、片方が外にいて（助かり）、片方が家の中にいたため（に死んだ）とか、それはその人の運命じゃない。それが見えたの、自分自身でね。

牧　死は運命だと。

早川　簡単にいってしまえばそれまで。もっと違うんだろうけど、私自身は、そういうふうに思うようになってしまっているね、うん。（そんなふうに考えるのは）震災の後からやね。それまではね、どうしてこうして、とか、子どもにもどうしてほしいとか、考えるじゃない、普通は。でもね、あれ以来、子どもには「自分の人生があるのだから好きなように生きなさい」とか「それで生活ができなくなったらお母さんのところへ戻ってきなさい」と。「ああしなさい、こうしなさい」とかは言いませんよ。まあ、もう大きくなっていることもあるけどね。震災のときは18歳。でも、そういう考え方になってしまっている。

牧　娘さんはずっと姫路に？

早川　今は、神戸の大丸にいるよ。震災直後の話で言えば、半年ぐらいは姫路にいたかな。だから、あの子は、こういう（死体を見たような）経験はしていないの。それは良かったかな。実は、鷹匠中学校にいるときにうつになったのよ、私自身が。人に会うのも嫌になって。で、私は神戸大学（の生協）に30年から勤めとったからね、その関係で、神戸大学の避難所においで、と生協の事務員さんが声をかけてくれて。神大に移って何カ月かしてから、娘を呼んだの。（姫路の）お姉ちゃんのところも、あんまり長いことやと悪いしね。神戸大学では会議室におれたから、じゅうたん張りだし、トイレの水も流れたし、全然、下の鷹匠中避難所とは違っていた。だから、娘に「こっちにおいで」と。

牧　鷹匠中の避難所生活ってどんなんでした？　トイレとか問題あったでしょ。

当初、体育館や教室に入りきれなかった人は屋外や風の吹き抜ける廊下、階段の踊り場に身を寄せた。高齢者の多くは「避難所に来るのが遅れた」「夜中にトイレに行きやすい」などの理由で、そのような悪条件の場所にいざるをえなかった。断水でトイレが流れず、洗濯もできないことなどから衛生状態は悪化した。朝日新聞記者だった外岡秀俊は『地震と社会（上）』で、次のような医師のエピソードを紹介している。「一日に（注・医師4人で）二百五十人の住民を診察したが、食生活の悪化から、衰弱やお年寄りの脱水症状が目立った。寒いのになぜ脱水か、と初めは訝（いぶか）しく思った。その頃避難所は、断水でトイレが汚れきっていた。小用が間に合わなかったお年寄りは、周囲から『臭い』といわれ、水分の摂取を極端に減らす人が多かった。そのうち高血圧、糖尿病など慢性疾患の悪化が目立つようになり、インフルエンザが蔓延するようになった」

自分さえよければいい、というのが嫌いなの、私ね

早川　どういうのかなぁ…。私らは家も何もないので、物欲も何もなかったけど。でも、半壊ぐらいの人は違ったね。避難所で物資を配るじゃない。私たちなら、寒い時期なので「ズボン下（防寒下着）なんかはお年寄りにあげたい」と思うけど、それを自分たちで取り込む人がいてね。そんなん見てたら、嫌になってね。腹も立つし。それから、私の家は道路沿いだったから、一番先に工事が来るのね。で「私のところ、工事にかかるから」と言ったら、友達

が来てくれたんやけど、その人たちは自分が被害に遭ってないから、ベチャベチャしゃべってばっかりで。それは頭にきてね。そのとき、私はうつになっていたから。友達に対しても「もう来なくていい」という感じになって。そんなときに、神大の知り合いが「空いているからおいで」と言ってくれて。それからは楽な生活、楽というかまた（生協の）正社員に戻れて、大学に避難しながら大学で勤めて、という生活でしたね。

牧 鷹匠中学校はいつまで避難所だった？

早川 う〜ん、何カ月か…。

牧 神戸大学に行って、少しはましになった？

早川 そこでは割とね。みんな、そこそこに優しい人ばかりが寄ってくるから。

牧 神大の避難生活も、あまり長くはないでしょう？

早川 仮設に平成8年（1996年）ぐらいに入っているね。王子の仮設（サブグラウンド）に。

牧 王子の仮設？　あの1K？

早川 そうそう。

牧 つくる場所がなくなって、普通は2Kなのに、1部屋減らしてつくったんだよね。訪ねていって狭さにびっくりしたもん。4人家族で真ん中に炬燵おいて、みんなそこにいる。1部屋はきついよね。で、避難所生活で、鷹匠中避難所では、こういう物資を取り込むような人が目に付いて…。

早川 自分さえよければいい、というのが嫌いなの、私ね。誰かが差し入れで持ってきてくれたから、自分らだけすき焼きを食べようって。同じ部屋にいて、匂いがぷんぷんするのに。私やったら喉は通らない。嫌いやな…そういうのが、いろいろ蓄積してね、ちょっとうつみたいになったね、あのときは。

牧 みんな困っているのに、よう平気でできるなと呆れるわ。

早川 そら、その人、その人、いろいろや。性格的なものや。私らはそんなんは嫌や。喉を通らないで、ほんま。みんなで分け合うんやったらいいけどね。ちょっと離れた（地域の）人やったからね、その人は。私らの地域の人やったら仲間に入れたかもしれないけど…それでもやっぱり嫌やね。そのときに、神戸大学の事務員をしていた子も、そのとき、そこにおってね。その子が先に神戸大学に行ったから。すぐに「おいで」と言ってくれて。

牧　ラッキーやったね。

早川　私は、そんなん嫌いやからね。自分らだけすき焼き食べて、みたいな。でも、結構あったよ。そういうのは。

牧　一人暮らしのおばあさんは（訪ねてくれる人もいないから）ぽつん、といて。何もなくて。賑やかなおじさん、おばさんたちだけが酒を飲んだりしている。

早川　自分さえ良ければよければいい、というのはほんまに嫌やね。私ね、マザーテレサが好きなの、あの精神が好き。

牧　王子の仮設に行ったのは、あそこは遅くに建てているから、震災から2年目ぐらい？

早川　そんなに経っていたかな？　私はそんなに感じなかったけど。

牧　でも（建ったのが）遅かったよ、ここはね。（仮設を建てる）場所がなかったから。

早川　そうかもしれへんね。神大にだいぶ（長く）おったから。2年ぐらいやったかな？　…なんせ２０１１年の4月に、ここ（中央区の復興住宅）に入っているからね。だから王子のサブ（グラウンドの仮設住宅に入ったの）は平成8年（１９９６年）か9年（１９９７年）やと思う。でも、桜を2回ぐらいみたかな。10年位に入ったかもしれへんね。

　被害が特に大きかった市街地では仮設住宅の建設用地の確保が難しく、自治体は校庭、公園、野球場、農地などの用地探しに『狂奔する破目になった』と、高寄昇三は『阪神大震災と自治体の対応』に記している。高寄によると、神戸市内で仮設住宅用地を提供した割合（戸数の割合）は、公園・運動場や開発予定地を保有する神戸市が圧倒的に多く75・3%を占めた。民間も積極的に協力し、無償提供にもかかわらず12・1%だった。国・県はあわせて1・1%と極端に少なかった。

　神戸市では、土木・建設関連部局のほとんどが入る市庁舎2号館が倒壊したため用地の資料がまったく無く、無事な庁舎にあった住宅地図や記憶を頼りに土地を捜し回った。しかし、用地に傾斜があったり、崖が崩れかけたり亀裂が入っていたりし、付近で空き地を見つけては所有者に提供を頼んで歩いたという。

仮設建設に住民の反対も起きた。ある現場では住民が周辺道路を車で封鎖し、建設業者が入れないようにした。反対の理由は①県の説明がない、②適した土地は他にいくらでもある、③入居被災者が問題を起こすと困る、などだった。「住環境の良い閑静な住宅地であり、住民意識が高い反面、住民エゴに似た感情も強く感じた」と、兵庫県の資料にはある。

牧　このときは、ご近所は知らない人ばっかりでしょう。働いていた？

早川　神大に行っていた。

牧　娘さんは学校？

早川　いや、働いていた。

牧　どちらも働いていたと。平成9年（1997年）～11年（1999年）の3年ほどやね。

早川　うん、3年。でもね、子どもは1K（仮設住宅）には来なかった。六甲の友達、私がママさんバレーをやってきたときの友達やけど、その人がマンションを持っていて、貸してくれてね。娘は、神大にちょっといただけで、すぐにマンションに移ったの。だから（仮設は）私、1人で。

牧　仮設住宅でも揉めごとはあったでしょう？

早川　あんまり揉めなかったね。仮設住宅は（独立して）1つの部屋になっているから。見ないでもいい部分は見ないですむでしょう。避難所ではみんなが見えてしまうからね。だから頭にきたりとか、嫌なことがあったりとか…。

「よっせこっせ」（知らない人同士が混ぜこぜ）の街にしてしまうんやね

牧　ここに（HAT神戸の復興公営住宅）平成11年（1999年）に移って、いまは平成29年（2017年）。18年間か？

早川　早いね。

牧　入ってきたとき、どうでした？

早川　私ら一番（はじめの入居者）やもん。向こうは海でね。

牧　ここは抽選？　空いているから入ったの？

早川　私ね、１人だったから、（記入が正しいかどうか）ハガキの確認をしてもらわなかったの。灘区で生まれ育っているから、（復興公営住宅も）灘区に行きたかったの。でも、間違えて中央区に丸をしてしまった。だから1年ずれたの。灘区は10年（から入居開始）、こちらは11年。まぁ、しゃあないわ、という感じでね。当たったら、入らないといけないからね。とはいえ、灘区は生まれ育った場所だからそちらに行きたかった。中央区は知らないし、知らない人ばっかりやし。

牧　でも、灘区でも（復興公営住宅は）別の場所でしょう。

早川　まぁ、あそこは「よその場所」やから。ここも一緒やけどね。でも、やっぱり違うやん、区役所にしても何にしても。灘区は、お買い物にしたって、水道筋にしても六甲にしても。中央区の大安亭（市場）なんて、全然知らんかったもん、来たときはね。

牧　住み慣れた地域は大事ということ？

早川　そら大事やと思う、私は。まぁ「よっせこっせ」（知らない人同士が混ぜこぜ）の街にしてしまうんやね。（HAT神戸のある）脇浜も、灘浜もそう。灘浜の方はよう知らんけどね。でも「よっせこっせ」やね。

牧　仮設から灘浜に移った人の家は、荷物が少なくてね。ちゃぶ台の上にテレビ置いて、電話がちょこっとある程度。間取りは6畳1間とDKで、押入れに荷物は入れてしまえるから、ガランとしている。訪問したとき、ぱっと見たら、ベランダから海をみて手を振っている。他の人たちも、みんな、海を見ていて、隣と話をしていない。みんな1人でまっすぐ海を見ている。びっくりしたで。「ああ、寂しいところやな」と思って。隣近所の付き合いができない。

早川　「よっせこっせ」も1つの問題とちゃうかな。住宅に入れるにしても。これから、どこの地域でも（災害があり）被災する人がたくさん出て（住み慣れた場所を）離れることもあるかもしれない。でも、ある程度（ご近所は）寄

牧　せてあげたほうがいい、と私は思う。行政はどうするかしらんけど。

早川　行政は平等にしないと、あかんからね。「住宅ができました。ここはこの地域の人だけ」というのはあかんわけや。でも、後々のことを考えたら、知った人同士で入るのが一番良いけどね。

牧　ここなんかでも「1つの街としてやっていこう」としているけど、なかなかまとまらない。入って間なしに「婦人会を立ち上げて」と頼まれたけど、ここでは怖い。だから、民生・児童委員も辞めてるし。ほかにも色々頼まれて、防災の委員とかもやったけど、みんな降りました。（ここでは）怖い。

早川　それは、知らない人ばかりが集まっているから？　特に、ここは高齢者優先入居で、若い人が入ってこなかった。高齢者が多い上、抽選でごちゃまぜに入ったから、お互いにゆっくり話をするという雰囲気にならなかったのかな。

牧　どういう加減か、私も分からないけどね。でも、助け合おうという感じはないね。私も、もうかかわりあいたないもの。でも、だんだんと変わってきている部分もある。ふれまち（ふれあいのまちづくり協議会）にしてもね、何かにつけて。ある地域の組織でお金の使い込みなんか、あるじゃない。だから、集めてきたお金も、その人のもとには持っていかせないようにしていた。目の前にお金があると「給料が入るまで、年金が出るまで、ちょっと借りとこう」という感じになってしまう。はじめは、みんなそう。だけど、それが積もり積もって、使い込みになってしまう。たいした金額ではないとはいえ、お金が目の前にあれば、そう仕向けてしまう。だから、集めたお金をその人には渡さないようにしようと、仕向けたこともあるの。

早川　HAT神戸の復興住宅に初めて来たとき、仮設と比べて広く感じた？　どのくらいの広さなの？

牧　64平米。

早川　結構、広いね。

牧　広い。だから、その当時はいけた。今はダメよ。一人暮らしだったら49平米。

早川　仮設住宅は、10平米ぐらい？　ここに来て広くなって気持ちよかった？

牧　私は狭い部屋は嫌いやねん。だから、実家に帰ったときも、私の部屋は18畳位バーンと広くとっといたもの。娘は

8畳で、後は台所にしていた。

牧　よう仮設で耐えたね。仮設から復興住宅に移って、少しは広くなって、ほっとした？

早川　まぁ、そうやね。

牧　周囲との関係は？

早川　別に…どういうこともなかったよ。その時分には、私の気持ちが前向きになっていたから。私はどちらかといえば前向きな性格で、グチュグチュ深刻に考えたりはしないタイプだから。自分から外出して、飛びはねていたね。いろんなことをしているから、それで時間を紛らわせているし。

好きなように毎日生きたらいい。生まれてきた限りは、いつか必ず死ぬ

牧　ここでも隣近所とは揉めていない。寂しいこともなく、逆に寂しい人を支援している感じ？

早川　私は1人でも寂しい、と思ったことはないね。周りは心配してくれるけど。幸せな感じ。「寝たら朝」というぐらい7時間、交通事故に遭うまでは8時間だったけどね、とにかく1回も起きない（で熟睡できている）。それって幸せでしょう？（笑）。（そういう体質に生まれついて）親に感謝しているもん。みんな夜中に何回か起きるというけど、私はない。「寝たら、朝」。なんも考えることはない。

牧　眠るときに「むかつくな～」とか考えたりしない？

早川　いや、そんなん、考えたこともない。10分ほど経ったら、無意識のうちにテレビも消して寝入っている。11時に寝たら朝6時に起きる。目覚ましかけないでもね。7時間寝たら、ぱっと目が覚める。

牧　いいなぁ。僕は対照的。

早川　だって好きなことして、遊んで、帰ってきて。今は夕方30分、歩くのよ。海辺を。体重を60キロまで落としたいから。始めてから3キロ痩せたよ。だから、もうちょっと。頑張ってんねん。それが一番楽しみ。散歩から帰ってきて、お風呂入って、桃と氷を食べて、テレビを見て、寝るのが一番幸せ。そんな毎日。あとはカラオケに行くとか、麻

雀に行くとか。自分で楽しみをつくるの。この花火大会も神戸大学でダンスパーティーがあるから行ってこようと(思っている)。社交ダンスも踊るのよ。自分で楽しみをつくってるの。子どもにも、よその人にも迷惑はかけたくない。自分で好きなことをして暮らす。

牧　早川さんの人生観って？　僕はいま67歳になって「あと10年ぐらいかな」なんて考えてしまう。15年も経てば80歳を超えるから、ああ、死んでるな、と。

早川　いやいや、そら、あかんわ。70、80歳なんてざらにいますよ。いまの「年寄り」は90歳代。70、80歳代なんて、この地域はい〜っぱいいるよ。私がいま見ている人は、この7月で96歳になったけど、肉はバリバリ食べるし、元気やで。ちょっと認知が出てきたけれど。でも、ヘルパーが入ってくれるようになって、その人は幸せだと思う。子どもはまったく来ないけれど、朝・昼・晩とヘルパーさんが来てくれるのだから。私その人見習って、96か100まで長生きしようと思っている。どこまで生きられるか分からないけど。だから、そんな80なんぼかぐらいで死ぬ、なんて考えたらアカンよ。

牧　いや、それは人生観の話。俺はどんな人生を送るのかな、と考えてしまう。毎日、楽しく生きたらいいねん(笑)。いや、他人にはそう言ってるんやけどね。

早川　私らは毎日楽しく生きる。みんな「早川さん、1人で寂しいやろ。色々考えることあるやろ」って口々に言うけど、何も考えない。考えたって、なるようにしかならないから。だって(震災前に)実家を改築して、家賃もいらないから、ここで死ぬまで暮らそうときれいにしたのに、震災でパァーやもの。好きなように毎日生きたらいい。牧先生も死ぬときは決まっている。生まれてきた限りは、いつか必ず死ぬ。だから、いさかう必要もないしさ。そう思っている。だから、あまり腹も立たないよ。

「心をノックしてください」「必ず心が戻ってくる」

牧　僕は、早川さんに対する強い印象として覚えているのが2000年の集会で。覚えているかな？　隣の席だった。

民生・児童委員の集会に「訪問活動を始めますから、よろしくお願いします」と説明にいった際、早川さんから言われた言葉を、今でもずっと守ってきている。

早川　「続けられるか？」と聞いたんかな？

牧　そう、続けられるか？　と聞かれたので「続けます」と。さらに「ほんまか？」と言われたので「はい」と。で、それと「では、心をノックしてください」と言われました。「必ず心が戻ってくる」と。10年以上前かな、早川さんが民生・児童委員のときに思われたことを、僕に言われた。大学でも言っている。訪問でもはじめは扉を開けてくれないが、何回もコンコンやってみなさい、と。1回目で出てきてくれなかったら消耗するし、2回目ダメならもっと消耗する。3回目もダメ。でも4回目で実際に扉を開けてくれた人がいる。それで話せるようになったと。

早川　分かってくれている人は分かってくれている。自分が心で言っているから。「おはよう」と話しかけて、はじめは「なんや、このおばさん」と不審げな顔をしていた人も、何度もエレベーターで挨拶していると、自然と向こうからも言うようになってくる。分かってくれる人は分かってくれる。

牧　その後、この地域の「ふれあいのまちづくり協議会」と学生とで話をしたとき、ある学生が泣きながら話したのを覚えていない？

早川　いや、覚えてないな。

牧　その子は、長田生まれで、震災で家が焼けて「だから、ここの（HAT神戸の）人たちと交流していきたい」と言ってポロポロ涙をこぼしたの。その子が、いま、西宮の「さくらネット」という震災関連団体の中心メンバーとして、すごく活躍しているって。その子は、ここで鍛えられたんやで。

早川　ああ、それはいいことや。世の中、悪い人ばかりやない、良い人もいる、ということやね。

子どもや若い世代が積極的に加わる活動はいくつもある。西宮市の「さくらネット」は2008年設立のNPO法人で、学校や地域で防災活動を行う子どもや学生を顕彰する「ぼうさい甲子園」などの事業に取り組んでいる。

「よろず相談室」は、香川県立琴平高校のボランティア同好会「とらすとK」の生徒と一緒に復興住宅の高齢者訪問などを行ってきた。2013年には「神戸こども総合専門学院」に分室を設置、学生たちが相談室の活動に参加している。自治体では、兵庫県が25歳以下の若者による「チーム・リメンバー117」を結成して震災を語り継ぐ活動を支援。神戸市も、震災後に生まれた若者たち（U25世代）がドキュメンタリー作成などを通じて発信する「若者たちの阪神・淡路大震災U25プロジェクト」を行っている。

喫茶がなんとなく安否確認の場になっている

早川さんは毎週、近隣の住民たちがお茶などを飲みながら語り合う居場所「日曜喫茶」を復興住宅の一角で開いている。「寄せ集めの街を、人のつながりでにぎやかな街にしたい」と10年以上続けてきた。復興公営住宅が立ち並ぶ一角の集会所に、お年寄り約70人が集まってくる。

牧　最後に脇浜が、いま、どんな状況なのか、それを改めるにはどうすればいいのかを聞きたい。

早川　どうしようもないんと違う。高齢者が多いこともあるけど、人間関係がまず第一かな。トップに立つ人間の考え方が違ってきている部分もあるやろうし。この街をより良くしてこうと本人たちは思っているんだろうけど、私らからみれば「違うな」と思うところが多々あるし。いずれにせよ、私はもうかかわりたくない。

牧　かかわりたくない、というのは、もうしんどくなってしまった？

早川　いや、もう引き摺り下ろそうとするのよ、何かにつけて。日曜喫茶をしているのも、もともとは向こうでやっていたでしょ。努力すると、人数がたくさん来てくれるじゃない。そしたら「なんで早川があそこでやってるねん」と家賃をボーンと上げる。そんなことしたらやっていかれへん、スタッフもいるし。だから、こっちに移ってきたの。でも、あそこのケアポートの人たちも、私たちの喫茶には一目置いてくれている。そら毎週70～80人は来てくれるもの、朝にね。評判がいいのよ。それにはスタッフ全体で努力もしている。何にもしないで待っているわけじゃない。

牧　　喫茶の取り組みがたくさんある中、たいていはお客が減るか固定化していく。その中で70人というのは飛びぬけて多いと思うけど、どんな努力を？

早川　それこそ心で接するの。遠方から、関西スーパーのあたりから杖をついて散歩がてら来てくれる人がいるのよ。来てくれた人には「ありがとうございます」って丁重におもてなしするしさ。

牧　　気持ちの問題やね。スタッフは何人ぐらいいるの？

早川　今は7人か8人。

牧　　育っているやん。みんな、心を込めた対応をしているのでしょう。

早川　喫茶がなんとなく安否確認の場になっている。「あれ、あの人来ないな。様子を見に行こうか」とかね。実際に様子を見に行ったりもするよ。岩屋ホームの役員もスタッフの中にいるからね。だから「もっとしてくれ」という声もあるけど、そうもいかん。大変やもん。仕入れから、何から全部しないといけない。だから日曜日だけ。これは良かったと思うよ、みんな来てくれるから。

牧　　他でも（喫茶店）やっていたけど、止めはった。

早川　コミュニケーションがないのよ。だから、来たから「ハイハイ」（ともてなす）だけじゃなくて、道で出会っても「こんにちは」と挨拶する。この7階のおじさんにも、道で出会ったら「今日の日曜、喫茶がありますからね」と声がけすると「あ、今日やったか。ほな、行かなあかんな」となる。コミュニケーションを大事にすると、自然とお客さんも集まってくる。

牧　　そういう意味では、地域の人がやる、というのが大きいのかもしれないね。

早川　そう、いいこと。…でももう、私は何もしたくないね。

牧　　（苦笑）。だって麻雀しているんでしょ？

早川　そう、麻雀。知り合いが老人会の会長やから。私は副会長だったけど、会長に何かあったら代わりをしなきゃいけない。仕事もあるから副会長を降りたのよ。ただ、麻雀は手伝ってあげないと仕方ない。だから麻雀も、私は自分で台から何から準備してやってるの。「早川さん、もっと人数を増やしてやろうよ」って言われるけど「もう、いらん」と。ここの会費だけ払えたらいい。3台で4人ずつ計12人。3時間、ここでずっと何もしないで待っていないといけない。しんどいで。だからグランドゴルフと麻雀だけ。

牧 ここでやっているのは、グランドゴルフと麻雀、それから日曜喫茶やね。

早川 そう。麻雀は金曜日。で、火・木曜はグランドゴルフ。

牧 結構忙しいね。

早川 私は忙しいよ。これだけじゃないもの。ヘルパーの仕事もしないといけない。あとは社交ダンス、それからカラオケ。カラオケを歌いにいったりするのよ。低い男みたいな声やけどね（笑）。

牧 ようやってるね。では最後やけど、東北とか、熊本は、いま仮設から復興住宅にどんどん移行していっている。やはり悩みは一緒。集まらないとか、抽選で入るから同じような問題を抱えている。そういう状況にいる人にメッセージをほしい。

話し相手がいたら救われる人もいる

早川 でも、悩んでいる人に「前向きに考えなさいよ」とか言っても、その人の悩みはあって、どうしようもない。その人の性格にもよるだろうし、今まで歩んできた人生観もあるだろうし。だから、難しいんじゃないかな、どうしようもないのと違う。私らからいえば「表に出なさい」「前向きになりなさい」という部分しかない。閉じこもっていたらアカン、としか。でも、悩んでいる人は、それが悩みなんじゃないかな、と思う。だから行政が、家でもあてがい、上手く配分する、それしかないのと違う。ただ、牧先生は行っても話し相手ができるが、それ以上、立ち入ることはできない。私はそれでいいと思うよ。コミュニケーションができるから。私らはどうにもできない。行政がするなら別だけど。

牧 でも、話し相手がいたら救われる人もいる。

早川　それはある。現実に、私の知り合いの女の子が、他の人から言われたことが原因で、10階から飛び降りて死んでしまった。私らからみたら些細なことやけど、その子にとっては重要だったの。悩みを一言でも私たちに言ってくれていたら、死なないですんだのかな、と思うことはある。よく知っている地域の子だったから。

牧　それは話せなかった、のかな。

早川　私らからは些細なことでも、本人にとっては重要だったの。それでうつというかノイローゼになっていた。そうなったら、どうしようもない。でも、そうなる前に、私とはよくしゃべっていたから、「早川さんには良くしてもらった」とか言っていたから、私に話してくれていたら、死ぬまでの気持ちは持たないですんだのではないかな、と。そんな気持ちがいまだにある。

牧　分かりました。

早川　あちらに（東北に）行くとき、手編みのマフラーを持っていってね。みんなから毛糸をもらって編んでるの。首の「風の門（ふうもん）」にマフラーをして寝ると、風邪をひかないらしいから。牧先生が今度行くとき、１００本ほど持っていってくれる？　ナイロン袋に入れておくから。

牧　東北へ、やね？

早川　そう、東北のおじいさん、おばあさんにね。この間、ケアポートに30～40本あげたの。私、暇なときはテレビを見ながら編んでいるのよ。ここでも70本、お客さんに敬老の日に（プレゼントした）。今度はね、ナイロンたわしを、敬老の日に来てくれるお客さんに全部渡す。その次は、ふくろう。玄関にぶら下げるやつ。もう決めて、作り始めているの。まぁ、それまでに死ぬかもしれんけど（笑）。人間、分からんで。

「自分のため動かん、人のため動くと思ってる。助けていただいた命やからなぁ」

証言　16

植村貴美子さん（当時64歳）

植村貴美子さんは、神戸市灘区大和町の文化住宅の1階で同居の一人息子（当時30歳）と被災。2階の床が落ち、2人は60時間生き埋めとなった。隣の部屋で寝ていた息子は6日間入院したものの後遺症を抱えることはなかった。植村さんは布団がクッションとなり一命は取り止めたが、震災障害者となった。

植村さんとの出会い

震災から14年が経過した2009年、神戸市は市内の震災障害者を「183人」と発表。その年の暮れ、神戸市はその「183人」に、例年行っている障害者のためのコンサートへの招待状を送り、震災障害者のためのブースを会場に設営した。そのコンサートで、私は初めて植村さんに出会った。以後、植村さんは毎月開かれる「震災障害者と家族の集い」に欠かさず参加している。

震災直後、植村さんは褥瘡（じょくそう）がひどく、腎臓の数値も悪かったために、1年9カ月間の入院生活を余儀なくされた。この間「我慢できる痛さではなく、神経が参るほどの痛みであった。人がそばを通るだけでも痛んだ」と言う。

90歳を過ぎた現在も、痛みと痺れは24時間365日続くという。にも関わらず、植村さんは残りの人生を人のために動こうと考えているという。「漠然と生きていても仕方ないので、目標を持っている」と語り、100歳まで生きるという。その前向きなエネルギーはどこから来たのだろう。

あるとき、植村さんは地震で障害を負ったことについて、次のように言った。「自分にとっては普通なんだけど、『年とったらあちこち痛くなるのは当たり前』『私には信仰がある』と思ってるんよ」「助けてもらった命だから人の役に立ちたい。だから後ろ向きにならないねん」。前向きに生きる姿には頭が下がる。（牧）

土の中のお饅頭みたい、お饅頭の中のあんこみたい

2015年10月18日、牧が聞き取りした。震災障害者の岡田一男さん（証言02）も同席した。

牧　植村さん、今日は植村さんの人生をまるごと聞きたい。どこで生まれはりました？

植村　私、生まれたのは、関東州の大連。満州国のなぁ、今は中国になったけど、あのころは満州国と言って。関東州大連市ていうところだったね。

牧　終戦までそこで？

植村　違う違う。小学校3年のときに台湾に行って、台湾の南の方の高雄。うちの両親が大連で写真屋さんしてたん。そんで、写真屋してたときに勤めてた子が、台湾に渡って、写真屋さんしてたん。そこのご主人が亡くなりはって、「ここの写真館閉めるから来ないかぁ」て父のところに言うて来て。明治20年生まれの人間やで。「台湾に行こ」言うて行ったんだから。そのときは私小学校3年生だから、何も思わなかったけど、今考えたら明治生まれの父親がなぁ、そんな一言で見も知らんそんな台湾によう行ったなぁ思って、まぁお店がちゃんとあって自分の技術が活かせるとこだからなぁ、行ったんかなぁ～と。どこの都市でも「銀座」があるでしょ。そういうところに住んでたから、百貨店もすぐ近くにあった。商売上そういうところにね。

牧　賑やかなところですか。

植村　そうそう、だから大連で賑やかだったし、台湾に行っても賑やかだったしね。

牧　まぁ今で言うたら三宮みたいな感じ。

植村　そうそう、そういうとこやなぁ。うん。そこで、今はもう「高校」やけどそのころは「女学校」やわな、うちらの年齢は高等女学校、それも3年生で終戦になって引きあげて帰った。15歳。

牧　うちの母親ね、おそらく植村さんと同じくらい。

植村　台湾は軍需工場とかなかったから、サツマイモ植えたり、そういうことでお勉強はほとんど（していない）（笑）。だから、女学校卒業なんて履歴書には書くけど、実質中卒の頭しかないなぁ～。

牧　食糧作って、それを日本に。

植村　そうそう、みんなが食べるのをね。日本みたいに軍事工場に行ってお手伝いしたりとか、それこそ徴兵されておらないから、工場でなぁ。「70年を振り返って」いうのがよう新聞出てるの見るけど、はぁそうか、内地はそやなぁと。

牧　そこは、日本人が集まってくる？

植村　そうそう、ほとんど日本人。たぶん台湾に根っからおる人は、よっぽど田舎で、お歳いった人は別だけど、みんな日本語話して、日本の名前に変えて。

牧　あ～なるほどね。

植村　だから台湾の言葉は私は全然わかんない。終戦後は私らが引きあげる前に、中国から蒋介石の軍隊が入って来てた。だけどそのころは、住民と揉めたとかいうのは一切なかったけど。私らが引きあげてから、台湾にいっぱいおった同級生の話では、いろいろあったみたいよ。根っからの台湾の人はやっぱり日本びいきやから。「中国から入って来た奴ら、何偉そうなこと言うか」っていう気持ちがあるけど、やっぱり治めてるのは、その中国の蒋介石になるから、共産主義でないよね、蒋介石の方はなぁ。国府軍とか何とか言うたなぁ。そんなんで大変だったことは同級生の話から、聞いたことあるね。

牧　終戦と同時に、引き揚げた？

植村　そうそう。広島かな。大竹って広島？　子どもだからよう覚えておらんけど、「おおたけ」は覚えてる。船で何千人て、復員兵も含めて。だから関東の方は舞鶴とかだったと思うけど、母の実家の山口に帰ったの。山口県の長門市いうとこね。今の。

牧　そんなら、そこで結婚？

植村　私が20何ぼで関西に出て来たんかね～。良く覚えてないわね～。だけど10年は田舎におらなかったと思うな。15から新制中学、新制高等学校になるからなぁ、女学校なんてもうないからなぁ。高校に編入した人もおる。だけど私はもう学校行かんと働きに出た。15から働いとん。20歳ちょっと過ぎてから、関西に同じ台湾から引き揚げた人を頼って、子どもはみんなその人を頼って関西に兄弟全部出て来とん。親は山口にずっと居てたけど。

牧　ほな山口県から関西に行きはった訳ですか。

植村　初めに行ったところは、私は三宮や。高架下の店に紹介してもらってお勤めしたなぁ。「神戸テーラー」て大きな、神戸ファッションと何か洋服屋さん。そこで働いたなぁ～。25、26にはなってなかったと思うけど。その神戸ファッションっていうところからお嫁に行った。それまでは、いろいろあっちこっち変わって、大阪の鶴橋の方にお仕事行ったこともあるし、いろんなところ行ったわ。結局そこで落ち着いて、そこもやっぱし7、8年おったん違うかなぁ。結婚したの遅かったからね。

牧　で、あれですか。結婚されてそれで最初三宮ですよね。

植村　三宮のお店から田舎の方に帰らんと、直接お嫁に行った。それが、あの平野の祇園さんの近くですよね。結婚して、子どもが生まれて4つ位で変わったからなぁ～。大阪の姫島。同じ（創価）学会員さんで「お父さんが亡くなって家が空いてるから、この家入り」言うて、同志の人が言うてくれて、姫島に変わって。それから、姫島に行ってあの子が小学校6年生までおったかなぁ。それからずーっと、地震に遭うた灘区の大和町おったんかな。主人がその大和町に行く前、姫島で亡くなってるから、42のときや。42歳から灘区の大和町、地震がある64歳まで。まぁちょっと人と違う。ようろうろしとんなと思うけど。20年間あそこいたんかなぁ、そんで地震に遭うた。

牧　息子さんと母1人、子1人。灘区に来て2人暮らし。大変やったですか？

植村　考えたらそんなに思わないね。うん、誰に束縛される訳でもなく、自分の思う通りにね。こうしなさい、ああしなさい、言われたこともないし。まぁ豊かではなかったかもしれんけど、お金借りる訳でもなし、何とか今まで生活できてる。本当に幸せなことやなぁと思う。

牧　ずっと働いてきた、40いくつから。

植村　うんうん、そう。まぁ仕事はいろいろ変わったけどね。給食会社勤めたんが最後かなぁ。

牧　息子さんは、いくつ？

植村　地震のときは30。今もう50や。まだ1人でなぁ。のほほんと気楽そうに。上げ膳据え膳で。親がかりでなぁ、互い助け合うからなぁ。親がおるからって、親は子どもがおるからで、それで元気でおれるんやなぁ、そう言うことや。

牧　息子さんは今も一緒に住んでるんだ。

植村　ずーっと一緒よ。生まれてから一回も離れたことない。あの子は。

牧　寂しいことはない。

植村　そうやね。やっぱ子どもは早くに父親亡くしてるし、父親の愛情とか関わり方とか、そういうのが一切なかったから、今考えたらかわいそうやなぁと思うときはある。父親のことは聞いてもあんまり記憶にない言うからなぁ、うん。

牧　そうかもしれんなぁ。お父さん亡くなるときは息子さんは。

植村　小学3年か2年かなぁ。その4年後におばあちゃんが亡くなったからなぁ。中学生なるまでおばあちゃんが一緒だったから、子ども置いて仕事しても安心あったわなぁ。

牧　そういうことがあって、そして地震でしょ。灘区のときは、一軒家ですか？

植村　違う違う、文化住宅。あそこら辺はみんな潰れてる。大和町は、文化住宅があって、あとはもうほとんど大きい家が多かったからね〜。今はもうマンションだらけやけど。あのマンションの下はみんな一軒家や。家は地震で潰れて、もう子どもは他に行ってるしね。老夫婦が一軒家に住んでて、地震で壊れてもう再起不能言うて、売り払ってマンションがもう凄いの。(自分が住んだのは)古い古い文化住宅やからグシャッと2階が落ちて来た。私は上下で6軒、3軒ずつの下の真ん中だったから。

牧　三軒、三軒の真ん中で、どさぁーと落ちて来て。

植村　そう。だから埋まったときに、こっちはあのおじいちゃんとおばあちゃん、で。こっちは親子だったけど、みんな

牧　声が聞こえるの。こっから出られるから逃げよう言うのは、この若い2人だったわ。で、こっちのおじいちゃんとおばあちゃんは、もうおじいちゃんが、「おーい、おーい、おーい」だけやなぁ、助けてっていう言葉はなかったわ。だからおばあちゃんを呼んでたんやと思う。「おーい、おーい、おーい」言うだけで、「はーい」と言う返事がなかったから、即死だったと思う。おばあちゃんの方は。

植村　おじいさんは助かった？

牧　そうそう、そんで、その日に誰か子どもさんが来て助けて、そう言うのはよう聞こえるん。だけど、土の中のお饅頭みたい、お饅頭の中のあんこみたいなんだから、それからの声は全然聞こえなかったなぁ。私は。

植村　植村さんはここで、3日間やね。

牧　そう。

植村　60時間、誰も気つかへんかった？

牧　気付いてる。学会の組織があるから、全部探し回ったけど、学会の人はもう組織をあげて調べ回ったけど、うちの親子だけがわからなかったいうことや。上から「おーい植村」いう声は聞こえるんよ、なんぼでも。だけど私らの声が外に聞こえない。返事がないからいろいろ探し回ったけど、どっこにも私ら2人がいないから、もうここに埋まってるんだろういうことや。

植村　亡くなってるいうことや。

牧　うん、なんぼ声掛けてもおらない、返事ないし。いろいろ周りのみんなが避難したところ探し回ってもいないから、まぁ生きてるにしろ、死んでるにしろ、この中におるだろういうことや。それで自衛隊探しが始まったんや。だから一応自衛隊は連れて来て現場は見てるんよ。だけど「これはもう僕らの手には負えないから、レスキュー隊を必ず呼びますから」いうことで、それで自衛隊の人が他のところに行ったわけ。夕方、その探し回ってる人が家の現場に来たら、「もう救出されたよ～」て近所の人が話してた。

植村　息子さんも同時じゃないんでしょ。

植村　1時間後。

牧　61時間埋まっとった訳や。

植村　1時間後くらいに「息子さん、無事助け出しましたから」て、東神戸病院まで言うて来てくれた。子どもも東神戸病院に入ったから。

もうただひたすら「助けて下さい」「助けて下さい」「助けて下さい」言うてたな

牧　息子さんどうやったん？

植村　どうもなかった。

牧　ラッキーやね。

植村　それこそ3、4メートル離れたとこやけどなぁ。文化だから。3畳（の部屋）、6畳（の部屋）、台所となってるから。

牧　息子さんの上にも、植村さんの上にも、2階がドンと落ちて来た。

植村　そうそうそう。それだけど私は壁際にタンスがあって、そのタンスのこっち側に寝てたけど、子どもは押し入れのすぐそばだったから、わりと押し入れって頑丈だから　それと襖やからなぁ、壁土住宅、6畳とお炊事場の境の壁土が全部落ちて来たわけ。私、お布団着て寝てたから寒くもなにもなかったし、ただ動かん動けんかっただけで。その上に壁土がこう落ちて来たわけよ、頭がこっちやから。バサッとこれが上半身、下半身に全部落ちて来た。

牧　息子さんはどうやって助かったん？

植村　だからこっち側の方に押し入れのところに寝てて、押し入れってわりと頑丈だから、どうもなかった。一応若いから立ち上がったのよ床に。地震やと思っ

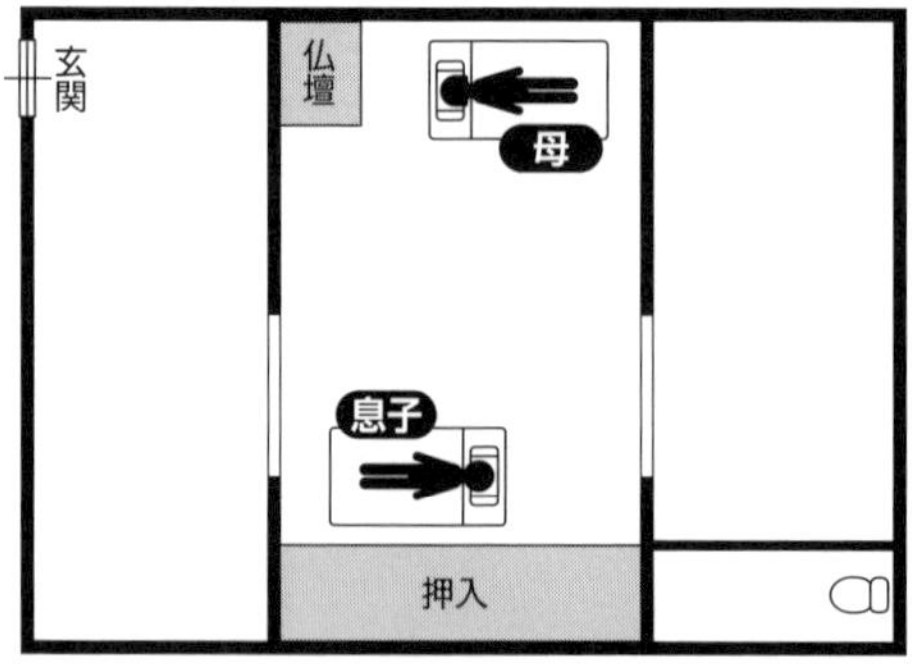

て。それで横揺れでまたバタンと同じところへ倒れたわ。

牧　声は出してた？

植村　うん。一番初め「大丈夫？」「大丈夫や」言うてからもう一切会話ない。もう2人とも「助けて、助けて」の一点張り。

牧　外に向かって。

植村　うんうん。それの一点張り。「どうした」とか「お腹空いた」とかそんな会話一切ないわ、もうただひたすら「助けて下さい」「助けて下さい」「助けて下さい」言うてたな。

牧　で、植村さんは60時間後に救出されて。

植村　東神戸病院に運ばれて、子どもは5、6日おったと思う。点滴受けたと思う。その間飲まず食わずやから。なんか肝臓の数値が。それから「避難所に行くわ〜」言うて。

牧　植村さんは？

植村　いや、東神戸病院で、やっぱ15、16日はおったと思うわ。取りあえずはもう、命の関わる人優先。それこそ、透析せなあかんとか、糖尿病のお薬を飲まんなあかんとか、注射せなあかんとかいう人優先で、私みたいにまぁ見た感じどうもない人はもう食べ物与えられただけ。

治療は運び込まれるときに初めて下の方の洗浄だけはした記憶はある。やっぱしおしっこしてそのまんまで60時間経ったからなぁ、うん。ただれてたかどうか、痛い感じは全然なかったけど、なんか洗浄されたときは、しみて痛いなぁて言うのは下半身にはあったなぁ。それから、どっこも見た感じ悪いとこなかったから、行く先の病院が決まるまでは、東神戸病院に置いとこいうことだったん違うんかなぁ。んでその後、別

震災直後の家屋倒壊のようす

の病院に変わったの。もうここで死ななかったらいけないいうような人ばっかしだったわ。入ったときはわからなかったけど。1年9カ月おったから。退院するまでは。病室車いすでうろうろしたけれども、食べさせてもらってる人とか、もう意識不明でただ生きてるっていう人とか、「あぁそういう病院なんやぁ～」と思ったなぁ。

そういう病院だから、東神戸病院から5人程入ったん。そこに。だけど「わぁ～こんな病院だったら、治る病気も治らへん」言うて、みんな他の病院に転院して、残ったん私だけ。だからうちの（息子）が「こんな病院おっても治るかどうかわからんから、良い病院探そうか」て言うてくれたけど、私は「ここでいいわ」言うて。整形外科の先生が凄く良い先生、あんな良い先生なのに名前思いだせられへん。その先生が凄く良い先生でね。

牧　そのときはどんな気持ちゃった？「ここでいい」は。

植村　もうここで元気になって、まぁ死ぬなんて思わへんからね。そういうような状態ではなかったから、仮設であろうがどこであろうと帰れたらいいなぁて思いだったから。60時間寝っぱなしで、病院に入っても、それこそあの起きられんかったからね。褥瘡（じょくそう）がいっぱいできてたから、だから1カ月位は寝たきりだったと思う。初めの1カ月位はおしめしてたと思う。で、1カ月過ぎてから、ベッドの側にトイレを持ってきてなぁ、ポータブル持って来てもらって、おトイレだけはそこでするようにして、後はもう点滴でそれこそ息子と一緒で内臓の数値が悪いから点滴ずーっとだったわ。そのとき先生言わなかったけど、「透析寸前まで行ってたでぇ～」いうのは言うてたからなぁ。リハビリ始めたんが半年位過ぎてからかなぁ。

岡田　60時間水飲めなかったんじゃ…。（自分が埋まっていた）40時間で脱水なるんやから60時間って凄いなぁ～。

植村　だけど、食べたい飲みたいとかはなかったなぁ。

牧　喉カラカラになったら欲しい思うもんなぁ、水。

植村　だけど全然なかったなぁ。ひたすら「助けて～下さい～」て。24時間は叫んでないと思うね、夜になったら結構寝てると思うから。

神戸市消防局と陸上自衛隊が救出した人の生存者率は、地震当日の17日は約75%だったが、18日約25%、19日約15%と減少した。救出後も、「クラッシュ症候群」で亡くなった人が約370人いたとされる。

今でも痛いけど、我慢できる痛さじゃないねん

牧　（長期間入院していた）病院で「私は元気になってもう一遍戻ろう」という。

植村　そういう気持ちやろね。そんなん思わんかったけど、ベッド寝てるときは、絶対自分でトイレには行くんだという思いはあったなぁ。ずーっとおしめは嫌やという思いもあった。絶対ポータブルでおトイレはするんだという思いはあって、それが叶って、それからリハビリが始まったけど、とりあえずはあの痛いのにもう神経がまいって。痛かった。今でも痛いけど、我慢できる痛さじゃないねん。

岡田　どこが痛いの。

植村　もうそれこそ60何キロあったのが45キロになり20キロ位減ったもん。鏡なんかないからね、顔こう拭いたり触ったりしたらようわかるねん。あぁ～がっかり。痛さをこらえるのに一日中。もう痛風と一緒だった。

牧　痛風は痛いなぁ。僕は4回やってるから。

植村　痛風と一緒。お布団かかっても痛いし、だから手術するときにこんなワッパみたいな、なんか開腹手術したら、なんかワッパその上にお布団掛けるでしょ。あれ持って来てもらった。あの中に脚突っ込んで。

牧　どのくらい続いたんですかね。

植村　もうずーっと。リハビリするまで。何カ月かかったかなぁ。

牧　リハビリ言うたら半年とかやで。

植村　うん。ベッドに寝てばっかしなったらあかんから、リハビリしよ言うけど、その痛さをこらえるのにリハビリできなかった。まぁ病院思い出すと、その痛さをこらえるのが一番辛かったと思うよ。痩せるし、痛かった、しんどかっ

岡田　た。けど治すすべがもう。その先生もいろんなことしてくれたけど、未だに治ってないから。なぁどういうことなんかなぁ。あれは神経がなぁやっぱし潰れてるんだろうけどなぁ。

植村　もうちょんと触ったら、全体もうぐちゃぐちゃと。

牧　うんうん。

岡田　前のずーっと痛いですか？

植村　ずーっと。僕なんか座った瞬間に全体にグワァーと。

牧　そうそうそうね。ベキベキとくるやなぁ。私は今は痺れが切れたときのあの感じ。痺れが切れる瞬間のジンジンした痛さ。あの時の痛さ経験したから、今のは我慢できるんかなぁ。

植村　今はジンジンした痛みが、24時間、３６５日？

岡田　あぁ、この17年間ずーっとだな。ただ今は我慢できて、まぁ慣れもあるわなぁ。私の脚はこういうもんやと思ってるからなぁ。だけど右と左ともう細さは全然違うよ。同しように歩いてるけど、あぁ右の足細くなったなぁ～筋肉付いてないなぁ～と思う。

植村　僕も右ですね。切るかと思うたなぁ足。ここから下全然感覚なかった。

植村　私は外科的手術は一切してないからなぁ。

年いったら足が痛くなるの当たり前やしなぁ

牧　こういう痛さ、僕らたまらへんなぁと思う。ずーっと半年痛みに耐えて。

植村　看護師さんが言うたもん、「気を紛らわすためにテレビ点け」言うたのに、テレビ点けんとひたすら痛いの我慢してたからなぁ「植村さん我慢強い人や」言うて。耐える以外なかったもん。

牧　今でもそうでしょ、ジンジンする。そうやって耐えるというのは、なぜできる？

植村　性質かなぁって言うとそれまでやし、性格かな言うとそれまでやけど。痛み以外でも何でも我慢強いていうことかなぁ。だから他の人が「植村さんは強い人やわ」て言うのは、痛みとか病気とかでなしに、日常生活の話しとっても、「ホンマに植村さんは強い人やわ」て言うのはいろんな人から聞くなぁ。だから強がってる訳でもないけど。

岡田 我慢強い。

植村 我慢強いいうかなぁ。ただ我慢しよう思て我慢してないけど。性格なん。のほほーんとしてる。人から見たらまぁえらいことなってるのと違う思うても、イライラとしてないと違う？（笑）。

牧 植村さん全然普通に見えるからなぁ。

植村 そうそうそう。言わなかったらみんなわからないわ。だから学会の中ではそういう体験、地震後からいろんなところで話をしてるから。わかってくれてるから。薬なしでも痛くても歩けて、凄いなぁとかわかる人は言うてくれる。別に強がって足で歩いてるのと違うけど。33歳じゃったかなぁ、子どもが生まれたときは信心してなかった。子どもが生まれて主人が突然信心したんやなぁ。

牧 信仰が大きいですか。植村さんとってみりゃ。

植村 こうだからこうて言うのはないかもしれんけど、うん、あるやろなぁ。知ってる人がそういう体験聞いたらなぁ、「あの人は信仰してるからこういうことなんか」って、学会の人はそう思ってる思う。この年で元気やし。隣とぐちぐち言わへんし（笑）。なんかの感想には、「植村さんは強い人やわ」って。思ってへんけども。

牧 心の中で「なんか自分の人生の中でいろんなもの失ったなぁ」ということあります？

植村 もし地震に遭わなかったら、こういう風になってたかなぁいう思いはないね。（震災当時）65になってたから（注・1995年5月で満65歳）。なんぼになっててもいいから（仕事）来てやぁて言うてくれてたけど、結構8時間働くてしんどかったから、もういつ辞めようかいつ辞めようかて踏ん切りがつかなかった。この地震で踏ん切りがついて辞められたんかな。タイミング良かったんよなぁ。65で辞められて、仕事行かんでも年金貰えるから、食べるのには困らないし。

牧 生活することはできる、と。

植村　そうそう。失ったとかそういう思いは全然ないかなぁ。年いったら足が痛くなるの当たり前やしなぁ。痛みがちょっとな、骨粗鬆症とかそういうのとはまた違う痛みやけど、まぁ年いったら遅かれ早かれあちこち痛くなるのは当たり前やからなぁ。

これも長い間の信仰のおかげかなぁ

牧　決して後ろ向きじゃなかったなぁ、生きることに。

植村　そういうことかなぁ。前向きに生きよう、頑張ろういう気はないけど、そうやっぱり第三者が聞いて言われたら、そうかなぁと思うけど。自分自身では普通だから、これも長い間の信仰のおかげかなぁ。考え方がそういう風にちょっとずつでも前向きに生きられるように変わってきたいうことかなぁ、性格も。

牧　僕やったらあかんわ、きっと。もうこんなん耐えられへん。

植村　そうか、そうかなぁ。

牧　人によって違うからね。

植村　うん。だけどラッキーと思ったんは、仕事辞めても年金貰えるから、働らかんと食べて行かれるなんてこんな幸せなことないわと思てた。まぁそういうことだからずいぶん生きとったら、いいようにいいように巡り合わせに入り込んだらそういう風になって行くんかなぁ。入り込むまではいろいろな、信心したからて、すぐ良くなる訳でもないし。いろんなこといっぱい起きて当たり前やからなぁ。そういうサイクルの中に入り込めたいうことかなぁ、今。この前もちょっと法事があって行ったけど「えー、貴美子姉さん85？」言うて、そうやで言うたら「元気やなぁ」言うて。そのときは言わんけど、後で「やっぱり信仰持ってる人は違うなぁ」言うたて。そんな風に見てくれたん嬉しかった。

人のために生きて行こう、目標があれば、また元気になれるかなぁ

牧　これから先、全然わからへんけど、時々考える？　自分の残りの人生。

植村　残りの人生、元気で学会活動頑張って、人のために動こう思って。自分のため動かん、人のため動くと思ってる。助けていただいた命やからなぁ。助けていただいた命何に使おうてのはだいぶ前に思ったんは、働かんでも食べて行けるし、家もここで死ぬつもりで、この家に入ってそう思うようになったし。ここが終の棲家やと思ったし。これからな今後どう言う風に生きていくか、そんなん人のために生きて行こう、目標があれば、また元気になれるかなぁと。漠然と生きとったってなぁ。学会の中でも私は元気やからなぁ。たくさんの人の面倒を見てなぁ。

牧　人のために生きて行こうと、残りの人生もう後何年とかぐちゅぐちゅ考えせんで。

植村　そこや、目指しとん。祈ってることはそう。学会85周年なんよ今年が。私が生まれたときに創価学会いう名前に変わったの。だからこれから学会も100周年目指して頑張ろういうことだから、私も100周年目指して、100歳まで元気で学会活動頑張りますいうのを、朝のお祈りのときにきちんと。

牧　（100歳まで）いける？

植村　みんな長生きやもん。うちは。明治生まれの両親も80代で亡くなってるしなぁ。若くして亡くなったのはうちの主人だけや。植村家の当主だけや。だから子どもが主人の年をやっと乗り越えたときは、あぁ～良かったなぁと思ったわ。もしかしたら主人の二の舞で逝ってしまうかなと思って。

牧　ご主人いくつで亡くなったんやったけ。

植村　49歳。心不全であっという間に逝ったから。「ありがとう」もなかったし、「さよなら」もなかったし(笑)。仕事から帰ってご飯食べて、風呂入って、夜のお勤めして3時に亡くなった。だからお棺の蓋閉めて釘打つときに絶対頑張るからね、て約束したから、頑張らんとあかんね。

牧さんらよろず相談室のメンバーは、東日本大震災の被災者でも震災障害者がいるだろうと考え、何度も東北を訪問している。両震災の被災者同士の訪問や文通での交流も行なっている。

牧　植村さん、旦那さんのために頑張って下さいね。

植村　そうやなぁ、だけどもう2、3日かけて東北に行くのはちょっと無理かなと思うわ。

牧　2日泊まるのはしんどい。

岡田　車の移動が大変でしょうね。

植村　車も飛行機も平気なのよ、乗り物は。

牧　泊まると旅館で畳の部屋でね、何人かで。

植村　このころ1日こうやってワァーと出歩いたら、あくる日は「はぁーしんど。やれやれ」と家で思うやろなぁ。そういう旅行に行ったなら。

牧　僕らもしんどいしんどい。ホテルなんか疲れるもんなぁ。

植村　そうかなぁ。だからそういうサイクル考えて、2、3日で東北の方に行くにはもうこれからちょっと無理かなぁていうのは、最近。あと心配はこの植木だけで、水やらんかったら枯れへんかしら、なんて。それがあるから、私病気できへん思ったりして。冬はいいけどなぁ、夏は毎日あげんとなぁ。あげ過ぎてもあかんしな。難しいでこれも。なんかこれも気分転換やなぁ。やっぱり人間、気分転換がいるもんな。ベランダに出て花見て水やってなぁ。外出て「あぁこれ買って帰ろうかなぁ」と思ったりなぁ。日常生活以外のそういうこともあるのも、元気のもとかなぁと思う。ほんと、育てると元気いっぱいや、植木も（笑）。外に出したり、家入れたりいろいろと、色が薄うなって来たなぁ思ったら、日光に当てたらまた真っ青になるしなぁ。楽しみの一つや。これが私の人生です。

「拝啓地震様、私は貴方様に愚痴ばかり言ってきましたが、少し感謝をしています」

証言　17

山本恒雄さん（当時40歳）

山本恒雄さんは当時、神戸市東灘区住吉に住んでいた。ゴーッという音と激しい揺れに驚き、裸足で近くの御旅公園に逃げた。自宅は全壊した。その後、御旅公園に設置された地域型仮設住宅に入居。ふれあいセンターの代表者となったが、読み書きができずに困っていたところ、よろず相談室が運営していた識字教室「大空」に通うようになった。

山本さんとの出会い

恒ちゃんとの出会いは、読み書きがあまりできない彼が「手紙を書いて欲しい」と仮設住宅を支援するボランティアに頼んだところ、「自分で書きなさい。牧さんという人が識字教室を運営しているから」と言われ、紹介された時だった。

実は恒ちゃん、あまり学校に行っていない。重度の脊椎カリエスで、幼い頃はいじめや差別にあったが、中学時代になると逆にいじめようものなら、バットを持ってきて相手を叩きのめしていたという。喧嘩ばかりの学生生活。勝利の勲章として、帽子には軽く一周回るくらい、勝った相手の校章を付けていた。喧嘩に強く勉強嫌いゆえ、いつも近くの住吉浜で遊んでいた。お陰で漢字が書けないのだった。

識字教室に通い始めると、恒ちゃんは毎日奮闘し、5カ月で手紙が書けるように。やがて、年賀状や暑中見舞いを60人以上の人に出すようになった。芦屋の復興住宅に転居後も、施設に入居した後も、恒ちゃんとの付き合いは続き、よろず相談室のボランティアにも参加した。そして、50歳で私が勤める夜間高校に入学。学生生活を満喫したのだった。このとき書いた作文が、この後紹介する「拝啓地震様」である。

インタビューから1週間後に恒ちゃんは1人病院で亡くなった。重い肺気腫だった。1時間足らずのインタビューの後、病院に連れて行ってもらう準備を手伝った。紙袋に入れたものは次の四点だった。「メモ用紙、母の写真、数珠、仏さん」。

恒ちゃんは、地域でこよなく愛された人だった。最近、恒ちゃんが住んでいたかつての家を探しに行った時、全員が「あっ恒ちゃんか…。ここでは誰も知らん人おらんで」と言った。今は、お寺に置かれたお墓代わりの小さな箱の中で、好きだったお母さんと一緒に暮らしている。地域で生まれ育ち、そして地域のお寺に葬られている恒ちゃん。幸せやろうなぁ、と私はお箱に手を合わせながら思った。（牧）

拝啓地震様

山本恒雄

　拝啓地震様、私は貴方様のガを、初めて知りました。私たち人間が、東になってもかなわないのが、つくずく分かりました。この阪神淡路大震災で、数秒で、三十万人近くの人の人生を、変えましたね。私もその一人です

　平成七年一月十七日。午前五時四十六分。貴方様ガガを出す十分前に、私は布団から起

き上がり、台所にいました。突然!!ゴウーッといゆう音と同時に、上に飛ばされそうになって、流し台にしがみつきました。揺れがおさまり。表に出ると、自宅の前の鳥居が崩れているのが、目に止まり。辺りを見渡すと、倒れた家がなく、傾いた家だけでした。その一軒が、私の自宅です。

申し遅れましたが、私は、呼吸器機能障害のため、在宅で、一日十二時間ほど、配素を吸っています。配素を送る器械は、停電になると、ただの鉄の塊です。当日、甥が自宅近くの医療ガス供給会社に、配素ボンベを、もらいに行ってくれましたが、全て病院に持って行きました。とのことで、ありません。今度は、私が通院している。中央市民病院に、原付バイクで行き、配素ボンベを一本持って来てくれました。このボンベは、携帯用のボンべなので、六時間しか持ちません。だから明け方。呼吸困難になって、救急車で、東神戸病院に運ばれて、二日間。病院で過ごして三日目に、国立明石病院に、自衛隊のヘリコプターで、転送されました。そのとき、長田の上空に差し掛かったとき、白い煙が舞い上がり、人も家も何もかもが焼け、その臭いが鼻につき、私は涙が止まりませんでした。そして、入院して十日目に、私の自宅も電気通じ、退院を過ることにしました。

それからが大変でした。自宅の判定で、全壊といってもいいのに、半壊と言われ、三回も足を運び、やっと全壊にしてもらった。こんでは、解体手続き、罹災証明、仮設住宅入居手続きと、早朝から連日役所に並び、風邪をこじらせて：一週間寝込みました。仮設住宅は、なかなか当たらず。三回目の抽選でやっと当たりました。これでやっと、落ち着けると思ったのですが、これがまた大変でした

　私の住んでいる仮設は、地域型仮設住宅で高齢者・障害者向けの仮設住宅です。だから台所、風呂、トイレ、洗濯場が共同です。お風呂、これが大変でした。入浴が長い人は、

一時間も入っている。持っている間に寝てしまい、目が覚めれば朝になっている。

　日本の高齢者社会が、詰まったような所で八十パーセントが、六十歳以上です。仮設住宅での生活は、四年になりますが、未だに復興住宅に当たりません。

　拝啓地震様、私は貴方様に愚痴ばかり言ってきましたが、少し感謝をしています。地震に感謝と言うと、被災者の方に怒られます。しかし、貴方様の一撃を受ける前までは、私は人生に目標もなく、生活していました。今は、仮設住宅に住んで、ふれはいセンターの運営委長をしています。これが大変。時代劇の目明しみたいに、一日中「大変だ大変だ」と、走り回っています。住民同士のトラブルゴキブリの苦情と、数えたらきりがなく、一日を過ごしています。

さて、貴方様への感謝の件ですが、私は中学を卒業していますが、漢字の読み書きは、ほとんどできませんでした。仮設住宅の福祉相談員さんに、ボランティアに「御礼を書いて下さい」と、頼んだところ。こうゆうのは「自分で書かなあかんよ」と、言われました。そして、福祉相談員さんの知り合いを、紹介して頂きました。その方は、定時制高等学校の先生でした。ボランティアで、識字教室を開いている方でした。私は、始め少し抵抗がありました。「今更勉強？」と、思う気持ちがありました。しかし、お礼の手紙を書きたいと、思う気持ちのほうが強かったので、行くことにしました。先生とお会いして、いろいろお話をさせて頂き、週一回、二時間。漢字の読み書きを習うことにしました。小学校二年生の前半の漢字からです。緊張して教室に行くと、みなさんが温かく迎えてくれて、ホッとしました。

　私は五十三歳ですが、ほとんどの生徒のみなさんは、私より人生の先輩です。読み書きを習っている所は、東灘区の住吉にある。六畳ぐらいの所です。みなさんとお話をしていると、夜間中学の卒業生で、もう一度。勉強をしたいと、集まってこられたそうです。仲間も増えて、教室が狭くなったので、先生が、御影親愛キリスト教会を、貸して頂けるように、頼んでくれました。快く貸して頂きみんなで、喜んで引っ越し知ました。そして教室の名前を、御影読み書き教室「大空」としました。

　私もだんだんと、漢字も書けるようになりました。そして、奈良県の花内さんに、手紙を書きました。当時、ホランティアの元気村は、全国から寄付金を募て、そのお金で、月一回。市内の仮設住宅一所帯に、お米三合を支援して頂いていました。お米の袋の中に、御礼状を書いてくださいと、名前と、住所を書いた紙が入っていました。たまたま、私がもうったのが、花内さんの住所でした。

そして、生まれて初めて、辞書を見ながら三日かかって、花内さんに手紙を書きました。赤いポストに入れるとき、私の気持ちが遠い奈良まで、届くのが不安でした。でも、十日ほど過ぎて、青い封筒で返事が来ました。本当に嬉しかった。この喜びは、今まで味わったことのない、喜びでした。

　拝啓地震様、貴方様にいろいろ愚痴を言ってきましたが、私は行政にも不満があります。今まで行政の人たちと、お話をする機会がなく。今回、ふれあいセンターの、運営委長を引き受けてから、いろいろと、行政の人たちとかかわってきて、つくずく感じました。

　行政は、大きな失敗を知ったのではないでしょうか。まず、仮設住宅が失敗のひとつです市外に仮設住宅をたくさん作り、入居する人がいなくて、行政は避難所に来て、遠く離れた。仮設住宅を斡旋していました。私たちは学校の避難所を早く、生徒たちに返したくて行政の斡旋に応じました。一年が二年経てば元の場所に戻れるものと、思っていました。でも、四年近くになりますが、未だに戻れずに、仮設住宅に住んだままの人が、たくさんいます。

その上に、仮設住宅の失敗を認めず、市外に、たくさんの復興住宅を建てたのが、ふたつ目です。行政の言い分は、市内に土地がないと言うことでした。大きな建物でなく、五十坪ぐらいの空いている土地に、長屋を建てれば言いと思います。そうすれば、コミュニティーもできるし、街の活性化に、つながるのではないでしょうか。

今、仮設住宅に残らざるを得ない人は、市

外で生活ができない人です。仕事関係、特にパートの場合は、交通費で、一日の稼ぎの半分が、消えてしまいます。

　みつ目は、病院。行政は、復興住宅の近くにも、病院があると言います。しかし、高齢者は、何十年と同じ病院に通っています。これが一番、安心できるそうです。人間は、安心が一番の薬です。

　県行政、トップの[redacted]様。もっと柔軟な姿勢で、弱者を見てください。

地震様、愚痴や感謝をいろいろ言いました
貴方様のおかげで、今まで感じたことのない、
言ろんなことを、数多く感じました。でも、
もうこれ以上、感じたくありません。だから、
いつまでもゆっくり、休んでください。

平成十年六月三日に、書き上げた作文。

施設に入所する山本恒雄さんを琴平高校の卒業生が訪問した

「焼け野原で。どこが家かっていうのも、もう遠くから見たらわからんぐらいの、焼け野原だったんで」

証言　18

柴田昭夫さん（当時46歳、右）
柴田やす子さん（当時31歳、中）
柴田大輔さん（当時7歳、左）

柴田さん一家は、父昭夫さん、母やす子さん、子ども3人（長男：小1、大輔さん、次男：3歳、三男：1歳）の5人家族。神戸市長田区のJR鷹取駅近くの文化住宅の1階で、全員生き埋めになった。3歳だった次男宏亮《ひろあき》ちゃんと、1歳になったばかりだった三男知幸《ともゆき》ちゃんは、現場で亡くなった。救出までに12時間を要した。やす子さんは、右脚に6回の手術を繰り返し、震災障害者となった。

柴田さんとの出会い

私が柴田さん一家と出会ったのは、1996年、ふらっと訪ねた北鈴蘭台（神戸市北区）の仮設住宅だった。やす子さんは右脚の痛みに耐えていた。昭夫さんはやす子さんのリハビリに付き添い、大輔君は仮設住宅の空き地で遊んでいた。大輔君は、黒い空を描くので、学校の先生に「カウンセラーに見てもらいなさい」と言われ、「僕、きちがいと違う」と、学校に行けなくなっていた。だが、「仮設住宅で大学生のお兄ちゃんお姉ちゃんと鬼ごっこしたりして、いっぱい遊んだ」ことが不登校を脱するきっかけとなった。「楽しい思い出をいっぱい残すこと」が、辛い思いを弾き飛ばすエネルギーになることがある、と私は思う。

子ども2人を失い、災害弔慰金500万円を受給したが、すべてを失った家族にとっては、このお金も生活に回さざるを得なかった。2人のお墓代にと200万円を残したものの、生活費がなくなり、生活保護受給申請のために福祉事務所へ。しかし、窓口で聞かされたのは「みんな（全額）使ってから来い」という言葉だった。お葬式の香典が非課税である以上、災害弔慰金（人の死と引き換えのお金）は非課税であるのが当然だと思うが、収入とみなされた。東日本大震災のときも同様の扱いを受けた人がいたと聞く。

やす子さんは、震災障害者（クラッシュ症候群）となったが、「生きているだけまし」など社会から心ない声を浴びせられ、何度も悔しい思いを味わった。死者の陰に隠れた震災障害者がずっと背負っていかなくてはならない辛さを、社会が理解することはできないのだろうか。弟たちが死んだ姿を小学1年にして見てしまった大輔君は、18歳のときに地域の消防団に入隊し、最近「震災の語り部」となった。明るい話題だ。2019年1月の阪神淡路大震災の追悼行事では、遺族代表としてこれからの決意を述べる姿も見ることができた。（牧）

「2人（次男と三男）どないや？」言うたら、「声がせんようんなった」言うて

聞き取りは2度実施した。1度目は2016年11月5日に行われた。

牧　震災のときは、どこに住んではったんですか？
昭夫　鷹取（長田区）の文化住宅。
牧　仕事は？
昭夫　あのときは川崎重工や。
牧　文化住宅で生活してて、子ども3人とご夫婦で、5人暮らし？
昭夫　はい。
牧　その文化住宅というのは、どんな感じですか？　1階？
昭夫　木造の2階建て。うちは1階で。上が家主さんの家があって。全部が家主さんのとこ違うねんね。JRの高架側は一般の人が一軒借りてる。
　で、ここの床全体がドサッと落ちた。家主さんのとこはピアノの大きいのやらいろいろ置いとったから、この床そのものが全体にドンと下へ全部、グシャッときた。この部屋は若い夫婦で、うちの子どもと一緒ぐらいの子が2人おって、ここは4人全滅。
牧　へぇ。
昭夫　最初「助けて」いう声がずっと聞こえとった。40分か30分くらい声が聞こえてた。で、ここの隣の奥さんは、ちょうど娘の家へ行っとったんやな。

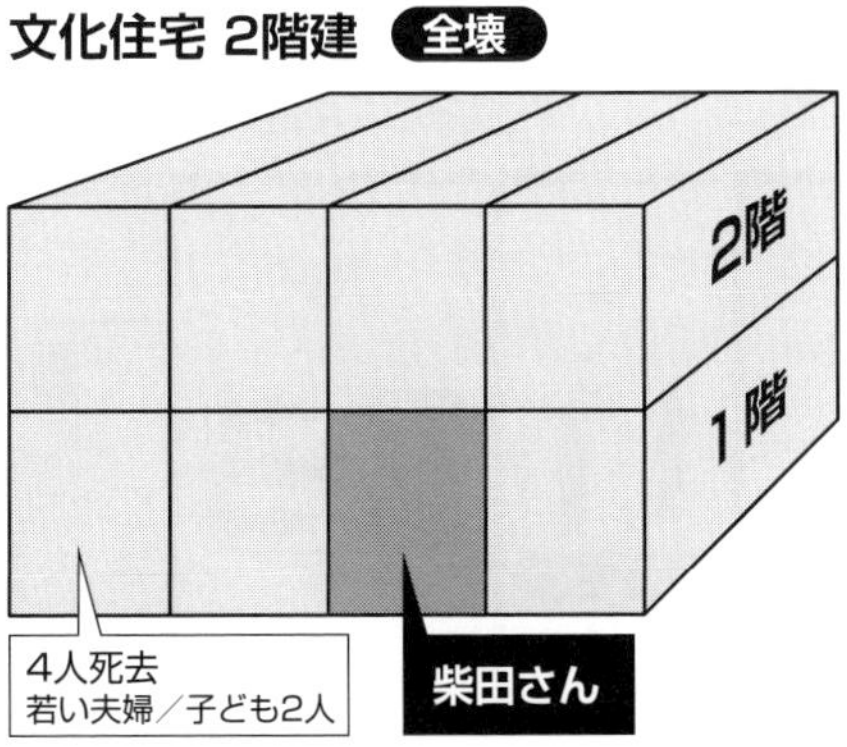

やす子　うん、そうそう。

昭夫　ほいでお父さんと犬がダメだった。で、こっちは僕の友達の夫婦が住んでて、ここはけがもなんにもなしで。うまいこと隙間に体がはまったらしいわ。

牧　あー。でここが、柴田さんの。

昭夫　うん、全部押さえられて。僕と息子（長男の大輔）はちょうど柱のとこ。息子は横へ寝かしとったからね。ワッと引っ張り込んで。細い柱が斜めに落ちてきて、斜めに高架になった。あの子だけこっち引っ張り込んだから押さえられんかって。で、僕のこっちの左足、ドーンと梁が乗って、足が抜けへん状態や。

牧　こういう感じで寝てた。

昭夫　これぐらいの柱になってるからあの子をバッと引き込んで。ほんだら足を押さえられて、ずっとこの状態で、暗がりの中で。ほいでこっちに声ずっと掛けよったけんど「2人（次男と三男）どないや？」言うたら、「声がせんようんなった」言うて。いっぺん立ったんやな？　立ち上がって…。

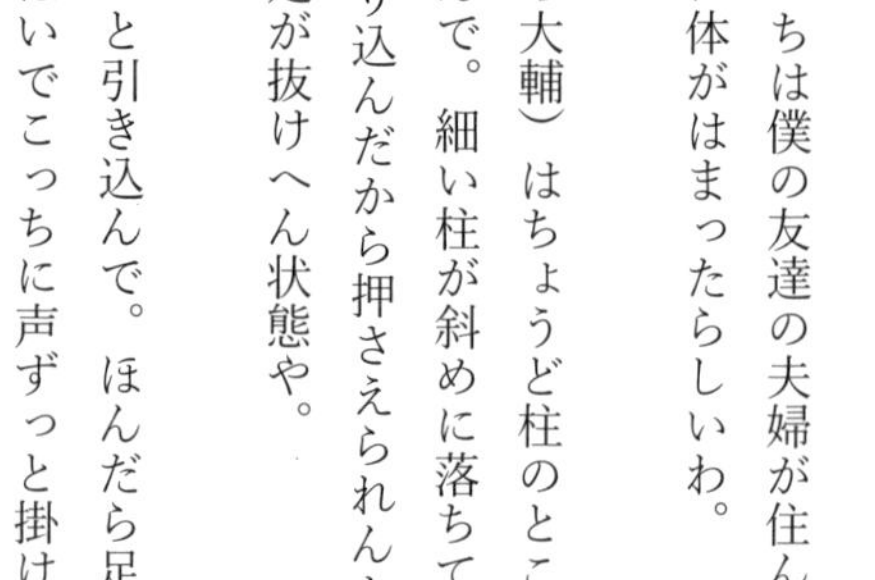

やす子　いや、ちゃうちゃうちゃう、足を広げて。タンスが落ちてきおったから、足を広げて、私の足で、支えよう思って。

昭夫　座った状態やったんやな。子どものほうに股広げて、こういう感じで、こないしてこう、天井押さえられてね。

やす子　うん。

昭夫　1回ドーンときた。下から持ち上げられる、床がグーンと持ち上げられて、ワァ言うた。もう一瞬やね。今度ボンと下がったら上のがドサーンと来て。もうほんまにあっという間。ピアノとか、家主さんとこのものがあったから。

牧　上からドーンと。でもここようやられへんかったね。

やす子　だから首がもうあかんねん。ずっと。もうずっと、なぁ。

牧　主には、足がやられて。

やす子　足やねんけど。こないして12時間おったもんやから、首に後遺症が後でくる言うて。
昭　夫　僕は声かけて、体の力入れとったら死んでまうから、体の力全部抜け、ゆうて。もうぶら〜んとこう、ダランとして押さえられとけいうて。声ずっとかけて。

風向きがぐーんと変わってずーっと全部燃えて。丸焼け。で、下のこの子らを…

やす子　ただ、こっちが台所やから、ガスの臭いがごっつかって。シューっていうてんねん。
昭　夫　ガス漏れしとったんやな。
やす子　うん。ほんま死ぬんちゃうか思うぐらい、ごっつい臭いやった。
昭　夫　そやからあそこ燃えるんが早かったんやね、全体にガス漏れとったんやろね。最初に助け出されて出たときは、燃えてるとこはまだずっと遥か向こうやった。ほいで、まさかその火がこっちまで来ると思えへんかったんやね。で風向きがぐーんと変わってずーっと全部燃えて。丸焼け。で、下のこの子らを…。
牧　それはでもしょうがないね。
やす子　うん、もう骨だけ。それをダイ（長男の大輔）が見とるねん。
昭　夫　こちらもガードの横へ転がされとったからね。ほれで（助けに来ていた）僕の兄貴に「下の子ふたり見に行ってくれ」言うて。兄貴は「あかんもう、横へ火が来とるから、行ったら俺らも死ぬ」言うから。そのときもう（下の子は）押さえられて声がせんかった。
やす子　あれ、30分もかかってなかったからな、ヒロ（次男の宏亮）のとこへ火が行くの。
昭　夫　あかんかったんやろ思うけど、見に行ってほしかったから、そないゆうたんやけど。それで助けに行っとったら、もう行ったもんが焼け死ぬわね。

消防庁によると、1月19日中までに発生した建物火災235件のうち94件が延焼拡大した。このうち焼損面積

1万平方メートル以上の大規模火災は、特に神戸市長田区などで集中的に発生した。出火原因は、日本火災学会の報告書によると、地震直後はガス関連が多く、翌日以降は電気関連が多かったとの分析がある。ただ、延焼速度は、風速が弱かったことなどから比較的遅かったという。

牧　で、柴田さんはどう助かったの。

昭夫　兄貴が穴開けたところから入っていって。こっちは開けたすぐ下におったから、あの子（大輔）を下からポンと持ち上げて、上から引っ張り上げてもらって。で、こっち側は梁があって、足抜けへん。引っ張り上げてもらうのがあかんから、車のジャッキを持ってきてもらって。肩まで押さえられとるから。ほれで、梁の下をロープでくってみんなで引っ張ったら梁がちょっと浮いたから、足グーッと抜いた。そいで手上げて引っ張り上げてもろた。そのころ、よう肥えとったんです、80キロあって。

やす子　ブツブツ言われてた、こっちの兄貴に（笑）。重たいわーゆうて。

昭夫　上におる人間に引っ張り上げてもろて、こう下からも押し上げて。ほんで、男4人か5人ぐらいで担架に乗せて。

やす子　重たい人やなー、ゆうて。

牧　ほんなら昭夫さんのお兄さんに助け出されたわけや。

やす子　うん、そうです。

牧　次男と三男は亡くなってるってわかってた？

やす子　うんうん、そう、うんうん。真ん中の子の声はしたんよ。「う～～」ゆうて。ただもう、すぐに声がせんようになったから、5分か10分くらい。「誰かどうかしたってー」て私ゆうたんやけどな。「まだ生きとるから、先この子ら出したってー」ゆうて。

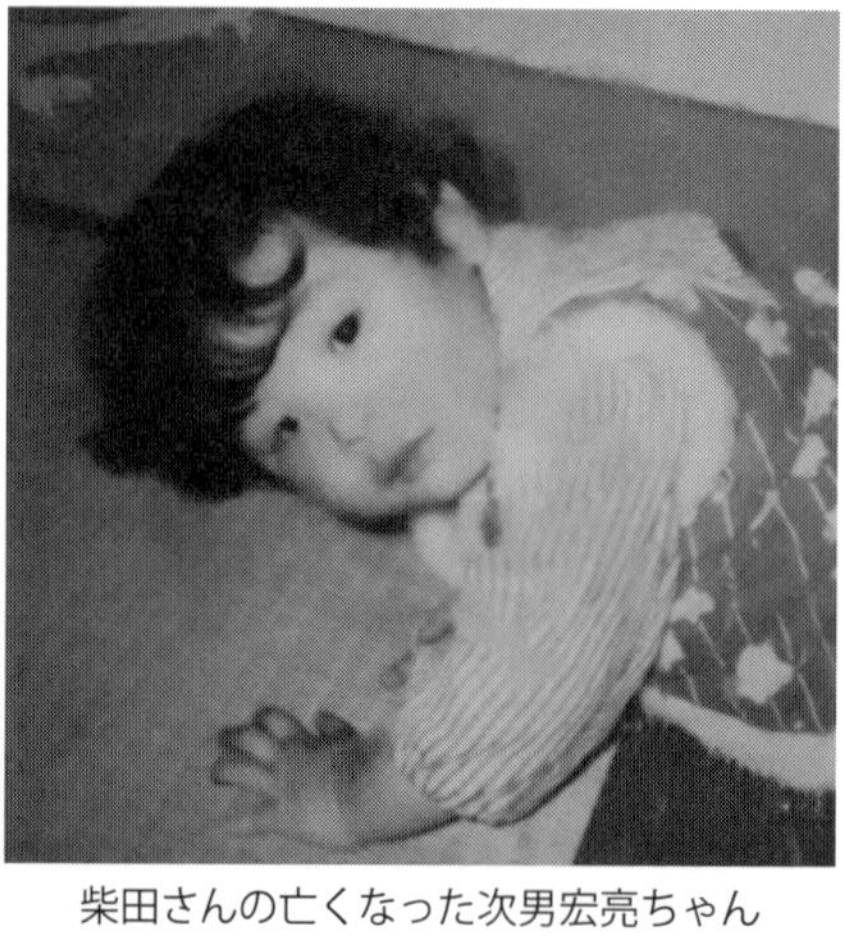

柴田さんの亡くなった次男宏亮ちゃん

昭　夫　ほんまに自然災害というのは、残酷やなぁ。右の子が2番目で3歳、一番左の子が末っ子で1歳。
　右の子の写真は、焼けた瓦礫のとこから出てきた写真やけど。それ大きくしてもろたんやけどね、写真屋さんで。末っ子の写真だけ全然なかったんよ。どこにも配ってなかったし。ほいで、あの子の写真ないかなぁて探し回って、大輔が行きよった幼稚園の写真で、先生が「写ってるのありますよ」ゆうて。あれ1枚見つかっただけ。

牧　よかったよね。

やす子　そうそうそう、これがなぁ、あって。

昭　夫　早いとこみんな、親戚のとこへ配っとくんやった。

牧　一番下の子は1歳やったの？

やす子　うん、1歳。

昭　夫　1歳になったばかり。12月23日生まれやから。天皇誕生日かな。で、年明けて1月に。たまらんね。1歳なってから何日も経ってないよな。1カ月経ってないよな。

こちらも死にかけて、助けれるもんやったら子ども助けたいよ

牧　そんなやったんや。こうやって詳しく聞くの初めてやな。

やす子　いろんなこと、やっぱし聞かれてきたけどなぁ。挟まれた人に「挟まれた気分はどうですか」ってゆうた人がおるゆうて（笑）。

牧　ほんま？

昭　夫　新聞記者の人が「どないか助けることできませんでしたか？」って言うてくるから。

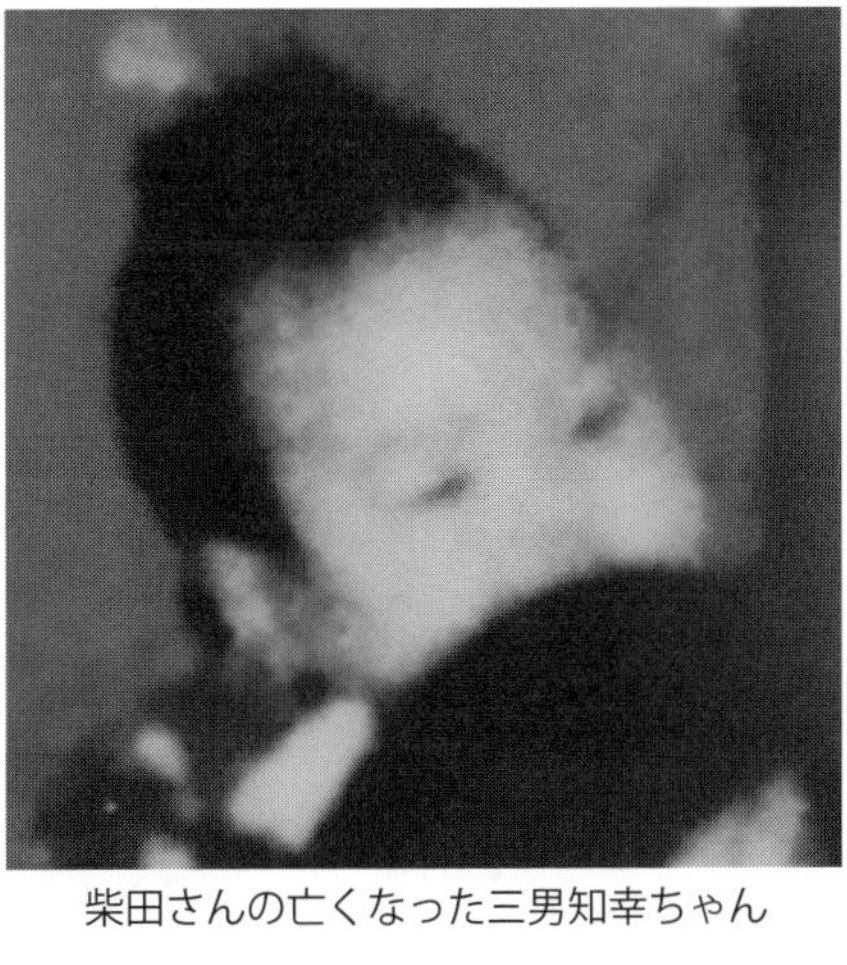
柴田さんの亡くなった三男知幸ちゃん

やす子　私も言われたわ。

牧　ほんま？

やす子　うん。

昭　夫　こちらも死にかけて、助けれるもんやったら子ども助けたいよ。

やす子　私、病院で先生に言われた。

昭　夫　もう一家全滅する寸前でね、新聞記者がそないして聞く？　おかしいよねあれ。

牧　そういう人もおるわけやな。

昭　夫　うちの子ども助けられる余裕があるんやったら、うちのまわりの人みんな死ねへんよね。

牧　うん、そやな。

昭　夫　そんなこと聞かれる思わなんだわ、ほんまに。

震災当時は神戸新聞記者で、のちにコープこうべ理事長になる山口一史は、『阪神・淡路大震災 復興10年総括検証・提言報告』の中で、報道機関の取材ぶりについて次のように記している。「新聞社で1社80人から120人、テレビ局は1局100人から400人が、補給を主任務とするひとも含めて取材や調査に入った。報道機関によっては、生活環境が整わないため本人の疲労度も考慮して、1、2週間で交代するシステムをとったところが多かった。このため、同じ新聞や放送局に属する記者やディレクターが同じ取材先にかわるがわる訪れ、同じ基本的事柄を繰り返し取材して不興を買うといったことはしばしば起こった。報道機関内で課題や持ち場の引き継ぎがいい加減だったということだろう」。

牧　そうか。子どもたちは骨だけなってるし。

昭　夫　もう、そんなに骨もなかったん違うかな。葬儀屋さんがお骨置いてますゆうから、見に行こかな思ったら、向こうの葬儀屋さんが「見らんほうがいいよ」ゆうて。「2番目の子の頭のここしか残ってませんよ」ゆうて。ほんで下の子のんは、喉仏だけ。だから「もう見らんほうがよろしいですよ」言われて。

牧　見られへんよね。

昭　夫　そやから焼き場に一旦持っていって、んでちょっと焼いてもろたやつを、確か骨壷に入れた思う。ほとんどなかったんやな。

牧　なかったっていうことは聞いたことある、大輔君に。

昭　夫　ほいで実際に証明を書いてもらうとき、こっちがね、子どもが死んだんも「足を抑えられた」言うとんのにね、向こうの人が勝手にパッと「焼死」って書く。証明書ではもう焼死になってる。この子ら2人。

やす子　圧死やんな。

牧　まあその後にね。

昭　夫　火が来る前にもう、抑えられて死んどるからね。あれ、でも大違いと思う。圧死と焼死ゆうたらね。

厚生省(当時)によると、阪神淡路大震災での死因は窒息・圧死が77・0%と最も多く、次いで焼死・熱傷(9・2%)とされる。神戸大医学部の記録誌は、死因の焼死・全身火傷には一酸化炭素中毒も数例含まれるものの、ほとんどが焼けて骨片になった状態だったとしている。

「奥さんはもうあきらめてください」言われて

牧　この後は避難所に行きはったの?

昭　夫　避難所は、助け出されたときに、鷹取駅の前にあった保育所へ運ばれた。2人(昭夫さんとやす子さん)とも、担架で。あそこに運ばれたときに、おしっこしたいねんけどね、それ看護師さんに言うて。したら自分の足がこんな腫れとるでしょ、押さえられとったから。これが自分の足かゆうぐらい。で、もう歩かれへんよね。寝転がったまんまで。

牧　それは何時間後に？

昭夫　もう3時か4時か、夕方。

牧　そうなん。ほんならすごい長いことといとったんや。

昭夫　そう思うねんけどね。

牧　そないすぐじゃないんや。

昭夫　うん…なぁ、夕方やったな？　はっきり覚えてないんやけど。

やす子　覚えてないな、私12時間いたから。

牧　柴田さんは12時間やから、（救出は）夕方の5時半ぐらいやろか。

やす子　かなぁ。

昭夫　僕は先に出されとるから、3時か4時くらいやと思うんやけど。

牧　それでも10時間くらいあったんちゃうかな。その間に（足が）こうやね。

昭夫　そう、足がこないなってしもて。おしっこしたいんやけど、出へんから、尿瓶持ってきて言うて、毛布被した状態でおしっこ出して。で、今度こっち（やす子さん）がおしっこしたい言うから、ほなトイレ行こかゆうて連れていったわけ。そしたらおしっこ出へんねん。で、看護師さんが救急車に来てもらいますって。で、救急車来るまではものすごい時間、待ったね。1時間、2時間待っとったのかなぁ。ほんで2人で乗せられて元町の日赤病院に行ったんやけど。廊下に死んどる人いっぱい、転がってるやん。で、こっち（やす子さん）はすぐにICUに連れて行かれたんやけど、お医者さんがこっち来て、「奥さん、麻酔ないけど足そのまま生で切らして（手術させて）もらいます」って。

牧　へぇ。

昭夫　ほいで、手も足も全部縛られた状態で、本人まだ起きとうやね、麻酔ないから。ここをバサっとメスで。

牧　切った。覚えてない？

やす子　覚えてない。

昭　夫　ギャーゆうものすごい声、あげるわね。ほいでおしっこ出へんからゆうて、で、ここ切らんと、その押さえられてた毒が心臓へまわったら死ぬから、切っておしっこ出るように管、ここにしたけんど、朝になってもおしっこ出へんかったんやね。今度また看護師さんが「北区の透析できる病院に連れて行きます」ゆうて。で、向こう行ったら水が出るから、そこで透析してもろたんやね。で、あとからその病院行ったら、そこの先生は「奥さんはもうあきらめてください」言われて。「え！そんなこと言わんとどないか助けてください」ゆうて、「なんとかできるだけやってみます」言うてくれたんやけんど。まぁ透析でひと月、ひと月半ぐらい。

やす子　うん、1カ月くらい透析回して。

昭　夫　最初は血の中に毒とかいろいろまわってるから、このクルクル回ってるやつがスムーズに回ったら血がきれいになってるけど、まだ引っかかってるでしょ、ゆうて。回り方がコンコンコンゆう感じで回ってるんよね、最初。だからずーっとそれで透析してもろて、それひと月か、ひと月ちょっと。おしっこがそれまで出てなかったんやね。で、ICUへ入って、おしっこの袋見たらチョロチョロ出だしたから先生呼んできて。ほんで腎臓のほうはそれでなんとか、命はもう大丈夫です、ゆうた。それで、今度足やね。足はもう、切断するかって言われて。先生に「それちょっと止めてなんとかしてもらわれへん？」てゆうて。「切断せんでもええようになんとか考えます」ゆうて。したら今度、また足切って。

やす子　この1本の足に6回手術してん。

昭　夫　足首がこう真直ぐ伸びたまんまになってんね。ここの神経がもう切れとる。この状態やったら立つに立たれへんでしょ。で、立てるように、ここ穴開けたんかな？

やす子　ここ穴開けて。

昭　夫　開けて、ここのアキレス腱を引っ張ったんかなんか知らんけど90度にして。だけど、皮膚が足らんかった。せやから足細くなってる。

やす子　そう。

牧　ほんとだね。それがここのとき？

6度の手術の痕が今もやす子さんの足には残っている。

昭夫　それからリハビリ、ごっつい長かったな。半年以上ぐらい。

牧　リハビリは毎日？

やす子　毎日。

牧　どんなリハビリしたんですか？

やす子　いや、ちゃうねん、あの階段を上がったりとか。重りを付けて上げたりとか。3種類ぐらいしたかな。ほんで最後には、なんでか知らんけど家ですぐにいけるように、ゆうてずっと掃除機（笑）。

「あんたら途中で払わんとって、こんな困ったときだけ来てもらったら困るわ」

牧　お母さんは6回も手術してる。その間に行政とかいろんな手助けとか、なかったんですか？

やす子　ないな？

牧　手術代はどないしはったんですか？

昭夫　あ、それは、国民健康保険から。

やす子　あ、それでいったんやっけな。

昭夫　病院のほうは証明書みたいなん書いてくれて、「これ国民健康保険係に持っていってくれたら、ここの病院の分は保険のほうから全部出ます」ゆうて。

やす子　私がＩＣＵ入っとるときに、その紙を持って来んねんね、私に。なんぼいったか、ゆう紙を。最初びっくりしたな。
昭　夫　これ柴田さん、て持ってきたからパッと見たら、人工透析の分とか…。
やす子　全部ひっくるめて２００万ぐらいやってん。
昭　夫　違う違う、６００万ぐらいなっとったか、３５０万ぐらいやったかな？
やす子　（笑）。目むいてもたわ。
昭　夫　「えーこんなん払われへんけど」ゆうて。「証明書書いたら国民健康保険からおりますから」ゆうて。自然災害でこうなってはるんやからと。あの透析、ものすごく高いんやね。
やす子　うん、透析は。24時間回しとったみたいやったから。
昭　夫　区役所で横の人とかみんなに聞いとったら、国保、途中で払うてない人がいっぱいおるんやね。あんな人もう、めちゃくちゃ言われよったもん。「あんたら途中で払わんとって、こんな困ったときだけ来てもらったら困るわ」とか。
牧　そんなこと言うの？
昭　夫　うん、ボロカスに言われよったもん。うちのはもう、調べてもろたらちゃんと、ずっと毎月払うてるから、すんなり。はい柴田さんこれ、持ってってくださいって。ほかの人、みんな怒られて。１カ月分でも払ってなかったらものすごい。
牧　ここらへんのときには、もう保険料1カ月分払ってない人は。
昭　夫　ものすごい言われますね。ほいで「とりあえず今、持っとるお金で1月分だけでも払いなさい。だったら何とかしてあげます」とか。

　被災者の保険診療の窓口負担を免除する「マル免」制度が震災当日から始まったが、健康保険が１９９５年5月末、国民健康保険は同年12月末で打ち切られた。また、健康保険に入っていなかった人は治療費が全額自己負担となり、神戸市内の病院から船で和歌山に移送されたペルー人が、人工透析等の治療費約３００万円の支払いができずに誓約書を書いて帰国したなどの例が報告されている。

子ども2人亡くして嫁さん死にかけてますってハガキに書いて出した

牧　柴田さんが入院で、お父さんと大輔君は車中生活してた。これはどれぐらい続いたんですか?

昭夫　車の中に寝よったん、だいぶん続いとったね。最初は病院で寝泊まりしとった。1週間ほど。そのときはまだ車は借りとった駐車場に停めとったから。おまけに、車のキーも全部焼けとるでしょ。車出したいんやけど車のキーも焼けて、ゆうたら駐車場の人が、うちでその車のキーしましょか? ゆうから、してくださいゆうてやってもろた。ドア開けるのに5、6人がかりで、1週間かかってやっと開けて。1週間ぐらいかかってドアばらして、バラバラにしてやっと開けたら今度、カギ作ってもらうのに何日かかかるわね。そうやって、やっと車、乗れるようになって。ほいで息子を連れに行って、ほいでずっと北区の病院で、車の中で過ごした。

牧　お母さんが入院してるからその横で。

昭夫　うん、横で2、3カ月。あのとき、風呂も入られへんかったからね、銭湯に(行った)。ちょうどうちの兄貴が病院まで来て、病院の風呂に入れさせてくれへんか、ゆうて言い出して。病院の風呂は一般の人無理です、言われて。車取ってきてから、明石のほうの銭湯まで行ったんかな。

多くの被災者は身近な施設などに避難し、市役所や区役所のロビーが避難所として使われた。公園にもテントを張ったり、自動車を持ち込んだりして避難者が生活を始めた。指定避難所に入れない人が野外にあふれ、1月20日時点で18カ所、4450人の屋外避難者を確認。県は野外テントの設置を自衛隊に依頼するなどし、1月31日までに神戸市内27カ所、522張を設置した。指定避難所以外の自主的避難所は、避難所と認定されるまで救援物資や食事が配給されず、避難者たちは水や食料の確保に奔走した。(『阪神・淡路大震災―兵庫県の1年の記録』)

牧　初めて（僕と）会ったんは、あそこ、鈴蘭台かどっかの仮設でしょ？

昭夫　仮設、5、6回申し込んだんかな。全然当たれへんのやね。ほいでしまいに、息子と二人、寝るとこないでしょ。それまで車の中で寝よったけどね。（仮設申し込みの）ハガキは5、6回出したんかな。で、当たれへんから、しまいにカーッとくるでしょ、やっぱり。ほいで住宅局に電話してん、直接ね。ゆうたら、そういうことになった事情をハガキに書いてくださいゆうて。子ども2人亡くして嫁さん死にかけてますってハガキに書いて出したら、次の日にすぐに当たり（笑）。通知がパッと来てね。最初からそういうふうに出しときゃ1回だったけどさ。わからへんから。

兵庫県は1月31日、原則として希望者全員に仮設住宅を用意する方針を決めた。しかし、用地難などで4万8300戸の仮設住宅の建設が終了したのは8月になってからだった。仮設の募集には応募が殺到し、神戸市の第3次募集では6061戸の募集に対し、約4倍の2万5798戸の応募があった。ところが、3月末で3万戸が完成していたにもかかわらず、4月10日時点での入居者は1万戸に過ぎなかった。遠くて不便、知人がいないなど、遠隔地が敬遠されたケースも多かったとみられる。

牧　ほんで、当たった仮設が鈴蘭台の。

昭夫　うん、あの惣山町。

牧　で、こんとき僕、覚えてんのは、大輔君がいてて、おばあちゃん、昭夫さんのお母さんもいはった。

昭夫　僕の実家も長屋で住んどったからね。もう住める状態じゃなかって、最初、兄貴が回ったときにそないなってたから、小学校の避難所へ連れていっとったわ。ほいで、ずっとそこに置いとかれへんから、兄弟で誰かんとこへ。こっちはまだ仮設も当たってないし、で兄弟のとこに預けて。したら、兄弟のとこたらい回しやね。もううちで面倒見られへん、面倒見られへん、順番に言い出したから、だからもう、うちの仮設当たってから連れてきたわけ。

牧　おばあちゃん、お母さん、お父さん、それから大輔君、4人で生活しはって。あそこの病院にリハビリで行ってんねん、て話聞いてて。
あのときに、2人の息子が亡くなった弔慰金が1人250万、250万で500万ありますと。それと、住宅が全壊になって、10万やったかなんか、最初一律でもらってたよね。で、僕が会うたのはおそらく震災から1年ぐらい経ってたと思う。その1年間でね、テレビとかこたつとか全部なくなってるから、全部買い揃えたっていう。それと日々の生活も息子さんの弔慰金でやっていかざるを得ないってことで、残りはそんななかったと。

昭　夫　お母さんのリハビリとかにも毎月ずっといるでしょ？

牧　うん。

昭　夫　ねぇ。だから確か、あんとき僕聞いたら200万ぐらいゆうたかな。どんどんお金が減っていかざるを得なくて。やっぱりお金はお墓代を残しとかなあかんって。福祉事務所に行って、この200万円は息子さんのお墓代で残しておきたいと。だけどこれしかないから生活保護を受けたいんだって相談したけど断られたと。全部なくなってから来いと言われたって。

牧　みたいなこと言われたんかな。

昭　夫　お父さんは認知症のおばあちゃんも、入院中のやす子さんも、息子の大輔君の世話もしなきゃならない。けど、その200万円はお墓代に置いときたいから、だからもう働かざるを得ないと。

牧　そうそうそう、そうやったんかな。もう、うっすらやけど。

昭　夫　僕のほうが、その話聞いて強烈やったからね。

牧　そうそう、そうやわ。頼みに行ったかな。

昭　夫　全部使ってからと。でも使えんもんね。

牧　うん、使われへんもんね。お墓建ててやりたいのは第一やったから。

昭　夫　お墓はできたんですか？

やす子　うん。

牧　当たったんですか？

昭夫　いや、2、3回申し込みに出したんかな。で、当たれへんから、仮設に住んどったときの知り合いに、「三田のほうやったらお墓すぐ建てられますよ」言われて。三田、遠いけど「もう早うお墓建ててやらな」って思って、それでもええわ思って。まぁまだ車があるから行けるやろっていう気もあったから。ほんで、おふくろが亡くなってからもその三田のお墓に一緒に入れたけどね。

神戸市保健福祉局によると、神戸市内の生活保護世帯は、震災直前に1万5082世帯だったのが、96年3月には1万4060世帯と減少した。多くの市民が震災で生活に打撃を受けたのに、受給世帯数は逆に減っている。この間、約2700世帯の保護が廃止された。廃止の理由は、死亡や市外転出などが主だが、「別の収入を持つ家族との同居で廃止になった」「義援金や弔慰金が収入とみなされた」などのケースも報告されている。

ここでこのまま死ぬなって話しとってん。諦めとったんよ

牧　大輔君、震災のときっていくつやった？

大輔　震災のときは、6歳か。小学校1年生やから。

やす子　7歳。

大輔　7歳か。

牧　あのときのこと覚えてる？

大輔　うん、覚えてますね。

牧　どんなこと？直後のこと。

大輔　直後は、父親の隣で寝とって、ほれで、地震来る前、ものすごい音したんですよね。地響きがゴーっていう音がして。その音で、「なんや?」ってなった瞬間にグァーって、横揺れっていうんかな、縦揺れ? 下から突き上げるような。ほんでその瞬間に、もう上が落ちてきたんが見えた。僕と親父が寝とったとこはちょうど柱と柱の間だったんで、親父にバーンて被してもらって、まぁ助かったんやけど。ちょうど寝とるところがテント状態になって、僕だけは布団被されてたから全然けがもなく。足も埋まってなくて。僕はなんともなかったですね。親父は足ちょっと挟まっとった。あのとき、2時間後か3時間後やったかな? おっちゃん(叔父)来たん。「どこやー?」ゆうてな。

昭夫　親父のちょうど上、畳やった。親父が下からボンボンボンッてして。音出して、おる場所教えて。

大輔　「ここやー」ゆうて。

牧　それ覚えてんねん?

大輔　それは覚えてます。ほんで、そんときに上からおっちゃんの声が聞こえてるからね。「ここや」ゆうてボンッてしたら、「あーわかったわー。ちょっと待っとけー」ゆうて、ほんで叔父の息子さん来とって。で、バールか何か車から取りに行って、上からこじ開けようとしたんですよね。上もだいぶん埋まってるから、こじ開けるのもごっつい時間かかって、やっとこ光が見えたんですね。ちょうど僕の真上ぐらいに穴が開いて、空気吸えるようになったんですよ。きれいな。なぁ? スーッと入ってきたもんな、空気が。

昭夫　うん、息苦しかったもんな。

大輔　ずーっと息苦しかったんで。ほんでまたあの、上からこじ開けるから、埃がバンバンバンバン落ちてくるんですよね。それでまた息苦しくなってきて、もう素手でバーンて割っていって、やっとこさこれぐらいの大きな穴ができて、僕が通るぐらいの大きさで。僕だけ先に救助してもらって。

昭夫　もうあの前までは、ここでこのまま死ぬなって話しとってん。諦めとったんよ。

牧　今の話?

昭夫　うん、大輔も助かれへんで、死んでしまうで、ゆうて。そんな話しとったん。

大輔　あかんなぁーとは言いよったよね。

牧　それ覚えてる？

大輔　助けに来なかったらもうあかんわ、言うとったんでね。ほんでなんとか叔父が来て、助けてもらった。僕が救出してもらったのが6時間後。叔父に抱いてもらって、外に出たんですよね。んで、ちょうどその高架沿いのとこの歩道に連れて行かれて、そこ座っとけ、言われて。ほんでずっとそこに座ってて、パジャマやからものすごい寒くて。隣に住んどった人が毛布持ってきてくれて、それ被って。ほんで僕の先輩のおじいちゃんが近くにおったんですね。そのおじいちゃんがジャンパーを持ってきてくれて、それも着て。それでも寒い。下、裸足でしょ。靴もないし。

昭夫　僕が助け出されたときに、喉がカラカラやってん。ほんで高架の横に寝かされたときに「水持ってきて」ゆうて。「水なんかない！」って、缶コーヒー持ってきた。開けてカッと飲んだら、入れへんねん。ゴーっと吐いたら、壁。壁がドロドロドロ〜。ずっと飲んで出したらものすごい出た、このぐらい固まり出たんかな。壁がドロドロ〜っと。何回もうがいして、ほいでやっときれいになって、ちょっとだけ飲んだ。コーヒー。

大輔　救出してもらったときに、缶ジュースかなんか持ってきてもらって、「うがいしい」って言われて、うがいしたらもう、ドロまみれの、茶色っていうか…。

昭夫　ドーッと。そんだけ吸っとったんやね。

牧　それで、助かって、弟が亡くなったやんか。それはもうそのとき知った？

大輔　いや、僕知ったんは、だいたい2週間後なんですよね。2週間ぐらい、親父とおかんと離れとったんで、僕。僕はそこの野田高校の体育館に避難しとった。それから親父が迎えに来たんで。あれバイクで迎えに来たな？　どっかでバイク借りて。

昭夫　バイクで行ったんやったかな？

大輔　うん、バイク、せや、カブ。おっちゃんのカブや。

昭夫　あー。もうそこまで覚えてへん。

大輔　で、カブで迎えにきてもらって、ほんでそこでおかんが入院しとるの聞いて、行ったんですよ。ほんなら、行ったはいいけど、ＩＣＵ入ってるから僕入れないんですよね。まだ子どもやから。

昭夫　２人でずっと病院で寝とったんやな。

今まで一緒におったのに急におらんようになってしまった。うん。ほんで僕、ひとり

大輔　病院の面会室でずっと寝とって。あれ１週間？　いや、１週間どころちゃうな。１カ月おったか。長いことおったな。ほんで、たぶんまだ病院におったときに、おばあちゃんも来とったんで、ちょっと家も見に行かなあかんゆうて、おばあちゃんと僕で家に行って。したらもう何もかもなかったね。焼け野原で。どこが家かっていうのも、もう遠くから見たらわからんぐらいの、焼け野原だったんで。ほんでまだ自衛隊が作業しとったんで、おばあちゃんが「すいません、孫が埋まってるんです。ちょっと探してもらえますか？」ゆうて。

牧　そのときも、出してないんだ。

大輔　そうです。出してないです。もう焼け野原で、そのままの状態だったんで。自衛隊が探しとったけど、どこに寝とったかが僕しかわかんないんで、自衛隊の人に呼ばれて、「どこで寝とったん？」て言われて。

やす子　布団あったやろ。

大輔　いや、布団はない。まだ見つからんかって。ほんだらちょうど、玄関のとこの靴が見えたんですよね。ほんならそこが入り口で、入っていったら１つ部屋があって、２つ目の和室が全員が寝とった場所で、たぶんそのへん、ここところに弟は２人寝てましたって。ほんでパッてスコップで掘り出した瞬間に、この２番目の弟の布団が出てきたんですよね。

牧　うん。

大輔　ほんならその反対側、探したら一番下の布団が出てきて。ほんでもうちょっと掘り出したら、２番目の弟が出てきて。

そのときに僕、「向こう行っとけ」って言われたんですよね、自衛隊の人に。

牧 7つやもんな。

大輔 そうですすそうです。向こう行っときって。ほんなら掘り出しよるんですよ。で、それ遠くから見えとったんですよ。掘り出して、毛布被せたんはわかりよったんですよ。ほんで掘り出して、おばあちゃんと自衛隊がしゃべっとるときに、俺ちょうど向こう、弟のとこ行ってしまったんですよね。ほんなら、2番目の子が、2番目の弟が半分だけ焼けとる状態で、出てきたんですよね。上だけ焼けてる、骨になってる状態。横向きで寝とったんでしょうね、たぶん。横向きで寝とったから、上から半分はもう骨状態。ほんで半分下はまだ残ってる状態、顔が。

昭夫 残酷やな。

大輔 首から下は全部焼けとったんですよ。真ん中の弟は半分だけ、顔が残っとったんですよね。真っ黒けやけど、まだ顔がわかるぐらいの、はっきりとした顔。ほんで一番下はもう完全、骨の状態で出てきたんで。

牧 見てるんだね。

大輔 そっちも見たんで。

昭夫 喉仏だけ出てきてな。

大輔 そうそうそう、喉仏だけ出てきて。でも全部の骨はなかったんで。

火災で多くの家が潰れ、「焼け野原」のようになった

昭夫　もう一部しか出てこなかった。自衛隊は全部掘り出して、1個1個探してもらったけど、一番下だけは。そりゃお父さんのバイクがきれいに焼けて、あれへんかってんもん。鉄があないして溶けてなくなっとんやから、人間の骨なんてね。

大輔　一番下はもう完全、全部の骨がなかったんで。この喉仏だけやった。

昭夫　それだけでも、よう見つかったなと思うわ。

大輔　自衛隊の人が、たぶんこれですって言うから。やっぱ、人間の形しとってん。喉仏ゆうてな、ちょっと座っとるような形。これですって言うから。「ほんまごっついちっちゃいから、たぶん、お孫さんの遺骨です」ってゆうて。ほんで全部、毛布に包んで、村野工業高校の体育館に運んでもらって。そこで、やっとこさ棺に入れてもらって。

昭夫　あとでそこへ、お棺に入れて運ばれとったから行ったら、中やっぱり見たいなって思うやん。向こうの人が見らんほうがよろしいですよって言われたから見らずやったけどね。

大輔　うん、だからたぶん骨見たんは、おばん（おばあちゃん）と僕しか見てないね。もう焼いてからやもんな、見たん。

昭夫　うん。

牧　そのときに、7つやろ？　どう思ったたっていうのは…。

大輔　いや、うーん。そのときはもう、さっぱり意味がわからなかった。何がなんやらさっぱり。今まで一緒におったのに急におらんようになってしまった。うん。ほんで僕、ひとり。おかんは入院してるし。完全に意味不明に自分でなっていって。ほんでまた、病院の面会室で寝とっても、余震はくるしね。それだけでも怖いし。で、おばんの家に行って、そこから小学校通ったけど、小学校もあんまり行ってない状態で。

黒い絵の具で空を塗りつぶして、そういう街を描いてる

牧　それは、行けなかった？

大輔　行けなかったゆうか、もう怖くて。また親父と離れるんちゃうかなっていう。

やす子　ずっと泣いとったらしいから。うちの実家でね。ずっと泣いとったゆうて。

大　輔　最初、2週間も離れ離れになっとったから、野田高で。また地震来たら、離れるんちゃうかとかね。それ一番、頭にあったと思います、あのときは。おばんの家におったときに、僕、40度の熱、出しよったね。高熱出してね。ほんで学校休んで。ほんで熱下がって学校行ったら、ちょうど図工の時間があって、絵描いたんですよ。真っ黒けの絵を描いたんですよね、絵の具で。塗りつぶした絵を描いたらしいんですよ。自分では覚えてないけどね。それを見た先生から「この子おかしいんちゃうか、1回病院連れてってください」言われて。精神科行ったら「心の病かかってます」っていうことで、カウンセリング受けないとダメって。あれ、1カ月くらい行ったんか？

被災者の心のケアの必要性が広く認識されるようになったのも、阪神淡路大震災がきっかけだった。兵庫県教育委員会の調べでは、震災後、心の健康に教育的配慮が必要になった小中学校の児童・生徒は、ピーク時の1998年度に4106人にのぼった。兵庫県教委は、教育復興担当教員（後に「心のケア担当教員」と改称）を小中学校に配置。2004年には、震災後に蓄積された心のケアのノウハウを生かすため「兵庫県こころのケアセンター」が設立された。

やす子　うちが入院しとるときに、ICUの看護師さんが「ダイちゃんちょっとおかしいん違う？」ってゆうとった。

大　輔　目もおかしいって言われたから。そのときの絵も覚えてないんですよね。何を描いたか。自分では。でも黒い絵の具で空を塗りつぶして、そういう街を描いてる、風景を描いてるけど、全部真っ黒けに描いたらしいですわ。そこだけの記憶は全部なくなってるんですけど。たぶん僕の中で一番に記憶に残ってんのは焼け野原。たぶんそれを描いたんちゃうかな、自分自身で。あの「火垂るの墓」みたいな焼け野原見たから。ただ一番離れへんかったんは、2番目の弟の遺体。あれが焼き付いてんのかな。ずっと焼き付いてんのかな。今だにね、1月近づいてきたら夢の中に（出てくる）。

神戸新聞の報道によると、1997年5月に開かれた教員の研修会で、「震災をきっかけに子どもが不登校になったまま」「トイレのドアを閉められない子がいる」などの報告があった。県教委は「震災による心の健康について教育的配慮を要する児童生徒」を継続調査しており、その人数は公立小中学校1191校で、1997年5月時点で5517人、前年7月より1695人増えた。症状としては頭痛、不眠、退行現象（赤ちゃん返り）、不登校など。また、兵庫県こころのケアセンターの調査によると、震災で被災した神戸市民のうち、2006年1月時点で心的外傷後ストレス障害（PTSD）の危険性が高い人が約15％に上ることがわかった。

昭夫　誰に聞いたんかな、「ヒロはここだけ残っとった」ゆうた。おばあちゃんに聞いたんや。

大輔　ここだけゆうか、こっちだけ全部残っとってん。頭からこの半分だけは。顔も一部、こっちだけ。だから目も開いとるまんまやった。

牧　そこも見たん？

大輔　そこも見たんで。こっちだけ目、まだ眼球開いとるままでね。

昭夫　一旦起きたんやろな、ドーンと落ちたとき。

大輔　いや泣いとったんよ。

やす子　うん、泣いとった。泣いとってん。「わぁー」ゆうて、なぁ。

大輔　ずっと「おかん、おかん」。

昭夫　そのときはもうトモ（三男の知幸ちゃん）の声は聞こえへん。

大輔　トモは全然聞こえない。ヒロがずっと泣いとってん。

昭夫　トモ、もう即死やったか。

やす子　「かあさーん、かあさーん」ゆうたもん。「ううう」ゆうて。

大　輔　でも、いつもの泣き方とちゃうんすよね。2番目の泣き方も覚えてるから。でもその震災当時、埋まってるときの泣き声はもうまるっきり違うかったんですよね。もうほんまになんか、痛がってるような。

昭　夫　あの瓦礫の下におったとき、もう気狂いそうやったわ。

大　輔　ほんで大体1時間ぐらいですかね、泣いてたんは。

やす子　1時間も泣いてなかったよ。

大　輔　いや、1時間ぐらい泣いとったよ。ずっと泣いとったもん。ほんでそっから急に泣き止んで。

昭　夫　お母さんに俺が声かけたんやで。「ヒロとトモ、声聞こえへんけど、どないやー？　聞こえるか？」って言ったら、「もう聞こえんようになった」ゆうて。

やす子　うん、それすぐやってんもん。1時間はなかったって。

昭　夫　そんな長いこと保ってない。

大　輔　あの隣のおっちゃんは即死やったからな。うちの文化住宅だけで7人。

昭　夫　あの前の夏に引っ越しとくんやったな。話しとってん。今年の夏、むちゃくちゃ暑いなゆうて。昔からの言い伝えでこんな暑い夏が来たら地震くるで、ゆうて2人で話しとってん。引っ越そうかなとか話しとる間に段々涼しなってきて、ほいでお正月迎えて。これ地震こんようになったなぁって安心したばっかりやったんよ。

大　輔　それまで結構ちょこちょこ揺れとったもんな。

「もう学校行きたくなかったら学校行かんでええ」ゆうて

牧　俺聞いてたのは、仮設のときにな、8つぐらいかな？　不登校やったと。でも、最後は学校にちょこちょこ行くことはできたやろ？　そのきっかけは、仮設で大学生のお兄ちゃんと会ったからって。

大　輔　そうですね、はい。

牧　それどうやった？　そのときは。

大　輔　最初その仮設住宅にきた当時、もうほんまに学校も行く気もなかったし、外にも出たくなかったんですよね。ずっと家におる状態で。したらちょうどその仮設に学生ボランティアが来て、ドア、トントンして、こんにちはー、ゆうて。そっからしゃべるようになってきて、学生ボランティアと遊びだして、ほんでそっからちょっと。

昭　夫　夏はずっと学校、無理無理、車に乗せて行き帰りしとったけどね。

大　輔　学生ボランティアともう1人お世話になった方が、会長さん。仮設住宅の自治会の会長さん。その人にすごいお世話になって。「もう学校行きたくなかったら学校行かんでええ」ゆうて。ちょうどその、ふれあいセンターいうとこで、会長さんにずっと勉強を教えてもらいよったんでね。

牧　お父さんに車で連れられて行きながら、学校行けるようになったん？

大　輔　ちょこちょこ行くようにはなってきたけど、それでもなんか不安なんですよね、自分の中では。

牧　離れることが不安やった

大　輔　そうそうそう。なんせ離れるんが不安だったんで。

昭　夫　でも学校変わった時点で、学校の先生が来よったからね。「勉強、前の学校よりこっちのほうが進んでるんやね、前の学校が遅れてたね」って言われた。

大　輔　まだこっちでは足し算と引き算やっとったんですよね。ほんなら小部小学校変わってきたら、もう掛け算になってるんで。掛け算ってなんやって。もう掛け算も終わりだったんですよ。もう割り算入っていきよったんですよね。

やす子　でも最後にはみんなと遊んどったやろ？

大　輔　あー、最後にはな。

昭　夫　最後には友達ようけできて。

あの真ん中の子が、もうずっといたずらでしよったんよ

牧　さっき、まだ今も、1・17が近づくと弟が帰ってくるって。

大　輔　夢の中でね。夢見る。

やす子　今年の夏、帰って来とったから。この真ん中の子が。立っとった、ぅん。なんかフワ〜っと「あ、あれヒロかな?」って。

牧　夢じゃなくて?

やす子　夢じゃなし、ぅん。ほっと、何気のぅ、ほっと起きて。

大　輔　あの、一番、俺の中で覚えとるのは、親父のお姉さんの家におったとき一番怖かったんですよね。

牧　怖かった?

大　輔　これどうゆうたらええんかな。

やす子　走り回っとったんやろ?

大　輔　ガタガタ、ガタガタゆうんですよね。寝とったら。ほんでテレビのあのスイッチ、カチャカチャ、カチャカチャゆうんですよ。

やす子　うん、あの真ん中の子が、もうずっといたずらでしよったんよ。

大　輔　で、生きとうとき、テレビつけんの好きだったんですわ。

やす子　この9月ぐらいに、あそこの電気がついとってん。玄関の入口の電気が。

昭　夫　お父さんトイレ夜中に行って、あそこの玄関、消しとるのにな。朝起きたら消えとったわ。

やす子　うん。それが不思議やってん。

牧　自分もさ、同じようなな、似たような経験よな?

大　輔　うん、あのスイッチをカチャカチャいわすんと、走り回っとる音。叔母の家、子どもいないんすよね。そんとき家にお骨置いとったんで、そのまんま。まだ墓なかったんで。まだ家にずっとお骨、置いてる状態やって。

牧　で、その家で音がすると。

大　輔　うん、ものすごかったですね。寝られへんかったっていう。

やす子　しまいにおばちゃんからも出てってくれ、言われたな（笑）。怖いから、ゆうて。こっちのお姉さん、気持ち悪いからもう出ていってって言われたなぁ？

大　輔　お姉さんも音が聞こえるの？

牧　なんせテレビが勝手につくんで。

震災の被災地では、亡くなった人の面影を奇妙な形で体験したという話は珍しくない。学問的研究も行われており、高橋原らは東日本大震災に関し、文部科学省の科学研究費助成を得て、宮城県内の宗教者を対象に調査を行った。「心霊現象」に関する相談を受けることがあるとの回答が111件、震災後に「心霊現象」などを体験したことがあるという人と接触したことがあるという回答は69件だった。調査は、「大量死に直面し悲嘆を抱える人々が様々な形で死者の霊の表象と向き合っていること」が明らかになったとし、「心のケア」の手がかりの一つととらえている。

やっぱり、ねぇ、忘れられんよ

牧　前に、1月17日近くなったらペタペタ音がして、帰ってくるっていう。あれはなんやの？

大　輔　最近はもうなんもないすよ。ただ、夢には出てくる。

牧　それは17日に近くなったら？

大　輔　そうですね。今だに17日の前になったら夢には毎回出てくるんで。

牧　それは音で？

大　輔　もう普通に、パッと夢の中に出てくる、うん。

やす子　私もこないだ夢で見たわ。

昭　夫　この子ら2人、父さん公園連れて行きよったやろ。公園で遊んどるとこ夢で見る。

やす子　やっぱり、ねぇ、忘れられんよ。

牧　忘れられへんよな。
やす子　うん、自分の子やから、うん。
大輔　ようケンカしよったんで、3人で。それはよう覚えてる。
昭夫　一番下で僕が印象深いのは、8カ月で歩いた。朝仕事行くときまだこう這うとんのにね、会社から帰ってきて、ちょこちょこ。え、朝こうずってたやん、まだって。
やす子　うん、早かったんよ。
昭夫　びっくりしたあれ、ものすごい印象に残っとる。
大輔　ほんで、一番下と真ん中がケンカしたら、一番下が勝っとったで。真ん中の顔をバチコン叩くし。
昭夫　帰ってご飯食べるとき、お膳のとこにパッと座るの。2人がバーンと膝の上に座ってて、ほんだら一番下の子が二番目のほっぺた、バチーン叩く。コラコラ、ゆうて。
大輔　ほんでね、一番下はね、負けず嫌いなの。ごっつい負けず嫌いなんですよね。ケンカ負けたらこの畳を（ゴンゴン）。
やす子　ははは、叩きよったな（笑）。
大輔　悔しがるんですよね、泣いて。ほんで真ん中は、ヨッシャ勝った思ったら、親父のとこちょこんて座って、ビール飲んでたんですよ。
昭夫　こっちが飲みよるビールを勝手に。コップ置いとったらちょこん座って、パッときてビールをグッと飲んで。コラッ（笑）。なんでも真似する。
やす子　なぁ。変わっとった子やったわ、ほんまに。
大輔　「ビールおいしい」言いよったんでね。だからたぶん（生きていたら）ヒロとは酒飲んでたと思う、ごっつい酒飲みだと思うね。
牧　それだけ、忘れられんよな、そういうひとつひとつをな。
やす子　うん。

昭　夫　公園なんて連れて行ったらもう、この真ん中の子、砂場で遊んどったら砂をブワーッ、上に投げるんよ。ほんだら傍で遊んどる子どもにかかるやろ。慌てて。

大　輔　真ん中はね、唯一怖がるのが、着ぐるみ。遊園地連れてったら、ようあの風船配ってる着ぐるみおるでしょ？あれおったらギャー泣いて、「イヤやー」ゆうて。

昭　夫　乗り物もすごい怖がりよったな。

大　輔　乗り物も怖いしね。なんせ怖がりなんですよ。一番下は怖がりちゃうかったもんな、トモは。

牧　よう覚えとんなぁ。細かいとこまで。

大　輔　真ん中はなんせ憎たらしかったですね。2歳、3歳ぐらいで、うちの家の近所のたこ焼き屋のおっちゃんに「いつもダイがお世話になってます」って言うぐらいやからね。口達者でね。で、1人で買い物行くし。

やす子　ふふ、あの紙おむついっちょで（笑）。

大　輔　紙おむついっちょでね。で、昔あった神戸デパートに1人で、おばんの家からね、歩いて。袋持って、赤い傘持って。裸の大将かっていうね。

やす子　ははは。

大　輔　ちょうど扉のとこに、入り口のとこにおって。「なにしとんのや？」ゆうたら、「買い物しとんやー」。

やす子　ほんま、口は達者やった。

牧　こういう話ってしょっちゅうするの？

昭　夫　まぁそんなに。したらまた余計、つらい気持ちになるから。

大　輔　僕が話するゆうたら、取材のときしか話しないね、うん。あとは一切しない。ヒロは、ガム好きなんですよ、真ん中が。それでなんかお供えもん買うとき…。

やす子　あんた必ずガムやな。お供えしよるな（笑）。

大　輔　10円ガム好きだったんで。駄菓子屋で絶対動かなかった。

昭夫　仮面ライダーの人形も、好きなほう置いとるんやけどな。アマゾン好きやったから。

大輔　震災当時、弟2人掘り出したときに、弟の横にちょうど出てきたんですね、仮面ライダー。

牧　そのときの、これ？

大輔　いや、それじゃないですよね。一緒に出てきたやつはもうほぼ溶けとった状態だったんで。

昭夫　寝るときに持っとったんやな、あいつなぁ。

大輔　うん、寝るときは絶対1個だけ、1個か2個だけ横に寝かしよったんですよ。で、最後の、たぶんほんま1個だけが出てきて、他はもう全部、焼けとったんだよね。胴体の上の部分だけ出てきたんでね。それだけ、唯一、おもちゃで残ったのは。

昭夫　あのころはもう、おもちゃだけはなんでも買うてやりよったから。

大輔　3人で一番取り合いしよったんが、あの仮面ライダーかアンパンマンか。で、一番好きやったんがブロック。ようケンカしとった、取り合いでね。

昭夫　おもちゃだらけやったな。

大輔　あとおやつの時間。3時のおやつの時間はよう、真ん中と一番下がケンカしとったですね。キャラメルが好きなんですよ。

牧　あ、そうなん？

大輔　2人とも。ほんでこんなちっちゃい器に2つ、入れよった。ほんなら真ん中が、一番下の弟のキャラメル取りよっ

仏壇には仮面ライダーのおもちゃが供えられている

たんですよ。それ一番下の弟が見た瞬間、横からバーン張り倒して。ほんでまた泣いて、またスネて向こう行って。ほんだらもう一番下、勝ったもん勝ちやから2つとも全部食うて。ようそれでケンカしよったですわ。

地震でどういうふうなったいう話とかは、遭うた人しかわかれへんからね

牧　お父さん、こういう話すんねやんか。まぁ思い出すと思うんやけど、つらい思い出やね。

昭　夫　そうやね、もう。いっつもこう写真を見るたんびに思い出すから。うん。こんな目に遭うとは。なぁ、うちだけちゃうんやからな。死人のあったとこ日本全国やもんな。うちらみたいになった人がいっぱいおるんやから。

牧　柴田さんは、震災障害者の集い、今まで2回くらい来てくれた。震災で障害者になった人ってたくさんいるはずなんやけどね、わからないんです、正直。で、兵庫県が２０１０年10月に震災から15年で身体障害者の数を初めて調査して、３２８人やと言うんやけど。これは「少なくとも」３２８人で、調査から漏れている人もいる。医師の診断書の理由欄に「震災」と書いてなかったり、けがした日付が書いていなかったりしたから漏れてるんや。

やす子　はぁ。

牧　だから今ね、その医師の診断書の理由欄に、「自然災害」を入れるということを目指してる。そうせんと、この人はなんで障害者になったかわからないと。（２０１７年、厚生労働省は、身体障害者手帳の交付申請時の診断書・意見書の原因欄に「自然災害」を加えることを促す通知を自治体に出した）

やす子　うん、そりゃそうやな。

牧　だからそういうことをしようと。そういうことについてはどう思われますか？　同じ境遇に置かれた人が集まることは、震災障害者の場合なかったんやね。他の、事故とか認知症の家族の人の集いとかはあるねんけどね。そういうふうな集いがあったほうがいいと思ってるんですね。

昭　夫　今さっきしたような、地震でどういうふうなったいう話とかは、遭うた人しかわかれへんからね。

牧　それで、けがした人やったらけがした人同士じゃないとなかなかわかりにくいね。

やす子　あの、岡田さん（証言02）とは会いたいわね。

牧　岡田さん元気やで。またおいでよ。

やす子　ダイは「行け」言うけど。

牧　自分で来れない人は迎えに行くんよ。年1回だけやけども、ワイワイと騒ぐ。ごはん食べて。そのときは、同じ震災で障害を負った人とか、来はるからね。何とかするから、俺。だから来てね、みんなで会いたいなと思う人に会って。みんなの顔を見たい。

2019年、大輔さんは震災の追悼式で遺族代表として思いを語った。語り部の活動も始めた大輔さんに、同年10月19日、改めて話を聞いた。

自分が震災経験してるから、助けてもらってるし

牧　今年遺族代表の話をしたし、語り部を始めたし、その前は消防団に入った。なぜそういうふうにしたのか、聞きたいなと思って。最初は消防団？　なんで？

大輔　仮設住宅からこっちに帰ってきて。小学校5〜6年生のとき。それからちょっとして地元でイベントみたいなのを、行事ごとやってた。「復興」ってことで。それに参加して手伝ってた。そこがきっかけで、16歳のときに、催しで消防団の分団長を紹介された。それで「入れ」って、「入りたいか」と分団長に言われた。「見学しにおいで」と言われて訓練を見に行った。僕もそのときはボランティアしたかったから。

牧　やりたかったんや。なんで？

大輔　自分が震災経験してるから、助けてもらってるし、仮設にいたときに牧先生に来てもらったり、学生ボランティアに来てもらったりしたときに、それが身についてる。僕もやりたいなという気持ちになって。仮設にいたときからやりだして。手伝いごとを。小2かな。そのことがあって、入るきっかけになったかな。

牧　どんな仕事するの?

大輔　地域の防災訓練と、ポンプの点検したり。災害、台風とかのときに出動する。

牧　出動したことある?

大輔　18歳で入った。それから計6回、7回、もっとかな。18歳からしか入れない。誕生日付で入った。火災現場もいくし、台風も出動する。

牧　「行ってくるわ」って?

やす子　ぱっと服着ていくからあっという間におらへん。「気をつけろ」と言う前に行く。

大輔　メール入ったら行かなあかん。

牧　(出動は)10回ぐらい?

大輔　もっと。台風が多いから、30回以上は行ってる。年末警戒もあるし。

牧　手当とかは?

大輔　一応出ます。ボランティアやけど各自治体から、ここは神戸市から出動手当がでる。人数減ってきてる。高齢化で。

　おやじと同じ年代ばっかり。僕と嫁からしたらお父さん、おじいちゃん。かわいがってくれてる。僕は32だけど最年少。

牧　70の人はかつがれへんな。

大輔　じっとしてもらってる。そこは僕らちょっと若いもので出たりとか。

牧　そんな息子をどう思う?

昭夫　ある程度しっかりしてきたかな。

やす子　大丈夫かなと思ったけどね。「できるやろか」って言ったな。「お母さ

語り部活動をする大輔さん

ん大丈夫や」って言ったから、「あんたが入りたかったら入り」って。

牧　災害のとき助けに行くからリスクも。

やす子　それはある。

火災現場行ったら思い出す。あのにおいで

大輔　火災が一番大変。火災なら（現場に）行かないとあかん。台風は詰め所に集まって待機。見回りしたりするし、一番大変なのは火災現場。僕らは放水しないけど。市街地の消防団はほぼ野次馬整理。放水することほとんどない。大きい火災になったら放水するけど、立ち入り禁止って言って。それが一番大変。ずかずか入ってくる。

牧　中は入らない？

大輔　鎮火した後は入れる。18で初めて行った火災現場で一人亡くなって、ブルーシート持って。あれだけはびっくりしました。年末は午後6時から年末警戒に入る。その昼間に火事があって。ストーブが原因だった。中でおかんと同じ足悪い人いて、逃げられへん。

牧　社会のためになってるけどしんどいな、というのあるやろ。

大輔　しんどいときもありますよ。嫌なの火災現場。火災現場は震災を思い出す。焼け跡のにおいはすごい。鎮火した後のにおいも、うちの家が燃えた後のにおいとまるっきり同じ。震災のときの焼け野原、弟2人探したときの。火災現場行ったら思い出す。あのにおいで。

牧　おばあちゃんと行った光景とか。

大輔　そうそう。このへん古い家が多いので、火事いったら木造住宅、ほんまに火事の独特のにおいがする。それがほんまに震災のときと同じ。においが。そのときは思い出す。一番最初、火災現場行ってにおいしたとき、近寄りたくないと思ったけど、消防団やからそんな言ってたらあかん。

昭夫　ガス漏れのにおいする？

大輔　しない。大阪ガスが来て止めるから。

昭夫　震災のときは漏れてた。

やす子　シューシューいってた。あれだけはかなわん。

大輔　震災の後、料理するでしょ。ガス怖いからずっと電気プレート。

やす子　しよったな。

大輔　ちょっとガスひねるだけでギャーって。

やす子　私が埋まってるところの後ろからシューっと音とにおいがごつかったので。

伝えていくの大事かなと、ずっと思ってた

牧　消防団に入って、それから、語り部はいつから？

大輔　入ったのが3年前？　29歳くらいのとき。ちょうど語り部グループの方が僕の新聞記事を読んでくれた。その方が近くの方。うちの地元の人の自治会の役員に連絡して紹介してほしいと言われて、電話で話して語り部に入りませんかって。

牧　「わかりました」って（引き受けた）？

大輔　入りたかった。入る前に1回やった。母校で地元の方と一緒に2人で話しに行った。それがきっかけで、伝えていくの大事かなと、ずっと思ってた。それを記事に書いてたから、その人が見て、ちょうど。

牧　小学校とかで話したときは、どんな反響？

大輔　その当時の中学生とかは震災を知らない人が多い。リアルにしゃべった。そしたら「衝撃だった」と言ってて、そういう話をしたほうがいいかなと思って、話すようになって。逆にこれを防災と考えたらいいんちがうかなって。防災的な語りが多い。自分消防団やし、今後の防災を考えながら語り部やっていったらいいんちゃうかなって。それで語り部入ろうかなって。

兵庫県の防災学習施設「人と防災未来センター」が語り部の活動を行い、神戸市も語り部の派遣事業を行っている。民間団体の活動も数多い。大輔さんが参加する「語り部ＫＯＢＥ１９９５」は、震災から10年の２００５年に始まり、８人の語り部のうち、当時小学生だったのは大輔さんを含め３人。全国各地の小学校や地域の自主防災の集まりなどに赴いて震災の体験を語るほか、東日本大震災や熊本地震などの被災者に向けて、自らの被災体験を語ることを通した支援活動をしている。

昭　夫　まさかそんなんするのは知らんかったからね。

大　輔　ちょうど語り部に入ったのが嫁と結婚する前。嫁に言ったら、嫁も「やりたかったらやり」って。

牧　お母さん、どう？

やす子　「なんや語り部って」って。そしたらこの子から震災のこととかをみんなの前で話したりするって。「ええ」って。

牧　聞きに行ったことある？

やす子　ない！「聞きに来る？」も言わへんし。恥ずかしいんちゃうかな。

大　輔　来てもいいけど、行く場所が遠い。いま多いのは大阪。

牧　どこに属してるの？

大　輔　語り部ＫＯＢＥ１９９５。顧問が京都大学の教授。代表が田村さんという元学校の先生。そのグループで。

牧　派遣されていく？　大阪とか？

大　輔　大阪も東京も行きました。語り部で初めて東京に呼ばれて。東北の人も３人くらい来て、東日本大震災を経験した人。

牧　学校が多い？

大　輔　学校が多い。今年は入ってないけど来年は決まってる。１月10日が大阪。１月17日は自分の母校の小学校でしゃべる。

牧　あちこち語り部に行ってるの知ってる？　どう思う？

やす子　いいことやと思う。経験をな。いまの年齢の子はほとんど知らないから地震のことは。
牧　お母さんの話する？
大輔　しますよ。自分の経験の話はさらけだす。体験をさらけ出すので、母親、父親どうなったとか。行くのは小学校が多い。しゃべっててもむずかしいの低学年。「地震てわかる？」ってなる。僕も当時小1。僕もわからなかった、地震そのものがわからない。1年生から地震の勉強をするから大体の子わかる。最初にきく。地震知ってる？　って。それで数みてから話す。僕も思ってた、「なんで地面が揺れるの」って。ウルトラマンの怪獣が来たと思った。
やす子　埋もれてるときに「こんなときアンパンマン来てくれへんかな」とか言ってた。
大輔　仮面ライダーや。
牧　そんな感じなんやろな。
大輔　ほんまに意味わからんかった。
牧　怖いのはある？
大輔　それはありましたよ。
昭夫　これで死ぬなって。
大輔　一言言われた。「あきらめようか」って。わからんかった。
昭夫　下の子の声聞こえなかったから。（体が）抑えられてるから、重さに抵抗したら死ぬのが早いから、体の力抜きって。寝るみたいにしときって。そのほうが長持ちするから。（住宅の）一番端の人は、若い夫婦で、子どももうちみたいなのが2人いた。ずっと声聞こえてた。助けてって。叫ぶのいいけど体の力抜いてるんかなって。抵抗してたんちゃうかな。声が聞こえないようになったのが1時間もたってなかった。4人一家全滅。
大輔　うちのとなりのおっちゃんも亡くなった。
昭夫　奥さんは助かったけど、お父さんと犬は助からなかった。台風とか災害で小さい子どもが亡くなるとすぐにこの子ら（亡くなった次男と三男）を思い出す。年寄りと小さい子どもだけ死なないようにならんかなていつも考える。

震災を忘れない。忘れられないことなので。語り部として伝えていく

牧　今年の遺族代表、あれは打診があった？

大輔　前にやった人がうちの語り部の人。その人から、「次やる？」って言われて引き受けた。

牧　立派やね。

大輔　噛み噛みだったけど。

牧　一緒にいった？

やす子　行ってた。どきどきしたな（笑）。

牧　消防団に18歳で入って、29歳で語り部、32歳で遺族代表。一貫して気持ちとして流れてるものある？

大輔　震災を忘れない。忘れられないことなので。それを通して自分で忘れないようにして、語り部として伝えていく。継承じゃなくて、伝承してほしい。

牧　そういう気持ちがあったんやね。これからどうする？

大輔　続けてやっていきたい。できる限りやっていこうかなと思ってる。

2019年、大輔さんは震災の追悼式典で遺族代表として経験を語った

あとがき

37年間の教師生活から

大学生のころ、テニスばかりしていた思い出がある。その私がテニスの強い神戸市の教師になった。新任教師が集められた会場で、「君、こっちや」と御影工業高校の校長が私を含む5人を着任校へ連れて行った。そのときまで、私は夜間高校（定時制）の存在すら知らない大学生だった。

「お前らに負けへんぞ!」

全校生徒が集まる着任式で、金髪にピアス、斜に構え迎えてくれた生徒たちに、とっさに出た言葉だった。これが教師生活の始まりだった。何度も全日制高校に異動するように校長から言われたが、退職するまで夜間高校の教師で居続けたのには、重い理由があった。

学校での付き合いのほか、家庭訪問や会社訪問を続けていると、生徒の姿は学校と職場・家ではそれぞれ違うことを知り、背景にあるいろんなものが見えてきた。

たとえば、経済的貧しさがあり、被差別の中で抜き差しならぬ状況に置かれた親と子の姿もあった。荒れることで辛うじて立っている生徒と、生き抜こうと懸命な親の姿を前に「学校、卒業せなあかんで」としか言えなかったことを覚えている。

私が夜間高校の教師となった当初は、働きながら学校に来る生徒がほとんどだった。沖縄から集団就職で神戸にやって来た青年や、幼い頃にブラジルに移住し50歳で家族と帰国、ポルトガル語しか話せず、学校でいじめられて不登校になった息子に「お父さんも頑張るからお前も頑張れ」と夜間高校に入学した年配生徒がいた。一家を支えようと懸命に働いていた生徒たちとの出会いは、全日制高校しか知らなかった私には衝撃だった。

教師と生徒と言うより、同じ労働者として励まし、励まされてきた。時々、学校の帰りに生徒たちと居酒屋で、クラス運営や授業について意見をぶつけ合ったこともあった。

夜間学校は「社会の縮図」そのものだ。難病を抱えながらも卒業しようと頑張る生徒、「暴走は青春だ」とバイクで走り回る少年、かつて不登校だった生徒、学ぶ機会を失くしていた高齢者、普通高校に入学できなかった障害者など、多様な生徒たちが「混在」して学んでいる。バブル崩壊後、経済や社会の状況が複雑になり、一人ひとりの生徒の背景が見えにくくなってきたと感じる。だからこそ彼らと接点を保ち、「ひとりじゃない」と伝えるのが教師の役割なんだろう。共に悩み、共に考えることで解決の糸口はきっと見つかると思う。生徒たちにとって、今も昔も学校が大切な「居場所」であることには変わりない。

卒業後にふらっと訪ねてきて、「結婚するねん」「自分の店持つんや」「転勤したけど、今度帰ったら食べに行こう」と、にこやかに報告してくれる教え子を見れば、しんどさも忘れたものだった。

37年間の教師生活で、私は想像以上の重い荷物を背負った多くの生徒たちに出会った。私は教壇で数学を教えたが、生徒たちが私に人生を教えてくれた。

父の死と心臓移植の募金活動

震災の年の2年前、父が余命半年の末期がんと宣告された。ホスピスケア病棟での入院生活は、父にとって苦しかったと思う。見舞いに行くと、「タバコが吸いたい」と車いすで廊下へ出た。窓から見える山の景色を眺めながら、うまそうに一服する父の表情は忘れることがない。

入院後3カ月が過ぎた頃に、一時帰宅が許されたときの話である。私は42歳だった。この時生まれてはじめて、父とゆっくり語り合えた。父は「お前には親として何もしてやれなんだ」と泣いた。私は「高校の時、俺の心を助けてくれたやないか。嬉しかった」と、心に残る「あのとき」の話をした。

17歳の頃、私は身体が弱く、医者から「運動は禁止や」と言われていた。にも関わらず、運動が大好きな私は、放課後毎日遅くまで体操部で活動していた。毎日クタクタになるまで練習して帰る息子を、両親はさぞかし心配したであろう。学校から「今、保健室で寝ています」と電話を受ける度に、母は肩身のせまい思いをしていたに違いない。だが、父も母も「やめなさい！」とは一言も言わなかった。

ある日、学校から「旅先で何かあったら困る」との理由で、「修学旅行には連れて行けぬ」と言われた。落ち込む私を見た父は、血相を変えて学校へ乗り込んだ。校長・学年主任・担任を前に「何かあったら困るから連れて行かんと言うのは何事か」「楽しみにしている生徒を何としても連れて行ってやろうとするのが学校と違うのか」と吠えまくったと言う。

結局、修学旅行には行けなかったものの、私は父の行為が嬉しかった。学校のことには無関心な父が、息子の姿を見て、なりふり構わず息子の心を守ろうとした。私はこの時、どれほど父の優しさを感じたことか。

この出来事を、私は死が迫っている父に話した。父は頷きながら泣いていた。3カ月後、もっと生きて欲しいと願ったが、父は亡くなった。


父の死の30日後、小さなビラが私の自宅に舞い込んだ。そこには「夫は海外で心臓移植をしなければ助かりません」とYさんへの募金を願うものだった。

今でも不思議だが、「海外での臓器移植」の知識を全く持たないのに、私は知り合いでもないYさんが入院している病院に行き、医師に会った。医師は、Yさんは難病の拡張型心筋症で心臓移植でしか生きる望みはないが、「もし、ドナーが見つかれば社会復帰ができる。自転車にも乗れます」と私に語った。この時、おそらく私は父を生かしたくても生かすことができなかった悔しさと比較したのだと思う。この人は募金活動をし、ドナーが見つかれば助かり、社会復帰もできるのだと。

阪神淡路大震災の前年、私は海外での移植に生きる望みを託したYさん（当時43歳）の募金活動の中心となり様々な経験をした。一人の命を救うため、わずか2カ月足らずの間に、2万人以上が募金に協力した活動だった。

当時、「臓器移植法案」が国会に提出されようとしていた時で、脳死移植の是非が厳しく問われていた。彼は多くの人の善意に助けられ、米国で移植手術を受け、社会復帰を成し遂げることができた。その後3年間という短い「生」であったが、自ら「心の移植」と呼んだ彼は、十分に生きたのだと私は思っている。

活動中、私たちは多くの市民からの励ましだけではなく、批判の言葉も浴びた。精神的苦痛と疲労の中で「辞めてしまいたい」と思った時、一通の手紙が届いた。

「私も一昨年春に、生体腎移植手術を受けましたが、一年余で再び透析導入となりました。今度は死体腎移植に望みをつないでおります。薬の副作用で後遺症ばかりが残り、身の置き場がない痛みや苦しみと日々闘っております。いつできるものか分からない大手術を待つのは、全く、心身ともに多大なストレスを抱えますが、自分自身をだましだまし、きっと明るい明日の来ることを信じて、病と闘っていこうと思っています。Yさん頑張ってください」

同じ「痛み」を抱えて、日々その痛みと闘い疲れ果てている人が、他者の苦しみを優しくいたわり力強く励ましてくれた。

また、募金活動に参加した20人の高校生たちは、街頭募金の最中、ツバを吐きかけられ、ののしられ泣いたこともあった。それでも「命の募金活動」をやり通した高校生の5人が医療の仕事に身を置く決心をしたのだった。その後、彼女たち全員が、一瞬にして6千名の人生を奪った阪神淡路大震災に遭遇した。

この活動は、参加した人たちの人生観を変え「命」について考える場をも与えてくれたのだと私は思う。

夜間高校での様々な境遇にある生徒たちとの出会い、そして「命の募金活動」。これら私の置かれた環境が、阪神大震災で生まれたボランティア「よろず相談室」の下地となり、25年間の活動を支えてきたのかもしれない。

「よろず相談室」を支え続けてくれた人たち

「よろず相談室」を辞めたいと思うことはなかったか、とよく聞かれる。

そんなことは何度もあった。正直地味で、地道で、しんどい活動だった。一番辞めようと思ったのは、震災から

10年が経ったころ、訪問先でむごい孤独死を出してしまったときだった。坂上久さん（証言08）と同じ復興住宅で一人暮らしをしていた50代の男性が、死後4カ月経って見つかった。外出しがちな人で、警察に捜索願を出したこともあったから、訪ねたときにいなくても「留守か」と深追いしなかった。坂上さんはその人の隣の部屋に住んでいて、その日も私たちは世間話なんかをしていた。梅雨前の薔薇がきれいな時期だった。

ところが、実際にはそのひと月前に、彼は布団の中で亡くなっていた。夏に坂上さんの部屋のベランダにウジ虫がはい出してきて、「なんや」と思った坂上さんがふとその人の部屋の中を見ると、白いカーテンがハエで真っ黒だった。慌てて警察を呼び、亡くなっていたのがわかった。本当にショックだった。

「孤独死を防ごう」と活動しているのに、こんなにむごい孤独死を出してしまった。もう立ち直れないほど落ち込んだ。仲間にも、活動をしている意味がないから辞めようと弱音を吐いた。

気持ちを立て直せたのは、全国から届くカンパの存在だった。震災3年目ぐらいから、東京の女性が毎月千円ずつ、途中からはその人の家族も千円ずつ。1年分まとめて送るのではなく、毎月送られてくる。10年目が過ぎるころまで送ってくれた。「見守っているよ」と無言のメッセージを受け取っているような気になれた。数カ月が過ぎ、「少しだけ行ってみよう」と気持ちが向いて、坂上さんのところへ足を運ぶと「また来たらええやん」と言ってくれた。坂上さんがそう言ってくれるなら、また来よう。少しずつ、活動を再開した。

よろず相談室は、多くのボランティアと、全国からの温かい気持ちに支えられてきた。手弁当の活動は、このような人たちの協力がなければ続けることはできなかっただろう。

手紙支援のきっかけをくれた茨城県の歯科医師目黒由美さんは、毎年段ボール箱一杯の手書きのクリスマスカードや年賀状を10年以上にわたり、届けてくれた。感謝してもしきれない。私はたくさんの被災高齢者が彼女の優しい心遣いに救われたのを知っている。

しかし、２０１１年3月11日、東日本大震災が発災。目黒さんの住む地域も被害に遭った。彼女や彼女の母は無事だったが、目黒さんからの手紙はこの時から止まった。逆に神戸の人たちは、目黒さんや子どもたちの安否を気遣い心配していた。現在、5人と年賀状のやり取りが続いている。

目黒さんは、2015年の台風で常総市の鬼怒川が氾濫したときには、週2回の休診日にボランティアへ通ったという。主に避難所の運営ボランティアとして30回以上活動したそうだ。そこでは、全国からの支援者との出会いが数多くあったと聞く。とりわけ、神戸や福島などの被災地から「恩返し」との思いで来てくれたという人々との出会いには、涙が止まらなかったという。

2019年には台風19号がまたしても茨城を襲い、那珂川が氾濫した。この時は自宅の軽トラに乗って、被災ごみを運搬し片付けるボランティアをした。身体が勝手に動いてしまうのだそうだ。被災者の苦しみや悲しみを知るからこそ、いてもたってもいられないのだろう。電話での声は元気だが、私は彼女の心身が疲れ果てないことを願っている。何時までも元気でいて欲しい。

「証言記録」「証言集」作成にあたり

訪問活動を通して、心に残る多くの言葉に出会った。震災10年が過ぎた頃から、この人たちが話してくれたことを記録しようと考えた。だが、震災時にすでに高齢者だった人たちは、次々と亡くなり始めていた。

ある時、広島の原爆資料館で映像による証言を見た。顔の表情・声のトーンが視聴者にそのまま伝わる証言映像は、分かりやすかった。映像で記録できれば、その人の顔も声も忘れることはない。やってみようと真剣に考えた時には、震災からすでに20年が経過していた。ホームビデオを固定し、当事者と私や、「よろず相談室」の仲間たちとの会話を記録した。

震災当時だけではなく、震災前の生活、震災後の生活や思いなど時間軸で聞くように心がけた。2015年から2019年までの5年間で22世帯の半生を聞いた。記録時間は1人約1時間半から2時間で合計40時間になった。当初、証言映像はよろず相談室の宝物として、外部に出すことは考えていなかった。そのためか、心許した人たちと自然で本音の会話を記録することができたのだった。

よろず相談室を訪れた知り合いのカメラマンに、記録の一部を見せると「こんな映像は私たちには撮ることができません。自然体で本音を語る姿を、他の被災者や今後起こりうる災害被災者のために伝えることができないのですか」と真剣に語った。正直、私の心は揺れた。「当事者との約束を反故にすることになる」「素人が撮影した映像が他者に伝える力を持つのか」など不安と同時に、「この証言映像が他の被災者や、今後起こりうる大災害で被災者となりうる人々の助けになれるかもしれない」との期待も持った。

そこで、当事者たちに、正直に私の気持ちを伝え、承諾を取り直すことにした。「嫌だと思うところは記録に載せないこと」「編集して短くなるけど、できるだけ丁寧に皆さんの声を伝えたいと思っていること」などを説明し、世間に公開することを目的に編集させて欲しいとお願いした。承諾を得ていない人や亡くなった人など7人以外の15世帯の映像を編集することになった。

２０１９年９月、これまでよろず相談室の活動に関心を寄せてくれていた報道関係者に声をかけて、証言映像をどう編集すればいいのか、第1回の編集会議を持った。よろず相談室2人、当事者3人、報道関係者10人が参加。私の気持ちを伝えると同時に、「証言映像」を制作する意味、どのような内容にするのか、制作方法の在り方などの話し合いが持たれた。以後、毎月1度の編集会議が持たれた。この中で「証言映像」だけではなく「証言集」も制作すべきとの意見が出た。国民の記憶に残る大災害の発生から、四半世紀を生きた人々の生活史を綴ったものは類がなく、歴史的資料になるとの意見が出され、映像には収録できなかった人も含めた18世帯26人の証言を記録することになった。

２０２０年3月末、40時間の映像を編集し、6時間の「証言映像」が完成した。「15人分約25時間の文字起こし」「文字起こし文章の編集作業」「映像の編集」など時間を要する作業や細かい作業を、主に報道関係者の人たちが、仕事と掛け持ちしながら手伝ってくれた。日常的に特ダネを競い合うメディア各社の人たちが、一つの作業を共にすることは非常に珍しい光景だったと思う。「映像の編集」には、関西大学社会学部メディア専攻の里見繁先生と、学生たちも力を貸してくれた。

6月には「証言映像」の短縮版（約1時間）が先生のお陰で完成した。この短縮版は、地方ならではの課題や活動を描いた映像ドキュメンタリーの祭典、第40回「地方の時代」映像祭2020で、優秀賞を受賞した。今後、多くの人に観て貰うことで「被災者となること」を広く伝えることができるのではないかと期待している。

本書（証言集）の制作は、映像から受け取る声や表情などの印象的な情報ではなく、丁寧に文字化し、データなどを補いながら残すことで、阪神淡路大震災を多面的に理解することを助ける資料にしたいと考え作り上げたものである。図書館や学校現場に置いて貰えれば、被災者の生の声を記録した貴重な資料になると思う。

未来の大災害は避けられない。被災者になりうるみなさんの助けになることを願っている。

みなさんありがとう

25年間、細々と続けてきた「よろず相談室」の活動に参加してくれたボランティア、カンパで活動を支えてくれた人々、見守り続けてくれた報道関係者など多くの人々に、改めて感謝したい。

また「阪神淡路大震災の被災者の声」を残すべきだと支えてくれた各報道関係者・支援者・制作費をカンパして下さった多くの人の存在がなければ「証言映像」も「証言集」も、完成は難しかった。

私は25年間、しっかりと被災者と向き合ってこれたのだろうか、と思い返すことがある。もしも、25年前と同じ境遇に身を置くことになったとしたら、今まで以上に「よろず相談室」の活動をするだろうか。…しんどい。好きなテニスを楽しみたい…。それでもやはり、あの状況に置かれたなら、私は彼らをようほっとかれへんと思う。

災害に遭った人たちや、今後起こりうる災害で被災者となる人たち・支援者・行政に、私たちが経験してきた阪神淡路大震災の被災体験を伝えることができるなら、そして少しでも誰かの力になれるのなら、ここまでのあゆみには確かな意義があった。

みなさん本当にありがとう！

２０２０年11月18日　牧　秀一

【地震の概要】（気象庁発表）

発生年月日		1995 年 1 月 17 日（火）午前 5 時 46 分
地震名		平成 7 年（1995 年）兵庫県南部地震
震源地名		淡路島（北緯 34 度 36 分、東経 135 度 02 分）
震源の深さ		16km
規模		マグニチュード（M)7.3
各地の震度	震度 7	神戸市等阪神淡路地域
	震度 6	神戸、洲本
	震度 5	京都、彦根、豊岡
	震度 4	岐阜、四日市、福井、敦賀、津、和歌山、姫路、舞鶴、大阪、高松、岡山、徳島、津山、多度津、鳥取、福山、高知、境港、呉、奈良、加西、みなべ、坂出、多賀、美方、高野、伊賀、那賀
	震度 3	山口、萩、尾鷲、富山、飯田、諏訪、金沢、串本、松江、米子、室戸、松山、広島、西郷、輪島、名古屋、大分、田原、隠岐の島
	震度 2	佐賀、三島、浜松、高山、高岡、宿毛、松本、御前崎、静岡、甲府、長野、横浜、熊本、日田、都城、軽井沢、下関、宮崎、人吉、上越、富士河口湖
	震度 1	福岡、熊谷、東京、水戸、熱海、浜田、新潟、土佐清水、宇都宮、前橋、いわき、延岡、平戸、鹿児島、館山、千葉、秩父、石岡、神津島、南阿蘇

参照）気象庁震度データベースより

【人的・住家被害】

人的被害	死者		6,434 人	非住家	公共建物	1,579 棟	
	行方不明者		3 人		その他	40,917 棟	
	負傷者	重傷	10,683 人	文教施設		1,875 箇所	
		軽傷	33,109 人	道路		7,245 箇所	
		計	43,792 人	橋りょう		330 箇所	
住家被害	全壊		104,906 棟	河川		774 箇所	
			186,175 世帯	崖くずれ		347 箇所	
	半壊		144,274 棟	ブロック塀等		2,468 箇所	
			274,182 世帯	水道断水		約 130 万戸	※厚生省調べ
	一部破損		390,506 棟	ガス供給停止		約 86 万戸	※資源エネルギー庁調べ
	合計		639,686 棟	停電		約 260 万戸	※資源エネルギー庁調べ
				電話不通		30 万回線超	※郵政省調べ

※水道断水、ガス供給停止、停電、電話不通については、ピーク時の数である。

参照）消防庁／平成 18 年 5 月 「阪神・淡路大震災について（確定報）」

【地域別仮設住宅建設戸数】

市町村		戸数
被災地	神戸市	29,178
	尼崎市	2,218
	西宮市	4,901
	芦屋市	2,900
	伊丹市	660
	宝塚市	1,564
	川西市	620
	明石市	856
	三木市	94
	洲本市	14
	津名町	260
	淡路町	123
	北淡町	600
	一宮町	376
	五色町	70
	東浦町	222
	西淡町	4
	三原町	4
被災地外	三田市	244
	猪名川町	48
	姫路市	569
	加古川市	1,194
	高砂市	412
	稲美町	38
	播磨町	61
	大阪府	1,070
合計		48,300

参照）兵庫県資料より

【火災による被害】

	兵庫県	兵庫県以外			計
		住家	非住家		
			公共建物	その他	
全焼	7,035 棟	1 棟	0 棟	0 棟	7,036 棟
半焼	89 棟	5 棟	0 棟	2 棟	96 棟
部分焼	313 棟	8 棟	2 棟	10 棟	333 棟
ぼや	97 棟	6 棟	1 棟	5 棟	109 棟
合計	7,534 棟	20 棟	3 棟	17 棟	7,574 棟

※兵庫県の住家・非住家の別については不明

参照）消防庁／平成 18 年 5 月「阪神・淡路大震災について（確定報）」

【道路の復旧状況】

阪神高速道路	神 戸 線	1996 年 9 月 30 日
	湾 岸 線	1995 年 9 月 1 日
	北神戸線	1995 年 2 月 25 日
名神高速道路		1995 年 7 月 29 日
第二神明道路		1995 年 2 月 25 日
中国自動車道		1995 年 7 月 21 日

参照）令和 2 年 1 月　兵庫県
「阪神・淡路大震災の復旧・復興の状況について」

【ライフラインの被害と復旧状況】

		復旧年月日	
電　気	停電　260 万戸（大阪府北部含）	1995 年 1 月 23 日	倒壊家屋除き復旧
ガ　ス	停止　84 万 5 千戸	1995 年 4 月 11 日	倒壊家屋除き復旧
水　道	断水　127 万戸	1995 年 2 月 28 日	仮復旧完了
		1995 年 4 月 17 日	全戸通水完了
下水道	被災施設：22 処理場、50 ポンプ場 管渠延長 164km	1995 年 4 月 20 日	仮復旧完了
電　話	交換機系不通　28 万 5 千回線 加入者系不通　19 万 3 千回線	1995 年 1 月 18 日	交換設備復旧完了
		1995 年 1 月 31 日	倒壊家屋除き復旧

参照）令和 2 年 1 月　兵庫県　「阪神・淡路大震災の復旧・復興の状況について」

【主な鉄道の被害と復旧状況】

鉄道	被害区間	全線開通
ＪＲ新幹線	姫路―京都	1995 年 4 月 8 日
ＪＲ在来線	姫路―高槻ほか	1995 年 4 月 1 日
阪神電鉄	全線	1995 年 6 月 26 日
阪急電鉄	全線	1995 年 6 月 12 日
神戸電鉄	全線	1995 年 6 月 22 日
山陽電鉄	全線	1995 年 6 月 18 日
神戸市営地下鉄	全線	1995 年 3 月 31 日
神戸新交通	全線	1995 年 8 月 23 日
神戸高速鉄道	全線	1995 年 8 月 13 日
北神急行電鉄	全線	1995 年 1 月 18 日

参照）令和 2 年 1 月　兵庫県
「阪神・淡路大震災の復旧・復興の状況について」
『守れ　いのちを』（神戸新聞総合出版センター）

【義援金配分状況】

		配分金（万円）	被災者支給済額	
			件数	金額
死亡者・行方不明見舞金		10	5,803	580,250,000
住家損壊見舞金		10	450,491	45,049,267,000
重傷見舞金		5	11,087	554,350,000
要援護家庭激励金		30	49,160	14,748,000,000
被災高校生等教科書購入費助成		2	52,703	1,741,960,000
被災児童・生徒新入生助成		保幼 1		
		小 2		
		中 5		
		高 5		
被災児童特別教育資金		100	577	460,400,000
住宅助成金	持家修繕助成	30	155,611	46,599,566,380
	賃貸住宅入居助成			
生活支援金	当初分	10	385,745	37,926,400,000
	追加分	5	357,645	17,882,350,000
市町交付金	住宅再建		43,613	13,046,681,600
	その他		5,415	230,260,000
市町配分金				284,000,000
府県交付金				210,398,463
計			1,517,850	179,313,883,443

参照）兵庫県の資料による

「よろず相談室」の活動は、四半世紀という長期にわたったことから、多くの支援者、報道関係者、大学関係者など、社会的な視点を持つ様々な方とつながりを持った。映像による証言集の制作、書籍による証言集の制作は、そうした方々の多大なるご協力を元に完成した。本書の出版にあたり、これまで「よろず相談室」と関わってきた皆さんから寄せられたメッセージを紹介する。

（編集部）

発刊に寄せて

神戸新聞東播支社　編集部次長　石崎勝伸

たどり着いたのは、大阪の病院や兵庫県西部の施設だった。阪神・淡路大震災の発生から数カ月。その人たちは体の一部を失い、家族を亡くし、自宅や仕事も奪われた。離れた被災地の情報は届かず、両脚のまひが残った女性はベッドの上で天井を見つめていた。

後に「震災（災害）障害者」と呼ばれる人たちの存在が気になったのは、芦屋市の避難所で車いすに乗った男性を見かけたことがきっかけだった。「障害がある人の避難所暮らしは大変やろな」。そう思いながら別の考えが浮かんだ。「もしかして、もともと障害があった訳やなく、この震災で車いすが必要になった人もいるんやないか」

被災地の病院や自治体を回った。重傷者の多くは被災地外へと搬送され、その存在は見えにくくなっていた。ある自治体の担当者は「障害者手帳の申請で把握するしかないが、仮に申請があっても、病気や事故で障害を負った人と区別はしない」と言い切った。

実際は、絶望の淵にいる人たちが少なくなかった。ただ、それでも周りには支える人が必ずいた。取材した内容をニュース記事や連載で紹介した。同じ立場の人から「励まされた」という反響もあった。だが、それまでだった。記事で取り上げたのはごく一部のケースで、行政のスタンスも変わらなかった。にもかかわらず、私は次のニュースの現場へと転戦していく。後ろめたさを抱え続けた。

十数年がたち、「よろず相談室」の牧秀一さんから連絡があった。避難所、仮設住宅、復興住宅と、被災した人たちの声に耳を傾け続ける中、置き去りにされてきた震災障害者を「ほっとかれへん」と思ったという。同じ立場の人たちが思いを打ち明け合える「つどい」を彼らは毎月開き、兵庫県や神戸市に実態把握を働き掛けた。国には障害者手帳の申請書類で原因欄に「自然災害」を新設するよう求め、実現させた。

大切なものを失った苦しみ、悲しみは、失った人の言葉でしか伝わらない。それを伝えるのは記者の役割だと思う。だが、当事者の状況を改善させ、同じような思いをする人を減らせるかどうかは、言葉を受け取る側がどう動くかにかかっている。その意味で、よろず相談室のこれまでの活動と、今回の証言集発行という取り組みに、心から敬意を表したい。

関西テレビ　磯部有珠

牧さん、25年間お疲れ様でした。集大成といえる証言集に関わらせていただいたことは、私にとっても貴重な経験でした。ありがとうございました。

牧さんとお話をしていると「やっぱり先生だな」と感じます。違うことは違うとはっきり言い、愚痴を言えば一緒になって怒る。大変な時は無理しなくていいんだという言葉を聞いて気持ちが楽になったことも一度や二度ではありません。

この証言集を作るとき、相手が震災でどんな経験をしたのかだけではなく、今をどう生きているのかも記録し、「希望」の見えるものにしたいと牧さんは常々仰っていました。

私は数人分のインタビューを文字に起こす作業をお手伝いさせていただいただけですが、みなさん穏やかな口調で最近の楽しかったことや生きがいをお話されていたことが印象に残っています。苦労や悲しみ、複雑な気持ちをたくさん抱えて25年を生き抜いた方々の声。その中にある「希望」に目を向けながら、読んでみてほしいと思います。

しみん基金・KOBE理事　市川英恵

私が特に印象に残っているよろず相談室の活動は、災害障害者に関する取り組みです。私が活動に関わるようになったのはここ数年ですが、よろず相談室の働きかけで兵庫県や神戸市が実態調査に着手し、県内で349人の災害障害者が判明したと聞いています。2017年2月には、当事者とその家族も一緒に厚生労働省を訪れ、災害障害者に対する一層の支援を求めて要望書を提出しています。要望を受け厚労省は、障害者手帳の交付業務を担う都道府県などに「自然災害」を申請書類の原因欄に加えるよう通知し、対策の検討を促しました。

被災された方のお話を聴くだけでなく、そこで見つけた課題について国に訴えている団体は、あまり多くないのではないかと思います。しかし、そうやって制度が改善されると、災害が起きたときに同じように苦しむ人が少なくなります。被災者の声が活かされることになります。

災害障害者への支援は、まだよろず相談室が求めているには足りないのが現状で、さらに声をあげていく必要があります。この証言集も、その一助になればと思います。

兵庫県立大学卒業生（平成30年卒）
HAT神戸灘の浜交流拠点「ほっとKOBE」代表　一ノ瀬美希

私は1995年生まれで、阪神・淡路大震災を知らない世代です。復興したと思っていた神戸で、復興住宅での孤独死の報道を見て、学生の自分に何かできないかと模索していた時に牧さんと出会いました。よろず相談室のお茶会に初めてお邪魔した時、被災者の方々との関係性に驚いたと共に、とても羨ましく思いました。支援者対被災者ではなく、人対人の何気ない日常会話を、とても温かい雰囲気の中皆で楽しんでいました。

牧さんから〝大学生だからこそできる復興住宅での支援をしなさい〟と言われ、沢山の助言を頂きました。子どもと高齢者の世代間をつなぐ架け橋となり、地域コミュニティをつくる手助けをする。私は復興住宅の一角に、住民さん達の憩いの場をOPENしました。よろず相談室のような、温かくてほっとできる場所をつくりたい。活動していく中で〝支援〟という意識はありませんでした。

災害支援の在り方というより、人と人との繋がりや、信頼関係を築くことの大切さについて身をもって学ばせて頂き、私にとって人生の大きな財産となりました。よろず相談室、牧さんにとても感謝しております。

よろず相談室ボランティア（手紙支援）　稲冨歩美

私は2011年以降よろず相談室のお手紙支援を担当しています。お手紙支援とは全国から被災地宛にお手紙をつのりお渡しするという、人と人との繋がりで心が癒せたらと活動している支援です。

牧先生との出逢いは東日本大震災すぐ、被災地支援で東北へ行った時。同じ支援バスに乗っていらっしゃいました。牧先生はその時阪神の震災で被災した方と文通でやりとりしている香川県の高校生の話を聞かせてくれて、初めてお手紙は人の役にたつ事ができるんだと知りました。その後私自身被災地の方とずっと文通をしていますが、街は新しく生まれ変わっても被災した方はずっと震災と共に歩んでいかねばならないということを知りました。終わることのない震災、ならば支援も長く続けないといけない。2011年から私と早瀬友季子さんと2人でツタエテガミプロジェクトというお手紙で支援する活動をしていましたが、牧先生引退に伴いよろず相談室のお手紙支援も引き継ぐことになりました。長く寄り添うことの大切さを教えてくださった牧先生の意志を引き継ぎ、これからも長く被災した方と寄り添える活動をしていきたいです。

NHK　江頭さやか

牧さんが教師をしていたとき、生徒は牧さんのことを、先生ではなく「牧さん、牧さん」と呼んでいたと聞きます。教師と生徒としてではなく、対等に話をする先生だったからです。

復興住宅を訪ねるとき、よろずの集いで話をするとき、私たちメディアの質問に答えるとき、牧さんは、いつも対等に、ひとりの人として話していると感じます。大きな声で質問したり、励ますようなことは言わない。ぼそっとつぶやき、ひそやかに笑います。震災証言の映像を初めて見たとき、牧さんのこの対等さが、ここまで人の本音を引き出すのか、と圧倒されたことを思い出します。きのうの出来事かのように、震災当日のことを話す人。友人と思い出を振り返るように、震災後の日々を語る人。胸が苦しくなる話も、思わずくすっと笑ってしまうような話も、牧さんが静かに、しかし確かに受け止めています。こうした証言が集まることで、「被災」ということが誰か特別なよその人の話ではなく、自分自身にも起こりうる身近な話として、多くの人に伝わることを祈っています。

想像するということ　NHK　記者主幹・キャスター　大越健介

想像力を働かせることが大事なのは分かっているつもりだが、何度か苦い経験もしている。東日本大震災後の4月、私は福島県南相馬市でがれきの中に探し物をしている一家と出会った。「アルバムとか、思い出の品をお探しですか」と尋ねた私に、あるじと思しき男性は怒りをにじませながら、「母を探しているのです」と答えた。私は自らの想像力の欠如を恥じ、二の句が継げなかった。

「よろず相談室」の牧秀一さんとの交流は、被災者の終の住み処についての取材を進める中で始まった。牧さんは、私を神戸市内の災害公営住宅に案内しつつ、整然とした壁の向こうにある孤独に、想像を馳せることの大切さを教えてくれた。そして、多くの孤独死を生み出してしまった阪神淡路の教訓が、東日本に活かされることなく、失敗事例が多発していることを深く憂慮していた。

その牧さんが打ち明けてくれたことがある。阪神淡路では、震災によって数多くの人が深刻な障がいを負うことになった。光が当たらないそうした震災障がい者の存在を自身が知ったのは、発災から10年以上たってからだという。それが意味するのは、災害の陰には、どんなに目を凝らし、想像をたくましくしても届かない、膨大な人生の暗転が存在するという現実だ。

とはいえ諦めるわけにはいかない。このほどまとまった証言集は、見過ごされがちだった被災者の生の声に、可能な限りリーチを試みた、牧さんたちの活動の大きな結晶だと思う。同時に、私たちが共有すべき第一級の資料になるものと期待している。

事実をもとに改めて想像力を働かせ、被災を自分ごととしてとらえ直さなければならない。なぜならそのことは、被災した多くの人たちの悲しみの上に生きる私たちにとって、宿命的に不可欠な行動様式だと思うからだ。

あなたが教えてくれたこと　神戸新聞　カメラマン　大山伸一郎

私は20歳の時、神戸で被災しました。個人的に、自ら命を絶った人も、余計に強くなった人も見てきました。話さなければ心が持たない人とも、当時のことを決して話せない人とも、つかず離れず歩いてきました。

24歳で記者になった時「震災を知らない」世代と言われました。28歳の時、あるブックレットを読みました。36歳で、泣き崩れる少女を静かに支える牧さんを見ました。42歳、福島の地で避難者たちの隣にいようとする真意を知りました。

「人は人によってのみ救われる」というあなたの持論は、すべての人に当てはまるわけではないかもしれない。ただ、あなたたちに救われた人がこの街にいる。それが事実です。

今も決して話せないその人に、当時の話を何気なく振ってみました。沈黙が返ってきたので、関係ない思い出話をしました。小さな声で、ぼそぼそと。ええかげんやし、愛想はないけど、これでいいんですよね。

NHK　小口久代

初めて牧さんを撮影させていただいたのは、２０１５年に放送した番組『ハートネットTV 鉄の扉の中の孤独～阪神淡路大震災・20年後の現実～』の取材でした。関東出身でほとんど神戸に縁のなかった私は、恐る恐る牧さんの背中に隠れるようにして、復興住宅に暮らす皆さまを訪ねさせていただいたのを覚えています。番組では、20年が経つと神戸と、4年しか経っていない東日本大震災の被災地、その両方で起きている、復興住宅に暮らすお年寄りの深刻な孤独の問題についてを伝えさせていただきました。取材期間中に訪問していた女性がガンで亡くなられ、牧さんが「高齢者と関わるということは、亡くなるということを抱えて活動しなければいけないということ。楽しい思い出がひとつでもあったんかなっていつも思って。だから少しでも楽しい思い出を残してあげたいなって気持ちはあります」とお話しして下さいました。

　その後も何度か牧さんの背中を追いかけて撮影をさせていただいています。優しさと厳しさと覚悟がにじみ出る、いつまでも追いかけていたい背中です。

個々の被災者と向き合う大切さ

朝日ウイークリー編集長　小倉いづみ

　牧先生から「よろず相談室についてコラムを」という依頼を受けたが、阪神大震災の約1年後に当時の朝日新聞神戸支局に赴任した私が最初に取材をしたのは、震災ではなく牧先生の夜間高校での仕事だった。様々な事情を抱え、年齢も様々な生徒さんたちの様子を、コラムで連載していただいた。

　まだ駆け出しの記者だった私は、復興が始まったばかりの被災地で、被災体験がないのに被災者を取材することにかなり引け目を感じていた。しかし、牧先生はそんなことを斟酌せずに仮設住宅に暮らす生徒さんに引き合わせ、北神の仮設での活動に連れ出し、「よろず」で活動する皆さんに引き合わせ…。どんどん震災取材に引き込んでいってくれた。

　色々な活動をする様々な団体を取材してきたが、「よろず」は特別だった。主義や主張といったものが良い意味で感じられず、受容的で、草の根と形容するのがふさわしい。数年前、私が当時いた月刊誌に、再び牧先生に寄稿いただく機会があった。テーマは震災障害者。個々の被災者の話に耳を傾けてきたからこそ、この問題に気づかれたのだと思った。

牧さんは走り続ける

神戸新聞　取締役　門野隆弘

　牧さんと初めて出会ったのは、三十数年前のことだ。当時、彼は30代の定時制高校教師、私は入社4年目の事件記者。厳しい家庭環境にある子ども、働きながら学ぶ少年らとつながる牧さんを、先輩記者から紹介していただいた。教え子と接する姿を追いながら、時には共に居酒屋で飲み、屋台でラーメンをすすった。教え子から感じたのは、牧さんとつながることで醸し出される「安心感」のようなものだった。

　１９９５年1月、阪神・淡路大震災が起きた。牧さんは自宅近くの避難所に「よろず相談室」を設けた。避難所の解消でいったんは閉じたが、仮設住宅での孤独死が相次ぎ、活動を再開した。

　被災高齢者の家庭訪問を続け、震災障害者への支援を訴えた。一方、学校では障害のある生徒の就労に走り回った。その姿勢から教えられたのは、人に「寄り添う」ことの意味だった。

　今春、牧さんは「よろず相談室」の活動を若手に託した。とはいえ、これから余生をのんびり過ごすとは思えない。毎年のように起こる災害の被災地で、そして教え子や若い教師らに伝えねばならないことはたくさんある。牧さんは、これからも走り続ける。彼らに寄り添うために。

毎日新聞福島支局　川口裕之

　２００９年から3年間、先輩や後輩とともに震災障害者の集いに参加させてもらった。神戸市が震災当時の書類を調べ、市内で少なくとも１８３人が震災で障害を負ったと集計したのが09年11月。兵庫県も実態調査に乗り出した。無関心だった行政が動き出し、気運が高まるにつれ、私は不安を感じるようになった。

　「報道が当事者の思いからかけ離れたものになってはいないか」。報道に対して「震災障害者と一般の障害者と何が違うのか」と疑問を持たれることもあった。そんな時、私を支えたのが、集いに参加する皆さんの言葉だった。クラッシュ症候群になり、一人苦しみ続けた岡田一男さんは「背負ってきた重い荷物を、薄紙を一枚ずつはぐように軽くしたい」と同じ境遇の人と集う場を牧秀一先生に求めた。娘の洋子さんが高次脳機能障害を負った城戸美智子さんは「私たちはかけがえのない犠牲を払ったのに、伝えるべき財産だと認めてもらえないのか」と顧みられることの少なかった悔しさを振り返った。

　皆さんの言葉に立ち返ることで、その孤独や悲しみを少しでも和らげるために、そして次の災害で繰り返さないために頑張ろうと思えた。東日本大震災後、仙台や福島で仕事を続けている。あのころの経験があるからこそ、被災地に関わり続けたいと思っている。

東灘区　医療法人社団　河原医院　理事長・院長　河原　啓

このたびは、「よろず相談室」の震災被災者、障害者記念証言集およびDVDの刊行、誠におめでとうございます。

思い起こせば、平成7年1月17日の阪神淡路大震災では、神戸市内でも大変大きな被害が出ました。私の職場でも職員のご家族や患者様方が何人も犠牲になられました。また被災された多くの方々は、それぞれ必死の思いで復興に力を注ぎ、ボランティアの方々、行政や保健・福祉関係の方々、そして医師会の先生方が一丸となって、その復興の後押しをしてこられたのだと思います。当時東灘区医師会の地区理事であった私もそうでした。同年春に新執行部の公衆衛生部部長となりました私は、行政・保健部の方々のご助力も戴き、微力ながら仮設住宅の住民の方々の健康の保全に力を尽くすこととなりました。

一般的な健診の他、生活習慣病や感染症のチェックなど限られた項目でしたが、多くの問題点が抽出されました。さらに仮設住宅では、長期に亘る不便な生活の上に、家族や友人を喪失され、しかも新しい人間関係を築けないといった方々が酒に溺れたり、衰弱されたりして、結局孤独死に陥るという事態が多発いたしました。しかし、その原因は漠然とは分かっていても、じっくりと傾聴・同悲し、ちょっとした声がけをしたりすることで、精神的苦痛をとり除き、予防することも十分にはできていませんでした。時間が経ち、神戸という街は、物理的にもシステム的にも復興を遂げてきました。しかし、神戸市行政の方々や多くの住民の方々もこれら孤独な方々の「こころの問題」は忘れがちでした。行政も医師会も十分には対応できていなかったことは大きな反省点だと思うのです。

ところが、それをボランティアで対応されていたのが牧さんの主宰される「よろず相談室」だったのです。

「復興により新しい建物が建っていっても、被害者の心は満たされない」牧さんの言葉はすべてを表しています。

被災され、今までの人間関係も途絶えてしまい、孤独であった多くの方々の悩みを長年に亘り傾聴されてきたということは、その方々が精神的に救済されたとはいうものの大変なご負担であったろうと想像いたします。困っている方々、悩んでいる方々のために、何とか活路を見いだそうとする「よろず相談室」の姿勢には本当に頭が下がります。自然災害はこれからも頻繁に起こることでしょう。また、新型コロナウイルス感染症による外出自粛により孤独死される方、熱中症で亡くなる方も急増しています。私たちも被災者となることは十分に考えられます。しかも、牧さんたちが行ってこられたこの活動は、今後も大変重要な意義をもたれるものだと思います。次代の若い世代に、証言集・DVDとして記録を残され、伝えていくということも大きな宝だと思います。

「よろず相談室」の今後益々のご活躍をお祈り申し上げます。

神戸新聞　記者　木村信行

牧先生といえば、あの話し方だ。ゆっくり、くぐもった声で、じわりと人の心に入ってくる。社交辞令のような余計な言葉を聞いたことがない。いつもいきなり本題から、必要なことだけを話す。

牧先生と出会ったのがいつかは覚えていないが、よろず相談室に何度も通ったのは震災10年のときだ。牧先生が熱心に取り組んでいた震災障がい者について、いろいろと教えていただいた。

いや、牧先生のスタイルは「教える」ではなく、「木村君も一緒に考えてよ」だった。牧先生が定時制高校一筋37年間の教員生活にピリオドを打つ前に神戸新聞の「人」という欄に登場していただいた。最後の言葉が不敵だ。「しばらく休んで、むっくり起きたときに何をするか。自分にも分からん」

むっくり起きた後の牧先生の活躍は、神戸でも、東北でも、みなさんご存じの通り。今回も、しばらく休んだ後、むっくり起きるような気がする。

神戸新聞　編集局報道部記者　金　旻革

何も特別なことをしない。被災者のもとへ現れ、「元気やった？」と声を掛ける。「よろず相談室」の牧秀一さんの会話はとりとめもない。取材で幾度か同席させてもらったが、内容が思い出せないほどだ。ほどなくして「ほな、また来るわ」と辞去。友達とのおしゃべりそのままだ。

私は2018年から災害担当になり、阪神・淡路大震災をはじめとする被災地取材に関わっている。牧さんとの出会いはその年の3月、場所は仙台空港だった。災害の「さ」の字も知らなかった私が、被災者支援とは何かを学んだのは牧さんからだ。

天災による理不尽な艱難辛苦に、じっと耳を傾ける。被災者は話をしたことで肩の荷が少し下りる。時間を置いて、また牧さんが顔を出す。その繰り返しを四半世紀続けた。簡単に見えるが、信念がなくしてなし得ない。本人には一度も言ったことはないが、人間が持つ妙味に牧さんを通じて触れられた。

最後に、一番好きな牧さんの言葉をつづりたい。「人を支えられるのは人だけやから」。そんな当たり前のことが、当たり前になる社会になりますように。

尋ねてみたい「不屈四半世紀のヒミツ」　週刊朝日　副編集長　木元健二

いい記事は、文字が立ってくる。

阪神淡路大震災から2年余りたった1997年春、わたしは朝日新聞神戸支局（当時）で働くことになった。ほどなく文字通り文字が立つ記事が、朝日新聞兵庫県版の紙面に時折載ることに気づく。紙面の下の方、それも記者が書く記事ではなかった。

牧秀一さんが勤めていた神戸市立楠高校の教員たちによるエッセーだ。やむを得ない事情で学べなかった人が齢を重ねたのちに文字を獲得していく情景や、夜間定時制ならではの給食の大切さなどがつづられていた。

当時わたしは「市内廻り」担当で、神戸・須磨の連続児童殺傷事件をはじめ、さまざまな事件事故の警戒・取材に追いたてられ、イライラすることが多かった。だから、どんなに遠回りしても学ぼうと苦闘する人々を描くエッセーに足元を見つめ直したのかもしれない。

牧さんと知り合ったのはその頃だ。「センコー仲間」と一緒に話すのも楽しかった。漱石の坊ちゃんに心酔する牧さんと、ルイトモというべき「よう似た先生ら」がいた。

ガタイのいい体育教員（当時47歳）が、居酒屋でふともらした話が忘れられない。

シンナーに暴走、覚醒剤にも手を染めた教え子が、一念発起して建設会社を営むまでになった。ところが取引先に持ち逃げされ、消費者金融から借金1100万円をこさえる。教員はその保証人を引き受けたが、会社は倒産。弁護士をたてて返済問題を話し合っているが、電話をかけても教え子は出なくなった。幼い頃から知る彼の長男は楠高校近くの中学に通うのだが、すれ違っても知らん顔をするように。以前なら笑みを浮かべたのに。

「人は人によってのみ救うことができる」

牧さんの持論だ。その通りだと思う。障害者雇用の拡大を企業相手に談判したり、被災者たちを励ます手紙を届けたり、と取り組む様子を、わたしたちは見てきた。

しかしながら「救うこと」、その継続は困難を極めるのではないか。

大震災発生の1995年からずっと、たゆむことのない活動。「どない？」とたくさんの被災者のもとに顔を出し、東日本大震災の被災地にまで足を伸ばしてきた。そんな営みの連続は、けが人を見かけて手をさしのべるような行為とは違い、思わざるトラブルも避けられなかったに違いない。あの体育教員のように。

被災後の現実がもたらす重荷を背負いきれず、持って行き場のない思いを抱えた被災者も珍しくなかった。水平の視線と共感の思いを抱く牧さんとて、受け止めかねる局面は一度ならずあったに違いない。

牧さんは〝引退〟を報じるテレビ番組で心境を尋ねられ、「疲れました」とカラリと言った。わたしは画面に向かって頷いた。

ただ、この四半世紀、どれだけ〝ずれ違い〟が生じても、牧さんは「救うこと」を諦めなかった。なぜそこまで不屈な構えを貫けたのか。今度、ゆっくり尋ねてみたい。

日本経済新聞　福島支局長　黒瀧啓介

忘れられない光景がある。

阪神大震災を取材した２００９年、初めて「ＨＡＴ神戸」を訪れた。お年寄りがひとり、またひとりと、杖をつき、手押し車を動かし、トボトボと歩いていた。周辺には築10年ほどの小ぎれいな高層住宅が立ち並ぶ。このコントラストに、「復興」の2文字がかすんでいった。

そんな折、「よろず相談室」の牧秀一さんに出会った。牧さんは師走の夕刻、大学生を連れてＨＡＴ神戸で暮らすお年寄りを訪ね、カラフルな年賀状を配って回った。「人の心の復興は難しいということを若い世代に肌で感じてほしい」。牧さんは静かに話した。

２０１９年。10年ぶりに取材した牧さんは「よろず」の活動を続けていた。「高齢者は何よりも話し相手がほしい。この年齢になると切実にわかる」。孤独死はなくなっていない。「人の命は人しか救えない」。四半世紀の活動を通じた牧さんの言葉を重く受け止めた。

「生き延びた人々の声」を静かに聞く　関西大学社会学部　教授　里見　繁

今回の映像による証言集（「阪神・淡路大震災　15人の証言映像　震災高齢者・障がい者の声」）は、関西大学社会学部の編集教室で作業を行った。編集作業は、春休み中に集中して行われた。牧さんと、それぞれの人物ごとの担当者（各社の記者）、それに技術を担当した里見ゼミの学生が、人のいない大学内の広い教室の一隅で、肩を寄せ合ってコツコツと映像を刻み続けた。編集技術を担当することになった学生の北口貴大君は、この春からテレビの技術会社に就職することが決まっていたので、「これ以上の勉強の機会はない」と半ば強制的にこの企画に加わってもらった。

一人の証言者に対して一人の記者がつき、撮影した長いインタビューのどの部分を使うのか、事前に決めたうえでこの場に臨み、その指示に従って北口君が繋いでいく、そういう作業だった。そこで、牧さんと北口君は毎日出席し、担当記者だけが一日ごとに替わっていく。こうして、作業は、1証言者について1日で完成する日もあったが、もちろんそうでない日もあって、結局、編集作業は3月いっぱいかかった。

ところで、私は教室の管理者として立ち会うだけであったが、後に縮刷版を作る、という目論見もあったので、それぞれの記者がどういう編集方針で言葉を選んでいるのか、それが一番気になった。インタビューを受けた人の数と同じだけ編集担当の記者がいる、というのは、俯瞰してみれば編集方針がないに等しいのではないか、そんな危惧を抱いたが、まったくの杞憂だった。牧秀一という聞き手の悠揚迫らぬ語り口が凄惨な体験をも包まず聞き出していく、その掛け合いのリズムが共鳴するように、人から次の人に伝搬していく、そんな印象を抱いた。それは不思議な経験だったが、不思議と言えばもう一つ。日頃の取材活動ではライバルであるはずの記者たちが、この時ばかりは一つの映像作品に向かって知恵を出し合った。これも牧さんの神通力なのか。その姿は、古い時代に記者として育った私には、不思議な光景であった。

歴史を風化させない、とありきたりのことを述べるつもりはない。一人一人の体験談にじっと耳を傾けていると、不謹慎だが気持ちが落ち着くのである。あの頃、みんな、そんな話ばかりしていた。私も取材者として聞いた。しかし、今、語る中身は同じでも、みな（当たり前だが）年老いて、そして穏やかである。生き延びた人々の茶飲み話なのである。自らの体験を自らの中で消化して、そして、今日まで生きてきました、そういう報告集だと思います。尚、縮刷版は、第40回「地方の時代」映像祭の「市民・学生・自治体部門」で優秀賞を受賞した。

神戸新聞　記者　新開真理

阪神・淡路大震災後、読み書きができず生活再建が進まない人たちを支える識字教室が神戸に生まれました。１９９７年、その取材の中で、定時制の楠高校の教諭であり、「よろず相談室」でも識字教室を開いていた牧先生に出会いました。ところが当方の記事の不適切な表現に牧先生から物言いがつき、各方面への謝罪を経て、深夜の中華料理店で懇々と諭される展開に。しかしその後も実名匿名取り混ぜて何度も取材に応じてくださり、頭が上がりません。

近年は、高齢者が集中する復興住宅に学生が入居する試みを提言。また被災者支援の活動に次世代を巻き込もうと、積極的に大学生を現場に連れて行くなど、常に若い人の可能性に深い信頼を寄せている。根っからの「先生」だなあと思います。

　復興住宅で住民の話に耳を傾けた帰り、ふらふらで自転車に乗れない日もあったと聞きます。怒って、許して、親身になって。先生、そして共に歩んで来られた方々に敬意を表します。

千田幸平

　今回、縁あって証言集の編集をお手伝いさせて頂くことになった。私自身は関東出身で阪神大震災は経験していないが、この2年強、多くの被災経験者の方にお会いする機会に恵まれた。2021年1月で発生から26年。近年、震災を扱った新聞記事では「記憶の風化」や「教訓の継承に課題」といった文言が紙面を飾るケースが増えた。改めて四半世紀の時の流れを実感する日々だ。

　ある被災者の方が私に話して下さった言葉がある。「人間は誰でも嫌なことは忘れたいし、忘れるようにできている」。被災者ではない自分が軽々しいことは言えないが、記憶の風化というのはやはり避けては通れないだろう。だからこそ、証言集が震災から四半世紀を経た今、刊行されることは大きな意味を持つはずだ。100年後、震災が文字通り「記録」の中だけで語られる時代になっても、この証言集をひもとく人がこの国のどこかにきっといると信じたい。

よろず相談室　田井 暁典

　よろず相談室が活動をはじめてから25年たちますが、私が関わるようになったのは6年ほど前です。テレビの討論番組で牧さんの話を聴いたのがきっかけでした。その後、災害公営住宅への訪問に同行するようになり、震災による怪我の後遺症を抱える方たちの集いにも参加しました。

　そのなかで感じてきたことですが、訪問の相手や集いの参加者が待っているのは、ボランティア組織のスタッフの誰かではなく、いつも通ってくれる○○さんであり、参加するスタッフも、そのような関係の構築を大切に考えてきたように思います。そして、心を寄せる気持ちがあれば、傾聴の経験などなくても、待っていてもらえる存在になるのだと、高校生や専門学校生の訪問に付き添った際に感じました。組織としての活動ではなく、ひとりひとりの取り組みという印象です。

　しかし、活動の継続が組織の力ではなく、個人の努力に依存し、牧さんやその時々の中心メンバーの負担が大きくなってしまった側面もあります。このことが、よろず相談室の経験を牧さんから新しい世代に繋いでいくための課題になっています。

チンドン音楽と震災支援
ケセランぱさらん音曲パラダイスショー（太田てじょん・ふかじゅん）

　私たちは、阪神大震災以来、チンドン音楽で被災地を回り楽器を一緒に作り、仮設住宅の大人も子供も一緒にパレードしたり、音曲ショーで、しんどい気持ちを、ひと時でも忘れてもらう活動をしていた。主に東北で活動していたが、2014年の1・17の日に神戸でまだ復興住宅の皆さんの支援をしている牧さんをTVでお見かけし、何かさせて下さいとお願いしたのが出会いだった。その後HAT神戸でコロナ前までは歌声喫茶を実施、2016年には、牧さんと一緒にいわきの原発避難者・津波被災者の2つの復興住宅の分断をつなぐ場に関わらせてもらった。お互いの無理解による分断の現場から、交流が生まれ、一緒に秋祭り行うことができるまでに立ち会って本当に感動した。

　人は、他者と関わりを持たないと生きていけないことを痛切に実感する。牧さんが長い活動の間で関わった人々が、人生をどんなに支えられてきたかということは想像に難くない。牧さんと出会えた事は、私たちにも大切なご縁となった。

毎日新聞　三陸支援支局　中尾卓英

　町が灰燼に帰した1995年1月17日の阪神大震災以来、ふるさとでもある神戸市東灘区を拠点に被災したお年寄りや障がい者が、避難所から仮設住宅、災害公営住宅に移り住むたびに、訪問を続けたよろず相談室の牧秀一さん(70)。活動は「人は人によってのみ救われる」という経験(信念)に基づく。

震災5000日が経つころ、震災で後遺障がいを負った人々を訪ねて記事にする取材を始め、頭部をピアノに直撃され記憶力低下や知的障がいを伴う高次脳機能障害を負った少女と母親に再会した。96年春、1年遅れで「私立高校入学おめでとう」と記事を書いていたが、その後、牧さんが教諭を務めた定時制高校に再入学、卒業し、2007年に別の震災障がい者の訴えを受けて始めた「つどい」に母子で参加していた。

「中尾さん、覚えてる」。震災で息子や娘たちを逆縁で失ったご遺族らと各地の慰霊碑を訪ねる震災モニュメントウオークを重ね、東遊園地に建立した「1・17希望の灯り」には「震災で失ったもの　命　暮らし　街並み　団欒」――と刻まれている。母親は「娘は、健康な体を失ったのよ」。なぜ後遺障がいに思いをはせなかったのかと、鋭く問うていた。

少女は病院で余命半日と宣告されたが自発呼吸を回復しリハビリを続けた。だが「バレーボールに打ち込み、おしゃべりだった」娘の姿はない。病名が判明してからも、役所で、病院で、何度も見放され「死ぬ方法がいくつも浮かんだ」という。つどいに参加して定時制高校担任だった牧先生の言葉に救われたという。

「生きているだけまだましやと思って、障がいを負った人の苦渋の日々を想像できなかった。ごめんな」。その後、つどい参加者の訴えを受けて神戸市や兵庫県が震災障がい者の実態調査を始め、東日本大震災後に、国が障害者手帳の原因欄に「自然災害」を加えるよう自治体に通知を出すまでになった。

赴任した福島県いわき市や、宮城県気仙沼市などでも、牧先生の活動にご一緒させていただいた。被災された人々と交わす言葉は、みちのくとも呼ばれる三陸で報道を続ける指針ともなっている。「頑張りすぎたらあかんよ。また来ます。ぼくら、一回来て終わりやないから」。今回、牧先生と、よろず相談室の活動が書籍やDVDとなると聞き、ご労苦に思いをはせ、喜びがあふれる。刻まれた人々の生の証しは、「二度と同じ苦しみを繰り返してほしくない」という指針となって、これまでも、これからも、あまたの喪失を重ねた人々に希望をともし続けるに違いない。

毎日放送　報道局記者　中澤陽子

「ワシ、地震様に手紙書いたんや～」と照れ臭そうに笑うその男性に出会ったのは、私が入社一年目の冬。神戸市東灘区の御旅公園仮設でした。呼吸器に障害があり1日12時間の酸素吸入が必要、阪神淡路大震災前は漢字の読み書きも殆ど出来ず引きこもりだったという山本恒雄さんです。ボランティアにお礼状を書くために「よろず」の識字教室で学び、やがて自らも一念発起して活動を手伝いだす姿を、当時無我夢中で密着させて頂きました。

元来、ご陽気キャラの山本さんと、穏やかで優しい瞳の牧さんコンビを前にすると、最初は俯きがちだった高齢被災者の方々に笑みがこぼれ出し、それを見た山本さんのオーラが加速度的に輝き出す…それは正に〝化学変化〟のような光景で、当時、本人もその〝手紙〟の中で「地震様に、少し感謝をしていることもあります」と喜びの心情を綴っていました。

地震に遭い、よろずと出会ったことで図らずも人生の後半戦を劇的に好転させた山本さん。

あれから20年が経ちますが、今、相次ぐ豪雨災害や前代未聞のコロナ禍の中で、改めてその姿や牧さんの「人は人によって救われる」という言葉を思い出します。いつだって人は変われる、という当たり前のようでとても難しい「幸せのヒント」がこの証言集に隠されているような気がしています。

京都光華女子大学　講師　西池沙織

私が初めてよろず相談室の門をたたいたのは今から十年以上前、大学生の時であった。香川県にある琴平高校とよろず相談室の交流についての新聞記事を目にし、祖父母の住む琴平と神戸がつながっているということに縁を感じた。私にも何かできることがないかと牧先生に連絡をとりワクワクしながら訪ねたが、そこには私の想像を超えた世界が広がっていた。

「毎年孤独死が増えている。それを少しでもくいとめたいんや…」当時震災から十年以上たち人々の記憶から震災の存在が薄れていく中、長く、そして深く、震災で結ばれた絆にかかわり続けておられる姿に胸が打たれた。訪問活動をしていて驚いたのは、その関係の密なこと。訪ねる方にとって牧先生がいかに身近な存在であるか、長い時を経て培われたつながりを感じない日はなかった。

　また、他にも心に残っているのが、震災障害者の方々とのことである。「薄紙を一枚一枚はいでいくように重みを取り除いてあげたい」と語る牧先生を見ていて、ふとどうしてそんなにもだれかのために尽くしておられるのか、その原動力は何だろうと考えてしまうことがある。

　よろず相談室は、多くの方にとって、あたたかな陽だまりのような場所であると思う。いつまでもいつまでも人々の心に刻まれている。

神戸新聞　西海恵都子

定時制高校の教師である牧先生と知り合ったのは、30年ほど前になる。生徒との1対1の関係を大切にされていた。障害がある生徒の就労を気にかけ、奔走した。貧困など家庭の事情を抱える生徒らに寄り添った。その地続きに、震災後の「よろず相談室」があったのだと思う。

　震災翌年のインタビューで「よろず―」の芯の部分を尋ねると、「信頼し合える人間関係」と明快だった。目の前の人としっかりかかわる。そこから見えてくる問題を共有し、行動する。支援者と当事者の距離を近づけるには「何をするでもなく、なんとなく、ずっとそばにいる」のだという。実に牧先生らしいと感じ入った。

　そうして積み重ねた25年に一つの区切りを付け、理事長のバトンを若い世代に託した。肩の荷を下ろした今も、牧先生は変わらないだろう。今日も誰かのそばに寄り添う姿が思い浮かぶ。

人は人によってのみ救うことができる

元朝日新聞論説委員　野呂雅之

　初めて取材したとき牧秀一さんの目は怒気を含んでいた。定時制高校の統廃合を進めようとする行政当局、それに無関心な世論やメディア。「あんたはどう考えてるんや」。口にこそ出さなかったが、鋭い視線がそう問いかけていた。

　阪神・淡路大震災が起きたのは、それからしばらく経ってからのことだった。被災者を励ます「よろず相談室」を立ち上げたと聴いて、弱い立場の人たちを放ってはおけないのだろうと、あの時の視線を思い出した。

　異動を断り続けて教諭として勤め上げた定時制高校には、さまざまな事情を抱えた生徒が通ってくる。文字通り被災者のよろず相談を引き受ける活動のスタイルは、そんな生徒たちに真正面から向き合ってきた牧さんの生き方そのものではないだろうか。

　何度か牧さんに同行して独り暮らしのお年寄りを訪ねて回ったが、人の話を聴くのが本業の新聞記者でも骨の折れる活動だった。「人に寄り添う」とはこういうことなのか、と目を開かれる思いがした。

　そうした地を這うような活動によってたどり着いたのが、「人は人によってのみ救うことができる」という信念であり、思想である。牧さんのように全存在をかけて人を支えることは容易くないが、その想いを繋ぐことはできる。

「よろず」は原点

中日新聞　記者　花井康子

「よろず相談室」と出会ったのは、二十五、六歳の頃。まだ新聞記者ではなく、記者を志す者として活動に参加した。

　週末、牧先生と復興住宅で暮らす高齢の被災者宅を訪ね、話を聞いて回った。「困り事を聞いて解決のお手伝いができれば」。今思えば、当初はそんな高慢な考えで活動の一歩を踏み出したように思う。でも、訪問先で繰り返し言われた「来てくれるだけでうれしい」という言葉に励まされ、いつしか自分の方がおばあちゃんたちに会いたくなっていた。

　記者になり、名古屋へ移った後は、両親が引き継いでくれた。帰省すると「よろず、どう？」という話が、実家の中心にあった。

　神戸が弊紙発行外の地域ということもあり、残念ながら直接、新聞記事にしたことはないが、いまでもふと、あのおばあちゃんを思い出す。ひたすら、声に耳を傾ける―。「よろず相談室」の活動を通して教えて頂いたことは、私の原点となっている。

朝日新聞東京本社　地域報道部　浜田奈美

「よろず相談室」の活動から先生が引退すると聞き、ロングインタビューをお願いした時のことだ。取材の終盤、「25年、ようやったという気持ちですか」と聞くと、先生は真剣な表情で「かわいそうやったと思うで」と言うのだった。少し驚いたが、「まあ、そうでしょうね」と答えた記憶がある。

「ほっとかれへん」という思い一つで被災者支援を続けた時間はあまりにも長い。途中で「支援者であること」から降り、ほかの人生を歩む道もあり得たわけだが、先生は「ほっとかれへん」人なのだ。だから悔いても詮無いことだが、正直すぎる言葉に、厳しかった25年の重みを改めて教えられた。

だが、「人間は一生のうちに何をなしうるだろう」と考えるとき、先生がなしとげたことは間違いなく「とても大きなこと」である。阪神大震災の復興史に刻まれた軌跡を誇りに、これからの時間をご自身のために使って頂きたいと思う。先生、ほんまにお疲れ様でした。

よろず相談室ボランティア（手紙支援）　早瀬友季子

私が神戸の大学に在学中、東日本大震災が起こりました。２０１１年6月にご縁があり宮城県気仙沼市に行くことになり、そこに牧先生が同行してくださったのが初めての出会いです。東北に知り合いもおらずまだ学生だった私にとって、東日本大震災のことをニュースでみた当初はどこか他人事に感じていました。しかし、３・11以降は阪神淡路大震災の被災地である神戸の経験を知り合いからたくさん聞くようになってから、「誰にでも起こり得ることなんだ」と考えるようになりました。初めて気仙沼を訪れた時に牧先生に手紙支援のことを教えていただき、ツタエテガミプロジェクトという活動を始めました。また、現在薬剤師として薬局に勤めており、災害医療を学びながら薬学生への講義などを行なっています。

災害は常にどこかで起きていますが、長年寄り添い続ける大切さを牧先生は教えてくださいました。私も微力ではありますが、続けて行きたいと思っています。

日本経済新聞　社会部　松浦奈美

「しあわせは自分の心が決めるのよ」。２００７年、牧先生の紹介で取材した震災障害者、故・石井晴巳さん（当時75）の言葉に涙が止まらなかった。取材中に泣いたのは初めてだった。復興住宅に一人で暮らす石井さんは、震災で足にけがを負い、ほぼ寝たきりだった。家も仕事も失い、震災の苦労話は尽きない。でも、とにかく前向き。自分にできることを探し、介護用おむつの発明をしてメーカーに売り込んだ。「今がしあわせよ」と笑う生き様は美しかった。

牧先生に連れられ、たくさんの家をピンポンした。おうちに上げていただき、ただ何気なく一緒に過ごす。不思議な間合いには、ゆるやかな空気が流れていた。災害後も人は年を取り、暮らしを営む。その断片を惜しみなく見せていただいた。

薄紙をはぐように重荷をおろす――。私が一番好きな牧先生の言葉だ。荷物を背負った人を見つけ、寄り添い、共に進む。私もそんなふうに生きていきたい。

被災者と「時の共有」が築く絆

元朝日新聞記者　松本　督

3月10日付朝日新聞掲載「被災地・神戸からの伝言」の牧秀一さんへのインタビュー記事を読んだ際、宮沢賢治の詩「雨ニモ負ケズ」が脳裏をよぎりました。「よろず相談室」の活動を知ったのは震災3年目に入ろうとする頃。先輩記者の紹介記事を通してでした。ひたすら被災者を訪ね、話し相手になる訪問活動。「とても手間がかかるだろうに」が当時の感想でした。そんな浅薄な受け止め方は、その後、牧さんとお会いして粉々になります。被災者の傍にいて時間と空間を共にすることが、被災者が孤独から立ち直るのにどんなに大切か、そこで生まれる人間の絆がどんなに貴重であるか、教えられました。教育現場に長く携わった牧さんの人間への信頼感が底に流れていると感じました。「雨にも負けない」訪問活動を貫いて4半世紀。その「愚直さ」の前には、災害などが起きる度に政治指導者が繰り返す「被災者の皆様に寄り添って～」という決まり文句が色あせて見えてしまうのです。

フリーアナウンサー　松本有加

自分にできることがしたい

私が活動に携わったのは阪神淡路大震災から14年後の２００９年。

私自身も震災で家が全壊し、同級生や知人を失いました。

震災当時、何もできなかったはがゆさから「今、自分にできることがしたい。」と可能な範囲で活動に参加しました。

人の強さ、心の温かさ

活動の中で特に印象深かったのは、震災で障碍を負った人達との出会いです。

みなさん、明るく前向きで心優しく、会えるのが楽しみでした。

9年前、東日本大震災でけがを負った人達を案じた60、70代の高齢の当事者の人達が東北への慰問されたほか、ハイチや中国の四川省で地震の被害にあった人達との交流、また「自然災害への備えの大切さ」を講演会で伝え、国へ障碍者手帳のあり方を訴えるなど、当事者でありながら「誰かを救おう」と行動されていることに心から尊敬の念を抱いています。当事者の人達から「人の強さ、心の温かさ」という言葉の意味を学びました。

みなさんの想いや取り組みを証言集で知っていただき、一人でも多くの人の心に届きますように。

朝日新聞　記者　宮崎園子

いつだったか、弁護士や議員に「先生」を付けて呼ぶことについて、職場の先輩に注意された。『先生』ではなく『さん』と呼べ」と。記者の心持ちとしては確かにそう。でも私にとって、牧先生はどうしても牧「先生」でしかない。楠高校に何度も通ったし。記憶があやふやだが、最初に取材したのも「よろずの牧さん」ではなかった。

新聞記者の振り出しの地が神戸でなかったら。牧先生と出会っていなかったら。今ごろ私はまるで違う記者人生を歩んでいるような気がする。新聞記者で居続けているかどうかも疑わしい。「昔の出来事を昔話にせず、今を生きる私たちの問題なのだと世に問い続ける」。そんな営みを、毎日広島の地で続けながら、しみじみそう思う。

記者としての「居場所」を、私は神戸で見つけた。「命が何より大事」ということも、「なんでもない日常が続くことが尊い」ということも、先生の背中に学んだ。だから、牧先生は、私にとって牧先生であり続ける。

一人一人に寄り添うことの大切さを教えていただきました

兵庫県立大学　減災復興政策研究科　教授　室崎益輝

牧秀一さんからは、その掛けがえのない素晴らしい行動から、非常に大切なことを教えていただきました。私が、牧さんにお目にかかって、被災者支援についてお教えいただくようになったのは、震災後3年目ごろでした。よろず相談室の集まりに寄せていただいた時の、肌で感じた牧さんの熱い思いを忘れることはできません。「被災者一人一人に寄り添うこと」の本当の姿を教えていただきました。

震災11年目ごろに、震災障がい者の問題を積極的に取り上げられているお姿を見た時も、大いに感服しました。私もその刺激を得て、関西学院大学や被災者復興支援会議で震災障がい者問題に取り組むようになりましたが、その時も理論面でも実践面でも牧さんから多くのことを学びました。身をもって実践することの大切さと、被災者に寄り添う優しい心の大切さを教えていただいたことに、感謝の気持ちは尽きません。

よろず相談室　望月健司

大学生1年生のときに年末のつどいに参加したのがよろず相談室との付き合いの始まりでした。訪問についていくようになり、訪問先の人と楽しそうに世間話をする様子、訪問先に向かう途中で道を間違えて照れてる牧さん、どれも自分の思っていた「支援者」の姿とは違いました。案外普通の人がしているんだなあと肩の力が抜けたことを覚えています。ただ一方で、訪問先で亡くなった人がいた時の話や、東日本大震災の被災地を目の当たりにして無力感に苛まれた話を聞いたときには、それでも活動を続けているということに牧さんや他の先輩メンバーのこだわりを感じました。

自分が余裕のある時に活動に参加していた私でも徐々に仲良くなる訪問先の人がいて近所の飲み屋さんに連れて行ってもらうことがあり嬉しかったのを覚えています。一方でこちらの関わり方がまずく訪問を断られることもあり、楽しさと難しさの両方を感じていました。そして仲良くなった人が亡くなったことを隣近所の方に教えてもらった時は、家族でもなく、ケアマネのような明確な支援職でもない自分の立場の曖昧さを感じ、数ケ月に一回訪問して顔を合わす関係に意味があるのか、と考えることもあります。そんな悩みをこぼすと牧さんははっきりと「訪問に意味はある」と言うのですが、別に根拠は説明されない。けれどなんとなく「そんなもんかなあ」というような気にもなり、結局仕事の合間に訪問をする生活を続けてきました。

そんな僕が、牧さんから「よろずの活動を引退したい、疲れたから」とだけ言われたときに、はじめに湧いたのは「なんでやねん」っていう苛立ちでした。後になって考えてどうして「疲れた」のかが気になり、一緒に飲みに行くことに。そこで「ようやく重い荷物を下ろせる」という牧さんの言葉を聞いたときに、「よろずの訪問活動が大事な活動である」ということが、なぜか牧さんが背負わないといけないものになってしまっていること、自分もまた牧さんに荷物を載せていたことに気づきショックでした。一番牧さんに言わなきゃいけなかったのは「お疲れさま」と「ありがとう」という言葉な気がするのに。重い荷物をたくさんの人で分け合いたいなあと思いました。その方法は今もわからないままです。わからないなりに訪問していくしかないんだろうと思っています。

新聞うずみ火　代表　矢野　宏

牧秀一さんと熊本を訪ねたのは2017年10月、熊本地震の発生から1年7カ月後のこと。倒壊したアパートに押しつぶされ、右足切断を余儀なくされた、当時東海大2年だった梅崎世成（せな）さんに話を聞くためだ。

「気がついたら真っ暗闇の中で、何が起きたのかわからず、身体を動かすこともできませんでした」

右足に本棚が倒れ、目の前に天井が迫っていた。救出されたのは地震発生から6時間半後。同じアパートに住んでいた1年先輩が亡くなっていた。

「命があっただけでもよかった」と、家族や友人は喜んだが、梅崎さんをさらなる悲劇が襲う。クラッシュ症候群——。「壊死した右足を切っても助かるかどうかわからない」。医師の宣告は非情だった。壊死した部分を残さないよう、右ひざ上5㌢から切断。手術は成功したが、「絶望の淵に叩き落とされたようでした」

慣れない義足に何度も転び、ズボンは穴だらけになった。右足を失ったことで、将来を悲観することもあった。梅崎さんを支えたのは執刀医の言葉だったという。「夢は諦めなければ必ずかなう。だから自分の将来を諦めないで」——。

牧さんがねぎらいの言葉をかけると、梅崎さんはこう語った。「熊本地震のことは節目ごとに伝えられるだけ。阿蘇で暮らしている人の中には日常をなくした人が少なくありません。地震のことが忘れられるのがつらいのです」

震災障害者への支援はどうなっているのか。国から「災害障害見舞金」が支給されるが、対象は両目を失明するなどハードルは高い。しかも、生計維持者には250万円、それ以外はその半額と十分とは言えない。

その夜、牧さんが語った言葉を今でも覚えている。「震災障害者は『生きているだけでもましではないか』と見られ、誰もその実情を見ようともしない」。私たちは震災にいつ見舞われるかわからない。決して他人事ではない。

伝え合い、気づきあい、認め合い

大阪国際大学　名誉教授・シンガーソングライター　湯川静信

「人を救うのは、人である」と牧さんの言葉。「ほんの一言が、そして一場面が人を変える」これは私の言葉。この言葉を重ねながら2016年12月の集いに寄せていただき、みなさんと語り合ったことから「伝え合い」は始まった。障がい児教育から教育現場に入った私は、「人はスポーツと音楽を通して、こころ豊かになり、優しく逞しくなる」と考えている。そのためには「集う」場が必要となる。大小の規模は関係なく、「小さな集い」が生きるエネルギーを生み出すのである。集いのために「一歩外に出る」、そして「語り合い」「涙を流し」「笑い」、集いが「生きるエネルギーの出し入れ」に繋がるのである。「よろずの集い」は、真にそのひとときとなっている。「よろず相談」とは、相談解決の場だけでなく、まず「語り合い、伝え合い、気づきあい、認め合う」場であると思う。

そして大切なことは、それぞれの参加者の立場で、決して風化させてはならない「震災障がい者の現状と課題」を伝えつづけることである。勿論、私も語りつづけ、末永く「よろずのなかま」でありたい。

毎日新聞　記者　吉川雄策

あなたが悩みを抱えた時、すぐに相談できるだろうか。誰に、どのように話せば良いか、「相談の仕方」は意外に難しい。特に災害に伴う悩みなら「みんな大変だから」と二の足を踏む場合は多い。

そんな時、「どうしたの」と声を掛けてくれる人がいると、どれだけありがたいだろう。牧さんを始めとする「よろず相談室」のみなさんは、そんな存在だ。仮設住宅や復興住宅のドアを一つ一つノックし、声を聞き、支援につなげるのは、行政やマスコミでは、悔しいが限界がある。

私は阪神大震災での「震災障がい者」の取材で、当時小学6年生だった大川恵梨さんと出会ったが、そうした当事者や家族が集える場を作ってくれたのが牧さんだった。次第に当事者や家族から「一人で悩む人が出ないようにしてほしい」との声が上がり、2012年の神戸市を皮切りに、災害が原因で後遺症を抱えることになった人の数を把握できる仕組みが広がった。厚生労働省は2017年3月、診断書の様式ガイドラインに、自然災害と分かるような選択肢を原因欄に追加するよう関係自治体に通知した。災害を契機に精神障害者となった人数の把握や、国や自治体による支援の仕組み作りなどはこれからだが、よろず相談室の活動が、国を少しずつ変えている。

震災障がい者に限らず、東日本大震災や熊本地震などの被災地を歩くと、被災者支援のための制度や、今も残る問題点に出会う。そのほとんどが、阪神大震災で浮き彫りになった課題で、牧さんらが一人一人の声を紡いで浮き彫りになったものだ。それだけにこの四半世紀の歩みの記録は、後世の災害に生かす意味でも、本当に重い。

だが手弁当で活動を継続するのは大変だ。以前に牧さんに「なぜ続けられるのですか」と尋ねたことがある。すると牧さんは「声を聞いてしまったからや」と述べ、言葉を続けた。「重い現実を抱えている人は、声を上げることさえ出来へんほど疲れているんや。だからやめる訳にはいかんのや」。

その姿にどれだけの人が救われただろう。多くの被災者と同様に「よろず相談室があって良かった」と、マスコミに足場を置く一人として改めて強く、強く感じている。

毎日放送　和田　浩

「よろず」＝広辞苑によるとその意味は、①数の単位「万」、②数の多いこと、あまた③すべての事、万事、とある。「よろず相談室」とは平たく言えば「何でも屋」ということになる。阪神・淡路大震災で多数の被災者が様々な困難で打ち拉がれた時、「何でも助けます」と宣言するのは並大抵のことではない。定時制高校の教師だった彼は、「よろず相談室」を作り、行政や国に支援を求め、被災者の側に立ってボランティア活動を25年続けてきた。さぞかし崇高なボランティア精神に溢れた人物を想像し、面会場所に指定されたのはタリーズコーヒーの屋外テラス席。初めて出会った彼は、ふつーのおっちゃんだった。崇高な話は少なく、しょーもない雑談話に力が入る、ふつーのおっちゃんだった。肩に力の入っていない生き方。そう見えた彼が25年の節目に活動の第一線から身を引くことを決めた。さぞかし多くの被災者を支援してきた疲れが襲ってきたようだ。

2020年1月、震災で障がい者となった人の自宅を訪れる訪問活動に同行取材させてもらった。最後の訪問かと不安がる被災者に別れ際、彼が声を掛けた。「また近いうちに来るわ」。どっちやねん、という掴みどころの無さと自然体。

だからこその25年、牧秀一さん、お疲れさまでした。

牧　秀一（まき・しゅういち）

1950 年 2 月大阪市生まれ。東京理科大学理工学部数学科卒業。
阪神淡路大震災の発災 9 日目に、被災者の生活支援に取り組む「よろず相談室」を設立。定時制高校の教師として働く傍ら、一人暮らしの高齢者を訪ね、世間話をしたり、健康や生活の不安について聞いたりする活動を続けた。震災から 10 年が経った頃、震災で障害を負った人やその家族の集いを開始。震災障害者の実態調査や対策を国に求めた。2011 年 3 月、東日本大震災が起きると「阪神の失敗を繰り返してはならない」と 70 回以上東北に通った。2020 年、自らの高齢化を理由に活動の引退を表明。今後は「友人のひとりとして、出会いに行きたい」。著書に岩波ブックレット「被災地・神戸に生きる人びと―相談室から見た 7 年間―」

◆ＤＶＤ「阪神・淡路大震災　15 人の証言映像　震災高齢者・障がい者の声」縮刷版について

本書に添付のＤＶＤは、40 時間に及ぶ証言記録を 6 時間にまとめた映像の縮刷版（約 50 分）である。この縮刷版は「第 40 回「地方の時代」映像祭 2020」において、応募 260 作品の中から「優秀賞」に選ばれた。今回、受賞作品とは別に 1 世帯の証言を追加し、10 世帯の証言を収めたものを付録とした。貸出や上映に一切の許可は必要ない。ぜひ学校や地域で防災学習に活用していただきたい。（注・テレビやインターネット等、放送、放映、有償の上映会等にご利用の場合はご連絡ください。）

本書の編集に際しましては、以下の皆様に格別のご協力を賜りました。（敬称略）
相川康子、磯部有珠、井上元宏、江頭さやか、門野隆弘、川地米亜、木元健二、小竿まゆる、嶋田智、新開真理、千田幸平、高岡加愛、花井康子、松浦奈美、溝渕晴香、望月健司、矢野宏、山口洋子、吉川雄策、和田浩、クラウドファンディングなどで出版を支援してくださった皆様

Special Thanks.
㈱神戸新聞社・大山伸一郎・神戸麻子・小池淳・林美子・船崎桜・宮崎園子

希望を握りしめて　―阪神淡路大震災から 25 年を語りあう―
初版第 1 刷発行 2020 年 12 月 14 日
ISBN978-4-909623-05-8

編　者　　牧秀一
発行者　　堀江昌史
発行所　　能美舎
〒 529-0431 滋賀県長浜市木之本町大音 1017「丘峰喫茶店内」
TEL/FAX　0749-82-5066（丘峰喫茶店兼用）
Email horie.m3@gmail.com
丘峰喫茶店内能美舎 HP https://www.kyuhokissaten.com/noubisya

装丁　桐畑淳
襖　野田版画工房
表紙撮影　高村洋司　大山伸一郎
本文レイアウト　辻野広治
印刷・製本　株式会社光邦